D1062981

10
18

12, AVENUE D'ITALIE. PARIS XIIIe

Sur l'auteur

Née en 1966 au pays de Galles, Sarah Waters a été libraire, puis enseignante. Dès son premier roman, *Caresser le velours*, qui a été adapté à la télévision par la BBC, elle devient l'égérie des milieux gays. Avec son deuxième roman, *Affinités*, elle obtient le prix du Jeune Écrivain de l'année 2000 délivré par le *Sunday Times*. La publication de son troisième roman, *Du bout des doigts*, qui a remporté le Somerset Maugham Prize, marque sa consécration. Élue « auteur de l'année » par le *Sunday Times*, elle reçoit en 2003 le prix des Libraires et le British Book Awards, et figure sur la liste des « vingt meilleurs jeunes romanciers anglais » établie par la revue *Granta*. Sarah Waters vit aujourd'hui à Londres. Son nouveau roman, *Ronde de nuit*, a paru en 2006 aux éditions Denoël.

SARAH WATERS

AFFINITÉS

Traduit de l'anglais
par Erika ABRAMS

10
18

« Domaine étranger »

dirigé par Jean-Claude Zylberstein

DENOËL

Du même auteur
aux Éditions 10/18

Titre original :
Affinity

ISBN 2-264-04362-8

Pour Caroline Halliday

3 août 1873

Je n'ai jamais eu peur comme en ce moment. On m'a laissée dans le noir, avec rien que la lumière de la rue pour écrire. On m'a ramenée dans ma chambre, on m'y a enfermée sous clef. On voulait que ce soit Ruth qui le fasse, mais elle a refusé : comment ! Moi, enfermer ma propre maîtresse, qui n'a rien fait ? Voilà ce qu'elle a dit, & pour finir le médecin lui a pris la clef & c'est lui qui a fermé, puis il a emmené Ruth. Maintenant la maison est pleine de voix, & toutes les voix disent mon nom. Si je ferme les yeux & que j'écoute, ça pourrait être un soir comme les autres. Ça pourrait être le moment où j'attends Mme Brink, qu'elle vienne me chercher pour une séance dans le noir avec Madeleine ou une autre, n'importe, une jeune fille rougissante, la tête pleine de Peter, Peter & ses gros favoris bruns, Peter & ses mains qui brillent.

Mais non, Mme Brink est toute seule dans son lit froid, & Madeleine Silvester pique sa crise de larmes en bas. & Peter Quick est parti, j'ai bien peur, pour toujours.

Il était trop violent, & Madeleine trop timide. Quand j'ai dit que je le sentais près de nous, elle a gardé les yeux fermés, seulement elle s'est mise à trembler. J'ai dit : ce n'est que Peter. Vous n'avez pas peur de lui, allez ! Tenez, il arrive, ouvrez les yeux, regardez. Mais elle ne voulait pas, c'est tout ce qu'elle a pu faire que d'ouvrir la bouche : si, j'ai atrocement peur ! Ah ! Mlle Dawes, je vous en prie, ne le laissez pas venir plus près !

Enfin, d'autres l'ont dit avant elle, & beaucoup, en sentant l'approche de Peter, seules avec lui pour la première fois. Il l'a entendue & il a eu un gros rire : allons bon ! On me fait faire tout ce chemin pour me renvoyer aussi sec ? Tu te rends compte de ce que ça me coûte pour venir ? Hein ? Tu te rends compte comme j'ai souffert, & tout ça pour tes beaux yeux ? Là, Madeleine a pleuré — c'est un fait, il y en a que ça fait pleurer. J'ai dit : il faut être plus doux, Peter. Madeleine a peur, c'est tout. Sois plus tendre & elle se laissera approcher, j'en suis sûre. Mais quand il est venu doucement lui prendre la main, elle a hurlé & du coup elle est devenue raide comme une planche & toute blanche. Alors Peter a dit : qu'est-ce qui te prend, petite sotte ? Tu vas tout gâcher. Tu veux qu'on te guérisse ou pas ? Mais elle a hurlé encore, & après ça elle est tombée les 4 fers en l'air & elle a lancé des ruades. Je n'avais jamais vu une dame faire ça. J'ai dit : mon Dieu, Peter ! & il m'a regardée, il l'a traitée de garce & il lui a attrapé les jambes pendant que je lui mettais mes deux mains sur la bouche. C'était simplement pour la faire taire & qu'elle arrête de se trémousser, mais ensuite, quand j'ai ôté les mains, j'avais du sang dessus, elle s'était mordu la langue, il faut croire, ou bien c'est qu'elle saignait du nez. Sur le coup, je ne me suis même pas rendu compte que c'était du sang, c'était noir, tout chaud & pâteux, comme de la cire à cacheter.

Elle hurlait toujours, même la bouche pleine de sang, au point que le bruit a fait venir Mme Brink, j'ai entendu ses pas dans le couloir, puis ses appels effrayés : Mlle Dawes ! Qu'est-ce qui vous arrive ? Vous avez eu un accident ? & quand Madeleine a eu entendu cela, elle s'est tortillée tout d'un coup & elle a crié, haut & clair : Mme Brink ! Mme Brink ! On m'assassine !

Alors Peter s'est penché sur elle & il l'a giflée, & du coup elle s'est tenue tranquille, elle n'a plus pipé, mais moi je me suis demandé si on ne l'avait pas tuée tout de bon. J'ai dit : Peter ! Que fais-tu ? Va-t'en ! Il le faut ! Il allait rentrer dans le cabinet, quand la poignée de la porte a grincé & Mme Brink est entrée, elle avait pris sa propre clef, voilà comment elle a pu ouvrir. Elle apportait une lampe. J'ai protesté : fermez la porte, Peter est là, voyons, & il ne supporte pas la lumière ! Mais elle ressassait toujours : qu'est-ce qui se passe ? qu'avez-vous fait ? Elle a regardé Madeleine, couchée raide sur le parquet au milieu de ses grands cheveux roux, puis moi avec mon jupon déchiré & le sang sur mes mains qui n'était plus noir, mais rouge vif. Enfin elle a regardé Peter. Il se cachait le visage dans les mains en se plaignant de la lumière. Mais sa chemise était défaite & on voyait ses jambes blanches & Mme Brink ne voulait pas éloigner la lampe. Pour finir la lampe s'est mise à trembler entre ses doigts, alors elle a poussé un oh ! & elle m'a regardée, moi puis Madeleine aussi, & elle a plaqué une main sur son cœur. Elle a dit : pas celle-là aussi ? Puis : maman ! oh, maman ! & elle a posé la lampe, elle s'est retournée contre le mur, & quand j'y suis allée, elle m'a repoussée.

Je me suis retournée alors pour chercher Peter, mais il n'y était plus. Il n'y avait que le rideau, sombre & frémissant, marqué d'une tache argentée là où sa main l'avait frôlé.

& au bout du compte ce n'est pas Madeleine qui est morte, c'est Mme Brink. Madeleine n'était qu'évanouie, & quand sa femme de chambre l'a eu rhabillée, elle l'a emmenée dans une autre pièce où je l'ai entendue marcher de long en large en pleurant. Mais Mme Brink perdait ses forces, de plus en plus, pour finir elle ne tenait plus debout. Alors Ruth est arrivée en courant & elle s'est écriée : qu'est-ce qui ne va pas ? & elle l'a fait coucher sur le canapé du salon & pendant tout ce temps elle lui serrait la main en répétant : ça ira mieux tout à l'heure, j'en suis sûre. Je suis là avec vous, voyons, & voici Mlle Dawes qui vous aime comme moi. J'ai eu l'impression que Mme Brink voulait parler, mais qu'elle n'y arrivait pas, & Ruth aussi s'en est aperçue, & c'est alors qu'elle a dit qu'il fallait appeler le médecin. & pendant tout le temps que le docteur auscultait Mme Brink, elle est restée à son chevet, elle lui a tenu la main en pleurant & en disant qu'elle ne la lâcherait plus. Mme Brink est morte très vite. Elle n'a plus prononcé un mot, à ce que Ruth m'a raconté ensuite, sinon pour appeler encore sa maman. Le docteur a dit que cela arrive, que les dames redeviennent comme des enfants sur leur lit de mort. Il a dit qu'elle avait le cœur trop gros, qu'elle n'avait jamais dû être bien vaillante de ce côté-là & que c'était miracle qu'elle ait vécu aussi vieille.

Il aurait pu repartir alors, sans même penser à nous demander ce que c'était qui lui avait fait un choc, mais voilà Mme Silvester qui arrive là-dessus. Elle voulait à toute force lui montrer Madeleine. Madeleine avait des marques sur le corps, & quand le docteur a vu ça, il a baissé la voix & il a dit que l'affaire n'était pas aussi simple qu'elle en avait l'air. Mme Silvester a renchéri : pas simple ? Dites plutôt que c'est criminel ! Elle a été chercher un agent de police, voilà pourquoi on m'a enfermée sous clef, le policier est en train d'interroger Madeleine. Il lui demande qui l'a frappée, elle répond que c'était Peter Quick, & ces messieurs de s'étonner : Peter Quick ? Peter Quick ? Qu'est-ce que cela ?

Il n'y a pas un seul feu allumé dans toute l'immense maison, il est vrai qu'on est au mois d'août, mais j'ai horriblement froid. J'ai l'impression que je n'aurai plus jamais chaud ! J'ai l'impression que je ne serai plus jamais tranquille. Que je ne serai plus jamais moi-même. Je regarde autour de moi, & je ne vois dans ma chambre rien qui m'appartienne. Il y a le parfum des fleurs au jardin de Mme Brink & les flacons de parfum sur la toilette de sa mère, le lustre du bois, les couleurs du tapis, les cigarettes que j'ai roulées pour Peter, la splendeur des bijoux dans leur écrin, le reflet de mon propre visage, si pâle, dans la glace, mais tout cela m'est étranger. J'aimerais pouvoir fermer les yeux & me retrouver en les rouvrant à Bethnal Green, avec ma vieille tantine sur sa petite chaise de bois. Même ma chambre dans l'hôtel de M. Vincy vaudrait mieux, avec sa fenêtre qui donnait sur un mur aveugle. J'aimerais 100 fois mieux être là-bas, plutôt qu'ici où je suis en ce moment.

Il est tard, si tard qu'on a éteint toutes les lumières au Crystal Palace. Je ne vois qu'une masse noire, se découpant contre le ciel.

J'entends maintenant l'agent qui parle, & les criailleries de Mme Silvester qui fait pleurer Madeleine. La chambre de Mme Brink est le seul endroit tranquille dans toute la maison, & je sais qu'elle est couchée là, toute seule dans le noir. Elle est couchée là, je le sais, immobile & bien droite dans son lit, les cheveux défaits, la couverture remontée. Comme si elle prêtait l'oreille aux cris & aux pleurs, comme si elle voulait toujours ouvrir la bouche & parler. Je sais ce qu'elle dirait si elle le pouvait. Je le sais si bien que j'ai l'impression de l'entendre.

Sa voix discrète, audible pour moi seule, me fait peur, plus encore que toutes les autres.

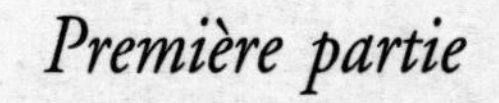

Première partie

24 septembre 1874

Papa disait qu'on peut tirer un récit de n'importe quelle suite d'événements : le tout est de savoir où commencer et où mettre le point final. À l'en croire, tout son art se résumait à cela. Peut-être en effet les faits qu'il narrait étaient-ils relativement faciles à trier ainsi, à découper et à ordonner — les grandes vies, les grandes œuvres, chacune propre, reluisante et accomplie, tels les caractères métalliques dans la casse d'un typographe.

J'aimerais que papa soit là maintenant. Je lui demanderais quel commencement donner à l'histoire dans laquelle je me suis engagée aujourd'hui. Je lui demanderais comment il aurait fait pour conter l'histoire d'une prison — celle de Millbank, plus précisément — où tant de vies distinctes se trouvent réunies entre des murs au tracé tellement étrange, que le visiteur ne franchit que par des voies si obscures, à travers moult grilles et galeries tortueuses. Serait-il remonté jusqu'à la construction de la maison ? Je ne pourrai pas faire cela. On m'a bien indiqué la date ce matin, mais je ne m'en souviens déjà plus; d'ailleurs Millbank a l'air tellement antique et solide que je ne peux pas m'imaginer qu'il y ait jamais eu un temps où l'ombre de la prison ne pesait pas sur ce coin déshérité en bordure de la Tamise. Peut-être aurait-il donc fait commencer son récit chez nous, avec la visite de M. Shillitoe, il y a trois semaines; ou encore ce matin à sept heures, lorsque Ellis m'apporta pour la première fois le costume gris et le manteau que je me suis fait faire pour l'occasion... Mais non, quelle idée! Surtout pas là, entre une dame et sa femme de chambre, dans l'intimité des dessous et des chignons défaits.

Non, je crois bien qu'il aurait commencé à la grande porte de Millbank, à ce point par où passe quiconque se présente pour faire le tour de l'établissement. Que ma chronique prenne donc là son départ : j'y suis accueillie par le concierge de la prison qui inscrit mon nom dans un gros registre, un gardien me fait franchir un étroit passage voûté, me voilà à l'intérieur des murs, dans le chemin qui me conduira vers les corps de bâtiment où les prisonniers passent leur vie...

Avant d'y aller, je marque cependant un temps d'arrêt pour rajuster mes jupes, d'une coupe simple mais large, qu'un fer ou une pierre en saillie accroche au passage. Sans doute papa aurait-il sauté ce détail-là. Pour ma part, j'y tiens, car c'est en levant les yeux de la courbe fluide de mon ourlet que je découvre les pentagones de Millbank — avec une soudaineté qui, jointe au peu de distance qui m'en sépare, me les fait paraître terribles. Je les regarde et je sens battre mon cœur. J'ai peur.

Il y a huit jours, M. Shillitoe m'a donné un plan des bâtiments de Millbank que j'ai punaisé au mur à côté du secrétaire où j'écris ceci. Réduite à un tracé linéaire, la prison a un charme étrange, les pentagones figurant comme les pétales d'une fleur géométrique ou — autre idée qui m'est venue par moments — semblables aux cases coloriées des damiers que nous peignions, enfants. Vu de près, bien sûr, Millbank n'a rien de charmant. L'échelle est immense, et les droites et leurs intersections, sous la forme concrète de murs et de tours de brique jaune coupés de fenêtres à volets, font un effet aberrant ou pervers. Comme si la prison avait été dessinée par un homme en proie à un cauchemar ou à une crise de démence — conçue dans le but exprès d'*acculer* les détenus à la folie. Moi, je suis certaine qu'elle me ferait perdre la raison si je devais y travailler comme surveillante. En tout état de cause, je ne pus réprimer un tressaillement en avançant à côté de mon guide, et je m'arrêtai derechef pour jeter un regard en arrière et lever les yeux vers le triangle de ciel visible en haut. La porte intérieure de Millbank est sise à l'intersection de deux pentagones, et on y arrive par un chemin gravelé qui va en se rétrécissant, entre des murs que l'on sent se rapprocher de part et d'autre, telles les roches errantes à l'entrée du Bosphore. Les ombres jetées par la brique jaune ont là des couleurs d'ecchymoses. La terre au pied des murs est humide et noire comme le tabac.

Ce terreau y communique à l'air une odeur aigre, plus prononcée encore à l'intérieur de la prison, lorsque la porte se fut refermée derrière moi. Mon cœur aussi battait plus fort, breloque qui s'accentua dans le réduit où l'on me fit attendre, sous les regards des gardiens que je voyais froncer le sourcil et grommeler dans leur barbe en passant devant la porte ouverte. Lorsque M. Shillitoe vint enfin m'y chercher, je saisis sa main et soupirai : « Je suis contente de vous voir ! Je commençais à craindre qu'on ne me prenne pour une condamnée fraîchement débarquée, qu'on ne me jette d'office dans une cellule dont je ne ressortirais plus. » Il rit. À l'en croire, les quiproquos de ce genre sont inconnus à Millbank.

Nous traversâmes alors ensemble une bonne partie de la maison, mon guide tenant à me conduire directement à la prison des femmes, au bureau de la directrice ou préposée en chef, Mlle Haxby. Il m'expliquait au fur et à mesure le chemin que nous empruntions, et j'essayais de le retracer en esprit sur mon plan, mais l'architecture de la prison est tellement particulière que je ne tardai pas à m'y perdre. Je sais que nous ne pénétrâmes pas dans les pentagones qui logent les détenus hommes, passant sans entrer devant les grilles qui y donnent accès à partir du bâtiment hexagonal où se trouvent réunis, au cœur de la prison, les magasins, les appartements du médecin, les bureaux de M. Shillitoe et de ses subordonnés, les infirmeries et la chapelle. « Voyez-vous », me dit-il à un moment, désignant d'un signe de tête une fenêtre où se dessinait une rangée de cheminées jaunes et fumeuses, nourries par les feux de la blanchisserie. « Voyez-vous, nous sommes ici comme une petite ville ! Nous vivons quasiment en autarcie. Ce n'est pas pour dire, mais nous résisterions assez bien à un siège. »

Il y avait de la fierté dans son ton, sentiment, il est vrai, dont lui-même souriait. Je lui rendis le sourire. Pourtant, si j'avais ressenti une pointe d'appréhension en laissant l'air et la lumière derrière moi lors de la fermeture de la porte intérieure, à présent que nous nous enfoncions dans les entrailles de la prison et que cette porte elle-même s'éloignait, au terme d'un chemin inextricable que je me savais incapable de retracer toute seule — à présent l'angoisse s'installait. La semaine passée, en triant les papiers de papa, j'étais tombée sur un album des vues de prisons de Piranèse, je les avais étudiées une bonne heure en tremblant à l'idée de toutes les scènes noires et terribles auxquelles j'aurais peut-être à faire face aujourd'hui. Il va sans dire que la réalité n'a rien à voir avec mes imaginations. Nous suivîmes simplement une série de corridors bien entretenus, aux murs blanchis, où des gardiens en uniforme sombre nous accueillaient à chaque croisement. La propreté même, la ressemblance parfaite de toutes ces galeries et de tous ces hommes avait cependant quelque chose d'inquiétant : on aurait pu m'y faire tourner en rond indéfiniment, je ne m'en serais pas aperçue. J'étais troublée aussi par le *tintamarre* atroce qui y règne. À chaque poste de garde il y a des grilles qu'il faut déverrouiller, des grilles qui tournent sur des gonds criards et se referment derrière vous dans un grand bruit de ferraille, sans parler des corridors vides qui résonnent du vacarme d'autres grilles, proches et lointaines, encore et toujours d'autres portes, serrures et verrous, si bien que la prison semble prise à perpétuité dans l'œil d'un cyclone privé; j'en restais tout étourdie.

Nous arrivâmes enfin à l'entrée de la prison des femmes : une antique porte de bois pleine, garnie de clous et percée d'un guichet. Nous y trouvâmes une préposée que je détaillai d'un œil avide, tandis qu'elle saluait M. Shillitoe d'une courbette. C'était la première femme que je voyais en ces lieux. Jeune encore, avec un visage pâle qui semblait ne jamais sourire et un costume que j'allais reconnaître bientôt pour la tenue réglementaire de Millbank : robe de lainage gris, manteau noir sans manches, chapeau de paille gris garni de bleu et brodequins noirs à talons bas. Rencontrant mon regard, elle ajouta une seconde révérence à la première, et M. Shillitoe me la présenta : « Mlle Ridley, notre gardienne-chef. » Se tournant ensuite vers elle, il dit : « Je vous amène Mlle Prior, notre nouvelle dame patronnesse. »

La surveillante nous montra alors le chemin, son moindre pas souligné par un cliquetis métallique. Comme ses collègues masculins, elle portait une large ceinture de cuir avec une boucle de cuivre à laquelle se balançait un trousseau de clefs polies par l'usage.

Elle nous conduisit, à travers une nouvelle suite de corridors anonymes, jusqu'à un escalier en colimaçon aménagé à l'intérieur d'une tour. Mlle Haxby a son bureau en haut, au dernier étage, dans une pièce ronde, blanche et claire, remplie de fenêtres. « Vous verrez la logique de cette disposition », dit M. Shillitoe en montant, la face rouge et le souffle court, et je compris en effet au premier regard. La tour s'élève au centre de la cour intérieure du pentagone et offre une vue sur ses cinq faces avec leurs fenêtres grillagées. Le bureau de la directrice est très austère. Un plancher nu. Une corde tendue entre deux poteaux marque la place à laquelle doivent se tenir les détenues convoquées là. Au-delà, une grande table où, la plume à la main, penchée sur un gros registre noir, nous trouvâmes Mlle Haxby en personne — « l'Argus de céans », selon le titre que M. Shillitoe lui décerna en souriant. Elle se leva à notre approche, ôta ses lunettes et, comme Mlle Ridley, fit la révérence.

C'est un petit bout de femme aux cheveux blancs comme neige et aux yeux perçants. Derrière sa table de travail, solidement vissée aux briques recrépies, une plaque en émail porte un verset de l'Écriture :

Vous avez mis nos iniquités en votre présence ; et exposé toute notre vie à la lumière de votre visage.

On ne pouvait entrer dans la pièce sans subir l'attrait des grandes baies et du spectacle qui s'y déployait. Voyant mon regard errer de ce côté, M. Shillitoe m'encouragea : « Allez-y, mademoiselle Prior, approchez. » Je restai alors un moment à contempler d'abord les préaux en bas, triangles allongés comme des parts de gâteau, puis les murs peu amènes qui nous faisaient face, ces murs de prison avec leurs rangées de fenêtres à moitié aveuglées. Spectacle prodigieux et effrayant, pour citer encore le commentaire de M. Shillitoe. J'avais là sous les yeux toute la prison des femmes. Derrière chacune de ces fenêtres il y avait une cellule individuelle, dans chacune des cellules, une détenue. Mon guide demanda à Mlle Haxby : « Pouvez-vous nous donner le chiffre de votre effectif, en ce moment ? »

Elle répondit qu'il y avait pour l'heure deux cent soixante-dix femmes écrouées à la prison.

« Deux cent soixante-dix ! répéta l'homme en hochant la tête. Pensez-y, mademoiselle Prior ! Pensez donc aux voies sombres et tortueuses par lesquelles ces pauvres créatures sont venues échouer à Millbank ! Il y aura parmi elles des voleuses, des prostituées, des êtres abrutis par le vice ; toutes sont sans pudeur, ignorantes de la notion même du devoir et des nobles sentiments... Mais oui, n'en doutez point! La société les a jugées malfaisantes; c'est la société qui les a confiées à ma garde et à celle de Mlle Haxby... »

À eux donc de faire bonne garde, mais comment? poursuivit-il à mon adresse, se donnant à lui-même la réplique : « Nous leur inculquons des habitudes régulières. Elles apprennent ici leurs prières; elles apprennent la modestie. Pourtant, il faut bien qu'elles passent le plus clair de leur temps seules, entre les murs de leur cellule. Les voilà donc » — il ponctua la phrase d'un signe de tête en direction des fenêtres — « les unes pour trois ans, d'autres pour six ou sept. Les voilà, enfermées, à remâcher le passé. Nous pouvons lier les langues, nous pouvons occuper les mains, mais les cœurs, mademoiselle Prior, les souvenirs immondes, les pensées abjectes, les convoitises basses et viles — voilà qui échappe à notre surveillance. N'est-il pas vrai, mademoiselle Haxby?

— Hélas, monsieur », répondit la directrice.

Et malgré tout cela, il pensait que les visites d'une dame patronnesse pouvaient leur faire du bien?

Mais oui, il le sait. Il en est certain. Ces pauvres cœurs irréfléchis sont comme des cœurs d'enfants, comme des cœurs de sauvages — une argile malléable qui, coulée dans un moule plus fin, se laissera réformer. « Nos surveillantes pourraient assumer aussi cette tâche, dit-il, mais leur charge de travail n'est que trop lourde déjà, leurs journées trop longues. Il arrive que les détenues leur témoignent de l'aigreur, voire de la grossièreté. Mais qu'elles aient affaire à une femme du monde, mademoiselle Prior! Qu'une femme du monde leur montre l'exemple, une dame qui — elles le sauront — aura abandonné sa vie confortable à seule fin de venir s'intéresser à leurs petites histoires. Qu'elles voient le contraste atterrant entre le langage, les manières d'une femme du monde et leurs propres façons mal dégrossies, et elles en deviendront humbles, douces et soumises. Cela arrive ! J'en ai été témoin, et Mlle Haxby aussi ! C'est comme une influence occulte, une affinité qui triomphe de toutes les préventions... »

Son éloquence coulait de source. En fait, j'avais déjà entendu les mêmes paroles, pour une bonne part, chez nous au salon. Chez nous, sous le regard réprobateur de ma mère, appuyé du *ttt, ttt* endormi de la pendule sur la cheminée, je les avais trouvées très persuasives. « Sans doute avez-vous souffert de votre désœuvrement, mademoiselle Prior, depuis le décès de votre regretté papa. » Voilà ce qu'il m'a dit ce jour-là. Il était passé récupérer des livres que papa lui avait empruntés ; sa visite n'avait pas d'autre but, il ne se doutait pas que j'avais souffert d'autre chose que du désœuvrement. Sur le moment, j'avais été contente qu'il ne sût rien de ma maladie. À présent cependant, face à la morne tristesse de ces murs de prison, à Mlle Haxby qui me dévisageait, à Mlle Ridley qui barrait la porte, les bras croisés sur la poitrine, le trousseau de clefs se balançant à sa ceinture — à présent j'étais bien près de paniquer. Un instant, mon seul désir fut d'être démasquée par ces autres — qu'ils décèlent ma faiblesse et me renvoient à la maison comme ma mère l'a fait plus d'une fois, lorsque j'ai eu des crises d'angoisse au théâtre, m'évitant de troubler, d'un cri intempestif, le silence de la salle.

Ils ne voyaient rien. M. Shillitoe parlait toujours, de l'histoire de Millbank, de son régime, du personnel et des autres dames patronnesses. Je restais plantée là, hochant la tête à tout ce qu'il disait ; de temps à autre, Mlle Haxby marquait de même son assentiment. Enfin, au bout d'un certain temps de ce manège, une cloche retentit quelque part dans l'enceinte de la prison. M. Shillitoe et les deux femmes y réagirent par un même sursaut, M. Shillitoe disant qu'il s'était laissé entraîner. La cloche donnait le signal de la promenade des détenus. Il allait donc devoir me quitter, en me confiant à ses subordonnées, mais il m'invitait à venir sans faute le trouver une prochaine fois pour lui faire part de mes impressions. Il me prit la main, protesta lorsque je fis mine de le raccompagner : « Mais non, mais non, restez encore un peu là où vous êtes. Mademoiselle Haxby, voulez-vous tenir compagnie à Mlle Prior pendant qu'elle regarde ? Allez, mademoiselle Prior, droit devant vous, ça vaut le coup d'œil ! »

La gardienne-chef ouvrit la porte, et il disparut dans l'ombre de l'escalier. Mlle Haxby pendant ce temps était venue me rejoindre. Nous nous tournâmes vers la vitre, Mlle Ridley se postant de son côté à une fenêtre voisine. En bas s'étendaient les trois préaux au sol de terre battue, séparés par de hauts murs de brique qui convergeaient, tels les rayons d'une roue, au pied de la tour directoriale. Au-dessus de nos têtes, quelques coulées de soleil faisaient mentir par endroits le ciel brouillé de la métropole.

« Une belle journée, pour septembre », fit remarquer Mlle Haxby.

Cela dit, elle fixa à nouveau toute son attention sur le sol en bas. Mon regard suivit le sien. J'attendais.

Pendant un moment il ne se passa rien. Les préaux de Millbank sont en effet aussi désespérément mornes que le terrain entre le mur d'enceinte et les pentagones — simples étendues de terre et de caillasse, sans un seul brin d'herbe pour frissonner dans la brise, sans le moindre ver ou autre insecte pour y attirer un oiseau. À force de regarder, je finis cependant par entrevoir un mouvement dans l'angle de l'un des trois, repris presque aussitôt dans les deux autres. C'étaient les portes qui s'ouvraient, les prisonnières qui sortaient, et je crois bien n'avoir jamais été témoin d'un spectacle aussi bizarre et imposant tout ensemble que celui qu'elles nous offrirent alors, vues du haut de notre perchoir, tellement petites qu'elles auraient pu être les figurines d'une horloge à jacquemart, les perles de verre d'un triplet de colliers traînants. Elles se déversèrent dans les trois préaux où elles formèrent autant de grandes boucles elliptiques. L'instant d'après, j'aurais été incapable de dire laquelle était sortie la première et laquelle avait fermé la marche, car les rondes étaient parfaitement unies et toutes les femmes habillées à l'identique, en robes brunes et bonnets blancs, des fichus d'un bleu délavé sur les épaules. Seule l'attitude des corps leur donnait un air vaguement humain, en ce sens du moins que, si toutes marchaient du même pas lourd, il y en avait qui baissaient la tête et d'autres qui boitaient, il y en avait aux membres raides, recroquevillées contre l'assaut du froid, il y avait même quelques pauvres créatures qui levaient les yeux au ciel — voire une dont je sentis les regards chercher la fenêtre où nous nous tenions et nous fixer d'un air absent.

Il y avait là toutes les détenues de la prison, près de trois cents au total, quatre-vingt-dix femmes dans chaque grande ronde. Avec, dans l'angle de chaque préau, un couple de surveillantes en pèlerines sombres, clouées là à battre la semelle en attendant le terme de la promenade.

Je crus lire une sorte de satisfaction dans le regard que Mlle Haxby fixait sur la marche disgracieuse des détenues. « Voyez comme elles savent se tenir à leur place, me dit-elle. Elles doivent garder toujours entre elles une certaine distance, voyez-vous. » Si l'écart n'est pas respecté, la fautive est dénoncée et punie par la perte des privilèges qui ont pu lui être octroyés. Si l'effectif comprend des femmes très âgées, de grandes malades ou de très jeunes filles — « nous avons vu passer des enfants de douze, treize ans, n'est-ce pas, mademoiselle Ridley ? » — la surveillante les met à part.

Comme je m'étonnai tout haut du silence des prisonnières, elle me dit que les femmes étaient tenues de garder le silence dans tous les locaux de l'établissement. Il leur est interdit de parler, de siffler, de chanter, de fredonner « ou de faire exprès quelque bruit que ce soit », sauf à la demande expresse d'une surveillante ou d'une dame patronnesse.

« Et pendant combien de temps les fait-on marcher ainsi ? » La réponse à ma question fut : une heure. « Et s'il pleut ? » S'il pleuvait, l'heure de promenade était perdue. Ce n'étaient pas de bonnes journées pour les surveillantes, la claustration prolongée rendant les femmes « quinteuses et insolentes », selon les termes de Mlle Haxby. Tout en parlant, elle fixait plus attentivement les promeneuses en bas : l'une des rondes avait commencé à ralentir l'allure et ne tournait plus au pas des boucles dans les autres préaux. « Voilà Unetelle, dit-elle, qui freine son groupe. N'oubliez pas de lui en dire un mot, mademoiselle Ridley, en faisant votre tournée. »

Je trouvais incroyable qu'elle pût distinguer une femme d'une autre, mais lorsque je lui en fis la remarque, sa réponse fut un sourire. Elle expliqua qu'elle assistait à la promenade des détenues tous les jours de leur incarcération — « et ça fait sept ans que je suis directrice de Millbank, et avant j'étais gardienne-chef ». Remontant plus loin encore dans le passé, elle me raconta qu'elle avait commencé comme gardienne ordinaire à la prison de Brixton. Au total, elle disait avoir passé vingt et un ans de sa vie derrière les barreaux, soit une peine plus longue que la plupart des détenues. Pourtant, il y avait parmi celles qui se promenaient sous nos yeux des femmes dont l'épreuve durerait au-delà de la sienne. Elle les avait vues arriver, mais ça l'étonnerait fort qu'elle y soit encore le jour où on leur ouvrirait les portes...

Je demandai si ces femmes-là ne lui facilitaient pas la tâche, elles qui doivent si bien connaître les us et coutumes de la prison. Elle répondit d'un mouvement de tête affirmatif : « Oui, parfaitement. N'est-ce pas, mademoiselle Ridley ? Vous êtes bien de mon avis ? Une longue peine vaut mieux à tous les coups.

— En effet, approuva la gardienne-chef. Rien ne vaut les longues peines, celles qui n'ont fauté qu'une fois. Je veux dire les empoisonneuses, les vitrioleuses, les infanticides que les magistrats ont eu la bonté de sauver de la potence. Si on avait une prison pleine rien que de celles-là, on pourrait renvoyer les surveillantes et laisser les détenues se garder toutes seules. C'est le menu fretin des voleuses, des prostituées et des faussaires qui nous donne le plus de fil à retordre — ce sont de vraies diablesses, mademoiselle ! Élevées dans le crime, pour la plupart, des femmes qui ne voudraient même pas d'une vie honnête. Celles-là, si elles finissent par connaître la marche de la maison, c'est seulement pour mieux nous jouer des tours et nous faire enrager. Des diablesses, vous dis-je ! »

Le ton était bénin, mais quelque chose dans ses mots me fit tressaillir. Peut-être était-ce simplement le fait du trousseau attaché à sa ceinture, le carillon discordant et arythmique des clefs qui ponctuait tout ce qu'elle disait. Toujours est-il que sa voix avait à mes oreilles un accent de ferraille. Il me semblait entendre coulisser la tige d'un verrou : qu'elle la tire d'un geste brutal ou mesuré, jamais, j'en étais certaine, elle ne pourrait y mettre de tendresse. Je la dévisageai un instant, puis me tournai derechef vers Mlle Haxby qui l'avait écoutée en hochant la tête. Elle dit à présent avec l'ombre d'un sourire : « Comme vous le voyez, nos surveillantes deviennent tout à fait sentimentales par rapport à celles dont elles ont la charge ! »

Ses yeux de lynx ne me lâchaient pas. « Vous nous jugez bien rigoureuses, mademoiselle Prior ? » demanda-t-elle au bout d'un moment, ajoutant que j'allais, bien entendu, me faire ma propre idée du caractère des détenues. M. Shillitoe m'avait invitée à visiter la prison en qualité de dame patronnesse, elle lui en était reconnaissante et entendait me laisser seule maîtresse du temps que j'allais passer entre ses murs. Ce nonobstant, vis-à-vis de moi comme de n'importe quelle personne de mon monde à qui elle ouvrirait les portes de céans, elle se sentait tenue à une mise en garde. « *Gare à vous* » — les mots étaient prononcés avec un accent d'insistance qui faisait peur — « *soyez vigilante dans vos rapports avec les prisonnières de Millbank !* » Il faudrait, par exemple, surveiller mes effets. Beaucoup de ses pensionnaires avaient été voleuses à la tire, et mettre une montre ou un mouchoir à leur portée, ce serait les induire en tentation, au risque de réveiller de vieilles habitudes : elle me priait donc expressément de *ne pas* leur mettre de tels objets sous les yeux, de même que je « garderais mes bagues et autres petits bijoux loin des regards d'une domestique, afin de ne pas lui troubler l'esprit en l'exposant au désir de s'en emparer ».

La vigilance serait de mise aussi dans mes conversations avec les détenues. Il faudrait ne rien laisser transpirer du monde extérieur, bannir de mes propos tout écho de l'actualité et des journaux en particulier — car « la presse est interdite chez nous ». Il arriverait peut-être qu'une femme choisisse de se confier à moi et me demande conseil ; dans ce cas, j'aurais à lui tenir le même langage que ses surveillantes, l'incitant à « méditer ses méfaits pour mieux se pénétrer du sentiment de son abjection et prendre à cœur de s'amender ». Mais il ne faudrait jamais faire de promesses, de quelque nature que ce soit, à une femme détenue là ; il ne faudrait jamais que j'accepte de jouer les messagères, de porter lettres ou objets entre une prisonnière et sa famille ou ses amis à l'extérieur.

« Si une détenue vous raconte que sa mère est malade, sur son lit de mort, si elle coupe une mèche de ses cheveux et vous supplie de la donner à la mourante de sa part, *il faudra refuser*. La prendre, mademoiselle Prior, ce serait vous mettre à la merci de celle à qui vous croiriez rendre service, vous exposer à un chantage dont vous ne seriez peut-être pas seule à faire les frais. »

Le cas, dit-elle, s'était de fait présenté une ou deux fois

depuis qu'elle travaillait à Millbank, se soldant, pour le malheur de toutes les personnes concernées, par un éclat...

Elle s'en tint là, autant qu'il m'en souvienne. Je la remerciai de ses conseils — le fait est cependant que, obsédée par la présence muette et le visage inexpressif de la gardienne-chef, je ne l'avais écoutée que d'une oreille : c'était comme, à table, de remercier ma mère d'une de ses semonces pendant qu'Ellis débarrassait. Je reportai mes yeux sur la ronde des prisonnières, gardant mes pensées pour moi.

« Le spectacle vous plaît. »

C'était Mlle Haxby qui reprenait la parole. Jamais, dit-elle, elle n'avait connu de dame patronnesse insensible à l'attrait de cette fenêtre, au spectacle de la promenade. Pour sa part, elle le trouvait aussi roboratif que la vue des poissons rouges évoluant dans un aquarium.

Je m'éloignai de la fenêtre.

Nous parlâmes quelques minutes encore, je crois, du régime de la prison, mais Mlle Haxby ne tarda pas à consulter sa montre et à me remettre à Mlle Ridley pour ma première visite. « Je suis désolée de ne pas pouvoir vous servir moi-même de guide, dit-elle en désignant d'un signe de tête le registre noir sur sa table. Voilà ma tâche pour ce matin. Ceci est le grand-livre où j'inscris les rapports de mes subordonnées sur la conduite des détenues. » Elle chaussa ses lunettes, accentuant l'acuité de ses yeux déjà perçants. « Je vais voir maintenant, mademoiselle Prior, dit-elle, tout ce que nos pensionnaires ont fait de bien — ou de mal — pendant la semaine ! »

Mlle Ridley me fit redescendre l'escalier mal éclairé de la tour. Passant devant une porte sur le palier de l'étage au-dessous, je demandai : « Quels locaux avez-vous donc là, mademoiselle Ridley ? » Elle répondit que c'était le logement de Mlle Haxby, qui mangeait et dormait tous les soirs sur place. Je tentai de m'imaginer ce que j'aurais ressenti à coucher dans cette tour silencieuse avec, de toutes parts, à toutes les fenêtres, la prison qui imposait sa présence.

Je retrouve maintenant la tour sur le plan que j'ai punaisé à mon mur. Je crois reconnaître aussi le chemin suivi sous la conduite de Mlle Ridley. Celle-ci marchait d'un pas alerte, sans hésiter un instant dans le dédale de corridors uniformes — telle l'aiguille de la boussole qui, quoi qu'il arrive, s'oriente au nord. Elle me dit que les corridors de la prison, mis bout à bout, couvriraient plus d'une lieue, mais lorsque je lui demandai si elle ne s'y perdait pas, elle répondit avec un reniflement de mépris. Les femmes qui arrivaient à Millbank comme surveillantes ne rêvaient la nuit que de marcher, marcher, marcher toujours le long d'un même corridor blanc. « Après huit jours de ce régime-là, on finit par s'y retrouver. Au bout d'un an, on aurait envie, pour changer, de se sentir à nouveau perdue. » Pour sa part, elle travaillait là depuis plus longtemps que Mlle Haxby. On pouvait lui ôter la vue, elle n'en serait pas gênée dans l'exercice de sa charge.

En disant cela, ses lèvres esquissèrent un sourire amer. Elle a la face blafarde, lisse comme du gros lard ou de la cire, avec des yeux déteints, voilés par des paupières lourdes, sans cils. Des mains très soignées, propres et douces — je la soupçonne de les passer à la pierre ponce — aux ongles proprement taillés, mais excessivement courts.

Elle ne reprit la parole que passé la grille qui donne accès au premier quartier cellulaire. C'est plus précisément un long corridor froid et silencieux, semblable à la galerie d'un cloître, sur lequel s'ouvrent les cellules. Large de six pieds environ, au sol sablé, aux murs et au plafond, là encore, recrépis à la chaux. Éclairé à gauche, à une bonne hauteur — trop pour que, même moi, je pusse regarder à travers —, par une rangée de fenêtres munies de barreaux et de vitres épaisses. Des portes y répondent tout au long du mur opposé : porte après porte après porte, toutes pareilles, comme les baies obscures, identiques, entre lesquelles on a parfois à choisir dans les cauchemars. Les portes laissent passer un peu de lumière, mais aussi une odeur *sui generis.* L'odeur — je l'avais flairée avant même de passer la grille, et je l'ai toujours dans les narines en écrivant ces lignes ! — est discrète, mais terrible. C'est un mélange de l'haleine forte des bouches et du fumet des corps mal lavés avec les émanations fétides échappées aux baquets qui tiennent lieu de « commodités ».

Nous nous trouvions là, me dit Mlle Ridley, au quartier A, le premier des six que compte la prison des femmes, à raison de deux par étage. Celui-ci loge les nouvelles venues, relevant de la « troisième classe ».

La gardienne-chef m'introduisit alors dans la première cellule de la rangée avec un geste pour attirer mon attention sur ses deux portes. L'une était pleine, en chêne, munie de verrous, l'autre une grille de fer avec une serrure. La grille demeure fermée pendant la journée, mais on ouvre les battants de bois. « Comme cela, expliqua Mlle Ridley, nous pouvons voir les femmes en faisant nos rondes, et l'air des cellules se renouvelle. » En parlant, elle ferma les deux portes ; du coup l'espace s'assombrit et parut se rétrécir. Elle campa les mains sur les hanches et regarda autour d'elle. Les cellules, dit-elle, étaient des plus convenables : de bonne taille et « bâties pour durer », séparées les unes des autres par une double cloison de brique. « De quoi empêcher nos détenues de bavarder avec la voisine... »

Je me détournai. Mal éclairée, la cellule était pourtant d'une blancheur qui faisait mal aux yeux, tellement nue que je n'ai qu'à abaisser les paupières pour revoir clairement tout ce qu'elle contenait. Il y avait une unique petite fenêtre, haut placée, fermée par un treillis de fer et une vitre jaune — l'une de celles que j'avais contemplées avec M. Shillitoe depuis la tour de Mlle Haxby. À côté de la porte, une plaque émaillée portait une liste d'« Avis aux détenues » et une « Prière des détenues ». Un gobelet, une écuelle en bois, une boîte à sel, une bible et un livre de piété, *Le Compagnon du prisonnier*, étaient rangés sur une étagère de bois blanc. Il y avait une chaise et une table, un hamac plié, un plateau portant une pile de sacs en grosse toile et du fil rouge, et enfin le baquet métallique des « commodités » avec son couvercle écaillé. Le peu de surface offerte par le rebord de la fenêtre hébergeait un vieux peigne dont les dents cassées retenaient un petit nid de cheveux frisés et quelques pellicules.

En fait, il n'y avait que les peignes pour distinguer les cellules les unes des autres. Il n'est permis aux femmes de rien garder de leur vie antérieure, et le règlement enjoint à toutes de ranger toujours au même endroit les pauvres objets que la prison leur prête — gobelets, gamelles et bibles. Parcourir les deux quartiers du rez-de-chaussée en compagnie de Mlle Ridley, inspecter l'une après l'autre ces alvéoles vides, mornes et anonymes, c'était une expérience navrante. Je me rendis compte aussi que la géométrie du bâtiment me donnait mal au cœur. Les quartiers suivent en effet les murs extérieurs du pentagone dont le tracé leur impose une segmentation étrange. Nous n'arrivions au bout d'un corridor blanc et neutre que pour nous retrouver à l'entrée d'un autre, identique, qui repartait à un angle peu naturel. Un escalier en colimaçon marque l'intersection de deux corridors. Au point de jonction des deux quartiers de l'étage, une tour renferme une petite chambre mise à la disposition de la surveillante.

Notre visite s'accomplit au bruit ininterrompu de la ronde qui tournait toujours dans les préaux. Enfin, arrivant au coude du second quartier de l'étage, j'entendis à nouveau le son de la cloche. La cadence de la marche ralentit aussitôt et perdit de sa régularité. L'instant d'après une porte claquait, une grille ferraillait, et le piétinement reprit : un bruit de grosses semelles, crissant à présent sur le sable et précédées par des échos. J'interrogeai du regard Mlle Ridley, qui dit calmement : « Voilà nos femmes qui rentrent. » Nous restâmes sur place, à prêter l'oreille aux échos de plus en plus sonores de leur approche. Arriva un instant où le vacarme me parut proprement invraisemblable. Nous avions laissé trois côtés du pentagone derrière nous et nous ne voyions pas les prisonnières, bien qu'elles ne fussent pas loin. « On dirait des revenants ! » m'exclamai-je. Je pensai aux légions romaines que la légende du peuple de Londres fait défiler à travers les caves des maisons de la Cité. Sans doute le terrain de Millbank résonnera-t-il de même aux siècles futurs, longtemps après que les bâtiments auront été démolis.

Mlle Ridley releva le mot. « Des revenants, hein ! » fit-elle en me fixant d'un air étrange. Mais déjà les détenues débouchaient à l'angle du corridor. Elles étaient réelles, tout d'un coup si atrocement réelles — ni revenants ni figurines ou perles de verre enfilées à une ficelle, comme mon imagination s'était plu à les voir. Non, c'étaient des femmes avachies, aux traits vulgaires, jeunes ou moins jeunes, qui relevaient la tête en nous découvrant. À la vue de Mlle Ridley, les expressions se faisaient humbles, mais celles dont les yeux s'égaraient de mon côté ne cachaient pas leur curiosité.

Elles nous regardèrent donc, puis réintégrèrent docilement leurs cellules, dont la préposée à l'étage, dernière de la file, referma les grilles.

La préposée est une Mlle Manning, si j'ai bien retenu le nom. Mlle Ridley nous présenta en disant : « Voilà Mlle Prior qui nous fait sa première visite. » L'autre hocha la tête et sourit. Elles avaient toutes été prévenues de mon arrivée. C'était, dit-elle, une belle tâche que j'assumais là, en m'engageant à venir causer avec leurs pensionnaires ! Est-ce que je n'aurais pas envie de commencer tout de suite ? Je pouvais difficilement refuser. Elle me conduisit donc à une cellule qu'elle n'avait pas encore bouclée et fit signe à l'occupante. « Tenez, Pilling. Voici la nouvelle dame patronnesse qui vient s'intéresser à vous. Levez-vous, qu'elle voie à quoi vous ressemblez. Allez, plus vite que ça ! »

La détenue s'avança et me fit la révérence. Elle avait le teint animé par l'exercice ; quelques gouttes de sueur perlaient encore à sa lèvre supérieure. Mlle Manning la gronda : « Allez, dites qui vous êtes et pourquoi on vous a emprisonnée. » La femme s'exécuta aussitôt, en bredouillant : « Susan Pilling, m'dame. Condamnée pour vol. »

Mlle Manning me montra alors une tablette émaillée, accrochée à une chaîne à côté de l'entrée de la cellule. La tablette indique le numéro d'écrou et la classe de la prisonnière, le motif de sa condamnation et la date d'expiration de sa peine. « Depuis combien de temps êtes-vous à Millbank, Pilling ? » demandai-je. — La réponse vint : sept mois. J'approuvai d'un signe de tête et lui demandai son âge. Je lui aurais donné une petite quarantaine. Elle affirma cependant n'avoir que vingt-deux ans. Le chiffre me laissa un instant sans voix, mais enfin je hochai derechef la tête et posai une nouvelle question. Était-elle contente de la vie qu'elle menait en prison ?

Assez contente. Mlle Manning surtout était bien bonne pour elle.

« Je n'en doute pas. »

Pendant un moment personne ne dit rien. Je voyais la femme qui me regardait, je sentais sur moi les yeux des deux gardiennes. Je me souvins soudain de ma mère et des gronderies qu'elle m'avait fait subir quand j'avais eu, moi, vingt-deux ans. Elle voulait toujours que je sois plus loquace en visite. Que je m'enquière de la santé des enfants, des agréments de la dernière villégiature de la maîtresse de maison, du progrès de ses aquarelles ou de sa tapisserie. Que j'admire éventuellement la coupe d'une robe...

Je regardai la tenue de Susan Pilling, une robe brune, couleur de boue. Je lui demandai si elle appréciait le costume qu'on lui faisait porter. C'était de la laine, n'est-ce pas, mais encore ? Une serge ou une tiretaine ? À ces mots, Mlle Ridley saisit l'ourlet de la jupe entre deux doigts et la troussa légèrement. La robe, dit-elle, était en tiretaine. Les bas, de laine — une grosse laine bleue avec une unique rayure rouge foncé. Il y avait deux jupons, l'un de flanelle, l'autre de serge. Les chaussures, comme je voyais, étaient solides — fabriquées sur place, dans un des ateliers de la prison des hommes.

La prisonnière resta sans bouger, raide comme un mannequin de couturière, pendant que la gardienne-chef dressait cet inventaire. Je me sentis tenue de me baisser pour tâter moi aussi un pli du vêtement. L'odeur... Eh bien, l'odeur était celle d'une robe de tiretaine, portée du matin au soir, dans un établissement comme celui-là, par une femme qui transpirait. Ma prochaine question fut donc pour savoir si elles changeaient souvent de robe. La réponse — une fois par mois — vint des deux surveillantes qui ajoutèrent que les détenues recevaient du linge propre tous les quinze jours.

« Et vous permet-on de prendre souvent des bains ? demandai-je à l'intéressée.

— Oui, tant qu'on veut. Mais pas plus de deux fois dans le mois. »

Je remarquai alors que ses mains, qu'elle gardait toujours bien en vue, devant elle, étaient grêlées de petites cicatrices. Je me demandais combien de bains elle avait pu prendre dans sa vie avant d'arriver à Millbank.

Je me demandais aussi de quoi nous allions bien pouvoir parler si jamais on me laissait en tête à tête avec elle dans sa cellule. Je n'en dis pourtant rien. « Allons, peut-être que je passerai encore vous voir et vous pourrez m'en dire plus sur votre emploi du temps. Est-ce que cela vous plairait ? »

Mais oui, beaucoup, répondit-elle aussitôt avant de me poser une question à son tour : est-ce que j'allais leur conter des histoires tirées de l'Écriture ?

Mlle Ridley m'expliqua qu'il y a une autre dame patronnesse qui vient le mercredi, une dame qui lit la Bible aux détenues et les interroge ensuite sur le texte choisi. Je rassurai Pilling. Non, je n'allais pas leur faire la lecture. J'étais là au contraire pour écouter, ce serait à elles de me raconter *leurs* histoires. Elle me regarda alors pour la première fois bien en face, sans rien dire, mais Mlle Manning s'interposa, la renvoya à son ouvrage et referma la grille de la cellule.

Quittant ce quartier, nous grimpâmes encore un escalier tournant jusqu'à l'étage où se trouvent les quartiers C et D. C'est là qu'on enferme les condamnées de la classe disciplinaire, les fauteuses de troubles et les irrécupérables, celles qui se sont mal conduites à Millbank ou qui y ont été renvoyées d'autres établissements où elles ont fait des bêtises. À cet étage, toutes les portes restent verrouillées en permanence. Les corridors y sont donc plus sombres qu'au rez-de-chaussée, l'air plus vicié. La préposée est une femme bâtie à chaux et à sable, aux sourcils en broussaille qui, rien moins que « jolie », répond pourtant au nom de Mme Pretty. Elle nous fit faire le tour de son domaine, marquant une pause à la porte des plus mauvais sujets ou des cas les plus curieux pour me conter leurs crimes avec une sombre délectation, semblable au conservateur d'un musée de cires :

« Jane Hoy, mademoiselle : infanticide. Méchante comme une teigne.

« Phoebe Jacobs : voleuse. Elle a mis le feu à sa cellule.

« Deborah Griffiths : voleuse à la tire. Elle a craché à la figure de l'aumônier, celle-là.

« Jane Samson : suicidée...

— *Suicidée*? » C'était moi qui interrompais. Mme Pretty cligna des yeux, puis expliqua : « Elle a pris du laudanum. Sept fois qu'elle en a pris, et pour finir c'est un policier qui l'a tirée d'affaire. Du coup, on l'a enfermée ici, pour atteinte à l'ordre public. »

Je restai muette, les yeux fixés sur la porte fermée. Au bout d'un moment la gardienne pencha la tête et dit sur le ton de la confidence : « Vous êtes en train de vous demander comment on sait qu'en ce moment même elle est pas là-dedans en train de s'étrangler de ses propres mains » — quoique rien ne fût plus loin de ma pensée. « Regardez, là ! » En parlant, elle me montra, à côté de la grille, un battant que les gardiennes peuvent ouvrir à tout moment pour surveiller l'occupante de la cellule : dispositif qui répond au nom pompeux de « regard d'inspection », mais que les détenues appellent plus simplement « l'œil ». Je me penchai pour mieux l'examiner, mais Mme Pretty m'arrêta et m'avertit de ne pas y coller le visage. Les détenues n'étaient pas tombées de la dernière pluie, et il était arrivé plus d'une fois à une inspectrice de se faire éborgner à ce jeu-là. « Une jeune a donné une pointe au manche de sa cuillère et... » Je clignai des paupières et reculai hâtivement. L'autre alors sourit et souleva doucement le volet de fer. « *Vous*, ça m'étonnerait que Samson vous fasse du mal, conclut-elle. Allez-y, jetez un œil, si ça vous dit, mais attention... »

La fenêtre était à moitié aveuglée par un volet de fer inamovible, le hamac remplacé par une simple planche. Assise à même le bois nu, la détenue — Jane Samson — avait les mains plongées dans une corbeille pleine de fibre de coco qu'elle avait posée sur ses genoux. Elle avait cardé peut-être un quart du paquet ; au pied du lit, une autre corbeille, plus grande, l'attendait. Quelques rais de soleil filtraient péniblement entre les lames du volet. La lumière, grouillant de fibres brunes et de poussières volantes, était si bien obscurcie que la prisonnière aurait pu être une héroïne de conte de fées — une princesse enchantée au fond d'un étang, attelée à une tâche impossible pour mater son orgueil.

Elle leva une fois la tête pendant que je l'observais, battit des paupières, puis se frotta les yeux, irrités par les poussières de coco. Je fermai alors le regard et reculai, craignant qu'elle n'essaie malgré tout de m'attirer par un geste ou un cri.

Je demandai à Mlle Ridley de poursuivre la tournée, et nous quittâmes les quartiers de punition pour monter au second et dernier étage. La surveillante là-haut s'appelle Mme Jelf. Elle se révéla être une femme réservée, aux yeux sombres mais aux traits empreints de bonté. « Vous venez donc voir mes pauvres filles ? » Telles furent ses premières paroles, lorsque Mlle Ridley nous mit en présence l'une de l'autre. Les détenues confiées à sa garde appartiennent pour la plupart aux classes supérieures : la deuxième, la première et la classe étoile. Comme leurs sœurs des quartiers A et B, elles peuvent garder la première porte ouverte en travaillant, mais leur ouvrage — bas à tricoter ou chemises à coudre — est plus facile, et on leur met entre les mains des aiguilles, des épingles et des ciseaux, ce qui représente, à l'aune de la prison, une grande marque de confiance. Leurs cellules, exposées au soleil matinal, étaient très claires, presque gaies, au moment de mon passage. Les occupantes se levaient et faisaient la révérence en nous voyant, là encore, sans dissimuler leur curiosité à mon endroit. Je finis par comprendre que, de même que je m'intéressais aux détails de leur coiffure, de leurs robes et de leurs bonnets, elles aussi étaient fascinées par ma toilette. Il faut croire qu'à Millbank, même une robe de deuil peut faire figure de nouveauté.

L'étage compte beaucoup de ces longues peines dont Mlle Haxby disait tant de bien. Mme Jelf aussi en fit l'éloge. À l'en croire, c'étaient les femmes les plus tranquilles de toute la prison. La plupart, me dit-elle, seraient transférées avant l'expiration de leur peine à la prison de Fulham, où le régime est moins sévère. « Avec nous, elles sont douces comme des agneaux. N'est-ce pas, mademoiselle Ridley ? »

Mlle Ridley lui donna raison : rien à voir avec la racaille des quartiers C et D.

« C'est ça. On en a une en ce moment — elle a tué son mari qui la maltraitait — une femme tout ce qu'il y a de plus convenable. » La surveillante désigna d'un signe de tête une cellule où une prisonnière au visage hâve démêlait patiemment un écheveau de laine. Elle poursuivit : « Allez, nous avons eu des femmes du monde ici. De *votre* monde, mademoiselle, des dames comme vous. »

Je ne pus m'empêcher de sourire. Nous avions repris notre marche lorsqu'une voix grêle s'éleva dans une des cellules dont nous approchions : « Mademoiselle Ridley ? Oh ! est-ce bien Mlle Ridley que j'entends ? » Une femme vint presser son visage contre les barreaux de sa grille. « Oh ! Je vous en prie, mademoiselle ! Avez-vous parlé à Mlle Haxby, pour mon affaire ? »

Nous arrivions à sa hauteur. Mlle Ridley s'avança et frappa la grille de son trousseau de clefs. Le bruit de ferraille fit reculer la détenue qui fut alors chapitrée d'importance : « Allez-vous vous taire ? Vous croyez peut-être que je n'ai pas assez de travail comme ça, et Mlle Haxby aussi, à plus forte raison ? Qu'on va tout laisser tomber pour s'occuper de vos petites histoires ?

— C'est que vous l'aviez promis, mademoiselle, que vous diriez un mot. Et quand Mlle Haxby était là ce matin, y a déjà Jarvis qui lui a fait perdre la moitié de son temps, alors du temps, il en restait plus pour moi. Mais mon frère, il est allé témoigner en justice, et il a besoin d'un mot de Mlle Haxby... »

Elle parlait si vite qu'elle s'embrouillait. Mlle Ridley frappa derechef les barreaux, et à nouveau la prisonnière recula en rentrant la tête dans les épaules. Mme Jelf me murmura à l'oreille : « Cette femme-là happe toutes les surveillantes qu'elle voit passer. La malheureuse veut obtenir une remise de peine, mais ou je me trompe fort ou nous la garderons quelques années encore. — Allez, Sykes, voulez-vous laisser Mlle Ridley tranquille ? — Venez, mademoiselle Prior, avançons, ou bien vous aussi, elle essaiera de vous mettre le grappin dessus. — Voyons, Sykes ! Soyez sage, retournez à votre travail ! »

Sykes cependant n'avait pas fini de plaider sa cause, ni Mlle Ridley de la sermonner, sous le regard improbateur de Mme Jelf. Pour ma part, je continuai à avancer. L'acoustique de la prison prêtait à la voix cassée de la suppliante comme aux gronderies de la gardienne-chef un timbre suraigu, irréel. Les occupantes des autres cellules levaient la tête pour écouter mais, en m'apercevant, faisaient semblant d'être tout à leur ouvrage. Elles avaient le regard terriblement morne dans un visage pâle, le cou et les poignets très grêles, les doigts filiformes. Je repensai aux mots de M. Shillitoe sur le cœur faible et malléable des prisonnières, organe qui, m'avait-il dit, aurait besoin d'un moule plus fin pour se former. En y pensant, je redevins consciente des battements de mon propre cœur. Je me demandais ce que j'éprouverais si on me l'ôtait pour mettre à la place, dans le creux pantelant sous mon sein gauche, le viscère grossier d'une de ces femmes...

Je levai une main à ma gorge. Mes doigts se refermèrent sur le médaillon que je porte autour du cou, et mon pas se ralentit. J'allai encore jusqu'à la voûte aménagée à l'angle du pentagone, un peu plus loin — quelques pas seulement, assez pour échapper à la vue des deux surveillantes sans pour autant m'engager dans le second corridor. Là, adossée à ce mur de prison recrépi, j'attendis.

Et, au bout d'un petit instant, il s'y passa une chose étrange.

Je n'étais pas loin de l'entrée de la première cellule d'une nouvelle rangée ; le guichet à l'usage des surveillantes, l'« œil », s'ouvrait à la hauteur de mon épaule, surmonté de la tablette émaillée portant l'énoncé de la peine. Sans la tablette, j'aurais pu croire la cellule inoccupée, car je n'y percevais aucun son, il en émanait même une quiétude miraculeuse — un silence plus profond que le mutisme agité qui régnait dans toute l'enceinte de Millbank. Silence rompu, à l'instant même où je commençais à m'en étonner, par un *soupir*. Un soupir isolé — un seul, mais un soupir *parfait*, comme sorti tout droit d'un livre et qui, assorti à mon état d'esprit du moment, produisit sur moi, dans ce cadre, un effet plutôt insolite. J'oubliai Mlle Ridley et Mme Jelf, mes deux guides qui allaient me rejoindre d'un instant à l'autre pour la suite de la visite. J'oubliai l'histoire du manche de cuillère et de la gardienne imprudente. J'appliquai d'abord les doigts, puis les yeux, au guichet. Je fixai le regard sur la jeune femme enfermée là — figée dans un calme tel que je crois bien avoir retenu mon souffle pour ne pas l'alarmer.

Elle était assise sur sa petite chaise de bois dans une attitude d'abandon, la nuque renversée, les yeux fermés. Son tricot délaissé reposait sur ses genoux, ses deux mains se touchaient, les doigts légèrement serrés ; la vitre jaune à sa fenêtre resplendissait de soleil, et elle avait tourné la tête pour s'y réchauffer. Sur la manche de sa robe couleur de boue je vis l'emblème de sa catégorie — une étoile de feutre, coupée en biais et cousue de travers, dont les lignes se détachaient à la lumière du jour. Ses cheveux, là où ils dépassaient de son bonnet, étaient clairs, son teint d'une pâleur qui soulignait le modelé du front, des lèvres, la courbe des cils. J'étais certaine d'avoir déjà vu ce visage. C'était celui d'une sainte ou d'un ange dans un tableau de Crivelli.

Je l'observai une minute peut-être. Pendant tout ce temps elle garda la tête parfaitement immobile, les yeux fermés. Il y avait dans son attitude, dans son recueillement, une ferveur presque religieuse. Je finis par me dire qu'elle priait. Honteuse, j'allais refermer le guichet lorsqu'elle bougea. Ses mains s'ouvrirent, elle les leva à son visage et j'entrevis contre le rose de ses paumes calleuses un éclair de couleur. Elle tenait une fleur entre ses doigts — une violette, à la tige fatiguée. Elle la porta à ses lèvres, souffla dessus. Du coup je vis le violet des pétales transfiguré, vibrant, radieux...

Elle fit cela, et je me rendis compte de la grisaille qui l'entourait — grisaille des corridors, des prisonnières, des surveillantes, du monde entier, moi-même comprise. C'était un monde de lavis et de demi-teintes avec, là, une unique tache de couleur, posée sur la toile sans doute par mégarde.

Sur le moment je ne me demandai pas comment, dans un cadre aussi rébarbatif, une violette avait pu venir entre ces mains blanches. Je n'avais qu'une chose en tête, une question lancinante et terrible : Quel *crime* avait-elle pu commettre ? Je me souvins alors de la tablette émaillée qui se balançait près de ma tête. Je laissai le guichet se refermer sans bruit et me reculai pour lire ce qui y était écrit.

Voilà son numéro d'écrou, sa catégorie. Voilà, en dessous, le motif de sa condamnation : *Escroquerie & Coups et blessures.* Elle était arrivée là onze mois auparavant. Elle serait libérable dans quatre ans.

Quatre ans ! Au calendrier de Millbank, quatre ans dont j'imaginais la lenteur suppliciante. Je voulais me présenter à sa grille, l'appeler et lui faire conter son histoire ; je l'aurais fait si au même instant je n'avais entendu, derrière moi, la voix de Mlle Ridley, puis ses pas, le bruit du sable crissant sur le sol dallé. J'hésitai. Que se passerait-il si, regardant la jeune femme comme je l'avais fait moi-même, les surveillantes trouvaient la fleur en sa possession ? Elles la lui prendraient, je ne pouvais en douter, et je savais aussi que je me le reprocherais. Je revins donc en arrière, là où elles pouvaient me voir, et lorsqu'elles m'eurent rejointe, je dis — après tout, ce n'était pas faux — que j'étais lasse et que je croyais en avoir assez vu pour une première fois. Mlle Ridley répondit simplement : « Comme vous voudrez, mademoiselle. » Elle fit demi-tour et me reconduisit. Pendant que la grille du palier se refermait derrière moi, je lançai un regard fugitif par-dessus mon épaule, vers l'angle du corridor, avec un sentiment bizarre — moitié satisfaction, moitié regret cuisant, comme d'une chose perdue. Enfin, la pauvre fille sera toujours là dans huit jours, quand j'y retournerai.

La gardienne-chef me précéda dans l'escalier de la tour, me guidant dans la lente et prudente spirale de la descente vers des quartiers plus mornes — j'étais comme Dante, suivant Virgile dans le chemin de l'Enfer. Je fus remise d'abord à Mlle Manning, puis à un homme qui me raccompagna à travers les pentagones n° 1 et 2; je fis porter un message à M. Shillitoe avant de franchir la porte intérieure. Le triangle de gravier était le même, mais les murs des pentagones semblaient à présent s'écarter l'un de l'autre, fût-ce à contrecœur, pour me laisser passer. Le soleil s'était renforcé, les ombres couleur d'ecchymoses en paraissaient plus denses.

Avançant au même pas que mon guide, je me surpris à contempler à nouveau le sol, ce noir désert sans autre végétation que quelques touffes de laîche. Je demandai : « Est-ce qu'il n'y a pas des fleurs ici quelque part? Des marguerites, par exemple...? Ou bien des violettes? »

Mais non. Pas de marguerites, pas de violettes; on n'y voyait même pas l'aigrette d'un pissenlit. Rien ne vient dans la terre de Millbank. On est là trop près de la Tamise, sur un terrain qui « ne vaut pas mieux qu'un marais ».

C'était bien ce que je pensais, mais du coup il fallait réfléchir encore, à la fleur. Je me demandais s'il n'y avait pas, entre les briques du pentagone des femmes, des fissures où une petite plante pouvait prendre racine... Je ne sais pas.

Je n'y pensai pas longtemps. Le gardien me raccompagna jusqu'à la porte cochère, et le concierge envoya chercher un fiacre. Alors, ayant tourné le dos aux cellules et aux verrous, aux ombres et aux mauvaises odeurs du quotidien carcéral, il m'était impossible de ne pas avoir le sentiment de ma propre liberté, de ne pas en être reconnaissante. Je me dis que, après tout, j'avais bien fait de venir ; et j'étais contente que M. Shillitoe ne sût rien de mon passé. Comme lui n'en savait rien, et les femmes de Millbank non plus, le passé serait bien obligé de se tenir à sa place. Je les voyais en esprit, en train de boucler la courroie qui le clorait une fois pour toutes...

Ce soir j'ai parlé avec Helen. Mon frère nous l'a amenée, au milieu d'un groupe de trois ou quatre amis. Ils allaient tous au théâtre — Helen se faisant remarquer, comme nous aussi, par sa robe grise parmi les toilettes splendides. Je descendis à leur arrivée, mais ne restai pas longtemps : venant à la suite du froid et du silence de Millbank et de ma propre chambre, la cohue de voix et de visages me faisait horreur. Helen cependant m'a rejointe à l'écart et nous avons discuté un peu de ma visite. Je lui ai conté les corridors sans fin et l'angoisse que je sentais monter en moi en y suivant mes guides. Je lui ai demandé si elle se souvenait du roman de M. Le Fanu sur l'héritière que l'on fait passer pour folle. J'ai avoué : « J'ai réellement eu un instant l'idée que ma mère pouvait avoir partie liée avec M. Shillitoe, qu'il allait me garder en prison, dans un état de confusion mentale. » La supposition l'a fait sourire — ce qui ne l'a pas empêchée de s'assurer que ma mère ne pouvait nous entendre. Je lui ai dit aussi quelques mots des détenues. Elle s'en faisait une idée tout à fait effrayante. Je l'ai détrompée : elles n'avaient rien qui fît peur, elles étaient simplement faibles... « C'est M. Shillitoe qui me l'a dit. Il dit que c'est à moi de les former. C'est là ma mission. Je dois leur donner un exemple de moralité. »

Elle écoutait en jouant avec ses bagues, sans lever le regard. Elle me trouve courageuse. Elle est certaine que cette occupation me distraira de « tous mes vieux chagrins ».

Là-dessus, ma mère nous a relancées. Qu'avions-nous donc à rester à l'écart, la mine tellement sérieuse ? Cet après-midi, elle a écouté ma description de la prison en frémissant d'horreur, elle m'a dit de bien me garder d'en importuner nos invités. À présent encore, elle insiste : « Si Margaret vous raconte ses histoires de prison, ne l'écoutez pas, Helen. Voici d'ailleurs votre mari qui vous attend. Vous allez rater le lever du rideau. » Helen est allée aussitôt rejoindre Stephen qui l'a accueillie d'un baisemain. Je les ai observés de mon fauteuil. Finalement je me suis esquivée pour remonter ici. Si on ne veut pas que je parle de ma visite, on ne peut pas m'empêcher d'en faire le récit par écrit, dans les pages de mon journal...

Des pages, j'en ai noirci une vingtaine, et en me relisant, je vois que mon parcours de Millbank était moins opaque que je ne l'ai cru sur le moment. Plus limpide en tout cas que les tours et détours de mes propres pensées, ce qui est bien tout ce que j'ai mis dans mon dernier cahier. Celui-ci sera différent.

Il est la demie d'une heure. J'entends les bonnes dans l'escalier de service, la cuisinière qui verrouille les portes — voilà un bruit que je ne percevrai plus jamais comme avant mon expérience de ce jour !

Là, c'est Boyd qui ferme sa porte et va à la fenêtre pour tirer les rideaux : je peux suivre son moindre geste, comme si mon plafond était en verre. Maintenant elle délace ses souliers, les laisse tomber à terre avec un bruit mat. Là, c'est le grincement de son matelas.

Je vois la Tamise, noire comme une coulée de mélasse. Je vois les lumières du pont Albert, les arbres de Battersea, le ciel bouché...

Il y a une demi-heure, ma mère est venue m'apporter mon médicament. J'ai dit que je voulais veiller encore un peu, je lui ai demandé de me laisser le flacon, je prendrais ma dose plus tard — mais non, elle n'a pas voulu en entendre parler. Je ne suis « pas tout à fait assez bien remise », à son sens. Pas « pour cela ». Pas encore.

Passive, je l'ai donc regardée mesurer la dose et j'ai avalé la potion sous ses yeux, approuvée par ses hochements de tête. Maintenant je suis trop fatiguée pour écrire — mais trop excitée pour dormir, du moins pour le moment, si je peux me fier à mon sentiment.

Mlle Ridley avait raison. Quand je ferme les yeux, je ne vois que les corridors de Millbank, blancs et froids, avec l'entrée des cellules. Je me demande comment les détenues y reposent en ce moment. Je pense à elles — à Susan Pilling et à Sykes, à Mlle Haxby aussi, dans sa tour de silence. Je pense à la jeune femme à la violette, avec ses traits si fins.

Comment s'appelle-t-elle ? Je me le demande.

2 septembre 1872

Selina Dawes
Selina Ann Dawes
Mlle S. A. Dawes

Mlle S. A. Dawes, médium sensitif

Mlle Selina Dawes, célèbre médium sensitif,
donne des séances quotidiennes

Mlle Dawes, médium sensitif,
donne quotidiennement des séances
dans l'obscurité
à l'hôtel spirite de M. Vincy,
Lamb's Conduit Street, Londres WC.
Cadre discret & bien situé.

LE MUTISME DES MORTS EST LA SURDITÉ DES VIVANTS

& c'est marqué que pour un shilling de plus on y mettra des caractères bien gras & une bordure noire tout autour.

30 septembre 1874

L'interdit dont ma mère pensait frapper mes histoires de prison n'aura pas eu la vie longue cette semaine, car tous nos visiteurs ont tenu à m'entendre parler de Millbank et de ses pensionnaires. Ils me demandent des détails dramatiques, pour se donner le frisson. Or, bien que j'aie gardé un souvenir très net de la prison, c'est autre chose qui s'est gravé dans ma mémoire. Je suis hantée au contraire par la *banalité* de l'endroit ; par le fait même qu'il soit là où il est, à moins d'une lieue de Chelsea et de la maison, qu'il suffise d'une petite course en fiacre pour se rendre dans cet immense et sinistre séjour des ombres où des êtres humains ont enfermé quinze cents de leurs semblables, hommes et femmes, en leur imposant un régime de silence et de soumission perpétuels. C'est dans les gestes simples de la vie que mon esprit m'y ramène — en buvant une tasse de thé pour étancher ma soif ; en prenant en main un livre pour me distraire ou un châle parce que j'ai froid ; en récitant à haute voix quelques vers, pour la beauté des mots et le plaisir de les entendre. J'ai accompli ces choses, comme mille fois par le passé ; et j'ai pensé aux prisonniers qui ne peuvent rien faire de tout cela.

Je me demande combien, couchés dans leurs cellules glacées, rêvent de services à thé, de livres et de poèmes. Moi, j'ai rêvé de Millbank cette semaine, plus d'une fois. J'ai rêvé que j'étais une des détenues, que je rangeais mon couvert et ma bible sur l'étagère de ma cellule.

Mais ce ne sont pas là les détails qui intéressent les gens ; et ceux qui conçoivent que j'y sois allée une fois, pour le spectacle, s'étonnent lorsque je parle d'y retourner une seconde, voire une troisième et une quatrième fois. Helen est la seule qui me prend au sérieux. Les autres se récrient : « Allons donc ! Vous n'avez tout de même pas l'intention d'offrir votre *amitié* à ces femmes-là ? Ce sont des voleuses enfin ! Ou pire... »

Là-dessus leurs regards se reportent sur ma mère. Comment peut-elle tolérer que j'aille là-bas ? Et, bien sûr, ma mère répond : « Margaret n'en fait qu'à sa tête, comme toujours. Je lui ai dit que si elle cherche à s'occuper, il y a du travail qui l'attend à la maison. Il y a la correspondance de son père — des lettres magnifiques — à rassembler et à préparer pour l'édition... »

J'ai bien l'intention de m'attaquer à la correspondance, un jour ; pour l'instant cependant, je veux persévérer dans le travail commencé, ne serait-ce que pour voir comment je m'en tire. J'en ai dit autant à Mme Wallace, la bonne amie de ma mère, m'attirant en retour un regard plutôt sceptique. Je me demande ce qu'elle sait, ce qu'elle imagine savoir de ma maladie et de ses causes, car elle a répondu : « Eh bien, il n'y a rien comme les bonnes œuvres pour chasser les idées noires et vous remonter le moral — je l'ai entendu dire à un médecin. Mais une prison... Oh ! l'air que vous allez respirer là-bas, pensez-y ! Ça doit être un vrai bouillon de culture pour les maladies et les miasmes ! »

Repensant aux interminables corridors blancs et à la nudité des cellules, j'ai protesté que la prison des femmes est, au contraire, un modèle d'ordre et de propreté. Ma sœur est intervenue alors pour demander, si tout est propre et bien tenu, pourquoi les détenues auraient besoin de mes sympathies. Mme Wallace a souri. Elle a toujours eu un faible pour Priscilla, elle la trouve plus belle même que Helen. Elle a repris : « Peut-être que *vous aussi*, vous penserez à devenir dame patronnesse, ma chérie, quand vous serez l'épouse de M. Barclay ? Est-ce qu'il y a des prisons dans le Warwickshire ? L'idée de votre cher visage parmi les faciès de ces criminelles — *voilà* un sujet pour un artiste ! Quelqu'un a fait une épigramme là-dessus. Comment est-ce donc ? Allez, Margaret, vous le connaissez certainement : le poète qui parle des femmes, par rapport au paradis et à l'enfer. »

Elle pensait aux vers :

Car les hommes diffèrent, au plus, comme Ciel et Terre,
Mais les femmes, des pires aux meilleures,
*[comme Ciel et Enfer**.

Je les ai récités donc, et elle de s'exclamer sur mon intelligence : même si elle vivait mille ans, elle n'arriverait pas à lire tous les livres que moi, j'ai déjà dévorés.

* Alfred Tennyson, *Les Idylles du roi : Merlin et Viviane*, v. 812-813. *(N.d.T.)*

Ma mère a donné raison à Tennyson, pour ce qui est des femmes...

Cela s'est passé ce matin, lorsque Mme Wallace est venue prendre le petit déjeuner avec nous. Ensuite elle s'est jointe à ma mère pour accompagner Pris à sa première séance de pose pour un portrait. Le tableau est une commande de M. Barclay. Il veut trouver l'image de sa femme à Marishes, au mur du salon, en rentrant de leur voyage de noces. Il a passé commande à un peintre qui a son atelier à Kensington. Ma mère m'a demandé si je voulais venir. D'après Pris, s'il y a bien quelqu'un qui peut prendre plaisir à contempler des tableaux, c'est moi. Elle a dit cela en se regardant dans la glace, en lissant un sourcil d'un doigt ganté. Le sourcil avait été légèrement noirci au crayon, à cause du portrait, et elle portait une robe bleu clair sous son manteau noir. Comme personne d'autre que l'artiste, un M. Cornwallis, ne devait la voir, ma mère avait décrété que, bleu ou gris, cela revenait au même.

J'ai décliné l'invitation. Je suis allée plutôt à Millbank, commencer pour de bon mes visites aux détenues dans leurs cellules.

J'eus moins peur que je ne craignais en suivant, toute seule, le gardien chargé de me conduire à la prison des femmes. Je pense que mes rêves avaient peint les murs plus hauts et plus rébarbatifs, les corridors plus resserrés qu'ils ne le sont en réalité. M. Shillitoe me conseille d'y aller une fois par semaine, mais il me laisse libre de choisir le jour et l'heure : il dit que je comprendrai mieux la vie des détenues en voyant tous les lieux par où elles passent, tous les aspects du régime qu'on leur impose. M'y étant rendue la semaine passée en début de matinée, j'optai aujourd'hui pour une heure plus tardive. J'arrivai au pavillon d'entrée à une heure moins le quart, et on me remit comme la première fois entre les mains de l'austère Mlle Ridley. Je la trouvai sur le point de diriger la distribution du repas de midi ; je l'accompagnai donc dans sa tournée.

C'était impressionnant à voir. La cloche de la prison, que j'avais entendue sonner en me présentant à la porte cochère, avait donné le signal aux surveillantes d'extraire quatre femmes de leur cellule et de prendre avec elles le chemin des cuisines. C'est là que nous les trouvâmes, massées devant la porte : Mlle Manning, Mme Pretty, Mme Jelf et douze détenues au visage pâle, les yeux baissés, les mains jointes sur le ventre. Le pentagone des femmes, n'ayant pas de cuisine indépendante, reçoit ses repas de la prison des hommes. Comme on interdit cependant tout contact entre les sexes au sein de l'établissement, les femmes doivent attendre dans un silence complet jusqu'à ce que tous les hommes venus chercher leur pitance aient quitté la cuisine. « Il ne faut pas qu'elles voient les hommes, m'expliqua Mlle Ridley. C'est la règle. » Au même instant nous entendîmes des murmures de l'autre côté de la porte verrouillée, puis un bruit de pieds traînés dans des brodequins lourds qui me fit imaginer les hommes en *gnomes* ou en *farfadets*, êtres fabuleux à groins et à queues et à moustaches d'animaux...

Le bruit s'éloigna. Mlle Ridley brandit son nœud de clefs et frappa à la porte : « Ça va, monsieur Lawrence ? La voie est libre ? » La réponse vint — « ça va » —, la porte s'ouvrit, et on laissa passer les détenues une à une. Le gardien-cuisinier les regarda défiler, les bras croisés sur la poitrine, les joues rentrées.

La cuisine me parut très spacieuse et d'une chaleur infernale au sortir du corridor frais et mal éclairé. L'air y était lourd d'odeurs peu ragoûtantes, le sable sous les pieds, noir de liquides répandus, comme de la crotte. On avait disposé à l'intention des femmes, sur trois grandes tables placées bout à bout au centre de la pièce, des marmites de soupe et de viande et de grands plateaux où s'empilaient des miches. Mlle Ridley fit avancer les détenues deux à deux, les équipes se chargèrent qui d'une marmite, qui d'un plateau, et toutes repartirent d'un pas chancelant. Au retour, je me joignis au groupe de Mlle Manning. Les détenues du rez-de-chaussée nous attendaient déjà à la grille de leur cellule, leur gamelle à la main. Silencieuses, indifférentes à la prière sommaire — *Dieu-bénisse-notre-pitance-et-fasse-que-nous-en-soyons-dignes!* ou quelque chose d'approchant — que la surveillante rabâchait à chaque louche qu'elle distribuait, elles se serraient contre les barreaux pour mieux suivre le progrès de leur repas le long du corridor. Une fois servies, elles retournaient s'asseoir, prenaient sur l'étagère leur boîte à sel et assaisonnaient la nourriture d'un geste coquet.

Leur « pitance » consistait en une soupe à la viande et aux pommes de terre avec un pain d'une demi-livre, le tout infâme. Le pain était noir, grossier, les petites miches, trop cuites, semblables à des briques. Les pommes de terre, rayées de deuil, n'avaient été ni lavées ni épluchées avant de passer à la casserole. La soupe était trouble, recouverte d'une couche de graisse qui allait se solidifiant à mesure que la marmite perdait sa chaleur. La viande — du mouton incolore — était trop coriace pour les couteaux émoussés des détenues. Je vis donc pas mal de femmes s'y attaquer à belles dents, sans sourciller, comme des sauvages.

De fait, elles ne se montraient guère dégoûtées. Il n'y en avait que quelques-unes qui contemplaient la soupe d'un œil lugubre ou retournaient la viande comme si elles s'en méfiaient. Je demandai à l'une de celles qui traitaient ainsi sa portion : « La nourriture ne vous plaît pas ? » Elle aimait mieux ne pas penser, dit-elle, à toutes les mains qui l'avaient tripotée chez les hommes.

« Ils touchent des saletés, puis ils viennent fourrer les doigts dans notre rata, pour rigoler... »

Elle répéta la même phrase deux ou trois fois, refusa finalement de me répondre. Je la laissai en train de grommeler dans sa barbe et allai retrouver les surveillantes à l'entrée du corridor.

Je discutai alors brièvement avec Mlle Ridley au sujet du régime alimentaire des prisonnières et de son peu de variété. On sert, par exemple, du poisson le vendredi, vu le nombre important de catholiques parmi les détenues, et un pouding gras tous les dimanches. Je demandai s'il y avait des juives incarcérées à Millbank. Oui, répondit-elle, il y en avait toujours quelques-unes, de vraies « faiseuses d'histoires », particulièrement difficiles sur le chapitre des repas. Dans d'autres établissements aussi elle dit s'être heurtée au même comportement chez les juives.

« Mais vous verrez, les sottises de ce genre n'ont qu'un temps. Du moins dans *ma* prison. »

Quand je fais le portrait de Mlle Ridley pour mon frère et Helen, ils sourient. Helen a même dit à un moment : « Allez, Margaret, tu exagères ! » Stephen cependant l'a arrêtée net. Dans les coulisses des tribunaux, il voit souvent des créatures de la police semblables à Mlle Ridley : « Une engeance atroce. Des femmes nées pour tyranniser les autres, avec toute une panoplie de chaînes et de menottes. Leurs mères leur donnent de grosses clefs à sucer pour faire leurs dents. »

En parlant, il montrait les siennes — de belles dents bien rangées, comme celles de Priscilla, alors que moi, je les ai un peu de travers. La grimace a fait rire Helen.

J'ai renchéri : « Je n'en suis pas si sûre. Peut-être que ce n'est pas de naissance, peut-être qu'elle se donne beaucoup de mal pour parfaire son personnage. Peut-être qu'elle a un album secret, plein de coupures des recueils de causes célèbres. Elle y a collé un titre : *Nos grands garde-chiourme*, et elle le sort la nuit, dans sa chambrette à Millbank, elle en tourne les pages aux petites heures, en soupirant comme la fille de pasteur qui a réussi à mettre la main sur un magazine de mode. » Helen là-dessus s'est esclaffée de plus belle ; j'ai vu ses cils foncer, tandis que des larmes, sur le point de déborder, voilaient ses yeux bleus.

Son rire m'est revenu en mémoire aujourd'hui. Je me suis demandé comment Mlle Ridley me regarderait si elle se doutait de la façon dont j'amuse ma belle-sœur à ses dépens — l'idée même donne la chair de poule. Derrière les barreaux de Millbank, Mlle Ridley n'a rien d'une figure comique.

Il est vrai, d'un autre côté, que les surveillantes n'ont pas la vie gaie. Mlle Ridley elle-même n'est pas favorisée à cet égard, Mlle Haxby pas davantage. Leur horizon se borne à la prison, comme celui des détenues. Leurs heures de travail, m'a dit aujourd'hui Mlle Manning, sont celles d'une bonne à tout faire. On met des chambres à leur disposition dans l'enceinte de la prison, mais le plus souvent les rondes de la journée les laissent tellement épuisées que, loin de profiter de leurs loisirs, elles ne pensent qu'à dormir. Leurs repas sont préparés dans les mêmes cuisines que ceux des détenues, et leurs devoirs n'ont rien d'une sinécure. « Demandez donc à Mlle Craven de vous montrer son bras, disaient-elles. Il est couvert de bleus, de l'épaule au poignet, à cause d'une fille qui l'a cognée la semaine dernière à la blanchisserie. » Pourtant, Mlle Craven, que je rencontrai de fait un peu plus tard, n'est, autant que je puisse en juger, guère moins rude que les femmes qu'elle a charge de garder. Elle en parlait comme d'une « bande de brutes », disait qu'elle ne pouvait pas les voir sans avoir mal au cœur. Lorsque je lui demandai si, cela étant, elle n'envisageait pas de chercher un autre emploi, moins pénible, elle répondit, amère : « J'aimerais bien savoir à quoi je suis bonne encore, après onze ans à Millbank ! » Non, elle restera là, c'est plus que probable, elle mourra à la tâche.

Mme Jelf, préposée à la garde des deux quartiers du dernier étage, est la seule à avoir des allures moins populacières, la seule aussi à faire preuve d'une réelle bonté. Usée par les soucis, d'une pâleur maladive, c'est une femme sans âge ; peut-être a-t-elle vingt-cinq ans, peut-être quarante, mais elle ne se plaint pas de son travail à la prison, sinon pour dire que les histoires qu'il lui faut y entendre sont souvent bien tragiques.

Je montai chez elle à la fin de la pause de midi, lorsque retentit la cloche qui renvoie les détenues à leur travail. Je l'abordai en disant : « Aujourd'hui il faut que je commence à jouer pour de bon mon rôle de dame patronnesse, et j'espère pouvoir compter sur votre aide, madame Jelf, car j'ai un peu peur. » Aveu que je n'aurais fait pour rien au monde chez nous, à Cheyne Walk.

Elle dit qu'elle serait ravie de me conseiller. Elle me conduisit aussitôt auprès d'une détenue qui — elle en était certaine — saurait apprécier ma visite : une femme âgée, la doyenne de la prison, qui portait sur sa manche l'étoile insigne de la bonne conduite et répondait au nom d'Ellen Power. Lorsque j'entrai dans sa cellule, elle se leva pour me céder sa chaise. Je refusai évidemment, mais elle ne voulait pas s'asseoir devant moi — finalement, nous restâmes debout l'une et l'autre. Mme Jelf nous observa un instant, puis se retira sur un hochement de tête en disant gaiement : « Il faut que je ferme la grille, mademoiselle, tant que vous resterez là. Mais vous n'aurez qu'à m'appeler quand vous aurez envie de sortir. » Elle m'assura qu'une surveillante peut entendre un appel à n'importe quel point des quartiers dont elle a la garde. Elle se détourna, tirant la grille derrière elle ; je la regardai tourner la clef dans la serrure.

Je me souvins alors que c'était elle, la gardienne à qui j'avais eu affaire la semaine passée, dans les rêves où je me voyais prisonnière à Millbank.

Me retournant vers Power, je m'aperçus qu'elle souriait. Elle a déjà fait trois ans de prison et devrait retrouver la liberté dans quatre mois ; elle a été condamnée pour proxénétisme, comme tenancière d'un mauvais lieu. En m'en parlant, elle ne retint pas un geste de révolte. « Mauvais lieu, mon œil ! C'était un salon, c'est tout. De temps à autre les garçons et les filles venaient se faire des câlins. Ma propre petite-fille était tout le temps fourrée là-dedans, c'est elle qu'y faisait le ménage, et y avait toujours des fleurs, des fleurs fraîches dans un vase. Mauvais lieu, mon œil ! Les gars ont quand même besoin d'un endroit où aller avec leurs amoureuses, non ? Ils vont quand même pas leur faire des câlins dans la rue ! Et s'ils me donnent un shilling en partant, de la main à la main, pour mon accueil et les jolies fleurs — ben, je vous le demande, quel mal y a-t-il à cela ? »

À l'entendre conté ainsi, il n'y en avait aucun. Je me souvins cependant des mises en garde de la directrice et lui dis que je n'avais pas qualité pour commenter sa condamnation. Elle répondit avec un geste conciliant : oui, elle savait, c'était « un sujet pour les messieurs ». Elle avait les doigts déformés, avec des jointures énormes.

Je passai avec elle une demi-heure. Elle tenta d'abord de revenir aux subtilités du proxénétisme, mais je réussis malgré tout à la lancer sur des thèmes moins scabreux. Repensant à la triste Susan Pilling, à qui j'avais dit deux mots l'autre jour, à l'étage de Mlle Manning, je demandai l'avis de Power sur le régime de Millbank et l'uniforme qu'on y fait porter aux femmes. Elle parut réfléchir, puis répondit en secouant la tête d'un geste énergique : « Le régime, je peux pas en parler, vu que c'est la première fois que je fais de la prison, mais je pense qu'il est bien assez dur — vous pouvez en prendre note » (j'avais apporté un cahier), « ça m'est égal qui le lit. Pour ce qui est du costume, je vous le dirai tout de go, c'est une plaie. » Elle trouvait insupportable que ce ne soit jamais le même qui leur revienne du lavage — « et des fois les affaires reviennent avec toutes sortes de taches, mademoiselle, et il faut quand même les porter, si on veut pas se les geler. Puis les dessous en flanelle sont rudement *bourrus*, si je me fais comprendre, des fois ça nous gratte ; et on les a lessivés et battus tant de fois qu'on dirait même pas de la flanelle, tellement c'est élimé ; comme je viens de vous le dire, ça tient même plus *chaud*, ça ne fait que *gratter*. Les souliers, j'ai rien à y redire, mais qu'on ait pas de corset, pardonnez au mot, c'est dur pour les jeunes. Pour une vieille peau comme moi, c'est pas tellement gênant, mais les jeunesses — ben, si vous voulez mon avis, je dirais qu'elles souffrent vraiment de pas avoir de corset... »

Elle continua dans la même veine. Elle semblait prendre plaisir à parler, et pourtant l'élocution lui posait problème. Son débit était hésitant. Elle se taisait par moments, passait sa langue sur ses lèvres ou y levait la main en toussotant. Je crus d'abord que c'était moi qui l'intimidais — moi qui lui faisais face, notant par moments ses propos tout au long dans les pages de mon cahier. Pourtant, ses silences arrivaient hors de tout propos. Je repensai derechef à Susan Pilling ; elle aussi avait bégayé et toussé et semblait avoir tant de mal à trouver les mots les plus courants que je l'avais crue un peu simple d'esprit... Enfin, lorsque je me rapprochai de la grille et pris congé, Power, après avoir à nouveau trébuché sur une formule banale, posa le menton dans sa main enflée et dit :

« Vous allez me prendre pour une vieille folle, à peine capable de dire mon propre nom ! M. Power, dans le temps, c'était le contraire — il disait qu'une langue comme la mienne, aussi bien pendue, c'est un vrai malheur, et pas moyen d'y mettre le bouchon. Il en reviendrait pas, s'il me voyait maintenant. Hein, mademoiselle ? Tant d'heures qui passent, sans personne à qui parler. Parfois on se demande si on a pas la langue toute ratatinée, si on l'a pas perdue pour de bon. Parfois on a *vraiment* peur d'oublier son propre nom. »

Elle sourit, mais elle avait les yeux humides et son regard était lourd de tristesse. J'hésitai un instant, puis dis que c'était moi qu'elle aurait raison de prendre pour une folle, pour ne pas avoir deviné à quel point le silence et la solitude étaient durs à supporter. « Une femme comme moi, dis-je, entourée de bavardages à longueur de journée, n'apprécie rien tant que de se retirer dans sa chambre et de ne rien dire. »

Elle répondit aussitôt que, si ce qui m'intéressait était de me taire, je devrais passer plus de temps à Millbank. Je promis de revenir la voir sans faute, si elle le désirait ; elle pourrait alors me parler aussi longtemps qu'elle voudrait. Elle eut encore un sourire, me bénit à nouveau et lança, tandis que Mme Jelf déverrouillait la grille : « Je vais guetter votre venue, mademoiselle. Que ce soit pour bientôt ! »

Je rendis visite alors à une autre détenue, une femme elle aussi choisie par la surveillante qui me confia tout bas : « C'est une pauvre fille bien triste. J'ai peur pour elle, vu qu'elle trouve le régime de la prison terriblement dur. » La jeune femme était triste en effet et fut prise de tremblements en me voyant pénétrer dans sa cellule. Elle s'appelle Mary Ann Cook, et elle purge à Millbank une peine de sept ans pour avoir tué son bébé. Elle n'a pas encore vingt ans, se trouve en prison depuis l'âge de seize, était peut-être jolie autrefois, mais a l'air maintenant si blême et flétrie qu'elle paraît sans âge, comme si les murs blafards de la prison l'avaient vidé de toute vie et de toute couleur, ne laissant qu'une écorce vide. Je lui ai demandé de me conter son histoire, et elle a obtempéré, sans la moindre émotion, comme si elle l'avait déjà ressassée tant de fois — aux gardiennes, aux visiteuses, peut-être seulement à elle-même — que, à force, plus réel que le simple souvenir, mais dépourvu de sens, le récit n'avait plus qu'une valeur anecdotique. J'aurais voulu pouvoir lui dire que je sais ce que c'est que de vivre avec une telle histoire.

Elle était née, me dit-elle, dans une famille catholique. Sa mère était morte et son père, en se remariant, l'avait placée comme domestique, avec sa sœur, dans une maison très riche. Il y avait là une dame et un monsieur et leurs trois filles, tous très gentils, mais la famille comptait aussi un fils — « et lui, mademoiselle, il n'était pas gentil du tout. Tant qu'il a été petit, il n'a fait que nous asticoter — il écoutait à la porte quand nous étions au lit, et il nous appelait pour nous faire peur. Ce n'était pas bien méchant, et de toute façon il est vite parti dans son école, et alors on le voyait à peine. Mais quand il est revenu, au bout d'un an ou deux, il n'était plus le même — il était presque aussi grand que son papa, et plus rusé que jamais... » D'après elle, il l'aurait pressée de le rencontrer en cachette, en lui proposant de la mettre dans ses meubles et de l'entretenir comme maîtresse — elle cependant n'avait pas voulu en entendre parler. Mais elle avait découvert qu'il offrait en même temps de l'argent à sa sœur, et « pour la sauver, elle, qu'était plus jeune », elle s'était donc laissé faire ; elle s'était presque aussitôt trouvée grosse. Elle avait quitté sa place — au bout du compte sa sœur s'était retournée contre elle pour l'amour du jeune homme. Elle voulait se réfugier chez un frère, mais la belle-sœur l'avait chassée, et elle avait accouché à l'hospice. « Mon enfant est arrivée, mais je ne l'ai jamais aimée. Elle était tout le portrait de son père! J'aurais voulu la voir morte. » Elle avait amené la petite dans une église; elle avait demandé au prêtre de la bénir et, ayant essuyé un refus, elle l'avait baptisée elle-même... « Nous avons le droit de faire ça, dit-elle modestement, dans notre foi. » Elle avait loué une chambre en se faisant passer pour célibataire, cachant le bébé dans un châle pour étouffer ses pleurs; mais le châle s'était entortillé autour de la tête de la petite, et elle en était morte. Sa logeuse avait trouvé le corps. Cook l'avait caché derrière un rideau où il était resté huit jours.

« Je voulais qu'elle meure, répéta-t-elle, mais je ne l'ai pas tuée, et quand elle est partie je l'ai regretté. On a trouvé le prêtre que j'étais allée voir et on l'a fait témoigner contre moi au procès. Tout le monde a cru que je voulais du mal à mon enfant dès le départ... »

« Voilà une histoire terrible », dis-je à la surveillante qui m'ouvrit. Ce n'était plus Mme Jelf — elle avait été appelée ailleurs, pour chaperonner une détenue convoquée chez Mlle Haxby — mais Mlle Craven, la femme aux traits grossiers et au bras meurtri. En la voyant approcher de sa grille, en rencontrant son regard, Cook avait baissé la tête et repris docilement son ouvrage. L'autre me répondit d'un ton brusque en m'emmenant. « Terrible », cela me plaisait à dire. Mais les détenues comme Cook, qui avaient fait du mal à leurs propres petits — eh bien, pour sa part, elle n'avait pas de larmes à perdre sur *celles-là.*

J'évoquai l'âge de Cook. Elle me semblait bien jeune. Pourtant, Mlle Haxby m'avait dit qu'elles voyaient parfois écrouer des condamnées encore tout enfants. N'est-ce pas ?

Elle acquiesça de la tête. En effet, il y en avait parfois, et il fallait voir ça. Elles en avaient eu une qui avait pleuré tous les soirs pendant une quinzaine, en réclamant sa poupée. Ça faisait de la peine à entendre, quand elles passaient leurs inspections. L'aveu fut suivi d'un éclat de rire, et elle conclut : « Pourtant, c'était une vraie diablesse quand ça la prenait. Les gros mots qu'elle vous sortait ! On a jamais entendu ça, même chez les hommes. »

Elle, cela la faisait rire. Je me détournai. Nous étions arrivées presque au bout du corridor. Devant nous s'ouvrait la voûte d'une des tours d'angle. Au-delà, je voyais se dessiner en noir la saillie d'une grille. Je la connaissais déjà. C'était la grille devant laquelle je m'étais arrêtée la semaine précédente, celle de la cellule occupée par la jeune femme à la violette.

Je ralentis le pas et parlai à voix basse. Il y avait, dis-je, dans la première cellule du second corridor, une détenue blonde, très jeune et très jolie. Mlle Craven pouvait-elle me renseigner sur elle ?

La surveillante avait fait la grimace en parlant de Cook. Je revis maintenant sur ses traits le même air revêche. Elle répondit : « C'est Selina Dawes. Un drôle d'oiseau. C'est pas elle qui vous dira ce qu'elle pense. Certaines vous parleront d'elle comme de la détenue la plus souple de toute la prison. Paraît qu'elle a jamais donné un instant de tracas à personne, depuis qu'elle est chez nous. Moi, je m'y fierais pas. Pas simple, voilà ce qu'elle est. »

Pas simple ?

Je hochai la tête en me rappelant une remarque faite par Mme Jelf. Peut-être Dawes avait-elle du monde ? Ma question fit rire Mlle Craven : « Elle se donne des grands airs, y a pas à dire ! Pourtant, les gardiennes l'apprécient pas, pas une seule, sauf Mme Jelf — mais Mme Jelf c'est une tendre, avec toujours un mot gentil pour tout le monde. Parmi les autres détenues non plus d'ailleurs, on a pas l'air de l'aimer. En prison, les détenues ont toutes une "copine", une "p'tite amie", comme elles disent ; mais *celle-là*, elle est la copine à personne. Moi, je crois qu'elle leur donne les jetons. Quelqu'un aura lu son histoire sur un journal, et ensuite ça a fait le tour des quartiers — que voulez-vous ? On se donne du mal, n'empêche, les bruits circulent toujours ! Alors, la nuit, les autres se montent la tête et y en a une qui se met à hurler, soi-disant qu'elle a entendu des drôles de bruits dans la cellule de Dawes... »

Des bruits... ?

« Des revenants, mademoiselle ! Cette fille-là, elle est... Comment est-ce qu'on dit ? Médium, c'est bien ça ? Médium spirite. »

Je m'arrêtai net pour la regarder en face, surprise et sans doute un peu consternée. Je répétai les mots : médium spirite ! Mais aussi, médium spirite — là, dans ces lieux, en prison ? Quel crime avait-elle commis ? Pourquoi l'avait-on enfermée ?

Mlle Craven haussa les épaules. C'était à cause d'une dame, si elle se souvenait bien. Elle avait fait du mal à une dame, et à une jeune fille aussi. L'une des deux en était morte, mais l'affaire n'était pas claire. On ne l'avait pas jugée pour meurtre, seulement pour coups et blessures. En fait, certains racontaient que l'accusation contre Dawes était du pipeau, fabriquée de toutes pièces par un substitut ambitieux...

La conclusion, prononcée avec un reniflement de mépris : « Enfin, elle est pas la seule. Ça se dit, ces choses-là, dans une maison comme Millbank. »

Sans doute, concédai-je. Nous avancions tout en parlant, nous venions juste de tourner le coin des deux corridors, lorsque je la revis — elle, dont nous parlions — Dawes. Elle était assise comme l'autre fois, en plein soleil, les yeux baissés toutefois sur la laine qu'elle démêlait.

Je regardai Mlle Craven. Je lançai : « Et si je m'arrêtais là ? Voulez-vous... ? »

Le soleil flamboya plus fort à l'instant où je mis le pied dans la cellule. Après la pénombre uniforme du couloir, les murs blanchis étaient carrément éblouissants, au point de me faire cligner des yeux et lever une main en visière. Je mis donc un moment à me rendre compte que Dawes n'avait pas fait la révérence, comme toutes les autres prisonnières ; elle restait assise, elle n'avait même pas posé son ouvrage, et elle ne souriait pas, ne disait rien. Elle se borna à lever le regard pour me considérer avec une sorte de curiosité patiente, tandis que ses doigts ne cessaient de jouer avec l'écheveau embrouillé, comme si la laine grossière était un chapelet dont elle aurait fait défiler les grains.

J'attendis pour prendre la parole que Mlle Craven eût refermé la grille sur nous et se fût éloignée : « Vous vous appelez Dawes, si je ne me trompe. Comment allez-vous, Dawes ? »

Elle me regardait toujours, sans répondre. Ses traits sont un peu moins réguliers que dans le souvenir que j'avais gardé de la semaine passée. Il y a une petite dissymétrie — la ligne des sourcils et des lèvres est légèrement oblique. Les robes des prisonnières sont tellement ternes et sans intérêt, les bonnets tellement serrés qu'on fait particulièrement attention aux visages. Aux mains aussi. Dawes a les mains fines, mais rêches et rougies, aux ongles cassés et marqués de taches blanches.

Et toujours elle gardait le silence. Elle était tellement immobile et son regard si imperturbable que je me demandais bon gré mal gré si, après tout, elle n'était pas muette ou simple d'esprit. Je dis que j'espérais qu'il lui serait agréable de s'entretenir un instant avec moi ; que j'étais venue à Millbank pour offrir mon amitié à toutes les détenues...

Ma voix me parut criarde. Je l'imaginais se réverbérant à travers tout l'étage silencieux, amenant les prisonnières à marquer une pause dans leur travail, à lever la tête, à sourire peut-être. Je me détournai pour dire avec un geste vers la fenêtre, ou plutôt vers les rais qui effleuraient l'étoffe blanche du bonnet et de l'étoile biscornue : « Vous aimez vous mettre au soleil. » Elle réagit enfin, vivement : « Je peux bien jouir du soleil tout en travaillant, j'espère ? On ne va pas m'interdire un brin de soleil ? Dieu sait que je n'en vois pas souvent ! »

Il y avait dans ses mots une passion contenue qui me fit ciller. Je gardai un instant le silence, promenant mes regards à l'entour. Les murs n'étaient plus aussi éblouissants, le faisceau de rayons éclairant la prisonnière semblait rétrécir à vue d'œil, tout était de plus en plus gris, de plus en plus froid. Le soleil s'éloignait, suivant le cours implacable qui le ferait sombrer bientôt au-delà des tours de Millbank. L'occupante de la cellule, muette et immobile comme le style d'un cadran solaire, le voyait partir un peu plus tôt tous les jours, à mesure que la saison avançait. De fait, toute une moitié de la prison reste, de janvier à décembre, aussi noire que la face cachée de la lune.

Ce que je venais de comprendre me mit mal à l'aise, debout devant la prisonnière qui continuait à démêler sa laine. J'allai poser une main sur son hamac plié. Elle dit alors que, si je le touchais simplement par curiosité, elle préférerait que je choisisse d'autres objets, par exemple son gobelet et sa gamelle. La prison a des règles strictes concernant le pliage de la literie. Elle dit qu'elle ne voulait pas avoir à réparer les dégâts après mon départ.

Je retirai la main sans me faire prier, en bafouillant un « bien sûr », puis un « désolée ». Elle baissa les yeux sur ses aiguilles de bois. Je demandai à quoi elle travaillait. Apathique, elle me montra le tricot couleur de mastic qui reposait sur ses genoux et dit : « Des bas pour nos soldats. » Elle a un bon accent. Lorsqu'elle achoppait sur un mot — ce qui lui arrivait à l'occasion, fût-ce moins souvent qu'à Ellen Power ou à Cook — je me surprenais à tressaillir malgré moi.

Je demandai encore : « Vous êtes là depuis un an, n'est-ce pas ? — Vous savez, vous pouvez laisser là votre tricot pour me parler : Mlle Haxby vous le permet. » Elle laissa tomber l'écheveau, sans cesser de tripoter le fil. Je répétai la question. « Vous êtes là depuis un an. Que pensez-vous de la prison ?

— Ce que j'en pense ? » La pente oblique de ses lèvres s'accentua. Elle promena un instant ses regards autour de la cellule, puis répondit : « Et *vous*, qu'en penseriez-vous ? Vous avez une idée ? »

La question me prit au dépourvu — maintenant encore, en y repensant, je n'en reviens pas ! — et m'inspira un instant d'hésitation. Je me souvins de mon entretien avec Mlle Haxby. Je répondis que je trouverais le régime de Millbank extrêmement sévère, mais que je saurais aussi que j'avais mal agi. Sans doute serais-je contente de passer le plus clair de mon temps seule avec mes remords. Peut-être ferais-je des projets.

Des projets ?

« Pour m'amender. »

Elle se détourna sans répondre. J'en fus soulagée ; je trouvais moi-même mes paroles bien creuses. Je voyais sur sa nuque quelques boucles d'or mat qui dépassaient du bonnet — je crois qu'elle a les cheveux plus clairs même que Helen, des cheveux qui, lavés et coiffés, seraient vraiment très beaux. La tache de soleil se redessina plus nettement tout en poursuivant impitoyablement son retrait, tel l'édredon qui tombe des épaules d'un dormeur transi et inquiet. Je la vis tendre le cou pour mieux se pénétrer de la chaleur des rayons. J'insistai : « Ne voulez-vous vraiment pas me parler un peu ? Peut-être y trouverez-vous un réconfort. »

Elle continua à se taire, jusqu'à ce que le carré de soleil se fût totalement effacé. Alors elle tourna la tête et m'observa un instant en silence avant de riposter qu'elle n'avait pas besoin de *moi* pour cela. Elle avait là « ses propres réconforts ». D'ailleurs, pourquoi me ferait-elle des confidences ? Qu'est-ce que je lui dirais en retour, de ma vie à moi ?

Elle avait fait son possible pour durcir sa voix — sans succès. Un trémolo s'y glissa malgré elle, produisant une impression, non pas d'insolence, mais de bravade et, au fond, de désespoir noir. Je pensai : Que j'aie maintenant un mot gentil, et tu te mettras à pleurer... Mais je ne voulais pas la voir pleurer. J'affectai un ton énergique pour répondre que, s'il y avait bien des choses que Mlle Haxby m'avait interdit d'évoquer dans mes conversations avec elle, ma propre personne n'était pas du nombre. Je lui donnerais tous les détails qui pourraient l'intéresser...

Je lui dis mon nom et mon adresse, à Cheyne Walk, Chelsea. Je parlai de mon frère marié, dis que j'ai aussi une sœur à la veille de ses noces, mais que, pour ma part, je suis célibataire. Je lui dis que je dors mal et passe de longues heures à lire ou à écrire, ou encore à ma fenêtre, à regarder couler le fleuve. Arrivée là de mes confidences, je fis semblant de réfléchir. Quoi encore ? — « Je crois bien que vous savez tout. Il n'y a pas grand-chose à raconter... »

Elle m'avait regardée parler en battant des paupières. À présent, enfin, elle se détourna et sourit. Elle a de belles dents, bien rangées et très blanches — « blanc panais », selon le mot de Michel-Ange —, mais ses lèvres sont rêches, comme si elle se les mordait. Elle se mit alors à causer sur un ton plus naturel. Elle me demanda depuis quand j'étais dame patronnesse. Qu'est-ce qui m'avait donné envie de visiter les prisons ? Pourquoi avais-je choisi de venir à Millbank, alors que j'aurais pu rester chez moi, à Chelsea, à ne rien faire... ?

« Vous pensez donc que les dames doivent vivre dans l'oisiveté ? »

C'était ce qu'elle ferait en tout cas, elle, à ma place.

« Non, objectai-je, pas si vous y étiez vraiment. »

Ma réponse parut l'étonner. J'avais parlé plus haut que je ne pensais. Immobile, son tricot enfin bien oublié, elle m'observait d'un air attentif. Pour le coup, j'aurais préféré qu'elle n'en fît rien ; la fixité de son regard avait quelque chose de troublant. Je dis que, à parler franc, l'oisiveté ne me convenait guère. J'en avais tâté pendant deux ans, si bien que j'avais fini par « en faire une maladie et » — je poursuivis mes explications — « c'est M. Shillitoe qui m'a proposé de venir ici. Il est un vieil ami de mon père. Il est passé nous rendre visite, et il nous a parlé de Millbank. Il a dit quelques mots de l'œuvre des patronnesses. J'ai pensé que... »

Qu'est-ce donc que j'avais pensé ? Ses yeux braqués sur moi me posaient la question, mais je ne savais plus. Je me détournai, sans parvenir à faire abstraction de ce regard. Elle dit enfin elle-même, d'une voix monocorde : « Vous êtes venue à Millbank pour voir des femmes plus malheureuses encore que vous, vous espérez que cela vous rendra la santé. » — Je garde un souvenir très net des mots, tellement énormes et tout ensemble si près de la vérité que je ne pus les entendre sans rougir. Elle parlait toujours : « Allez-y, regardez-moi, je suis bien assez malheureuse. Le monde entier peut me regarder, ça fait partie de ma punition. » Son orgueil relevait la tête. Je bredouillai mon espoir que mes visites pourraient tempérer la rigueur de sa peine, plutôt que de l'aggraver, et elle repartit — comme avant — qu'elle n'avait pas besoin de *mes* consolations. Elle avait une foule d'amis qui lui apportaient tout le réconfort qu'elle pouvait souhaiter.

J'écarquillai les yeux. « Ici ? Vous avez des amis ici ? » Elle abaissa les paupières et désigna son front d'un geste théâtral, à la manière des magnétiseurs : « C'est *ici* que j'ai des amis, mademoiselle Prior. »

Je n'y pensais plus. Le rappel triompha de mon émotion. Elle, de son côté, gardait les yeux fermés. J'attendis qu'elle les rouvrît avant de relancer la conversation : « Vous êtes spirite. Mlle Craven me l'a dit. » Elle inclina légèrement la tête, et je repris : « Ainsi, ce sont des amis de l'au-delà qui vous rendent visite ? Des esprits ? » Elle fit oui de la tête. « Et quand est-ce qu'ils viennent ? »

À l'en croire, les esprits amis ne nous quittent jamais.

« Jamais ? » Je crois bien avoir souri. « C'est-à-dire qu'ils sont là en ce moment ? Ici même ? »

Oui, ici même et en ce moment. Simplement, ils « ne daignaient pas se manifester » ; ou peut-être n'en avaient-ils « pas le pouvoir »...

Je regardai autour de moi. Je repensai à la suicidée — Jane Samson — que j'avais vue à l'étage de Mme Pretty, au nuage de poussières de coco dans lequel elle vivait. Était-ce ainsi que Dawes imaginait l'air de sa cellule — grouillant d'esprits ? Je repris : « Pourtant, vos amis s'en donnent le pouvoir quand ils veulent, n'est-ce pas ? » — Le pouvoir, dit-elle, était le sien. Ils le tiraient d'elle. — « Et alors vous les voyez tout à fait clairement ? » — Ou bien ils lui parlaient. « Parfois, je n'entends que des voix, ici. » Derechef elle toucha son front.

« Est-ce pendant le travail que vous recevez leurs visites ? » — Elle remua la tête en signe de dénégation : non, ils venaient lorsque les bruits de la prison se taisaient et qu'elle se reposait.

« Et ils sont bons pour vous ?

— Oui, très bons. Ils m'apportent des cadeaux.

— Tiens ! » Là, je ne pus m'empêcher de sourire, j'en suis certaine. « Ils vous apportent des cadeaux. Des cadeaux de l'au-delà ? »

De l'au-delà ou d'ici-bas... Elle parlait comme si cela revenait au même...

D'ici-bas ! Par exemple... ?

« Par exemple des fleurs, dit-elle. Parfois une rose. Ou bien une violette... »

Lorsqu'elle prononça ce mot, une porte claqua quelque part à l'étage ; je sursautai, mais elle ne bougea pas. Elle avait vu mon sourire sans broncher ; elle avait parlé simplement, sur un ton presque insouciant, comme si ce que je pensais de ses dires lui était parfaitement égal. Son dernier mot me laissa stupéfaite — je clignai des yeux, puis sentis mes traits se figer. Comment avouer que je l'avais épiée en secret, que je l'avais vue porter une fleur à ses lèvres ? J'avais tenté sur le moment de trouver une explication à cette fleur, sans succès ; j'avais laissé passer la semaine sans y repenser une seule fois. Je me détournai avec un « eh bien » qui resta court. Et encore : « Eh bien... » Et enfin, avec un enjouement hypocrite qui me faisait frémir intérieurement : « Eh bien, espérons que Mlle Haxby n'aura pas vent de vos visites ! Elle se dira que la prison n'est pas pour vous une punition, du moment que vous y tenez salon... »

Elle répondit sans hausser la voix. Pas une punition ? Est-ce que je pensais vraiment qu'il y avait au monde quelque chose, n'importe quoi, qui pouvait alléger sa peine ? Est-ce que je pensais cela, moi avec ma vie de femme du monde, moi qui avais été témoin de l'existence qu'on leur faisait, du travail forcé, du costume, de la nourriture? « Être toujours sous l'œil d'une surveillante, exposée sans trêve à un regard plus collant que la cire! Souffrir toujours du manque d'eau et de savon. Oublier les mots, les mots les plus courants, parce que votre routine est tellement étriquée que vous n'avez besoin que d'une centaine de substantifs et de phrases rudimentaires — *murs, soupe, peigne, bible, aiguille, éteindre, détenue, marchez, halte-là, plus vite que ça!* Passer des nuits sans dormir — pas des nuits blanches comme *vous* en connaissez, avec un feu dans votre cheminée, vous sachant entourée de votre famille et de vos... de vos domestiques. Non, rester éveillée, engourdie de froid, à prêter l'oreille à une femme qui hurle au rez-de-chaussée parce qu'elle fait un cauchemar ou qu'elle souffre du délire des ivrognes, parce qu'elle est encore novice et que... et qu'elle n'arrive pas à croire qu'on lui a tondu la tête pour tout de bon et qu'on l'a enfermée sous clef! » Est-ce que je pensais qu'il y avait quelque chose, n'importe quoi, qui pouvait lui rendre cela plus supportable? Est-ce que je pensais que la punition cessait d'en être une simplement parce qu'elle recevait parfois la visite d'un esprit — un esprit qui venait poser ses lèvres sur les siennes, puis s'évanouissait avant la fin du baiser et la laissait seule, dans une nuit plus noire encore qu'avant sa venue?

Les paroles résonnent maintenant encore à mes oreilles; je crois même entendre sa voix, sifflante, bafouilleuse... Elle ne pouvait se permettre ni cris ni clameurs, de peur d'attirer la surveillante; force lui était de mettre une sourdine à sa passion, l'expression en était réservée à moi seule. J'en perdis le sourire. Incapable de lui répondre, je tournai le dos et m'abîmai dans la contemplation du mur anonyme au-delà des barreaux.

Dans cette posture, mon oreille perçut son pas. Elle avait quitté sa chaise, elle se trouvait à mon côté, levait la main — je crois bien — pour me toucher.

Je me dérobai, me rapprochant de la grille. La main retomba.

Je dis que je n'avais pas voulu troubler sa tranquillité. Les autres femmes à qui j'avais parlé étaient manifestement moins enclines à la réflexion, ou peut-être avaient-elles eu la sensibilité émoussée par la vie qu'elles menaient avant la prison.

Elle me demanda pardon.

« Ne dites pas *cela*! » Ce serait grotesque, qu'elle éprouve sincèrement un besoin de *pardon*! « Mais si vous aimez mieux que je m'en aille... ? » Elle ne réagit pas. Je restai le regard perdu dans les ténèbres de plus en plus épaisses du corridor. Certaine enfin qu'elle ne parlerait plus, je secouai les barreaux et appelai la surveillante.

Je vis venir à nouveau Mme Jelf. Son premier regard fut pour moi, mais elle en dirigea aussitôt un second par-dessus mon épaule. J'entendis Dawes se rasseoir. Lorsque je me retournai, elle avait ramassé son écheveau et repris le travail. Je lui dis « au revoir ». Elle ne répondit pas. Elle ne leva la tête qu'à l'instant où la clef tourna dans la serrure de la grille. Je vis alors sa gorge fine palpiter. Elle lança un appel — « mademoiselle Prior ! », mon nom — suivi d'un regard furtif du côté de Mme Jelf et d'un murmure : « Personne ici ne dort bien. Pensez à nous, voulez-vous, la prochaine fois que vous aurez une insomnie ! »

Son teint, plus pâle que l'albâtre pendant toute la durée de ma visite, s'anima à ces mots d'une rougeur diaphane. Je lui donnai ma promesse : « Très bien, Dawes, je n'y manquerai pas. »

La surveillante me prit le bras et demanda : « Ne voulez-vous pas voir aussi le second corridor, mademoiselle ? Que je vous montre Nash ou Hamer ? Ou peut-être Chaplin, notre empoisonneuse ? »

Mais je ne vis aucune autre détenue. Je quittai sur-le-champ la prison des femmes et me fis reconduire à travers les pentagones des hommes.

Là, le hasard me mit sur le chemin de M. Shillitoe. Ses premiers mots furent pour me demander mes impressions.

Je répondis que je n'avais qu'à me louer de l'amabilité des surveillantes et qu'une ou deux détenues avaient paru contentes de ma visite.

« Ça va de soi qu'elles étaient contentes ! Mais vous ont-elles bien reçue ? De quoi ont-elles parlé ? »

De leurs sentiments, dis-je. Et de leurs pensées.

Il approuva en hochant la tête. « Très bien. Il vous faudra gagner leur confiance, voyez-vous. Qu'elles sentent que vous les respectez à la place que l'existence leur a assignée ! Cela les encouragera à vous honorer de même, au rang qui est le vôtre. »

Je le regardai sans réagir. J'étais mal à l'aise, hantée toujours par mon entretien avec Selina Dawes. J'avouai enfin mon embarras : « Après tout, peut-être que je n'ai ni les connaissances ni le tempérament qu'il faut pour être une bonne patronnesse... ? »

Les connaissances ? Allons donc ! se récria-t-il. Je connaissais le cœur humain, et c'était tout le savoir dont je pouvais avoir besoin entre ces murs ! Pensais-je donc que ses préposées en savaient plus long que moi ? Les croyais-je dotées d'un caractère plus heureux ?

Je pensai à Mlle Craven, tellement brutale, et à Dawes, contrainte d'imposer silence à sa passion, de peur de s'en faire houspiller. J'objectai : « Il y a pourtant quelques femmes, du moins il me semble — quelques déséquilibrées... »

Sans doute. À Millbank, pensez donc ! il y en avait toujours. Mais je serais peut-être étonnée d'apprendre que c'étaient souvent les prisonnières les plus récalcitrantes qui, au bout du compte, réagissaient le mieux à l'intérêt des patronnesses, les caractères difficiles étant aussi les plus impressionnables. Si je rencontrais un cas de ce genre parmi les détenues, je devrais en faire « mon objet privilégié ». Ce serait cette malheureuse qui, plus que toute autre dans la maison, profiterait des attentions d'une femme du monde...

Je ne m'étais pas fait comprendre, mais je n'eus pas l'occasion de poursuivre alors la conversation avec M. Shillitoe. Un gardien était venu le chercher pendant qu'il parlait et il se vit dans l'obligation de me quitter. Un groupe de gens du monde précisément venait d'arriver et attendait pour eux aussi visiter la prison sous sa conduite éclairée. Je les vis rassemblés sur la bande de gravier devant la porte intérieure. Les hommes s'étaient approchés du mur d'un des pentagones et paraissaient étudier la maçonnerie de briques jaunes.

Comme la semaine passée, j'appréciai d'autant plus la limpidité du jour après avoir respiré l'air vicié de la prison des femmes. Le soleil, qui avait cessé d'éclairer les fenêtres des cellules que je venais de visiter, demeurait pourtant assez haut dans le ciel pour qu'on puisse parler d'un bel après-midi. Voyant le concierge sur le point de sortir devant la porte cochère pour siffler un fiacre, je le retins et traversai plutôt jusqu'au parapet du quai. On m'avait dit que je pourrais voir là l'appontement d'où on faisait autrefois embarquer directement les condamnés désignés pour être transportés vers les colonies, et j'étais curieuse. C'est une jetée de bois avec, à l'entrée, une voûte noire fermée par une grille ; la voûte donne accès à une galerie souterraine qui fait communiquer la prison avec l'appontement. Je passai un moment accoudée là, à m'imaginer les navires et les sentiments des femmes qu'on y chargeait comme du bétail, puis, pensant toujours à elles — repensant aussi à Dawes et à Power et à Cook —, je commençai à marcher. Je marchai tout le long du quai, ne m'arrêtant que juste avant d'arriver à la maison, près d'un homme qui pêchait à la ligne dans le fleuve. Il avait suspendu à sa ceinture deux poissons au corps élancé ; leurs écailles brillaient comme de l'argent et les bouches étaient très roses.

J'avais fait le chemin à pied en pensant que ma mère serait toujours prise par les affaires de Pris. En arrivant à la maison cependant, contrairement à mon attente, je l'ai trouvée qui, rentrée depuis une bonne heure, me guettait à la fenêtre. Et de m'interroger : depuis quand est-ce que je me déplaçais en ville à pied ? Elle avait été sur le point d'envoyer Ellis me chercher.

Je l'avais un peu boudée dans la matinée ; j'étais bien décidée à le lui revaloir maintenant. Je lui ai donc demandé pardon et, en guise d'expiation, je me suis laissé conter par Priscilla sa séance de pose chez M. Cornwallis. Elle m'a à nouveau montré sa robe bleue et l'attitude qu'on lui fait prendre pour le portrait — elle sera peinte en jeune fille attendant son bien-aimé, le visage tourné vers la lumière, des fleurs à la main. Elle dit que M. Cornwallis lui donne un bouquet de pinceaux à tenir, mais que dans le tableau fini ce seront des lys — cela m'a fait penser à Dawes et à ses violettes mystérieuses. « Les lys et le fond, il les ajoutera pendant que nous serons à l'étranger... »

Elle m'a révélé alors le but de leur voyage. Ils iront *en Italie.* Elle a prononcé le mot comme si de rien n'était ; peu lui chaut ce que l'Italie a pu représenter pour moi autrefois. Mais en entendant cela, je me suis dit que j'avais assez expié. Je l'ai quittée pour ne redescendre qu'à la cloche du dîner, sonnée par Ellis.

La cuisinière nous avait préparé du mouton. Il est arrivé froid sur la table, couvert d'un voile de graisse. L'aspect du plat m'a rappelé la soupe aigre de Millbank, les soupçons des femmes quant aux mains sales qui avaient pu y tremper ; j'en ai perdu l'appétit. Je me suis levée de table avant les autres pour passer une heure à compulser les livres et les gravures dans la chambre de papa, puis une heure encore à contempler la circulation dans la rue. J'ai vu M. Barclay, le futur de Pris, arriver en balançant sa canne. Il a fait halte un instant au bas du perron pour mouiller ses doigts à une feuille et lisser sa moustache. Il ne savait pas que j'étais là, à ma fenêtre, à l'observer d'en haut. Ensuite j'ai lu un peu et j'ai mis ces notes à jour.

Maintenant ma chambre est noyée dans les ténèbres, ma liseuse la seule lumière, mais la lueur de la mèche est renvoyée par une dizaine de surfaces polies, et en tournant la tête je verrais mon propre visage, maigre et jaune, dans la glace de la cheminée. Je ne me retourne pas. Je regarde plutôt le mur devant moi où, à côté du plan de Millbank, j'ai punaisé ce soir une gravure. Je l'ai trouvée chez papa, dans un album des Offices : c'est le tableau de Crivelli auquel j'ai pensé la première fois que j'ai vu Selina Dawes — non pas un ange, comme je croyais, mais la *Veritas* de sa dernière période. Une jeune fille sévère et mélancolique — porteuse du disque flamboyant du soleil et d'une glace. Je l'ai emportée en montant et je vais la garder ici. Pourquoi pas ? Elle est belle.

30 septembre 1872

Mlle Gordon, pour une douleur bizarre. Mère sur l'autre bord Mai 71, *cœur*. 2/—

Mme Caine, pour sa fille Patricia — *Pixie* — ayant vécu 9 mois, sur l'autre bord Fév 70. 3/—

Mme Bruce & Mlle Alexandra Bruce. Père sur l'autre bord Jan, estomac. *Y a-t-il un second testament ?* 2/—

Mme Lewis (*pas* Mme Jane Lewis, fils infirme, Clerkenwell) — Celle-ci n'est pas venue pour moi, c'est M. Vincy qui me l'a amenée, disant qu'il lui avait fait faire un bout de chemin, mais que la pudeur ne lui permettait pas de pousser plus loin, d'autant qu'il y a une autre dame qui l'attend. Quand elle m'a vue, elle a poussé un cri : oh ! qu'elle est jeune ! — Oui, mais une vraie vedette, notre étoile montante, je vous assure, a lancé aussitôt M. Vincy. — La séance a duré une demi-heure, sa peine étant la suivante :

Que toutes les nuits, à 3 h du matin, elle est réveillée par un Esprit qui vient poser la main sur la chair au-dessus de son cœur. Elle ne voit jamais le visage de l'Esprit, elle sent seulement le bout de ses doigts, froids. Il est venu si souvent qu'elle prétend que ses doigts ont laissé des marques, c'est cela qu'elle ne voulait pas montrer à M. Vincy. J'ai dit : mais vous pouvez me les montrer, à moi, & elle a ouvert son corsage & je les ai vues, claires comme le jour, 5 marques rouges comme des clous, mais plates, sans enflure ni suppuration. Je les ai regardées un bon moment, puis j'ai dit : eh bien, c'est parfaitement clair, n'est-ce pas ? C'est votre cœur qu'il veut. Voyez-vous une raison pour laquelle un Esprit viendrait chercher votre cœur ? Elle a répondu : je n'en vois pas, tout ce que je veux, c'est qu'il s'en aille. Mon mari dort à côté de moi dans le même lit & j'ai peur, quand l'Esprit vient, qu'il ne le réveille — elle n'est mariée que depuis 4 mois. Je l'ai regardée fixement & j'ai dit : prenez ma main & dites-moi la vérité maintenant, vous savez très bien qui est cet Esprit & pourquoi il vient.

Évidemment qu'elle le connaissait, c'était un garçon qu'elle avait promis d'épouser autrefois, & quand elle l'a plaqué pour un autre, il est parti en Inde & il est mort là-bas. Elle m'a conté l'histoire en pleurant. Elle m'a demandé : vous croyez vraiment que ça pourrait être lui ? Je lui ai conseillé de se renseigner sur l'heure de sa mort : je donne ma tête à couper que ce sera 3 h du matin, heure anglaise. J'ai dit qu'un Esprit peut avoir toutes les libertés de l'au-delà, mais rester quand même captif de l'heure de son trépas.

Alors, j'ai imposé la main sur son cœur, recouvrant les marques rouges. J'ai dit : il avait un petit nom pour vous. Lequel ? Elle a répondu que c'était Dolly. J'ai dit : oui, maintenant je le vois, c'est un garçon à l'air doux & il pleure. Il me montre sa main & là-dedans il y a votre cœur, je vois Dolly écrit dessus, c'est très net, mais les lettres sont noires comme la poix. Il est retenu dans un lieu très sombre par son désir de vous. Il a envie de progresser, mais votre cœur est comme un poids de plomb qui le cloue en bas. Elle, alors : que faire, Mlle Dawes, que faire ? & moi : eh bien, c'est vous qui lui avez donné votre cœur, ça n'a pas de sens de pleurer maintenant parce qu'il veut le garder. Mais il faudra lui persuader de lâcher prise. En attendant que nous y arrivions, je pense que chaque fois que votre mari vous embrassera, l'Esprit de ce garçon va se mettre entre votre bouche & la sienne. Il essaiera de voler vos baisers pour lui. J'ai promis de travailler au moins à le fléchir. Elle doit revenir Merc. Elle a demandé : comment est-ce que je peux vous payer ? & je lui ai dit que si elle voulait laisser une pièce, elle devait la laisser à M. Vincy, puisque c'est lui & pas moi qu'elle était venue consulter. J'ai dit : dans une maison comme celle-ci, voyez-vous, où il y a plus d'un médium qui exerce, il faut que nous soyons très honnêtes.

Mais quand elle est partie, M. Vincy est venu frapper chez moi & il m'a remis l'argent qu'elle avait laissé. Il a dit : allez, Mlle Dawes, il faut croire que vous l'avez impressionnée. Regardez ce qu'elle nous a offert, un *jaunet* ni plus ni moins. Je vous l'apporte tout chaud. Il m'a mis la pièce dans la main, & c'était vrai, elle était toute chaude de la sienne. Il riait. J'ai dit qu'il ne fallait pas me donner l'argent, puisque Mme Lewis était en fait une cliente à lui. & lui alors : mais vous, Mlle Dawes, comme quoi que vous êtes là toute seulette & sans appui, vous êtes comme qui dirait un rappel vivant de mes devoirs de gentleman. Il n'avait toujours pas lâché ma main qui tenait la pièce. Quand j'ai voulu la retirer, il a serré plus fort & il a demandé : elle vous a fait voir les marques ? J'ai dit alors que j'entendais Mme Vincy sur le palier.

Lui parti, j'ai serré la pièce dans ma boîte, & la journée s'est traînée.

4 octobre 1872

Chez une dame à Farringdon, Mlle Wilson — frère sur l'autre bord 58, *convulsions & étouffement.* 3/—

Ici, Mme Partridge — 5 bébés sur l'autre bord, nommément Amy, Elsie, Patrick, John, James, aucun qui ait vécu plus d'un jour ici-bas. Celle-ci est arrivée avec un voile de dentelle noir, je l'ai fait se découvrir. J'ai dit : je vois les visages de vos petits sur votre gorge. Vous portez leurs visages radieux comme un collier, & vous n'en savez rien. Mais il y avait un vide dans le collier, de la place pour 2 joyaux encore. Quand j'ai vu cela, j'ai baissé le voile & j'ai dit : il faudra vous armer de courage...

Ça m'a rendue triste, de travailler avec celle-là. Après, j'ai fait dire en bas que j'étais trop fatiguée pour en prendre d'autres, & j'ai gardé la chambre. Il est 10 h. Mme Vincy est couchée. M. Cutler, qui a la chambre au-dessous de la mienne, s'entraîne avec un poids, & Mlle Sibree est en train de chanter. M. Vincy est monté une fois, j'ai entendu ses pas sur le palier & le bruit de sa respiration devant ma porte. Il y est resté 5 minutes à souffler. Quand j'ai crié : que voulez-vous, M. Vincy ?, il a dit qu'il était monté inspecter le tapis de l'escalier, des fois qu'il pourrait se déclouer & moi y prendre le pied & faire une chute. Il a dit que c'est le devoir d'un logeur, même à 10 h du soir.

Quand il est redescendu j'ai bouché le trou de la serrure avec un bas.

& j'ai veillé encore en pensant à Tantine, demain ça fera 4 mois qu'elle est morte.

2 octobre 1874

Nous avons eu de la pluie depuis trois jours — une pluie morne et froide, qui laisse la surface du fleuve striée de crêtes noires comme un dos de crocodile et entraîne les péniches dans un roulis et des plongeons sans fin, fatigants à regarder. Je me suis enveloppée dans un plaid, la tête couverte d'un vieux bonnet de soie à papa. Quelque part dans la maison j'entends des éclats de voix — ma mère qui gronde Ellis, sans doute pour une tasse cassée ou de l'eau renversée. Voilà maintenant une porte qui claque, et le perroquet qui siffle.

Le perroquet est à Priscilla, un cadeau de M. Barclay. On le garde au salon, sur un perchoir de bambou. M. Barclay essaie de lui apprendre à dire le nom de Priscilla, mais pour l'instant il ne fait que siffler.

Nous sommes une maisonnée morose aujourd'hui. La pluie a inondé la cuisine, et il y a des fuites sous les combles, mais le pire, c'est la fille de chambre, Boyd, qui s'en va, et ma mère est furieuse de devoir en engager une nouvelle à la veille du mariage. C'est une drôle d'histoire. Tout le monde pensait que Boyd était contente chez nous, ça fait trois ans qu'elle est à notre service, mais hier elle a dit à ma mère, de but en blanc, qu'elle avait trouvé une autre place, et elle a donné ses huit jours. Elle a débité un conte à dormir debout, sans regarder ma mère en face; enfin, mise au pied du mur, elle a pleuré comme une Madeleine. Le fait est, a-t-elle avoué alors, qu'elle a peur quand elle est seule. La maison serait « bizarre » depuis la mort de papa. Le cabinet de papa en particulier lui donne froid dans le dos quand elle y fait le ménage, et ensuite, le soir, il y a toutes sortes de craquements inexplicables et d'autres bruits qui l'empêchent de dormir — elle affirme même avoir entendu une fois une voix murmurer son nom! Elle a passé, dit-elle, bien des nuits blanches, morte de peur, trop effrayée ne serait-ce que pour aller se réfugier dans la chambre d'Ellis; au bout du compte donc, elle est désolée de nous quitter, mais elle a les nerfs ébranlés et elle a trouvé une autre place, dans une maison de Maida Vale.

Ma mère a dit que jamais de la vie on ne lui avait servi un tel fatras de sottises.

Face à nous elle s'est gênée moins encore : « Des revenants! Non, mais! Des revenants, chez nous! Penser qu'une créature comme Boyd ose salir ainsi la mémoire de votre malheureux père! »

D'après Priscilla, c'était en effet bizarre que le fantôme de papa ait choisi justement la chambre de bonne pour y revenir. Elle en a appelé à moi. « Toi qui veilles si tard, Margaret, tu n'aurais pas entendu quelque chose? »

J'avais bien entendu Boyd ronfler. J'avais cru naïvement

qu'elle dormait, mais on ne sait jamais, peut-être ronflait-elle de peur...

Ma mère s'est dite ravie que j'y trouve matière à plaisanter. Pourtant, il n'y aurait pas de quoi rire dans la tâche qui l'attend à présent : dénicher une autre fille et la styler !

Cela dit, elle a sonné Boyd pour la houspiller encore un coup.

Comme la pluie confinait tout le monde dans le huis clos de la maison, la dispute a traîné en longueur. Après le déjeuner, n'y tenant plus, j'ai bravé le mauvais temps, je me suis fait conduire à Bloomsbury, à la salle de lecture du British Museum. J'ai commandé le livre de Mayhew sur les prisons de Londres et les écrits d'Elizabeth Fry, traitant plus particulièrement de celle de Newgate, puis un ou deux autres ouvrages, recommandés par M. Shillitoe. Un monsieur s'est proposé pour m'aider à les porter, demandant pourquoi les personnes du sexe, les plus frêles des lectrices, commandaient invariablement des volumes aussi monstrueux. Il les a soulevés l'un après l'autre, et je l'ai vu sourire en lisant les titres au dos.

D'être là ravivait mon deuil. La salle de lecture n'a changé en rien depuis que papa nous a quittés. J'y ai vu, pour certains, les mêmes lecteurs qu'il y a deux ans, séchant toujours sur les mêmes liasses manuscrites, épluchant les mêmes livres ennuyeux, livrant toujours les mêmes petites batailles perdues d'avance avec le personnel, toujours aussi rigide. Le monsieur qui se suce les moustaches ; celui qui rit dans sa barbe ; la copieuse de caractères chinois qui fait la grimace au moindre chuchotement de ses voisins... Ils étaient tous là, fidèles au poste — semblables aux mouches captives d'un presse-papiers d'ambre.

Se souviennent-ils de moi ? Je me le demande. Sur le moment, seul un bibliothécaire a témoigné peu ou prou m'avoir reconnue. S'adressant à un collègue plus jeune pendant que j'attendais à son guichet, il a dit : « Mademoiselle est la fille de M. George Prior. Mlle Prior et son père ont été ici pendant quelques années des lecteurs assidus... Eh oui, je revois encore le vieux monsieur, demandant si ses livres étaient bien arrivés. Mlle Prior a assisté son père dans son travail sur la Renaissance. » L'autre a dit avoir vu l'ouvrage.

Sinon, pour ceux qui ne me connaissent pas, je suis désormais plutôt madame que mademoiselle. L'espace de deux ans a suffi pour faire de la « jeune » fille une vieille.

Des vieilles filles, il y en avait beaucoup dans la salle aujourd'hui, à ce qu'il m'a semblé — plus en tout cas que dans mon souvenir. Mais peut-être en va-t-il des vieilles filles comme des revenants : il faut en être pour les voir.

Je ne suis pas restée longtemps. J'étais énervée, et de toute manière on y voyait à peine avec la pluie. Pourtant, je ne voulais pas retourner aux récriminations de ma mère et de Boyd. J'ai pris un fiacre jusqu'à Garden Court, espérant y trouver Helen seule par un temps aussi maussade. En effet : elle n'avait pas eu une visite de la journée, elle s'amusait à rôtir du pain devant le feu, donnant les croûtes à manger à Georgy. En me voyant entrer, elle lui a dit : « Tiens ! Voilà tata Margaret ! Regarde ! » Elle m'a tendu le petit qui m'a aussitôt décoché une grêle de coups de pied dans le ventre. Je l'ai complimenté : « Mon enfant, que tu as de grands petons, beaux et gras ! » Puis : « Mon enfant, que tu as de grandes joues, fraîches et vermeilles ! » Helen a répondu cependant que les belles couleurs venaient d'une nouvelle dent qui lui faisait des misères. Après quelques instants sur mes genoux il s'est mis à pleurer, et sa mère l'a déposé dans les bras de la nounou qui l'a emporté.

Je lui ai conté l'histoire de Boyd et des fantômes, et nous avons parlé ensuite de Pris et d'Arthur. Helen savait-elle qu'ils voulaient passer leur lune de miel en Italie ? Je pense que oui, je pense qu'elle avait appris la nouvelle bien avant moi, mais elle ne voulait pas en convenir. Tout le monde, dit-elle, était libre d'aller là-bas. Voulais-je donc arrêter les voyageurs en deçà des Alpes simplement parce que, moi, je n'avais pas pu réaliser le tour d'Italie que j'avais rêvé autrefois ? « Ne te venge pas sur Priscilla. Ton père était aussi le sien. Crois-tu qu'elle n'ait pas souffert de devoir ajourner ses noces ? »

Je me souvenais en effet de la crise de larmes de Priscilla, quand on avait découvert la maladie de papa — le tout, parce qu'elle venait de se faire faire une douzaine de robes, et il allait falloir tout renvoyer et commander à la place des toilettes de deuil. Et moi ? ai-je demandé à Helen. Qu'est-ce qu'on m'a fait, quand j'ai pleuré ?

Elle a répondu sans me regarder. Quand j'avais pleuré, moi, ce n'était pas pareil. « Priscilla avait dix-neuf ans, c'était une jeune fille comme toutes les autres. Elle vient de passer deux années difficiles. Nous devrions être contentes que M. Barclay ait accepté d'attendre. »

J'ai rétorqué, non sans amertume, que Stephen et elle avaient eu plus de chance, et elle a acquiescé calmement : « En effet, Margaret, nous avons pu nous marier encore sous les yeux de votre père. Priscilla n'aura pas cela, mais d'un autre côté ses noces seront plus belles sans la maladie de votre pauvre papa pour hâter la cérémonie. Ne lui gâche pas son plaisir, voyons ! »

Je me suis levée, je suis allée chauffer mes mains devant le feu, j'ai dit enfin qu'elle était bien austère aujourd'hui ; c'était la maternité qui lui faisait cet effet-là, les guili-guili qu'elle faisait à son petit. « Mais oui, *madame Prior*, tu parles tout à fait comme ma propre mère. À ceci près que tu es trop raisonnable... »

En m'entendant dire cela, elle a tenté en rougissant de m'imposer silence. Pourtant, elle riait en même temps, en cachette ; je l'ai bien vue dans la glace de la cheminée. Je lui ai fait souvenir alors que la dernière fois que je l'avais vue rougir ainsi, elle n'était encore que Mlle Gibson. Est-ce qu'elle aussi se rappelait nos rires et nos rougissements ? « Papa disait que ta figure devenait rouge comme le cœur du jeu de cartes, la mienne comme le carreau... Tu te souviens, Helen, comme papa disait cela ? »

Cela l'a fait sourire, mais déjà elle tendait l'oreille et disait : « Voilà Georgy qui recommence. » Moi, je ne l'avais pas entendu. « Comme sa pauvre quenotte le fait souffrir ! » Et de sonner Burns, sa femme de chambre, pour se faire à nouveau apporter le bébé. Après cela, je ne suis plus restée longtemps.

6 octobre 1874

Je ne suis pas d'humeur à écrire ce soir. Je suis montée en prétextant une migraine et j'attends d'un instant à l'autre ma mère avec mon médicament. J'ai passé une journée morne, à la prison de Millbank.

On commence à me connaître là-bas, assez pour plaisanter en me voyant me présenter au pavillon d'entrée. « Comment ? Déjà de retour, mademoiselle Prior ? lança aujourd'hui le concierge. J'aurais cru que vous en auriez eu assez de nous, depuis le temps. Enfin, c'est étonnant comme la geôle fascine toujours ceux qui ne sont pas obligés d'y travailler. »

La geôle. Il emploie avec prédilection ce mot d'autrefois, et il lui arrive à l'avenant d'appeler les gardiens *porte-clefs* et les surveillantes *contremaîtresses.* Il garde la porte de Millbank depuis trente-cinq ans, à ce qu'il m'a dit un jour, il a vu passer des milliers de détenus et il connaît donc toutes les histoires les plus dramatiques et les plus terribles de la maison. Le temps étant encore aujourd'hui à la pluie, je le trouvai debout à la fenêtre du pavillon, en train de maudire l'eau qui transformait le terrain de Millbank en bourbier. Le sol, dit-il, retient l'eau, ce qui rend particulièrement pénible le travail des hommes chargés de l'entretien des cours : « Elle est mauvaise, cette terre-là, mademoiselle Prior. » Il me fit signe de le rejoindre et me montra l'emplacement où l'on avait creusé aux débuts de l'établissement un fossé — semblable à la douve d'un château fort, mais sans eau — franchi grâce à un pont-levis. « Mais la terre elle n'en a pas voulu. On a eu beau faire drainer par les détenus, la Tamise revenait aussitôt par en bas, et tous les matins on retrouvait le fossé plein d'eau noire. On a fini par le combler, on n'avait pas le choix. »

Je lui tins compagnie un instant en me chauffant devant son feu. Lorsque je me présentai à la porte de la prison des femmes, on me remit, comme d'habitude, à Mlle Ridley, pour reprendre mon tour des installations. Aujourd'hui elle me montra l'infirmerie.

Celle-ci est, comme les cuisines, un local extérieur, aménagé dans l'hexagone central. Une salle chaude et spacieuse, qui pourrait être agréable, malgré l'odeur âcre qui y règne, car c'est la seule où les femmes se trouvent réunies à des fins autres que le travail ou la prière. Même ici cependant, on impose la règle du silence. Il y a une gardienne dont toute la tâche est de surveiller les lits et d'empêcher les malades de parler ; il y a aussi des loges pour isoler et des lits équipés de sangles pour attacher les insoumises. Au mur, une image du Christ portant une chaîne rompue avec une ligne de l'Écriture : *Parce que l'amour de Jésus-Christ nous presse.*

Il y a là, si je ne me trompe, une cinquantaine de lits. Douze ou treize étaient occupés, par des femmes qui, presque toutes, paraissaient très malades — trop pour lever la tête à notre passage. Les unes ne se réveillaient même pas, d'autres tressaillaient ou cachaient leur visage contre la taie grise de l'oreiller. Mlle Ridley les regardait sans aménité. Elle s'arrêta enfin au pied d'un lit et parla en désignant la jambe découverte de la malade : « Voyez, là. » La cheville bandée était livide et tellement enflée qu'elle paraissait presque aussi grosse que la cuisse. « Voilà une femme qui n'a que ce qu'elle mérite. Allez, Wheeler, racontez à Mlle Prior comment votre jambe a été blessée. »

La femme rentra la tête dans les épaules et dit : « S'il vous plaît, mademoiselle, je me suis coupée avec mon couteau. » Un de ces mauvais couteaux avec lesquels j'avais vu les prisonnières s'escrimer contre la viande coriace de leur pitance ? J'interrogeai du regard Mlle Ridley qui s'adressa à nouveau à la malade : « Racontez à Mlle Prior comment votre sang a été empoisonné.

— Ben, dit Wheeler d'un ton un peu plus humble, y a de la rouille qu'est entrée dans la plaie et ça s'est gâté.

— Peuh ! » L'exclamation de Mlle Ridley en disait long. C'était merveille, les drôles de choses qui envenimaient à Millbank la moindre petite coupure. « Le médecin a trouvé un morceau de ferraille, provenant d'un bouton cassé, attaché à la cheville de Wheeler pour la faire enfler. Eh bien, elle était si bien enflée qu'il a dû tailler dans le vif pour extraire le bouton ! Comme si notre médecin n'avait rien de mieux à faire de son temps ! » Elle secoua la tête d'un air réprobateur, et je considérai à nouveau la plaie boursouflée. Là où le pansement s'arrêtait, le pied était tout noir, le talon blanc et craquelé comme la croûte d'un fromage.

Lorsque je m'entretins ensuite avec la surveillante de l'infirmerie, elle me dit que les détenues étaient « prêtes à tout », plus précisément à « tous les mauvais coups » pour se faire porter malades. « Elles simulent les convulsions. Elles avalent du verre, si elles en trouvent, pour provoquer des hémorragies. Elles essaient de se pendre, si elles pensent qu'on les trouvera à temps pour couper la corde. » Elle dit qu'il y en avait deux ou trois qui étaient mortes ainsi, étranglées, pour avoir mal fait leur compte. Et pourtant Dieu savait que ce n'était pas facile. Il y avait des femmes qui faisaient de ces choses-là par ennui ; ou encore pour être réunies à leur « p'tite amie », si elles savaient que celle-ci se trouvait déjà à l'infirmerie ; ou enfin c'était parfois « tout bêtement pour qu'il se passe quelque chose et qu'on s'occupe un peu d'elles ».

Je ne lui dis pas que j'avais tenté un jour, moi aussi, un « mauvais coup » de ce genre. Il faut croire cependant que j'avais changé de visage, car elle ajouta en s'y méprenant : « Oh ! elles ne sont pas comme vous et moi, mademoiselle, les femmes qui nous passent ici entre les mains. Pour elles, la vie ne vaut pas cher... »

Non loin de nous une seconde surveillante, plus jeune, s'apprêtait à désinfecter la salle. L'opération se fait en versant du vinaigre sur de grandes platées de chlorure de chaux. J'y assistai. L'âcreté de l'air devint aussitôt plus marquée, et la surveillante s'avança entre les rangées de lits, portant le plat devant elle comme un prêtre l'encensoir. Je finis par me détourner en sentant l'odeur me piquer les yeux. Mlle Ridley m'emmena, et nous reprîmes le chemin des quartiers cellulaires.

Nous trouvâmes le pentagone des femmes dans un état où je ne l'avais jamais vu, les corridors pleins de circulation et de voix. « Que se passe-t-il ? » demandai-je en continuant à me frotter les yeux. Mlle Ridley expliqua. Nous sommes aujourd'hui mardi, jour que je n'avais jusque-là jamais choisi pour une de mes visites. Or, le mardi est, avec le vendredi, un des deux jours de la semaine où une instruction rudimentaire est dispensée aux détenues dans leurs cellules. Je rencontrai une des institutrices à l'étage de Mme Jelf, une femme qui, les présentations faites, me serra la main et dit que mon nom ne lui était pas inconnu. Je compris d'abord qu'une des prisonnières lui avait parlé de moi, mais en fait elle connaît le livre de papa. C'est une Mme Bradley. Attachée à l'établissement, elle accomplit sa tâche avec l'aide de trois bénévoles. Ses assistantes sont des jeunes filles de bonne famille, une nouvelle équipe chaque année, car elles se trouvent toujours des maris et abandonnent la prison à peine le travail commencé. Il était clair, au ton dont elle m'en parlait, qu'elle me donnait plus que mon âge.

Nous l'avions croisée dans le corridor où elle poussait un petit chariot chargé de livres, de papiers et d'ardoises. Elle parle des femmes emprisonnées à Millbank comme d'êtres ignares, dont la plupart « ne savent même pas leur Bible » ; certaines auraient appris à lire, mais non pas à écrire, d'autres seraient totalement analphabètes — sur ce compte, elle les croit plus mal loties encore que les hommes. « Ce que j'ai là, poursuivit-elle en désignant les quelques livres sur son chariot, ira aux personnes d'une classe supérieure. » Je me penchai pour examiner les volumes. Ils étaient fatigués, le papier défraîchi ; je voyais en esprit tous les doigts calleux qui en avaient serré ou chiffonné les pages, par désœuvrement ou frustration, depuis qu'ils étaient arrivés à Millbank. Je reconnus dans le tas certains que nous avions eus autrefois à la maison, l'*Orthographe* de Sullivan, un *Petit catéchisme de l'histoire d'Angleterre*, le *Précepteur universel* de Blair — je suis certaine que Mlle Pulver m'en faisait réciter les leçons quand j'étais petite. Stephen s'en gaussait toujours quand il nous revenait pour les vacances ; d'après lui, il n'y avait rien à y apprendre.

« Vous comprenez », dit Mme Bradley en me voyant perdue dans la contemplation de ces titres ressuscités des morts. « Vous comprenez bien que nous ne pouvons pas donner des nouveautés à ces femmes-là. Elles sont tellement irresponsables ! Nous trouvons des pages arrachées et utilisées pour de ces choses ! » Les détenues en font plus précisément, semble-t-il, des papillotes pour friser leurs cheveux coupés sous leur bonnet.

J'avais pris le *Précepteur* sur le chariot. Mme Bradley m'ayant quittée pour pénétrer avec la surveillante dans la cellule suivante, j'ouvris le volume, je me mis à feuilleter. Les pages s'effritaient sous mes doigts ; les questions, déplacées dans ce cadre, étaient grosses en même temps d'une étrange poésie. *Quelles sont les semences qui préfèrent les sols ingrats ? Quel acide attaque l'argent ?* De l'autre bout du corridor me parvenait un ânonnement hésitant, puis le crissement du sable sous des semelles lourdes, les gronderies de Mlle Ridley : « Vous allez vous tenir tranquille et réciter vos lettres, comme la dame vous le demande ! »

D'où viennent le sucre, le pétrole et le caoutchouc ?
Qu'est-ce que la perspective, et comment figure-t-on
[les ombres ?

Je finis par reposer le livre et avançai dans le corridor, marquant un temps d'arrêt devant chaque grille pour regarder fugitivement les détenues qui fronçaient le front ou marmonnaient, des pages imprimées entre les mains. Je vis ainsi la bonne Ellen Power ; la jeune catholique au visage si triste — Mary Ann Cook — celle qui avait étouffé son bébé ; Sykes enfin, la mécontente qui ne laisse jamais passer une surveillante sans lui demander des nouvelles de sa libération conditionnelle. Arrivant enfin à la voûte qui marque l'angle des deux couloirs, je perçus une voix dont le timbre ne m'était pas inconnu. Quelques pas encore, et je revis

Selina Dawes. Elle récitait un passage de la Bible pour une dame qui écoutait en souriant.

Le texte n'est pas resté dans ma mémoire. Plus frappant, c'était son accent, dissonant dans ce cadre carcéral. C'était la pose toute d'humilité qu'on lui avait fait prendre — debout au milieu de sa cellule, les mains jointes sur le ventre, la tête courbée. Elle que je m'étais imaginée — quand il m'était arrivé de penser à elle — sous les traits du portrait de Crivelli, nerveuse, sombre et austère. Il m'était arrivé de repenser à tout ce qu'elle m'avait dit des esprits ses amis, des fleurs et autres cadeaux — il m'était arrivé d'évoquer son regard troublant. Aujourd'hui cependant, sa gorge svelte palpitant sous les brides de sa coiffe de prisonnière, ses lèvres abîmées épousant les paroles qu'elle récitait, ses regards baissés devant cette mondaine intelligente, son institutrice, elle me parut simplement jeune, impuissante, triste et mal nourrie que c'était pitié. Elle resta un moment sans se douter de ma présence, jusqu'à ce qu'un dernier pas lui fît lever la tête — elle se tut aussitôt, rouge comme une pivoine. Moi aussi, je sentis le sang me monter au front. Je venais de me rappeler ce qu'elle m'avait dit des regards auxquels elle n'avait plus le droit de se soustraire et qui feraient partie de sa punition.

J'allais me retirer, mais l'institutrice aussi m'avait remarquée et se levait en hochant la tête. Est-ce que je désirais m'entretenir avec la détenue? Elles n'en avaient plus pour longtemps. Dawes connaissait sa leçon par cœur. Et de l'encourager :

« Allez, continuez! Vous vous en tirez très bien. »

J'aurais pu regarder, écouter une autre femme réciter sa leçon en trébuchant et recevoir les félicitations de sa maîtresse avant d'être renvoyée au silence, mais je n'avais pas envie de voir Dawes dans ce rôle-là. Je lui dis que, comme elle était prise, je repasserais un autre jour. Un signe de tête pour prendre congé de l'institutrice, et je m'en fus, sous la conduite de Mme Jelf, dans l'autre quartier de l'étage dont je passai une heure à visiter les cellules.

Heure bien pénible, pourtant. Et les détenues, comme je les trouvais mornes et sans intérêt! La première chez qui j'entrai posa son ouvrage, se leva et fit la révérence, puis resta là à branler la tête et à courber l'échine pendant que Mme Jelf refermait la grille. Dès que nous nous trouvâmes seules toutes les deux, elle s'accrocha cependant à moi et exhala dans un murmure fétide : « Plus près, venez plus près! Il ne faut pas qu'ils m'entendent! S'ils m'entendent, ils vont me mordre! Oh, ils me mordront à me faire hurler! »

Elle voulait parler des *rats*. Elle disait qu'il y avait des rats la nuit, qu'elle sentait leurs pattes froides sur sa figure, au lit, pendant qu'elle dormait, et qu'elle se réveillait couverte de morsures. Elle retroussa la manche de sa robe et me montra des marques sur son bras — je suis persuadée que c'étaient les marques de ses propres dents. Je lui demandai comment les rats pouvaient entrer dans sa cellule. Elle accusa les surveillantes de les apporter. « Elles les passent à travers l'œil » — c'est-à-dire le guichet d'inspection à côté de la porte — « elles les tiennent par la queue, je vois leurs mains blanches qui les passent à travers. Et puis elles les laissent tomber, un à un... »

Est-ce que je voulais bien dire un mot à Mlle Haxby? Qu'on lui fasse grâce au moins des rats!

Je promis tout ce qu'elle voulait, pour la tranquilliser, et m'en fus. La détenue à qui je parlai ensuite me parut cependant presque aussi folle, et même la troisième — une prostituée du nom de Jarvis — me fit d'abord l'impression d'une faible d'esprit. En effet, elle se trémoussait sans arrêt et, au lieu de me regarder en face, promenait ses yeux ternes sur les moindres détails de ma toilette et de ma coiffure. Enfin, comme si c'était plus fort qu'elle, elle éclata. Comment — voulait-elle savoir — comment pouvais-je supporter de m'habiller ainsi ? Ma robe était presque aussi triste que l'uniforme des surveillantes, enfin ! C'était bien assez pénible de devoir porter ce qu'on leur donnait, sans avoir le choix, mais ça la tuerait de mettre une robe comme la mienne si elle était libre de s'habiller à sa guise !

Je lui demandai donc quelle toilette elle choisirait, à ma place. Elle répondit sans hésiter : « Je mettrais une robe en gaze de Chambéry avec une cape en loutre et un chapeau de paille garni de lys. » Et les chaussures ? — « Des souliers de satin, avec des rubans jusqu'au genou ! »

J'objectai gentiment que c'était là un costume pour une fête ou un bal. Elle ne porterait tout de même pas une toilette pareille pour venir à Millbank, n'est-ce pas ?

Et comment donc ! Pour se faire voir à Hoy et O'Dowd, et à Griffiths et à Wheeler et à Banks aussi, sans oublier Mme Pretty, et Mlle Ridley alors ! *Et comment !*

Finalement, elle se laissa si bien emporter par son enthousiasme que j'eus un peu peur. Sans doute que, nuit après nuit, elle se berce de l'idée de la robe qu'elle portera, libre, elle se met dans tous ses états en brodant sur les parures et les accessoires. Lorsque je me dirigeai vers la grille pour appeler la surveillante, elle accourut cependant et se serra contre moi avec un regard qui n'était plus du tout hébété, mais plutôt rusé.

« Nous avons bien causé ensemble, n'est-ce pas, mademoiselle ? » dit-elle. J'acquiesçai d'un hochement de tête et à nouveau fis un pas vers la porte. Elle me suivit, parlant sur un ton précipité. Où est-ce que je comptais aller de là ? Au quartier B, peut-être ? Si c'était bien ça, oh ! n'aurais-je pas la bonté de transmettre un message à son amie Emma White ? Elle avança la main vers la poche où je gardais ma plume et mon cahier, et reprit : Rien qu'une page de mon livre. Je pourrais la glisser entre les barreaux de la cellule de White « en un tour de main ». Rien que la moitié d'une page ! « C'est ma cousine, mademoiselle, je le jure, vous pouvez demander à toutes les gardiennes. »

J'avais eu d'emblée un mouvement de recul. À présent je repoussai sa main indiscrète et m'exclamai, partagée entre la surprise et l'indignation : « Un message ?! » Elle savait parfaitement que je n'avais pas le droit de porter des messages ! Qu'est-ce que Mlle Haxby penserait de moi, si je faisais ce qu'elle me demandait ? Qu'est-ce que Mlle Haxby penserait d'*elle*, pour me l'avoir proposé ? La détenue battit en retraite, mais ne s'avoua pas vaincue : cela ne ferait pas de mal à Mlle Haxby, que White sache que son amie Jane pensait à elle ! Elle n'aurait pas dû me demander de gâcher mon livre, elle m'en demandait pardon, mais est-ce que je ne pourrais pas dire un mot en bas ? — rien que ça, est-ce que je ne pourrais pas ? — est-ce que je ne pourrais pas dire simplement à White que son amie Jane Jarvis pensait à elle, bien fort, et tenait à le lui faire savoir ?

Je fis non de la tête et frappai aux barreaux, appelant de mes vœux Mme Jelf et la liberté. « Vous savez bien qu'il ne faut pas demander cela, dis-je. Vous savez qu'il ne faut pas, et je regrette beaucoup que vous ayez essayé. » Jarvis prit là-dessus un air buté et se détourna en s'étreignant des deux bras. « Va te faire fiche alors ! » lança-t-elle, très clairement — assez bas toutefois pour que sa voix, couverte par le crissement du sable sous les semelles des brodequins réglementaires, ne parvînt pas à l'oreille de la surveillante.

L'invective me laissa étrangement froide. J'avais tressailli d'abord, mais l'instant d'après je regardais sans émotion celle qui s'était oubliée ainsi. Pour sa part, elle en prit acte avec une grimace. L'inspectrice nous rejoignit sur ces entrefaites. « Allez, au travail ! » dit-elle gentiment en fermant la grille après m'avoir fait sortir. Jarvis hésita un instant, puis traîna sa chaise vers la table et reprit son ouvrage. La grimace s'était effacée, et elle n'avait plus l'air butée, mais simplement — comme Dawes — malheureuse, triste et malade.

J'entendais toujours les jeunes assistantes de Mme Bradley, à l'œuvre dans les cellules du quartier E. Je quittai cependant l'étage et descendis au premier, chez Mlle Manning. En regardant les détenues derrière leurs grilles, je me surpris à me demander malgré moi quelle était celle à qui Jarvis avait tellement envie faire porter un message. À la fin je demandai donc à la préposée, comme en passant : « Y a-t-il sous votre garde une femme du nom d'Emma White ? » Mlle Manning répondit par l'affirmative et demanda à son tour si je désirais lui rendre visite. Je fis non de la tête, hésitai un instant, puis avouai que j'avais posé la question à cause d'une autre détenue, à l'étage de Mme Jelf, qui m'avait paru avide de ses nouvelles. Sa cousine, n'est-ce pas ? Jane Jarvis.

Mlle Manning ne cacha pas son mépris. « La cousine d'Emma White? C'est ça qu'elle vous a raconté, hein? Peuh! Elle n'est pas plus sa cousine que moi! »

White et Jarvis, expliqua-t-elle, sont un « ménage » connu de toute la prison, une paire de « copines » qui « en remontreraient aux vrais amoureux ». J'allais voir encore de ces « ménages » entre femmes, il y en avait dans toutes les maisons où elle avait travaillé. Pour sa part, elle mettait cela sur le compte de la solitude. Elle avait vu de ses propres yeux des dures tomber carrément malades d'amour pour une fille qui leur battait froid ou qui en préférait une autre. Elle conclut en riant : « Prenez garde, mademoiselle, ou il y en aura une qui va s'enticher de *vous.* On a vu des détenues soupirer pour leur surveillante, au point qu'il a fallu les transférer dans d'autres établissements. Et les scènes qu'elles font quand on les emmène, c'est à mourir de rire! »

Elle s'esclaffa en effet tout en avançant et en m'invitant à la suivre. J'obtempérai, non sans un certain malaise — j'avais déjà entendu le mot « copine » dans la bouche des détenues, je l'avais employé moi-même, mais l'idée qu'il ait justement *ce sens-là,* et que je n'en aie rien su, était troublante. Je n'aimais pas non plus penser que j'avais failli, en toute innocence, jouer les entremetteuses pour la passion illicite de Jarvis...

Mlle Manning fit halte devant une grille et murmura : « Voilà White, puisqu'elle vous intéresse. L'idole à Jane Jarvis. » L'occupante de la cellule était une grosse jeune femme au teint jaune, dont la tâche consistait à assembler des sacs en toile de jute et qui, pour l'heure, contemplait, les yeux plissés, les points irréguliers de sa dernière couture. Se voyant observée, elle se leva et fit la révérence. Mlle Manning dit : « Ça va, White. Vous avez eu des nouvelles de votre fille ? White a une petite fille » — ceci à mon intention — « une enfant, mademoiselle, qu'elle a laissée en pension chez sa tante. Mais nous soupçonnons la tata d'être une vicieuse, n'est-ce pas, White ? Nous craignons son influence sur la fillette. »

White était sans nouvelles. Lorsque son regard croisa le mien, je me détournai et, laissant Mlle Manning devant sa grille, allai demander à une autre préposée de me reconduire jusqu'à la prison des hommes. J'étais contente de m'en aller, de retrouver le jour déclinant et même de sentir la pluie sur mon visage. Tout ce dont je venais d'être témoin me faisait soudain horreur. Tout — les malades et les candidates au suicide, la folle avec ses rats, les « ménages » et le rire de Mlle Manning... Je me rappelai l'impression que j'avais eue en retrouvant le grand air après ma première visite : la vision de mon passé, clos une fois pour toutes et voué à l'oubli. À présent la pluie rendait mon manteau lourd à porter, et mes jupes grises, crottées en bas, allaient s'assombrissant de plus en plus.

Je rentrai en fiacre et pris mon temps pour régler la course, dans l'espoir que ma mère s'en apercevrait. Mais non, elle était au salon, occupée à interroger notre nouvelle fille de chambre. Celle-ci est une amie de Boyd, une femme qui n'est plus toute jeune, ne croit pas aux revenants et se dit prête à entrer chez nous de suite — manifestement, Boyd a été si bien terrorisée par ma mère qu'elle lui a offert un cadeau, car l'autre dit toucher actuellement des gages plus élevés. Elle accepterait cependant de renoncer à un shilling par mois pour disposer d'une petite chambre et d'un lit à elle : dans sa place actuelle, elle fait chambre commune avec la cuisinière qui a, semble-t-il, de « vilaines habitudes » ; par ailleurs, elle a une amie placée elle aussi sur les quais, et elle préférerait être près d'elle. Ma mère a hésité : « Je ne sais pas. Mon autre femme ne sera pas contente si vous pensez à autre chose que votre service. Et votre amie devra comprendre qu'il est hors de question qu'elle vienne vous voir ici. Je ne veux pas non plus que vous preniez sur vos journées pour lui rendre visite. » L'autre a juré qu'elle n'y pensait même pas, et ma mère l'a engagée pour un mois à l'essai. Elle va s'installer chez nous samedi. C'est une femme à la mine allongée, qui s'appelle *Vigers.* J'aurai plaisir à prononcer ce nom-là, je n'ai jamais apprécié *Boyd.*

« Dommage qu'elle soit si laide ! » a dit Pris qui, cachée derrière un rideau, la regardait s'éloigner. La remarque m'a fait sourire — mais l'instant d'après une idée terrible m'a traversé la tête. Je me suis souvenue de Mary Ann Cook, à Millbank, harcelée par le fils de son maître. J'ai pensé à M. Barclay, qui est ici chez lui, à M. Wallace aussi, aux amis de Stephen qui passent nous voir à l'occasion... Après tout, tant mieux qu'elle ne soit pas une beauté.

Peut-être ma mère a-t-elle eu la même idée ; en tout cas elle a accueilli les paroles de Prissy d'un geste dubitatif. Non, Vigers serait une bonne fille. À l'en croire, les laiderons le sont toujours, elles sont plus fidèles. Une fille pleine de bon sens, qui saurait le respect qu'elle nous doit. Celle-là ne perdrait pas la tête pour une marche qui grince !

Pris s'est composé un visage solennel en écoutant ce jugement. Bien sûr, elle aura une ribambelle de domestiques à commander, à Marishes.

Mme Wallace a remis le sujet sur le tapis en faisant ce soir la partie de ma mère : « Il y a encore de grandes maisons où on fait dormir les servantes à l'office, sur des étagères. Au temps de mon enfance, nous avions toujours un garçon qui couchait sur le coffre où on serrait l'argenterie. La cuisinière était la seule domestique de la maison à posséder un oreiller. » Elle a dit encore qu'elle ne savait pas comment je pouvais supporter, la nuit au lit, d'entendre la fille de chambre aller et venir au-dessus de ma tête. J'ai répliqué que c'était le prix à payer pour ma vue de la Tamise à laquelle je ne pouvais renoncer ; et que de toute manière, d'après mon expérience, les bonnes — du moins celles qui ne s'amusaient pas à se faire peur pour un oui, pour un non — étaient en général trop fatiguées pour faire autre chose au lit que dormir.

« Je l'espère bien ! » a approuvé Mme Wallace.

Ma mère l'a mise en garde alors contre mes opinions sur les domestiques. « Margaret sait s'y prendre avec une domestique comme elle saurait s'y prendre avec une vache. »

Passant du coq à l'âne, elle a posé une question à la cantonade. Pouvions-nous lui expliquer une chose étrange ? Il y aurait, semble-t-il, trente mille couturières indigentes à Londres, et pourtant elle avait encore à trouver une fille capable de faire une couture droite sur une cape de lin à moins d'une livre... Etc.

Je pensais que Stephen passerait peut-être et nous amènerait Helen ; mais il n'est pas venu — sans doute à cause de la pluie. J'ai attendu jusqu'à dix heures, puis je suis montée ici. Ma mère vient de m'apporter mon médicament. Elle m'a trouvée en chemise de nuit, enveloppée dans un plaid. Évidemment, elle a remarqué à mon cou le médaillon qui pendant la journée reste caché sous mon corsage. Et de me gronder : « Voyons, Margaret ! Quand je pense à tous vos beaux bijoux que je ne vois jamais, alors que vous persistez à porter cette vieille chose ! » J'ai dit : « C'est qu'elle me vient de papa » — je n'ai pas parlé de la boucle blonde que j'y garde, elle en ignore l'existence. Elle a insisté : « Mais enfin, une vieillerie pareille, qui n'est même pas jolie ! » Si je voulais à tout prix un souvenir de mon père, pourquoi est-ce que je ne mettais jamais les broches ou les bagues qu'elle avait fait faire après sa mort ? J'ai dissimulé le médaillon sous ma chemise, sans répondre. Je l'ai trouvé bien froid, sur mon sein nu.

Pendant que je buvais le chloral, les regards de ma mère, attirés d'abord par les images que j'ai punaisées au mur, se sont reportés ensuite sur ce cahier. Il était fermé, mais j'avais laissé mon porte-plume entre les pages pour marquer ma place. Elle a éclaté : « Qu'est-ce que cela ? Qu'est-ce que vous écrivez encore ? » Elle prétend qu'il est malsain de veiller si tard pour tenir mon journal ; que cela ne peut que me fatiguer et me renvoyer à mes vieilles idées noires. J'ai pensé : Si vous ne voulez pas que je me fatigue, pourquoi me faites-vous avaler une potion qui fait dormir ? Mais je n'ai rien dit. Je me suis contentée de ranger le cahier — pour le reprendre dès qu'elle est repartie.

Avant-hier, quand Priscilla a posé le roman qu'elle lisait, M. Barclay s'est mis à feuilleter le volume pour ensuite s'en moquer copieusement. Il n'apprécie pas les femmes auteurs. Il dit qu'elles ne sauront jamais écrire que des « chroniques du cœur ». La formule m'est restée en tête. Peut-être y avait-il de cela dans mon dernier journal, où j'ai mis tant de ma substance la plus intime. Il est certain que, jeté au feu, il a mis un temps infini à se consumer, comme le cœur qu'on brûle. Je veux que ce cahier-ci soit différent. Au lieu de me renvoyer à moi-même et à mes idées noires, c'est une écriture qui devrait servir, comme le chloral, à tenir les pensées à distance.

Et elle pourrait y réussir ! Mais oui ! cela irait parfaitement, sans les rappels du passé qui se sont conjurés aujourd'hui à Millbank. En effet, j'ai fait l'inventaire de ma visite, j'ai retracé mon itinéraire à travers la prison des femmes, comme les autres fois, mais ma rédaction ne m'a pas apaisée — loin de là, elle m'a aiguisé l'esprit comme un hameçon qui accroche et fait frétiller tout ce qu'il effleure. La semaine passée, Dawes me disait : « Pensez à nous la prochaine fois que vous aurez une insomnie ! » À présent, insomniaque à souhait, j'y pense. Je pense à toutes les femmes enfermées dans la nuit de la prison, mais au lieu d'être immobiles et silencieuses, elles vont et viennent et s'agitent dans leur cellule. Elles cherchent des cordes à se mettre au cou. Elles affûtent des couteaux pour se lacérer les chairs. Jane Jarvis, la prostituée, lance des appels à White, deux étages au-dessous ; et Dawes récite les étranges poésies de la prison. Tout bas, mais voilà que mon esprit démêle les paroles — je crois bien que je vais les répéter avec elle, jusqu'au matin.

Quelles semences viennent le mieux dans les sols ingrats ?

Quel acide attaque l'argent ?

Qu'est-ce que la perspective, et comment *conjure*-t-on les ombres ?

12 octobre 1872

Réponses aux Questions les plus fréquentes
en ce qui concerne les Sphères
par
L'Ami du Médium spirite

Où l'Esprit se transporte-t-il en quittant le corps qui l'hébergeait ?
Il se transporte dans la sphère infime par où transitent toutes les nouvelles âmes.

Comment l'Esprit s'y rend-il ?
Il s'y rend en compagnie d'un de ces guides ou Esprits protecteurs que nous appelons les anges.

Comment la sphère infime apparaît-elle à l'Esprit qui vient de quitter la terre ?
Elle lui apparaît comme un lieu de grande sérénité, de clarté, de couleur, de joie extrême, &c., n'importe quel

agrément peut ici être substitué, c'est une sphère qui les possède tous.

Par qui le nouvel Esprit est-il reçu & accueilli dans cette sphère ?
En atteignant cette sphère, l'Esprit est escorté par le guide susdit dans un lieu où sont réunis tous les amis & parents qui l'y ont précédé. Ceux-ci l'accueilleront en souriant & le conduiront à une piscine d'eau resplendissante, afin qu'il s'y baigne. Ils lui donneront des habits pour ceindre ses reins ; ils lui auront préparé une maison. Les habits & la maison seront faits de matières somptueuses.

Quels sont les devoirs de l'Esprit pendant la durée de son séjour dans cette sphère ?
Ses devoirs consistent à purifier ses pensées afin d'être prêt à s'élever dans la sphère suivante.

Par combien de sphères l'Esprit du défunt passe-t-il ainsi ?
Par sept sphères, dont la plus élevée est la demeure de l'AMOUR auquel nous donnons le nom de DIEU !

Quel espoir les Esprits de personnes n'ayant été que moyennement pieuses, charitables, bien placées &c. peuvent-ils nourrir d'une progression réussie à travers ces sphères ?
Les personnes d'un naturel doux & aimable avanceront facilement, quel que soit leur état ici-bas. Les individus de tempérament bas, violent ou vindicatif verront leur avancement — le papier ici a été déchiré, je pense qu'il faut lire *contrarié*. Les plus abjects ne seront même pas

admis dans la sphère infime, ci-dessus décrite. À la place, ils seront transportés dans un séjour ténébreux & ils devront y peiner jusqu'à ce qu'ils reconnaissent leurs torts & viennent à résipiscence. Ceci est un processus dont le parachèvement peut requérir plusieurs milliers d'années.

Quel est le rapport du médium spirite à ces sphères ?
Il n'est permis au médium d'entrer dans aucune des sept sphères, mais il peut à l'occasion être amené jusqu'au seuil & en entrevoir ainsi les merveilles. Il peut également être transporté dans le séjour ténébreux & invité à contempler le spectacle des mauvais Esprits & de leurs travaux.

Où le médium spirite est-il en vérité chez lui ?
Le médium spirite n'est en vérité chez lui ni ici-bas ni dans l'au-delà, mais dans le terrain vague & contestable qui est entre les deux. — Là M. Vincy a collé une annonce : *Êtes-vous médium spirite à la recherche d'un chez-soi ? Vous le trouverez à* — & il donne l'adresse de son hôtel. Le livre, il le tient d'un monsieur à Hackney & il l'a promis ensuite à un autre qui habite Farringdon Road. Il me l'a apporté en faisant des mystères. Il a dit : Je ne montre pas ces choses-là au premier venu, voyez-vous. Ceci, par exemple, je ne le prêterai pas à notre Mlle Sibree. C'est de ces livres que je garde pour les gens au sujet de qui j'ai une *intuition*.

Pour empêcher une fleur de se faner. — Mettre un peu de glycérine dans l'eau du vase. Cela empêchera les pétales de tomber ou de se décolorer.

Pour rendre un objet lumineux. — Acheter un grand pot de peinture lumineuse, de préférence dans un quartier où vous n'êtes pas connu. Délayer avec un peu d'essence de térébenthine & y mettre à tremper des bandes de toile fine. Lorsque la toile sèche & qu'on la secoue ensuite, il en tombera une poudre phosphorescente qui pourra être appliquée à l'objet de votre choix avec un peu de parfum pour qu'on ne sente pas la térébenthine.

15 octobre 1874

Allée à Millbank. Passé la porte cochère, je trouvai dans la cour une petite troupe de préposés, dont une paire de surveillantes — Mlles Ridley et Manning —, leur uniforme caché sous une cape de fourrure dont elles avaient relevé le capuchon pour mieux se garder du froid. Mlle Ridley me reconnut d'emblée et m'adressa un signe de tête. Ils attendaient, me dit-elle, une livraison de prisonniers en provenance du Dépôt et des maisons d'arrêt, et Mlle Manning et elle étaient là pour se charger des femmes. « Voulez-vous bien que je me joigne à vous ? » demandai-je. J'avais encore à assister à la réception des nouvelles. Nous passâmes donc un moment à battre la semelle, les hommes soufflant sur leurs doigts. Enfin un cri s'éleva du côté du pavillon d'entrée, suivi de l'écho des pas des chevaux, du grondement des roues ferrées, et un véhicule sans fenêtre, à l'aspect sinistre — la voiture cellulaire — s'engagea dans la cour gravelée de Millbank. Mlle Ridley et l'un des plus anciens parmi les gardiens s'avancèrent pour accueillir le conducteur et ouvrir les portières. « On fait descendre les femmes d'abord, annonça Mlle Manning. Tenez, les voilà. » Elle aussi y alla alors en s'enveloppant plus étroitement dans sa cape. Pour ma part, je restai en arrière pour observer les prisonnières à leur descente de voiture.

Elles étaient quatre — trois jeunes filles et une femme d'un certain âge, la joue marquée d'un bleu. Toutes portaient des entraves, des poucettes qui leur raidissaient les bras. Toutes trébuchèrent en se laissant tomber du marchepied surélevé, puis restèrent un instant à promener des regards hébétés sur le ciel délavé, les tours formidables et les murs jaunes de Millbank. Seule la plus âgée paraissait sans crainte — mais le spectacle ne lui était manifestement pas inconnu, car lorsque les surveillantes s'approchèrent pour faire former un rang et emmener les détenues, je vis Mlle Ridley plisser les yeux. « Vous revoilà donc, Williams », dit-elle, et la face meurtrie de l'intéressée parut se rembrunir.

Je suivis Mlle Manning, qui fermait la marche. Les jeunes continuaient à regarder autour d'elles avec des airs effarouchés ; l'une se fit gronder pour avoir osé murmurer un mot à l'oreille de sa voisine. Leur timidité me rappelait mes propres impressions, le jour où j'avais franchi pour la première fois le seuil de la prison — cela ne fait même pas un mois, et pourtant comme je me suis acclimatée aux couloirs nus et monotones que je trouvais alors si déroutants ! Comme je me suis familiarisée avec les gardiens, hommes et femmes, voire avec les grilles et les portes, les verrous et les serrures qui ont tous un cri différent — crac, boum, clic ou couic — selon la solidité et la fonction de chacun. Il était étrange, rassurant et inquiétant tout ensemble, de prendre conscience des habitudes prises. Je repensai au mot de Mlle Ridley, disant qu'elle avait parcouru si souvent les corridors de la prison qu'elle pourrait y trouver son chemin les yeux bandés ; je me souvins aussi de la pitié que j'avais éprouvée pour les pauvres surveillantes, assujetties à la sinistre routine de Millbank au même titre que leurs prisonnières.

Je me réjouis donc, si ce n'est pas trop dire, à pénétrer dans le pentagone des femmes par une porte que je ne connaissais *pas*, donnant accès à des locaux que je n'avais point encore eu l'occasion de visiter. Dans la première pièce, nous trouvâmes la préposée au greffe dont la tâche consiste à viser les papiers des nouvelles arrivantes et à effectuer les inscriptions dans le gros registre d'écrou. Elle aussi fixa sur la femme à l'ecchymose un regard appuyé et lança en prenant la plume : « *Vous*, ce n'est pas la peine de me dire votre nom. Allons, mademoiselle Ridley, les détails sordides ! Qu'a-t-elle fait cette fois-ci ? »

Mlle Ridley avait un papier à la main. Elle y lut d'un ton sec : « Vol et coups et blessures sur agent de la force publique. Elle a agressé le policier qui l'a arrêtée, et méchamment. Elle en a pris pour quatre ans. » La préposée au greffe secoua la tête. « Et c'est l'an passé que vous nous avez quittés, n'est-ce pas, Williams ? Avec l'espoir d'entrer comme domestique au service d'une bonne chrétienne. Allez, que vous est-il arrivé ? »

Mlle Ridley répondit pour la prisonnière. Le vol avait eu lieu précisément chez la bonne chrétienne, et l'agent avait été blessé avec un objet lui appartenant. Tout fut inscrit dans le registre, et Williams céda la place à l'une des trois autres, une brune, au teint basané de romanichelle. La préposée au greffe, la plume toujours à la main, la fit attendre un instant avant de demander avec douceur : « Allez, Z'yeux-Noirs, comment vous appelez-vous ? »

Son nom était Jane Bonn, elle avait vingt-deux ans et elle avait été condamnée comme avorteuse.

La suivante — j'ai oublié le nom — avait vingt-quatre ans. Elle était voleuse à l'étalage.

La dernière était une adolescente de dix-sept ans, condamnée pour effraction et incendie volontaire. Elle aurait mis le feu à la cave d'un magasin où elle n'avait rien à faire. Elle fondit en larmes pendant l'interrogatoire, leva une main et se frotta les yeux en reniflant comme une enfant malheureuse. Pour finir, Mlle Manning vint lui tendre un mouchoir et dit : « Allons bon. Vous pleurez parce que vous êtes nouvelle, c'est tout. Allons. » Elle passa une main sur le front pâle de la jeune fille, lissa ses cheveux bouclés.

Mlle Ridley regarda le geste sans commentaire. La préposée au greffe laissa échapper un « oh ! », mais c'était, semble-t-il, parce qu'elle avait découvert une erreur dans ses écritures ; elle se pencha sur la page en fronçant le front pour y mettre bon ordre.

Les formalités d'inscription accomplies, on fit passer les prisonnières dans la pièce suivante. Personne ne me donnant à entendre que ma présence serait superflue, je les suivis : autant être témoin de tout le processus. La deuxième pièce contenait un banc, où l'on fit asseoir les arrivantes, et une chaise unique. Chaise dont l'emplacement — au milieu, près d'une petite table — n'augurait rien de bon. En effet, la table portait un peigne et des ciseaux dont la vue fit courir un frisson collectif dans les membres des trois jeunes. « C'est ça, tremblez, fit la plus âgée avec une grimace. C'est là qu'on vous tond. » Mlle Ridley la fit taire aussitôt, mais la phrase avait fait son effet ; les jeunes avaient l'air plus affolées que jamais.

« S'il vous plaît, mademoiselle, se lamenta l'une des trois. Ne me coupez pas les cheveux ! Oh, mademoiselle, je vous en supplie ! »

Mlle Ridley prit les ciseaux sur la table, fit claquer plusieurs fois les deux branches et se tourna vers moi. « Elles pensent que je vais leur crever les yeux, on dirait ! Hein, mademoiselle Prior ? » Elle pointa l'instrument contre la première des jeunes femmes tremblantes — l'incendiaire —, puis désigna la chaise. « Allez, mettez-vous là. » Comme la prisonnière hésitait, elle reprit sur un ton terrible, qui me fit tressaillir moi-même : « Allez, *avance !* Ou bien tu veux peut-être qu'on appelle des gardiens de chez les hommes, qu'ils te tiennent les bras et les jambes ? Attention ! Ce ne sont pas des tendres. »

Vaincue, la jeune femme quitta à contrecœur le banc pour prendre place, toute frissonnante, sur la chaise. Mlle Ridley lui ôta son bonnet, puis se mit à lui tripoter la tête, dégageant les boucles des épingles qui les disciplinaient. Le bonnet fut remis à la préposée au greffe, qui en prit note dans son gros registre tout en sifflotant un air et en suçant un bonbon — une pastille de menthe, blanche, qu'on voyait passer et repasser sur sa langue. Les cheveux étaient d'un châtain tirant sur le roux, plus foncés par endroits, raides de pommade ou trempés de sueur. La prisonnière se remit à pleurer en les sentant dans son cou, et Mlle Ridley dit avec un soupir : « Petite sotte, on coupe à ras la mâchoire, il vous en restera toujours. D'ailleurs, qui voulez-vous qui vous voie, *ici*? » — question qui, comme de juste, provoqua un redoublement de larmes. Pendant que la patiente sanglotait, la gardienne-chef lui démêla les cheveux avec un peigne, puis les réunit entre les doigts d'une main serrée et s'apprêta à tailler. Du coup, je pris conscience de mes propres cheveux. Ellis avait eu le même geste ou presque en me coiffant, il n'y avait même pas trois heures. À présent, malgré le filet qui les enserrait, je croyais sentir chaque cheveu individuellement se dresser sur ma tête. C'était horrible d'entendre le crissement des ciseaux, de voir les larmes et les haut-le-corps de la victime, si jeune, si pâle. C'était horrible — et pourtant, j'étais incapable d'en détourner les yeux. Je ne pouvais que regarder, fascinée et honteuse, avec les trois autres qui, intimidées, attendaient leur tour; regarder jusqu'à ce que la gardienne-chef brandît le poing. La tresse coupée y pendait comme une loque. Lorsqu'une petite mèche vint frôler la figure éplorée de la patiente, je tressaillis avec elle.

Mlle Ridley lui demanda alors si elle désirait garder ses cheveux. — J'appris ainsi que les prisonnières peuvent faire mettre de côté leur tresse coupée avec les effets de ville qu'elles récupéreront à leur sortie de prison. La jeune femme regarda fugitivement la touffe de cheveux frémissants et répondit par un signe de tête négatif. Mlle Ridley alla la jeter dans une grande corbeille d'osier. « Très bien, dit-elle, s'adressant ensuite à moi, d'un ton gros de sous-entendus : Nous savons quoi faire des cheveux, ici à Millbank. »

Les autres prisonnières passèrent elles aussi sous les ciseaux — la plus âgée sans protester, en affectant un grand sang-froid ; la voleuse, aussi abattue que la première ; et Z'yeux-Noirs, l'avorteuse — dont la chevelure dénouée, longue et lourde, était comme un voile de goudron ou de mélasse — en vomissant des gros mots et ruant des quatre fers, si bien qu'on dut faire appel à la préposée au greffe pour aider Mlle Manning à lui immobiliser les mains, pendant que Mlle Ridley, qui coupait, y perdit le souffle et resta le visage congestionné par l'effort. « Et voilà, sale bête ! dit-elle enfin. Mais quelle crinière ! J'arrive à peine à refermer la main dessus. » Elle releva bien haut les boucles brunes, et la préposée au greffe, s'approchant pour les regarder de plus près, frotta une mèche entre le pouce et l'index. « Le beau brin de cheveux ! s'exclama-t-elle, admirative. Une vraie chevelure espagnole, comme on dit. On va avoir besoin de fil, mademoiselle Manning, pour les tenir. Le joli postiche qu'on va pouvoir tirer de ça ! » Elle se tourna vers la prisonnière et reprit : « Ne faites pas cette tête-là ! Vous verrez bien, dans six ans, comme vous serez contente de reprendre vos vieux cheveux ! » Mlle Manning apporta un bout de ficelle, on attacha les cheveux coupés et la patiente reprit sa place sur le banc. Sa nuque, entaillée par les ciseaux, était striée de rouge.

J'assistai à la séance en me sentant de plus en plus déplacée, mal à l'aise sous les regards craintifs que les prisonnières coulaient de temps à autre de mon côté, comme en se demandant quel rôle terrible j'allais jouer dans leur incarcération. À un moment, la romanichelle lui ayant opposé de la résistance, Mlle Ridley dit : « Fi donc, alors que la dame patronnesse vous regarde ! Ce n'est sûrement pas *vous* que mademoiselle choisira de visiter, maintenant qu'elle a vu votre mauvais caractère ! » La tonte achevée, elle alla s'essuyer les mains dans un coin de la pièce. Je l'y rejoignis et m'enquis discrètement de la suite de la procédure. Elle répondit, sur son ton habituel, que les prisonnières allaient à présent se déshabiller pour passer au bain et à la visite médicale.

« Nous vérifierons par la même occasion qu'elles n'ont rien caché sur leur personne » — il semble que les femmes tentent parfois de faire entrer des objets en fraude dans la prison, « des chiques de tabac, voire des couteaux ». Après la fouille, on leur remet le costume pénal, et M. Shillitoe et Mlle Haxby leur font un petit discours ; une fois encellulées, elles reçoivent la visite de l'aumônier de la prison, M. Dabney. « Ensuite, elles ne voient personne, mademoiselle, pendant vingt-quatre heures. C'est fait exprès, pour bien qu'elles méditent sur leur sort et les crimes qui les ont amenées là. »

La gardienne-chef raccrocha sa serviette, regarda par-dessus mon épaule les quatre malheureuses assises sur le banc et lança : « Allez, ôtez-moi ces robes ! Allez, vous dis-je, plus vite que ça ! » Les prisonnières n'osaient plus piper. Douces comme des agneaux face à celles qui les avaient tondues, elles se levèrent aussitôt et commencèrent maladroitement à se dégrafer. Mlle Manning apporta quatre bacs peu profonds et en plaça un aux pieds de chacune. Je contemplai un instant le spectacle — la petite incendiaire se dégageant de son corsage d'un coup d'épaule pour révéler des dessous crasseux ; la romanichelle levant les bras, montrant la nuit de ses aisselles, puis tournant le dos, dans un mouvement de pudeur sans espoir, pour délacer son corset. Mlle Ridley se pencha tout près de moi et murmura : « Voulez-vous les suivre aux bains, mademoiselle, pour voir ? » Son haleine contre ma joue me fit ciller. Je me détournai et répondis par la négative. Non, je ne les y accompagnerais pas, je préférais commencer ma tournée de visites dans les cellules. La surveillante se redressa. Un tic agita ses lèvres, et je crus entrevoir, au fond de son regard délavé et nu, une lueur narquoise.

Sa seule réponse fut cependant : « Comme il vous plaira, mademoiselle. »

Je quittai ainsi les nouvelles venues sans un regard en arrière. Mlle Ridley appela une surveillante qu'elle entendait passer dans le couloir et me confia à sa conduite. En avançant à son côté, j'aperçus par la fente d'une porte entrebâillée ce qui était sans doute le cabinet du médecin. Un homme — vraisemblablement le médecin lui-même — s'y trouvait. Il ne leva pas la tête à notre passage. Il se faisait justement les ongles à la lumière d'un bec de gaz.

Mon nouveau guide s'appelait Mlle Brewer. Elle est jeune — très jeune pour une gardienne de prison, à ce qu'il me sembla, mais en fait elle n'est pas du tout surveillante au sens propre, sa tâche consistant à assister l'aumônier. Le manteau qu'elle porte à l'intérieur de la prison n'est pas de la même couleur que celui des gardiennes, et son attitude paraît plus bienveillante que la leur, son langage moins brutal. Parmi ses devoirs figure la distribution du courrier adressé aux détenues. Il est permis aux prisonnières à Millbank d'envoyer et de recevoir une lettre tous les deux mois, mais vu le nombre de cellules, Mlle Brewer me dit avoir du courrier à remettre presque tous les jours. Elle trouve sa tâche agréable — la plus plaisante de toute la maison. Elle ne se lasse pas de contempler l'émotion de celles à qui elle apporte quelque chose.

J'en fus témoin moi aussi, car elle commençait juste sa tournée au moment où je me joignis à elle, et je l'accompagnai jusqu'à la fin. Les détenues à qui elle faisait signe poussaient des cris de joie et s'emparaient avidement des plis pour embrasser bien souvent le papier ou le presser sur leur cœur. Une seule prit un air craintif à notre approche. Mlle Brewer s'empressa de la rassurer : « Rien pour vous, Banks. N'ayez pas peur. » Elle me raconta que la prisonnière avait une sœur qui filait un très mauvais coton, et qu'elle s'attendait d'un jour à l'autre à recevoir de ses nouvelles. Je voyais donc là le revers de la médaille. Mlle Brewer serait navrée de devoir porter cette lettre-là — « car, bien sûr, je saurai avant Banks ce qu'elle contient ».

Tout le courrier qui entre dans la prison, comme celui qui en sort, passe par le bureau de l'aumônier pour être contrôlé ou par M. Dabney en personne ou par elle. Apprenant cela, je m'exclamai : « Mais vous savez donc tout de la vie de toutes vos pensionnaires ! Leurs secrets, leurs projets... »

Mes mots firent rougir la jeune femme — à croire qu'elle n'aurait jamais considéré la chose sous cet angle. « Il faut lire les lettres, insista-t-elle. C'est le règlement. Il arrive d'ailleurs régulièrement que l'une ou l'autre essaie d'y passer un message. »

Nous grimpâmes ensuite l'escalier de la tour, sans nous arrêter à l'étage des quartiers de punition. En arrivant en haut, une idée se mit à me turlupiner. Le paquet de lettres allait diminuant. Il y en avait une pour Ellen Power. Lorsque nous la lui remîmes, la vieille femme m'adressa un clin d'œil et dit : « C'est de ma petite-fille. La petite chérie, elle ne m'oublie jamais. » Nous poursuivîmes la tournée, nous n'étions plus loin de l'angle des deux corridors. J'approchai la bouche de l'oreille de Mlle Brewer et demandai finalement si elle n'avait pas quelque chose pour Selina Dawes. Elle me fixa d'un air surpris. Pour Dawes ? Mais non, rien ! Elle trouvait d'ailleurs étrange que je pose la question, car j'avais nommé là quasiment la seule détenue de toute la prison pour qui elle n'avait *jamais* de courrier !

Jamais ? répétai-je. — Elle confirma : jamais. Elle n'aurait pas su me dire si Dawes recevait des lettres dans les premiers temps de son incarcération, alors que pour sa part elle ne travaillait pas encore à la prison. Mais elle savait en toute certitude qu'au cours des dix mois écoulés rien n'était arrivé à son nom et elle n'avait pas non plus envoyé une seule lettre.

« N'a-t-elle donc pas d'amis ? demandai-je. Pas de famille ? Personne qui pense à elle ? » Mlle Brewer haussa les épaules. « Si elle en a eu, elle a rompu avec eux — ou bien vice versa. C'est une chose qui arrive. » Son sourire vacilla, et elle reprit : « Vous parliez de secrets. Nous avons là quelques femmes qui ne livrent pas les leurs. »

Cela dit d'un petit air pincé, elle hâta le pas et me laissa en arrière. Lorsque je la rattrapai, elle lisait une missive tout haut à une détenue illettrée. Ses paroles m'avaient donné à penser. Je la dépassai, fis encore les quelques pas qui me séparaient de l'entrée du second corridor. Marchant sur la pointe des pieds, je pus contempler Dawes un instant à travers les barreaux de sa grille avant qu'elle ne lève les yeux audevant des miens.

Je ne m'étais guère préoccupée jusque-là de ceux qui, dans le monde extérieur, pouvaient souffrir de l'absence de Mlle Selina Dawes, de ceux qui pouvaient lui rendre visite dans sa prison, lui écrire des lettres tendres ou banales. Sachant désormais qu'il n'y avait personne, je n'en fus que plus sensible à l'aura de silence et de solitude dont je la voyais baignée. Mlle Brewer avait dit plus vrai qu'elle ne se l'imaginait : Dawes en effet ne livre pas ses secrets; elle les garde même là, à Millbank. Et je me souvins aussi de la remarque d'une autre surveillante pour me signaler que, malgré sa beauté, aucune des autres détenues n'avait cherché à se *mettre en ménage* avec Dawes. Je comprenais à présent pourquoi.

Je la contemplai donc, dans un élan de compassion. Je pensais : *Tu me ressembles.*

Que ne m'en suis-je tenue là! Que n'ai-je aussitôt poursuivi mon chemin! Mais elle leva la tête pendant que je la regardais, elle sourit et je compris qu'elle m'attendait. Dès lors, je ne pouvais lui tourner le dos. J'appelai d'un geste Mme Jelf que j'aperçus à quelque distance, dans le second corridor. Avant qu'elle ne m'ait rejointe pour ouvrir la grille, Dawes avait posé son ouvrage et quitté sa chaise pour m'accueillir.

C'est elle — la surveillante, inquiète, nous ayant enfin réunies et, comme à contrecœur, laissées en tête à tête — elle qui parla la première. Elle dit : « Je suis contente de vous voir! » Elle dit combien elle avait été désolée de ne pas s'entretenir avec moi la dernière fois.

La dernière fois? « Ah, oui! Vous étiez prise par votre institutrice.

— *Celle-là!* » Elle releva la tête d'un air de dédain et se plaignit à moi : elle passe, semble-t-il, pour un prodige simplement parce qu'elle se souvient de l'évangile du jour quelques heures encore après l'office. Comme si elle avait autre chose pour meubler le vide des heures qui passent.

Elle dit : « J'aurais préféré parler avec *vous*, mademoiselle Prior, et de beaucoup. Vous avez eu tant de bonté pour moi, à l'occasion de notre dernier entretien, et je crains de m'être montrée ingrate. Depuis, je n'ai cessé d'appeler de mes vœux... Enfin, vous disiez que vous vouliez être pour moi une amie. Il n'y a pas grand-chose ici pour me faire souvenir des usages de l'amitié... »

Ses paroles, qui avaient tout pour me convaincre, approfondirent d'autant la sympathie et la compassion qu'elle m'inspirait. Nous discutâmes d'abord du régime de la prison. Je l'encourageai : « Je pense qu'avec le temps vous pourriez être transférée dans un établissement moins sévère — à Fulham, par exemple... » Elle cependant haussa les épaules : les prisons se valaient toutes.

J'aurais pu la quitter alors, passer chez une autre détenue et être maintenant tranquille, mais elle avait trop piqué ma curiosité. Je finis par laisser échapper — c'était plus fort que moi — qu'une des surveillantes m'avait fait une confidence à son sujet, avec les meilleures intentions...

Était-ce bien vrai qu'elle ne recevait jamais de courrier? N'y avait-il réellement personne, au-delà des murs de Millbank, pour prendre part à ses souffrances? Elle me considéra un instant d'un regard qui me fit craindre encore un sursaut d'amour-propre. Mais non, elle me répondit, pour dire qu'elle ne manquait pas d'amis.

Ses amis les esprits, oui. Elle m'en avait déjà parlé. Pourtant, il devait bien y en avoir d'autres, des gens dont elle avait été proche dans le monde extérieur et qui la regrettaient? — Elle leva derechef les épaules, sans rien dire.

« N'avez-vous pas de famille ? »

Elle avait une tantine, « sur l'autre bord » (son mot), qui venait parfois la voir.

J'insistai : « N'avez-vous donc pas d'amis *vivants* ? »

Je crus bien percevoir de la susceptibilité dans la question par laquelle elle répondit à la mienne : Combien d'amis viendraient me voir, *moi*, si j'étais enfermée à Millbank ? Qu'en pensais-je ? Son monde d'avant la prison n'était certes pas le grand monde où j'avais mes habitudes, mais pas non plus celui « des voleurs et des souteneurs » qui était tout ce que beaucoup de prisonnières avaient connu. Elle préfère donc ne pas « se donner en spectacle » dans un tel cadre. Les esprits, qui ne la jugent pas, sont d'une meilleure fréquentation que ceux qui n'ont fait que rire de son « malheur ».

Le vocable me parut choisi avec soin. En l'entendant, je me souvins malgré moi des mots inscrits sur la tablette émaillée à l'entrée de la cellule : *Escroquerie & Coups et blessures.* Je lui dis que les autres détenues que je visite trouvaient du réconfort à me parler de leurs crimes. — Elle réagit aussitôt : « Et vous voudriez que je vous conte les miens. Eh bien, pourquoi pas ? Mais je n'ai pas commis de crime ! C'était simplement... »

Quoi donc ?

Elle secoua la tête. « Une petite sotte qui a pris peur en voyant un esprit, c'est tout ; et une dame, effrayée par la petite, qui en est morte. Et c'est moi qui paye les pots cassés. »

J'en savais déjà autant, par Mlle Craven. Je demandai pourquoi la jeune fille avait pris peur. Elle hésita un instant, puis répondit que l'esprit avait « fait une farce » — je cite.

L'esprit avait donc fait une mauvaise farce, et la dame, « Mme Brink », avait tout vu, et cela lui avait donné un tour... « Eh bien, je ne m'en doutais pas, mais elle avait le cœur faible. Elle est tombée en syncope, et ensuite elle est morte. C'était une amie. Personne n'a pensé à cela, pas une seule fois, pendant tout mon procès. Tout ce qu'ils voulaient, c'était trouver une explication, à tout prix, quelque chose qu'ils pourraient comprendre. On a fait témoigner la mère de la petite, qui a prétendu que sa fille avait été brutalisée, et Mme Brink aussi, et c'est moi qu'on a rendue responsable de tout.

— Alors que tout était la faute de... l'esprit farceur ?

— *Oui.* » Mais quel juge l'aurait cru ? Quel jury — sinon un jury composé rien que de spirites, et Dieu sait comme elle aurait voulu en avoir un comme ça ! « Ils ont dit que ça ne pouvait pas être un esprit, parce que les esprits n'existent pas, un point c'est tout », fit-elle avec une grimace. Au bout du compte, on avait retenu deux chefs d'accusation : escroquerie et coups et blessures.

Je demandai ce qu'en avait dit la jeune fille — celle qui aurait été frappée. À l'en croire, la petite aurait senti nettement la présence de l'esprit, mais le trouble se serait mis ensuite dans ses idées. « La mère était riche, elle avait un avocat qui savait faire feu de tout bois. Le mien ne valait rien, et avec cela il m'a coûté tout mon argent... Tout ce que j'avais gagné en aidant les gens, tout est parti — ni une ni deux ! — et pour rien. »

Pourtant, si la jeune fille avait vu un esprit ?

« Elle ne l'a pas *vu*. Elle l'a seulement senti. Les autres disaient... Ils disaient que c'était forcément ma main qu'elle avait sentie... »

Elle serra ses mains l'une contre l'autre — je la vois encore — les doigts fins de l'une triturant lentement les jointures calleuses et rougies de l'autre. N'avait-elle donc pas d'amis pour la défendre ? À ma question, un tic tordit sa bouche. Si, dit-elle, des amis, elle en avait eu beaucoup, ils avaient parlé d'elle à qui mieux mieux comme d'une « martyre à la cause » — mais seulement dans un premier temps. Malheureusement, il y avait des envieux « même dans le mouvement spiritualiste », et certains s'étaient réjouis de sa chute. D'autres avaient simplement pris peur. En définitive, quand elle avait été condamnée, il ne s'était trouvé personne pour prendre son parti...

En disant cela, elle me montra le visage d'une enfant terriblement jeune et fragile, malheureuse comme les pierres. J'insistai : « Et vous maintenez toujours que c'est un *esprit* qui a tout fait ? » Elle hocha la tête : oui. Je crois bien avoir souri. « Quelle injustice ! m'exclamai-je. Qu'on vous ait enfermée ici, alors que pour sa part il est impuni. »

Mais non ! il ne fallait pas croire que « Peter Quick » fût impuni ! Elle protesta vigoureusement, le regard braqué, par-delà mon épaule, sur la grille de fer que Mme Jelf avait refermée derrière moi : « Ils ont leurs propres châtiments, dans l'autre monde. Peter se trouve dans un ténébreux séjour, comme moi. Il attend — comme moi — d'avoir purgé sa peine pour reprendre sa progression ascendante. »

Je rapporte ses paroles textuellement, et elles me paraissent plus bizarres maintenant, en les couchant par écrit, que sur le moment, lorsque, face à moi, sérieuse comme une papesse, elle répondait à mes questions point par point, avec une logique bien à elle. Pourtant, je ne pus m'empêcher de sourire en l'entendant parler familièrement de « Peter », « Peter Quick ». Nous nous étions rapprochées au cours de l'échange précédent. À présent je fis un pas en arrière. Elle, qui ne fut pas sans le remarquer, prit un air entendu pour dire : « Vous me croyez folle. Folle ou comédienne. Vous me prenez pour une petite cabotine malhonnête, comme les autres... » Je lui coupai la parole : « *Non*, je ne pense pas cela... » En effet, je ne le pense pas, je ne le pensais pas non plus sur le moment, face à elle — du moins, pas vraiment. Je secouai la tête et m'excusai. Je n'avais pas l'habitude de réfléchir à cette sorte de choses. Mes préoccupations étaient terre à terre. Sans doute mon esprit était-il « très ignorant quant à la ligne de démarcation du merveilleux ».

Elle sourit alors, une ombre de sourire qui se voyait à peine. *Pour sa part*, dit-elle, son esprit n'avait que trop connu le merveilleux. « Et ma récompense, ça a été d'être enfermée ici... »

Elle fit un petit geste de la main qui me parut circonscrire l'immense prison dans toute sa rigueur et sa grisaille, avec tout ce qu'elle-même y endurait.

« C'est particulièrement atroce pour vous ici », dis-je au bout d'un moment.

Elle approuva de la tête. « Vous tenez le spiritisme pour une chimère. Mais maintenant que vous êtes là, ne vous semble-t-il pas que *n'importe quoi* pourrait être réel, du moment que Millbank existe ? »

Je considérai le mur nu avec son badigeon, le hamac plié — le baquet, où une mouche venait de se poser. Non, je ne la suivais pas dans son raisonnement. La prison avait beau être dure — le spiritisme n'en devenait pas plus vrai pour autant. La prison au moins était un monde que je pouvais voir et entendre, dont je percevais l'odeur. Quant à ses esprits — eh bien, même réels, ils ne me disaient rien. Je n'étais pas en mesure d'en parler, j'ignorais jusqu'au langage à employer.

Que j'en parle donc à ma guise, repartit-elle, car en en parlant, je leur donnerais « du pouvoir ». Mais j'aurais plutôt encore intérêt à les écouter. « Alors, mademoiselle Prior, vous les entendrez peut-être parler *de vous.* »

J'éclatai de rire. Parler de moi ? Allons donc ! Ce serait un jour bien ennuyeux au Paradis que celui où on en serait réduit à parler de Margaret Prior !

Elle acquiesça d'un mouvement qui laissa sa tête penchée sur l'épaule. Elle a une façon bien à elle — ce n'est pas d'aujourd'hui que je la remarque — une façon de changer d'humeur et de diapason, de passer d'une posture à une autre. C'est excessivement subtil — rien à voir avec le geste d'une comédienne, fait pour être vu jusqu'au fond d'une salle de théâtre obscure et bondée. Elle s'y prend plutôt à la façon du morceau de musique qui met discrètement un dièse ou un bémol à la clef.

Elle le fit à ce moment-là, face à moi qui plaisantais, plaignant l'ennui des esprits qui n'auraient que moi pour meubler leurs conversations ! Elle prit une mine patiente. Un air de sagesse. Elle demanda enfin, d'un ton doux et parfaitement calme : « Pourquoi dites-vous cela ? Vous savez qu'il y a des esprits à qui vous êtes très chère. Vous savez qu'il y a surtout *un* esprit — il est là avec nous maintenant, il est plus près de vous que moi. Et vous êtes ce qu'il a de plus cher au monde, mademoiselle Prior. »

J'écarquillai les yeux et perdis un instant le souffle. Comme si elle venait de me pincer ou de me lancer un verre d'eau à la figure : c'était autre chose que ses divagations au sujet des fleurs et autres cadeaux que lui apporteraient les esprits. Je repensai bêtement à Boyd, à son conte à dormir debout sur les pas de papa dans l'escalier de service. Je demandai : « Qu'en savez-vous ? » Elle ne répondit pas. Je repris : « Vous avez vu que je porte le deuil, vous avez deviné juste...

— Vous êtes intelligente », repartit-elle, expliquant que, pour sa part, ce qu'elle est n'a rien à voir avec l'intelligence. Ce qu'elle est, elle ne pourrait pas ne pas l'être, pas plus qu'elle ne saurait cesser de respirer, de rêver ou d'avaler sa salive. C'est plus fort qu'elle — même là, même à Millbank ! « Mais, voyez-vous, c'est bizarre. C'est comme si j'étais une éponge ou bien un — comment dit-on ? — un de ces drôles d'animaux qui ne veulent pas être vus et changent de peau pour se fondre dans ce qui les entoure... » Je ne répondis pas, et elle poursuivit : « Enfin, autrefois, dans ma première vie, je me faisais l'effet d'une bête comme ça. Il y avait parfois des malades qui venaient me voir, je leur donnais une séance et je tombais malade, moi aussi. Un jour, c'était une femme dans une position intéressante, et j'ai senti son enfant dans *mon* sein. Un autre jour, un monsieur m'a demandé à parler à son fils sur l'autre bord : quand le pauvre garçon est venu, j'ai senti mes poumons se vider d'un coup, j'ai cru que ma tête allait éclater ! Le fils était mort enseveli dans l'effondrement d'un immeuble, et *moi*, j'ai revécu ses dernières sensations. »

Elle posa alors une main sur son cœur, fit encore un pas vers moi et dit : « Quand *vous* venez me voir, mademoiselle Prior, je ressens votre... deuil. Je ressens votre deuil comme une noirceur, *là*. Oh, comme cela fait mal ! Je pensais d'abord que la peine vous avait vidée, que vous étiez tout à fait creuse, comme une coquille d'œuf sans rien en dedans. Sans doute est-ce ainsi que vous vous regardez, vous aussi. Mais ce n'est pas vrai. Vous êtes pleine — seulement vous vous êtes repliée sur vous-même, vous vous êtes fermée comme un coffre. Qu'avez-vous là-dedans que vous sentez le besoin de garder sous clef ? » La main se souleva, tapota le sein sur lequel elle reposait, tandis que l'autre avançait et me touchait, moi, m'effleurait à peine, au même endroit...

Comme si ses doigts portaient une charge électrique, je tressaillis. Je vis ses yeux s'agrandir. Elle sourit. Elle avait trouvé — par un pur hasard, le plus pur, le plus étrange des hasards —, ses doigts avaient trouvé mon médaillon sous mon corsage. Elle en traça aussitôt les contours, tirant doucement sur la chaînette. Le geste était d'une intimité, d'une suggestivité telle qu'en écrivant ceci je crois sentir ses doigts remonter, de maillon en maillon, jusqu'à la naissance de ma gorge, se glisser sous mon col pour dégager le bijou — mais non, sa main resta sur mon sein, exerçant une pression délicate. La tête légèrement inclinée, elle avait l'air de guetter l'écho de mon cœur, répercuté par l'ovale d'or.

Sa physionomie subit alors une nouvelle transformation, plus étrange que tout à l'heure. Elle parla, tout bas : « Il dit : *Elle a mis sa peine autour de son cou et ne veut pas s'en défaire. Dites-lui qu'il le faut, qu'elle s'en dépouille.* » Elle hocha la tête. « Il sourit. Était-il aussi intelligent que vous ? Mais bien sûr ! Et il a encore beaucoup appris maintenant et... Oh !

comme il voudrait vous avoir avec lui, pour partager sa sagesse nouvelle! Mais que fait-il là? » Elle changea une troisième fois de visage. « Il fait non de la tête, il pleure, il dit : *Pas comme ça! Oh! Peggy, ce n'était pas la bonne voie! Tu viendras me rejoindre, nous serons réunis — mais pas de cette façon-là!* »

Je tremble malgré moi en notant les mots ici; je tremblais plus encore en les entendant dans la bouche de la prisonnière, en sentant sa main sur mon sein, en fixant ses traits à l'expression tellement insolite. Je brisai là : « Ça suffit! » Je secouai ses doigts et reculai — en me heurtant, je crois bien, aux barreaux de la grille qui fit entendre un bruit de ferraille. Je levai ma propre main à la place où la sienne avait reposé. Je répétai : « Ça suffit. Vous dites n'importe quoi! » Elle avait pâli, et il y avait de l'effroi dans son regard, comme si elle voyait tout : les pleurs et les cris, le Dr Ashe et ma mère, la mauvaise odeur de la morphine et ma langue enflée par la pression du tuyau. J'étais venue voir cette femme en ne pensant qu'à elle, et c'était moi-même, ma propre faiblesse qu'elle me mettait sous les yeux. Elle me regardait, et il y avait de la pitié dans *ses* regards!

C'était insoutenable. Je me détournai, pressai la figure contre les barreaux, lançai un appel strident à Mme Jelf.

La surveillante arriva presque aussitôt; manifestement, elle ne s'était guère éloignée. Elle me fit sortir de la cellule sans poser la moindre question. Je notai cependant le regard pointu, inquiet, qu'elle darda par-dessus mon épaule — peut-être avait-elle perçu une note insolite dans mon appel. Je me revis enfin dans le corridor, la grille refermée. Dawes avait ramassé un bout de laine qu'elle triturait d'un geste machinal. Elle me regardait toujours, bien en face, les yeux pleins d'un savoir terrible. J'aurais voulu dire quelque chose, prononcer des mots banals, de tous les jours. Mais j'avais terriblement peur que, si j'ouvrais la bouche, elle aussi ne recommence —, elle me parlerait de papa, ou bien *pour* lui, *en tant que* lui —, elle me parlerait de sa tristesse ou de sa colère, ou aussi de sa honte.

Je m'en fus donc, sans un mot.

Au rez-de-chaussée, je croisai Mlle Ridley, amenant les quatre nouvelles que j'avais vu écrouer. Je ne les aurais pas reconnues sans la joue meurtrie de la plus âgée; elles se ressemblaient toutes dans leurs robes couleur de boue et leurs bonnets. Je vis encore les portes des cellules se refermer sur elles. Je ne restai pas plus longtemps.

En rentrant, j'ai trouvé Helen à la maison, mais je n'étais pas d'humeur à causer; je suis montée tout droit m'enfermer chez moi. Je n'ai fait venir que Boyd — mais non, ce n'est plus Boyd, Boyd nous a quittées, c'est Vigers, la nouvelle — pour me préparer un bain; et tout à l'heure ma mère est passée avec le flacon de chloral. J'ai tellement froid maintenant, je sens les frissons me courir dans le dos. Vigers ne connaît pas mes heures, et le feu est bien bas. Mais je ne veux pas bouger avant de sentir l'approche du sommeil. J'ai baissé ma lampe, et de temps à autre je colle les deux mains au verre pour les réchauffer.

Mon médaillon est là, accroché à côté de la glace de mon armoire, seul objet brillant parmi tant d'ombres.

16 octobre 1874

Je me suis réveillée ce matin abrutie, après une nuit de cauchemars. J'ai rêvé que mon père était en vie — je regardais à ma fenêtre et le voyais en bas, accoudé au parapet du pont Albert, à me fixer d'un air amer. Je me précipitais dehors, je l'abordais en m'exclamant : « Grand Dieu, papa, nous vous croyions mort ! » Il a répondu : « Mort ? J'ai passé deux ans à Millbank ! On m'a fait tourner le moulin de discipline, j'ai les pieds à vif — regarde ! » Il a levé la jambe pour me montrer ses souliers, qui n'avaient plus de semelle, et la corne sous ses pauvres pieds. J'ai pensé : Tiens, c'est drôle ! Je n'avais jamais vu les pieds nus de papa...

Rêve absurde — en tout état de cause, sans rien à voir avec ceux qui m'avaient harcelée au lendemain de sa mort et dans lesquels je me voyais accroupie sur sa tombe, en train de l'appeler à travers la terre meuble. En rouvrant ensuite les yeux, je sentais la glaise me coller aux doigts. N'importe. J'avais peur ce matin au réveil, et quand Ellis a apporté de l'eau, je l'ai retenue exprès pour bavarder. Elle s'est esquivée enfin en disant que l'eau allait refroidir, et je suis donc allée y tremper les mains. Elle n'était plus bien chaude, mais la glace au-dessus était couverte de buée. En l'essuyant, comme chaque matin, j'ai cherché des yeux mon médaillon. — *Le médaillon n'était plus là !* Je ne sais pas ce qu'il est devenu. Je sais que, hier soir, je l'ai accroché à côté de la glace, et peut-être y suis-je retournée une fois pour jouer avec et le sentir sous mes doigts. Je ne sais pas exactement quand j'ai fini par me coucher ; mais cela n'a rien d'étrange — si je prends du chloral, c'est bien pour cela ! — et je suis certaine que je ne l'ai pas emporté au lit. Pour quoi faire ? Il ne peut donc pas être perdu, cassé, dans les draps — d'ailleurs j'ai cherché, j'ai passé toute la literie au peigne fin.

Et maintenant, pendant toute la journée, je me suis sentie terriblement nue et malheureuse. J'ai mal au cœur, là où il n'est plus. J'en ai parlé à Ellis, et à Vigers — même à Pris. Mais je n'ai rien dit à ma mère. Sa première réaction serait d'accuser une des domestiques de l'avoir volé ; puis, quand elle en aurait compris la sottise — comme elle me le disait elle-même l'autre jour, c'est un bijou sans intérêt, alors que j'ai là tant de pièces plus belles — elle croirait que c'est mon mal qui me reprend. Elle ne saurait pas, personne chez nous ne peut savoir à quel point c'est bizarre que je l'aie perdu précisément cette nuit ! — après ma visite à la prison et ma conversation avec Selina Dawes.

Et maintenant c'est *moi* qui commence à craindre d'être malade pour de bon. Peut-être est-ce un effet du chloral. Peut-être me suis-je levée au milieu de la nuit, peut-être ai-je pris le médaillon pour le cacher je ne sais plus où — comme Franklin Blake dans *La Pierre de lune*. Je me souviens du sourire de papa quand il nous a lu ce passage-là. Mais j'ai aussi en mémoire une dame qui se trouvait alors chez nous en visite et qui n'a pas partagé sa gaieté. Elle avait eu, semble-t-il, une grand-mère qui, sous l'influence du laudanum, s'était levée au milieu de la nuit pour aller prendre un couteau à la cuisine et s'en taillader la jambe ; elle s'était recouchée ensuite en perdant tout son sang dans le matelas et elle avait bien failli en mourir.

Je ne me crois pas capable d'un geste pareil. Non, ce sera tout de même une domestique qui aura pris le médaillon. Ellis aura cassé la chaînette en le déplaçant, sans oser m'en faire l'aveu. Il y a une prisonnière à Millbank qui dit avoir abîmé une broche appartenant à sa maîtresse ; quand elle l'a portée chez le bijoutier pour la faire réparer, on l'a accusée de l'avoir volée. Peut-être Ellis redoute-t-elle de connaître le même sort. Peut-être a-t-elle paniqué et jeté le médaillon cassé aux ordures où il sera trouvé par un boueux, ravi du cadeau à offrir à sa femme. La femme, je la vois d'ici : elle ouvre le bijou d'un ongle mal soigné et, trouvant à l'intérieur une mèche de cheveux dorés, reste un instant songeuse, à se demander sur quelle tête elle a pu être coupée et en souvenir de quoi...

Qu'Ellis ait cassé mon médaillon, cela me serait égal, ou même qu'il finisse chez la bien-aimée du boueux — elle n'a qu'à le garder. Certes, je le tenais de papa, mais il y a mille choses à la maison pour me faire souvenir de mon père. Ce sont les cheveux de Helen que je regretterais ; elle a coupé la mèche elle-même, c'est elle qui voulait que je la garde, au temps où elle m'aimait encore. Il ne s'agit que de cela, et je crains d'autant plus de devoir en faire mon deuil que, Dieu le sait, Helen elle-même est déjà perdue pour moi.

3 novembre 1872

Je croyais que personne ne viendrait aujourd'hui. Il fait si mauvais que voilà 3 jours que la maison n'a pas eu de visites, même pas pour M. Vincy ou Mlle Sibree. Nous sommes restés entre nous, bien tranquilles, au salon, pour une séance dans le noir. Nous avons essayé de matérialiser des formes. Il paraît que les médiums de nos jours ne peuvent plus se passer de matérialisations, en Amérique les adeptes ne demandent que ça. Nous avons essayé hier jusqu'à 9 h du soir, mais aucun Esprit ne s'est manifesté, alors nous avons fini par rallumer & demander à Mlle Sibree de chanter. Aujourd'hui nous avons encore essayé, mais encore une fois sans obtenir d'apparitions, & alors M. Vincy nous a montré comment un médium peut avoir l'air de matérialiser un bras ou une jambe, alors qu'il s'agit en fait de son propre membre. Voici comment il a fait :

Je tenais son poignet gauche, & Mlle Sibree avait l'air de tenir le droit. *En réalité*, nous tenions toutes deux *le même bras*, seulement nous ne pouvions pas nous en rendre compte dans le noir. Avec ma main libre, dit M. Vincy, je peux faire n'importe quoi, par exemple ceci, & il a posé les doigts sur ma nuque & j'ai hurlé quand je les ai sentis. Lui, alors : vous voyez comment un médium sans scrupule pourrait abuser son client, Mlle Dawes. Figurez-vous que j'aie d'abord rendu ma main chaude ou froide à l'excès, ou bien qu'elle dégouline. L'impression, n'est-ce pas, serait plus réaliste d'autant. Je lui ai dit de montrer cela à Mlle Sibree, & j'ai changé de place. Quand même, je suis contente d'avoir appris le tour avec le bras.

Nous sommes restés au salon jusqu'à 4-5 h, & il tombait toujours des cordes, si bien qu'à la fin nous n'attendions vraiment plus personne. Mlle Sibree regardait par la fenêtre & disait : ah ! notre vocation n'est pas à envier ! Il faut être toujours là à attendre le bon plaisir des vivants & des morts. Savez-vous que j'ai été réveillée ce matin à 5 h, par un Esprit qui a éclaté de rire chez moi, dans un coin de la chambre ? Elle s'est frotté les yeux. J'ai pensé : je l'ai entendu, cet Esprit-là, il est sorti d'une bouteille hier soir & son rire, c'était vous qui le faisiez passer dans votre pot de chambre. Pourtant, Mlle Sibree a été si gentille avec moi, pour Tantine, je ne dirais jamais une chose pareille tout haut. M. Vincy lui a donné la réplique : en effet tout n'est pas rose dans notre profession. N'êtes-vous pas de cet avis, Mlle Dawes ? Il s'est levé de table en bâillant & il a dit que, puisque nous ne risquions pas d'avoir des visiteurs à l'heure qu'il était, autant mettre la nappe & faire une partie de cartes. Mais dès qu'il a sorti les cartes, ne voilà-t-il pas qu'on sonne à la porte, malgré tout. Alors il a dit : ce sera partie remise, Mesdemoiselles ! Je présume que la visite est pour moi.

Pourtant, quand Betty est entrée au salon, ce n'est pas lui, c'est moi qu'elle a cherchée du regard. Elle nous amenait une dame, & avec elle une plus jeune, sa femme de chambre. Quand la dame m'a vue me lever, elle a mis la main sur son cœur & elle s'est écriée : Mlle Dawes, c'est bien vous ? Oh ! je sais que c'est vous ! J'ai vu alors Mme Vincy qui me regardait, & M. Vincy aussi, & Mlle Sibree & même Betty. Je tombais des nues, tout comme eux, la seule idée qui m'est passée par la tête, c'est que la dame était peut-être la mère de celle que j'avais vue le mois passé, celle à qui j'avais annoncé qu'elle allait perdre ses enfants. Je me suis dit : voilà ce que ça rapporte d'être honnête. Je ferais mieux de faire comme M. Vincy, malgré tout. J'étais sûre que la dame avait fait un malheur, à cause de son chagrin, & maintenant sa mère venait m'accuser.

Pourtant, quand j'ai regardé de plus près le visage de la nouvelle venue, j'ai vu que, si elle avait bien eu du chagrin, il y avait là aussi, plus profond, un vrai bonheur. Je lui ai dit : allez, le mieux sera de monter chez moi. Mais c'est tout en haut. L'escalier ne vous gênera pas ? Elle a échangé un sourire avec sa servante & elle a répondu : me gêner ? Ça fait 25 ans que je vous cherche. Ce n'est pas un escalier qui va nous séparer maintenant !

Du coup, j'ai pensé qu'elle avait peut-être un grain. Mais je l'ai fait monter ici, & elle est entrée & elle a tout regardé, la chambre & puis sa servante & puis moi encore, de haut en bas. J'ai compris alors qu'elle était une vraie dame, du grand monde, avec des mains bien blanches & bien soignées, & quelques très jolies bagues, à la mode d'autrefois. Je lui donnais 50, 51 ans. Elle portait le deuil, comme moi, mais sa robe avait une tout autre allure. Elle a dit : vous ne savez pas pourquoi je suis venue, n'est-ce pas ? C'est bizarre. J'aurais cru que vous l'auriez pressenti. J'ai dit : c'est un chagrin qui vous amène. Elle a répondu : *c'est un rêve*, Mlle Dawes, un rêve qui m'amène chez vous.

Un rêve, c'est bien ce qu'elle a dit, & elle s'est expliquée : elle a rêvé, il y a 3 nuits, ma figure & mon nom & l'adresse de l'hôtel de M. Vincy. Tout y était dans son rêve, & pourtant elle n'a pas un instant pris ça pour du vrai jusqu'à ce matin, quand elle a ouvert *Médium & Daybreak* & qu'elle a vu sur le journal l'annonce que j'y avais passée il y a 2 mois. Voilà pourquoi elle est venue me chercher à Holborn, & elle dit que maintenant qu'elle m'a vue en chair & en os, elle sait où les Esprits voulaient en venir. Je me suis dit à part moi : Vous en savez plus long que moi, alors. & je les ai regardées toutes deux, elle & sa femme de chambre, & j'ai attendu. La dame a dit encore : voyez-vous bien cette figure, Ruth ? La voyez-vous ? Dois-je lui montrer ? & la femme de chambre : oui, je pense que Madame devrait. La dame a donc pris sous son manteau un objet enveloppé dans un carré de velours, & elle l'a déballé & embrassé, & ensuite elle me l'a montré. C'était un portrait dans un cadre, elle pleurait presque en le tenant sous mes yeux. Je regardais le portrait & elle me regardait moi & la femme de chambre aussi n'avait d'yeux que pour moi. Enfin la dame a dit : *maintenant* je pense que vous voyez, n'est-ce pas ?

Tout ce que je voyais vraiment, c'était le cadre du tableau, un cadre en or, & la main blanche de la dame, qui tremblait. Mais quand elle m'a mis la peinture entre les doigts, j'ai fait oh !

La dame a approuvé d'un hochement de tête, & elle a eu encore le même geste, la main sur son cœur. Elle a dit : nous avons tant de travail devant nous. Quand commencerons-nous ? J'ai dit que le mieux serait là, tout de suite.

Elle a donc renvoyé sa femme, qui a attendu sur le palier, & elle a passé une heure seule avec moi. Elle s'appelle Mme Brink, & elle habite Sydenham. Elle a traversé la moitié de la ville pour venir me voir.

6 novembre 1872

À Islington, chez Mme Baker pour sa sœur Jane Gough, passée sur l'autre bord en Mars 68, *fièvre chaude.* 2/—

À King's Cross, chez M. & Mme Martin pour leur fils Alec, tombé d'un yacht & perdu en mer — *Trouvé Grande Vérité dans les Vastes Mers.* 2/—

Ici, Mme Brink, pour son Esprit spécial. £1

13 novembre 1872

Ici, Mme Brink, 2 h. £1

17 novembre 1872

En sortant de ma transe aujourd'hui, je tremblais de tout mon corps & Mme Brink m'a fait coucher sur mon lit & elle m'a tâté le front. Elle a envoyé sa femme de chambre chercher un verre de vin chez M. Vincy & ensuite, quand le vin a été là, elle a dit que c'était de la piquette, & elle a fait courir Betty dans une taverne pour en acheter de meilleur. Elle a dit : je vous ai surmenée. J'ai dit que non, mais qu'il m'arrivait souvent de m'évanouir & de me trouver mal, & alors elle a regardé tout autour & elle a dit que ça ne l'étonnait pas, qu'à vivre dans cette chambre-là, à force, n'importe qui attraperait des maladies. Elle en a appelé à sa servante : regardez-moi cette lampe ! — c'est-à-dire celle que M. Vincy a barbouillée de rouge & qui fume. Puis : regardez-moi ce tapis sale, regardez-moi ce linge — c'est-à-dire surtout la vieille courtepointe en soie que j'ai apportée de Bethnal Green, c'est Tantine qui l'a faite de ses propres mains. Elle branlait la tête, elle n'était pas contente, & elle m'a tenu la main. Elle dit que je suis une perle trop rare pour rester dans un si pauvre écrin.

17 octobre 1874

Échange inattendu ce soir au sujet de Millbank, du spiritisme et de Selina Dawes. M. Barclay est resté dîner, rejoint ensuite par Stephen et Helen, et encore Mme Wallace, venue faire la partie de ma mère. À présent que la noce approche, on nous demande de ne plus dire M. Barclay, mais « Arthur » ; comme un fait exprès, Priscilla s'est mise à l'appeler *Barclay* tout court. Ils parlent beaucoup du manoir et du parc de Marishes, de ce qu'elle y fera en tant que maîtresse de maison. Elle a l'intention d'apprendre à monter à cheval et aussi à conduire un attelage. Je la vois d'ici, juchée sur le siège d'un dog-cart, brandissant sa cravache.

Elle dit qu'elle veut nous recevoir tous au manoir après le mariage, sur un grand pied. Qu'il y a tant de chambres là-bas qu'elle pourrait en donner une à tout le monde sans que les occupants actuels s'en rendent même compte. Les occupants, c'est surtout une vague cousine que la famille y héberge, une vieille fille qui, selon Prissy, aurait tout pour me plaire : très intelligente, elle collectionne les papillons de nuit et les scarabées et elle a déjà exposé, « avec des messieurs », dans le cadre de diverses sociétés savantes. M. Barclay — Arthur — lui aurait déjà parlé dans ses lettres de mes bonnes œuvres auprès des détenues, et elle serait impatiente de faire ma connaissance.

Mme Wallace s'est enquise de ma dernière visite à Millbank : « Comment va ce despote de Mlle Ridley ? Et la vieille femme qui perd sa voix ? La pauvre ! » Elle pensait à Ellen Power.

Prissy a relevé les derniers mots. « La pauvre ? Moi, elle m'a l'air plutôt faible d'esprit. En fait, j'ai l'impression que toutes les femmes dont Margaret nous parle sont des demeurées. » Elle dit ne pas comprendre comment je supporte de les fréquenter — « *nous autres* en tout cas, tu nous fais assez comprendre que tu ne tiens pas à notre compagnie ». C'est moi qu'elle regardait, mais la pique était destinée aux oreilles d'Arthur qui, assis par terre à ses pieds, lui a donné la réplique : sans doute savais-je pertinemment que sa conversation ne valait pas la peine que je l'écoute. « Fadaises ! N'est-ce pas, Margaret ? » — bien sûr, lui aussi est passé aux prénoms.

Je lui ai souri, tout en gardant les yeux sur Priscilla qui se penchait pour lui attraper la main et le pincer. J'ai dit qu'elle avait tort de qualifier les détenues de faibles d'esprit. Elles avaient eu simplement une vie qui ne ressemblait en rien à la sienne. Pouvait-elle s'imaginer la différence qu'il y avait entre elles ?

Elle ne s'était jamais posé la question, mais elle savait bien ce qui faisait la différence entre elle et moi : c'était que moi, je ne m'en posais pas d'autres. Pendant qu'elle disait cela, Arthur lui serrait les poignets, tous les deux, ses frêles attaches, dans une seule de ses grosses pattes.

« Mais enfin, Margaret, est-ce qu'elles sont toutes à mettre dans le même sac ? a demandé Mme Wallace. Rien que des délits sordides ? N'avez-vous pas quelques héroïnes de causes célèbres là-bas ? Des meurtrières, par exemple ? » Elle souriait, montrant des dents striées de fines craquelures verticales comme les touches d'un vieux piano.

Elle semblait oublier que la loi condamne les homicides à la corde. J'ai conté pourtant l'histoire d'une détenue, Hamer, qui a assommé sa maîtresse avec une poêle en fonte ; on lui a laissé la vie, compte tenu de la cruauté avérée de la victime à son égard. J'ai conseillé à Pris de faire attention à elle, dans son rôle de maîtresse de Marishes. Elle a affecté d'en rire, et j'ai poursuivi :

« Il y en a aussi une autre — une vraie femme du monde, à ce qu'il paraît — qui a empoisonné son mari... »

Arthur a provoqué alors l'hilarité générale en clamant qu'il comptait bien qu'il n'y aurait rien de la sorte à Marishes.

Pendant qu'ils riaient, puis commençaient à parler d'autre chose, j'hésitais. Allais-je mentionner encore une troisième détenue pas comme les autres : une spirite... ? J'ai choisi d'abord de me taire, mais je n'y ai pas tenu. Aussi bien pourquoi ? Et quand j'ai lâché le morceau, mon frère a enchaîné, comme si de rien n'était : « Ah oui, le médium. C'était comment encore, son nom ? Gates ? Quelque chose comme ça...

— Dawes. » Je n'en revenais pas. C'était la première fois que je prononçais ce nom tout haut en dehors de l'enceinte de Millbank. La première fois que j'entendais parler d'elle par quelqu'un d'autre que les surveillantes de la prison des femmes. Mais voilà que Stephen hochait la tête — oui, bien sûr, il se souvenait de l'affaire. Le ministère public avait été représenté par un certain Locke — « un excellent homme, il a pris sa retraite depuis. J'aurais eu plaisir à travailler avec lui.

— M. Halford Locke ? a lancé alors ma mère. Nous l'avons eu une fois à dîner. Tu te souviens, Priscilla ? Non, à l'époque tu étais trop petite pour te mettre à table avec nous. Mais vous, Margaret, vous n'avez pas oublié ? »

Si, j'ai oublié. Tant mieux, d'ailleurs. Je regardais tantôt Stephen, tantôt notre mère — et enfin Mme Wallace qui me préparait une nouvelle surprise. « Dawes, le médium ? disait-elle. Tiens ! Je l'ai connue, celle-là. C'est elle qui a frappé la fille de Mme Silvester à la tête — ou peut-être qu'elle l'a étranglée — en tout cas elle a failli la tuer... »

En esprit, je voyais le portrait par Crivelli sur lequel j'aimais laisser reposer mes yeux à mes moments perdus. C'était comme si je l'avais apporté là timidement et qu'on me l'eût arraché ; j'imaginais la gravure faisant le tour du salon, polluée par les doigts des uns et des autres. J'ai demandé à Mme Wallace si elle connaissait personnellement la jeune fille qui avait été blessée. Mais non, c'était la mère qu'elle connaissait : une Américaine, « parfaitement ignoble ». Quant à la fille, elle avait de beaux cheveux roux, mais une mine de papier mâché, blême, tachée de son. « L'esclandre que Mme Silvester a fait à ce médium ! C'est vrai qu'elle avait mis la petite dans tous ses états. »

Je lui ai rapporté la version de Dawes : la jeune fille aurait eu plus de peur que de mal, mais l'incident aurait aussi fait un choc à une autre dame, qui n'y avait pas survécu. Une dame qui s'appelait Mme Brink. Mme Wallace la connaissait-elle ? — Non, elle ne la connaissait pas. J'ai dit : « Dawes affirme que c'est un esprit qui est responsable de tout. Elle n'en démord pas. »

Stephen a dit qu'à sa place, lui aussi aurait rejeté toute la faute sur un esprit — au fait, on pouvait s'étonner que les accusés ne fissent pas plus souvent appel à cet argument-là. J'ai objecté que Dawes donnait l'impression d'être d'une parfaite bonne foi. D'après Stephen, c'était la moindre des choses : les médiums spirites ont intérêt à paraître sincères, c'est un masque qu'ils se composent, ça fait partie du métier.

« C'est une engeance malfaisante, tous tant qu'ils sont. » C'était Arthur qui intervenait, péremptoire. « Une bande de rusés compères et d'escamoteurs. Ils engrangent des mille et des cents en faisant marcher les nigauds. »

Ma main s'est portée à mon cœur, à la place où mon médaillon aurait dû reposer ; pour en signaler l'absence ou plutôt pour la dissimuler, je ne saurais pas le dire. Mes yeux cherchaient ceux de Helen, mais elle était prise ailleurs, adressant un sourire à Pris. Mme Wallace a protesté. Elle n'était pas persuadée que tous les médiums fussent forcément méchants. Une dame de ses amies avait assisté un jour à une séance, et un monsieur lui avait dit beaucoup de choses qu'il ne pouvait pas savoir — des choses sur sa mère, et sur le fils de sa cousine, qui était mort dans un incendie, brûlé vif.

« Ils ont des livres, dit Arthur. C'est archiconnu. Ils tiennent des registres de noms, des rapports qu'ils font circuler entre eux. Le nom de votre amie doit, hélas, y être inscrit. *Le vôtre* aussi, c'est plus que probable. »

Entendant cela, Mme Wallace a poussé un cri : « Des livres blancs, chez les spirites ?! Allons, monsieur Barclay, vous n'êtes pas sérieux ! » Le perroquet de Pris a hérissé ses plumes. Helen a dit : « Chez ma grand-mère il y avait un palier dans l'escalier où on disait qu'on pouvait voir un fantôme, une jeune fille qui s'y était cassé le cou. Elle allait au bal, en souliers de satin. »

Des revenants ! Ma mère était indignée. N'étions-nous pas capables de parler d'autre chose ? Vraiment, elle ne voyait pas pourquoi nous ne descendions pas tous à l'office pour tenir le crachoir aux domestiques...

J'ai laissé passer un moment, puis, à couvert de la conversation générale, je me suis rapprochée de Stephen et je lui ai demandé s'il tenait vraiment Selina Dawes pour tout à fait coupable.

« Elle est à Millbank. Elle est donc forcément coupable. »

Il souriait. C'était le genre de réponse qu'il me faisait pour me taquiner quand nous étions enfants et lui, déjà le parfait petit avocat en herbe. Je voyais Helen qui nous observait. Elle portait des perles aux oreilles — on aurait dit des gouttes de cire, je me souviens de les lui avoir vues autrefois, d'avoir rêvé de faire fondre les pierres à la chaleur de sa gorge. À présent, perchée sur le bras du fauteuil de Stephen, j'insistais. L'idée de Selina Dawes comme violente, calculatrice à ce point... Non. « Elle est si jeune... »

À en croire mon frère, cela ne voudrait rien dire. Il croise couramment au tribunal des enfants de treize ou quatorze ans — des fillettes qu'il faut surélever dans le box pour que le jury voie au moins leur tête. Certes, les filles aussi jeunes n'agissent pas seules, mais toujours à l'instigation d'un tiers : une femme mûre ou, parfois, un homme. Si la jeunesse de Dawes autorise une conjecture, ce serait donc celle-là : on pourrait supposer qu'elle a « fauté sous influence ». J'ai objecté la force de conviction avec laquelle elle maintient que les seules influences dans l'affaire émanaient du monde des esprits. Stephen, là-dessus : « Il peut y avoir quelqu'un qu'elle tient à protéger. »

Quelqu'un pour qui elle serait prête à passer cinq ans de sa vie en prison ? À Millbank, qui plus est ?

Mais oui, c'étaient des choses qui arrivaient. Dawes était jeune, n'est-ce pas ? Et plutôt bien de sa personne ? « Et l'"esprit" dans l'affaire — voilà que je me souviens — n'en parlait-on pas comme d'un bonhomme ? Tu sais, la plupart des fantômes qui tiennent la vedette aux réunions spirites sont des comédiens affublés de draperies blanches. »

Non. J'ai souligné le mot d'un mouvement de tête. Non, j'étais persuadée qu'il se trompait ! Persuadée !

Il me regardait cependant, et en parlant j'ai lu sa pensée dans son regard : Que savais-je, *moi*, de la passion qui peut pousser une jolie fille à braver la prison pour son amant ?

Qu'est-ce que j'en sais, en effet ? À nouveau ma main est montée tâtonner sur mon sein. Rajustant le col de ma robe pour déguiser le geste, j'ai demandé à Stephen s'il tenait vraiment le spiritisme pour une absurdité et tous les médiums pour des imposteurs. Il ne m'a pas laissée poursuivre : « Je n'ai pas dit *tous*, j'ai parlé de *la plupart*. C'est Barclay qui les traite en bloc d'aigrefins. »

Je n'entendais pas discuter avec M. Barclay. J'ai répété ma question : « Mais qu'est-ce que tu penses, *toi*? » Stephen a répondu comme l'aurait fait, à son avis, tout homme de bon sens face au témoignage des faits : la plupart des médiums étaient certainement des charlatans; certains étaient peut-être malades, abusés par une idée fixe — peut-être Dawes était-elle à classer parmi ceux-là, elle serait alors digne plutôt de notre pitié que de nos moqueries; d'autres encore... « Eh bien, nous vivons une ère miraculeuse. Je peux me rendre dans un bureau des télégraphes et communiquer avec une personne, dans un bureau semblable, au-delà des mers. Comment cela se fait-il? Je serais incapable de l'expliquer. Il y a cinquante ans, pareille chose aurait passé pour totalement impossible, contraire à toutes les lois de la nature. Mais quand l'autre m'envoie son message, je ne me crois pas pour autant victime d'une supercherie, je ne suppose pas *a priori* que le signal émane d'un complice caché dans la pièce à côté. Pas non plus — comme certains prêtres, semble-t-il, face au spiritisme — que celui qui me parle est en réalité un diable déguisé. »

J'ai objecté que les appareils du télégraphe sont reliés par un fil. Stephen dit qu'il y a déjà des ingénieurs qui croient à la possibilité de développer des machines du même genre qui fonctionneraient *sans* fil. Il a agité les doigts : « Peut-être qu'il y a des fils dans la nature, de tout petits filaments, tellement fins et étranges que la science ne leur a pas encore trouvé un nom, qu'elle n'est même pas capable de les voir pour l'instant. Peut-être les jeunes filles hypersensibles, comme ton amie Dawes, sont les seules à pouvoir percevoir ces fils et démêler les messages qui y courent.

— Des messages, Stephen ? Envoyés par *les morts* ? »

Il a répondu que, à supposer qu'il y ait une autre forme de vie après la mort, il nous faudrait certainement des instruments exceptionnels pour entendre les défunts...

Si c'était bien vrai, si Dawes était innocente...

Mais évidemment il n'avait pas reconnu que c'était vrai ; il disait simplement qu'il en admettait la possibilité. « Et quand bien même ce serait vrai, il ne s'ensuivrait pas qu'*elle* soit digne de confiance.

— Mais *si* elle est vraiment innocente...

— Si elle l'est, que ses esprits en apportent la preuve ! Et puis il y a toujours la question de la jeune fille agitée et de la dame morte de peur. Je n'aimerais pas avoir à plaider contre *elles.* » Ma mère avait sonné Vigers. Stephen a marqué une pause, pour prendre un biscuit sur le plateau qu'elle lui présentait, avant de conclure en balayant d'un revers de main les miettes de son gilet : « À tout prendre, je pense que ma première hypothèse était la bonne. Je préfère l'amant vêtu d'un drap de lit aux petits filaments. »

Levant les yeux, j'ai vu que Helen nous regardait toujours. Sans doute qu'elle était contente de me voir aussi calme et gentille avec Stephen — je ne le suis pas toujours, je le sais. Peut-être serais-je allée alors la rejoindre, mais ma mère l'a appelée à la table de jeu pour faire la quatrième avec Pris et Arthur et Mme Wallace. Ils ont tous joué au *vingt et un** pendant une demi-heure environ ; enfin Mme Wallace a quitté la table, protestant qu'ils allaient la

* En français dans le texte.

dépouiller de tous ses boutons. Elle est montée à l'étage et, à son retour, je l'ai arrêtée au passage pour la faire parler encore de Mme Silvester et de sa fille. Quelle impression la fille lui avait-elle faite, la dernière fois qu'elle l'avait vue ? Elle a dit qu'elle l'avait trouvée « triste comme un bonnet de nuit » — sa mère l'avait fiancée à un monsieur à la grosse barbe noire et aux lèvres vermeilles, et « tout ce que Mlle Silvester trouvait à dire à ceux qui lui demandaient de ses nouvelles était : "On me marie" — tendant une main ornée d'une émeraude grosse comme un œuf. Avec ses grands cheveux roux, vous voyez ça d'ici. Vous savez, bien sûr, qu'elle est ce qu'on appelle une héritière. »

J'ai demandé alors l'adresse des dames Silvester, mais Mme Wallace a dit d'un air entendu : « Elles sont rentrées en Amérique, mignonne. » Elle les avait revues une fois avant la fin du procès, puis leur maison avait été mise en vente et le personnel congédié du jour au lendemain — elle n'a jamais vu une femme aussi pressée que Mme Silvester de ramener sa fille à la maison et de lui faire passer la bague au doigt. « Enfin, je suppose qu'un procès ne va jamais sans quelques petites éclaboussures. Sans doute qu'on n'y regarde pas de si près, là-bas à New York. »

Ma mère, distraite un instant par Vigers et le service, a lancé : « Pardon ? De qui parlez-vous ? Pas toujours des histoires de revenants, j'espère ? » La lumière réverbérée par le tapis de la table de jeu lui faisait la gorge verte, comme un crapaud.

Je lui ai adressé un mouvement de tête négatif. J'ai laissé parler Priscilla. Elle a commencé sans se faire prier : « À Marishes... » L'instant d'après, c'était : « En *Italie*... »

La conversation, à bâtons rompus, a porté alors sur le voyage de noces. Debout devant la cheminée, je contemplais les flammes, tandis que Stephen dodelinait de la tête derrière son journal. Finalement, ma mère a haussé la voix : « ... jamais de la vie, monsieur, et je n'en ai aucune envie ! Je ne supporterais pas les tracas du voyage, la chaleur, la nourriture » — elle parlait toujours de l'Italie, avec Arthur. Elle lui a conté les séjours que papa y a faits autrefois, quand nous étions petits, avec un mot aussi sur son projet d'un dernier voyage avec Helen et moi pour l'assister. Arthur a dit ignorer que Helen fût une femme savante, et ma mère l'a assuré — mais comment donc ! — que c'était uniquement à l'œuvre de M. Prior que nous devions de compter aujourd'hui Helen parmi nous.

« Helen suivait en auditrice libre les cours de M. Prior. Margaret y a fait sa connaissance et nous l'a amenée. Elle est tout de suite devenue une familière de la maison, la vraie chouchoute de M. Prior. Évidemment, nous ignorions — n'est-ce pas, Priscilla ? — qu'elle ne venait nous voir que pour l'amour de Stephen. — Allez, il n'y a pas de quoi rougir, Helen chérie ! »

Debout à la cheminée, j'entendais tout. J'ai vu le rouge monter au front de Helen sans pour ma part changer de visage. J'ai eu les oreilles si bien rebattues de cette version de l'histoire que je finis presque par y croire. D'ailleurs, les propos de Stephen m'avaient laissée songeuse. Je n'ai plus pris part à la conversation, mais avant de monter, je me suis permis de réveiller mon frère de son petit somme pour lui poser une dernière question : « À propos de ce bonhomme vêtu d'un drap... Eh bien, j'ai vu la préposée au courrier à la prison, et sais-tu ce qu'elle m'a conté ? Selina Dawes n'a pas reçu de lettres depuis qu'elle est incarcérée, pas une seule — et elle n'en a pas écrit non plus. Alors dis : qui irait de gaieté de cœur en prison, à Millbank, pour protéger un amant qui l'abandonne — sans une ligne, sans un mot ? »

Il a été incapable de répondre.

25 novembre 1872

Scène terrible ce soir ! Mme Brink était restée chez moi tout l'après-midi, ce qui fait que j'ai été en retard pour le dîner. M. Cutler se met souvent à table après tout le monde, & ça ne dérange personne. Mais aujourd'hui, quand M. Vincy m'a vue arriver sur la pointe des pieds, il a dit : allons, Mlle Dawes, j'espère que Betty vous aura mis un peu de viande de côté, qu'elle n'aura pas tout donné au chien. & nous qui pensions déjà que vous aviez tellement la grosse tête que vous ne vouliez plus vous asseoir à notre table. J'ai protesté que non & que cela n'arriverait jamais. — & lui : allons donc, avec vos *dons rares* vous devriez pouvoir percer le voile de l'avenir & nous en dire un peu plus. Pourtant — c'est toujours lui qui parle — il y avait eu un temps, ça ne faisait que 4 mois, où je n'avais pas demandé mieux que d'avoir un petit coin chez lui où reposer ma tête, mais j'avais de grandes visées maintenant, on dirait, je voulais péter plus haut que j'avais le derrière. Il m'a passé mon assiette, avec un petit morceau de lapin &

une pomme de terre à l'eau. J'ai dit : eh bien, viser plus haut que la tambouille de la mère Vincy, ce n'est pas difficile, & tout le monde a posé sa fourchette pour me dévisager, & Betty a pouffé, & M. Vincy l'a giflée, & Mme Vincy s'est mise à hurler comme un putois : oh ! oh ! Jamais je n'ai eu à essuyer pareil outrage, à ma propre table, de la part d'un de mes propres hôtes payants ! Elle endêvait : petite traînée, mon mari t'a recueillie, contre un loyer de misère, parce qu'il a le cœur grand comme ça. Ne t'imagine pas que je ne voye pas comme tu lui fais de l'œil. J'ai riposté : votre mari est un gros cochon & un profiteur !, & j'ai pris la patate sur mon assiette & je l'ai lancée à la figure de M. Vincy. Je ne sais pas si le coup a porté, je n'ai pas vu. Je suis sortie de table en courant, j'ai monté les marches toujours en courant, jusqu'ici, & je suis tombée sur mon lit & j'ai pleuré, & ensuite j'ai ri, mais pour finir je me suis trouvée mal.

& d'eux tous Mlle Sibree a été la seule à venir me voir, elle m'a apporté des tartines beurrées & quelques gorgées de porto de son propre verre. J'ai entendu M. Vincy en bas dans l'entrée. Il disait qu'il ne voulait plus jamais d'une fille médium sous son toit, quand même elle serait chaperonnée par son vrai papa en chair & en os. Il disait : on prétend qu'elles ont des pouvoirs, & je ne dis pas non. Mais une donzelle avec une passion pour les Esprits — je vous jure, M. Cutler, ça fait peur à voir.

21 octobre 1874

Peut-on s'accoutumer au chloral? Il me semble que ma mère est obligée d'augmenter sans cesse ma dose pour que je commence même à me sentir fatiguée. Et quand j'arrive à m'endormir, c'est d'un sommeil inquiet, où je vois passer des ombres et entends des voix murmurer à mon oreille. Ça me réveille, je me lève et promène sur ma chambre vide un regard désorienté. Enfin je me recouche et passe une heure encore à me tourner et à me retourner, guettant le sommeil qui ne revient pas.

Tout cela, c'est depuis que j'ai perdu mon médaillon. Je passe des nuits agitées qui me laissent hébétée pendant la journée. Ce matin je me suis montrée tellement stupide, face à je ne sais plus quel détail des noces à préparer, que ma mère dit qu'elle ne me reconnaît plus. À l'en croire, je me bêtifie à fréquenter les poissardes détenues à Millbank. J'y suis donc retournée exprès, pour la faire enrager — et du coup j'ai plus de mal que jamais à trouver le repos...

À la prison, on me fit faire d'abord le tour de la blanchisserie. C'est une salle effrayante, basse de plafond, chaude et humide et puante. Il y a là d'immenses calandres, semblables à des instruments de torture, des baquets d'empois bouillant et, fixées au plafond, des rangées de tringles où on a accroché une foule de choses sans nom et sans forme, toutes du même blanc sale — draps, camisoles, jupons ? impossible de dire —, toutes dégoulinantes. Je sentais la peau de mon visage et de mon crâne aspirée par la chaleur, je fus incapable de le supporter au-delà d'une minute. Pourtant, les surveillantes me disent que les détenues préfèrent le blanchissage à tout autre travail. Cela, parce que celles qu'on y emploie mangent mieux que les autres ; elles ont droit à des œufs, à du lait frais et à une ration supplémentaire de viande, pour ne pas perdre leurs forces. Et, bien sûr, elles travaillent ensemble, à plusieurs, et je ne vois pas comment on les empêcherait de se parler à l'occasion.

Après la touffeur et le grouillement de ce lieu, les quartiers cellulaires me parurent particulièrement froids et misérables. Je visitai peu de prisonnières, mais dans le lot il y en avait deux que je voyais pour la première fois. La première était une de leurs « femmes du monde », une certaine Tully, qui aurait commis des escroqueries chez plusieurs bijoutiers. En me voyant pénétrer dans sa cellule, elle s'empressa de me tendre la main en poussant un grand soupir : « Oh ! enfin quelqu'un à qui parler ! » Pourtant, le seul sujet qui l'intéressait, c'était le carnet mondain des journaux, chapitre qu'il m'était strictement interdit d'aborder avec les détenues.

Elle insista : « Mais notre chère reine ? Sa Majesté se porte-t-elle bien ? Vous pourriez au moins me dire cela. »

Elle me fit savoir qu'elle avait été invitée plus d'une fois à des fêtes à Osborne House, elle prononça comme en passant les noms de deux ou trois dames de la cour. Est-ce que je les connaissais ? — Non, je n'avais pas cet honneur. Elle se permit alors de s'intéresser de plus près à ma « naissance », se montrant sensiblement moins cordiale lorsque j'avouai que papa avait été savant sans plus. Elle me pria finalement d'intercéder auprès de Mlle Haxby pour lui obtenir un corset à sa taille et du dentifrice.

Je ne restai pas longtemps chez elle. L'autre, avec qui je parlai ensuite, était plus à mon goût. Elle s'appelle Agnes Nash, et elle a purgé déjà à Millbank trois ans d'une condamnation pour écoulement de fausse monnaie. C'est une jeune femme trapue, au teint basané, avec une ombre de moustache mais de très beaux yeux bleus. Elle se leva à mon entrée et, sans faire la révérence, me céda sa chaise, allant s'adosser pour sa part au hamac plié. Elle a les mains blanches et très propres. Il lui manque la phalangette d'un doigt — « coupée net et avalée par un chien de boucher » quand elle était encore « tout bébé ».

Elle parla de son crime sans ambages, mais d'un point de vue étrange. « Je viens, dit-elle, d'un quartier de voleurs. Le péquin nous regarde comme des pas grand-chose, mais nous sommes francs avec les nôtres. On m'a appris toute petite à voler tout ce dont j'avais besoin — et j'ai volé, bien des fois, je m'en cache pas. Mais en fait j'en avais pas vraiment besoin, puisque mon frère savait y faire comme pas un, et grâce à lui on vivait bien. » C'est la fausse monnaie qui l'a perdue. Elle s'y est mise — comme pas mal de filles, à ce qu'elle raconte, toutes pour les mêmes raisons — le travail étant considéré comme facile et agréable. Elle dit : « On m'a coffrée pour écoulement, mais en fait je me mêlais pas de passer, c'était moi qui gravais les coins à la maison, à d'autres d'écouler la marchandise. »

Depuis que je visite la prison, j'ai plus d'une fois entendu les détenues ergoter ainsi, sur la quantification ou la qualification précise de leurs crimes. En l'occurrence, je demandai à Agnes Nash si l'acte qu'elle avait réellement commis était moins répréhensible. Elle nia vouloir le minimiser. Elle tenait simplement à appeler un chat un chat : « Le métier est mal compris. Sans ça, je serais pas où je suis à l'heure qu'il est. »

Je ne suivais pas le raisonnement. Elle ne pouvait pas soutenir que les faux-monnayeurs agissaient bien. Le procédé était injuste, à tout le moins, pour ceux qu'ils payaient avec les pièces.

« C'est bien vrai que c'est pas juste. Mais, Dieu vous bénisse, vous pensez tout de même pas que c'est dans *votre* porte-monnaie qu'elle va, toute notre fausse-mornifle ? Un petit peu, je veux bien — et c'est pas de chance, si ça tombe sur vous ! Mais pour la plupart, ça reste tranquillement entre nous. Des fois, je refilais une pièce à un copain, contre un paquet de tabac. Mon copain la passait alors à un copain à lui, et celui-là la donnait à Susie ou à Jim — des fois, pour un morceau de viande tombé d'un chaland. Et Susie ou Jim me la ramenait, à moi. Ça reste en famille, on fait de mal à personne. Mais les magistrats, quand on leur dit "faux-monnayeur", ils pensent tout de suite “voleur” ; et c’est moi qui ai trinqué, j’en ai pris pour cinq ans... »

Je ne m’étais jamais doutée de l’existence d’une économie parallèle chez les voleurs. Je lui dis que je trouvais sa défense du système extrêmement convaincante. Elle approuva d’un hochement de tête et m’engagea à en dire un mot, sans faute, la prochaine fois que je dînerais avec un magistrat. « Je veux essayer voir à changer ça, petit à petit, voyez-vous. Grâce à des dames comme vous-même. »

Elle ne souriait pas. Était-elle sérieuse ? Me faisait-elle marcher ? Je ne pouvais savoir. Je dis que je ne manquerais pas en tout cas d’y regarder à deux fois avant d’accepter à l’avenir un shilling de la part de qui que ce soit. Elle m’approuva avec une franche gaieté : « Très bien. N’y manquez pas. Qui sait ? Peut-être que vous en avez un de ma façon dans votre crapaud en ce moment même. »

Lorsque je lui demandai comment reconnaître son œuvre parmi les autres pièces, elle prit cependant un air modeste et répondit qu’il y avait bien un petit signe, mais... « Enfin, voyez-vous, je peux pas trahir toutes les ficelles du métier, même ici. »

Elle me regardait bien en face, sans baisser les yeux. Aurait-elle donc l’intention de s’y remettre en sortant de prison ? J’espérais bien que non. Elle haussa les épaules. Qu’est-ce qu’elle pouvait faire d’autre ? Ne venait-elle pas de m’expliquer que c’était de famille, qu’elle avait grandi dans ce métier-là ? Elle se perdrait aux yeux des siens si elle leur revenait amendée !

Je lui dis alors qu’à mon sens c’était bien dommage qu’elle ne pût pas penser à quelque chose de plus édifiant que les crimes qu'elle comptait commettre dans deux ans. Elle me donna raison : « C'est dommage, c'est vrai. Mais que voulez-vous que je fasse, sinon ? Compter les briques de ma cellule ou les points dans mon ouvrage, c'est tout ce qu'il y a, et je l'ai déjà fait. Ou bien penser à mes enfants, me demander comment ils s'en sortent sans leur mère — ça aussi, je l'ai fait. C'est pas des pensées qui viennent facilement. »

Je lui conseillai de se demander plutôt pourquoi ses enfants devaient se passer de leur mère. Je lui conseillai de penser à la vie répréhensible qu'elle avait menée autrefois et au lieu où ses égarements l'avaient conduite.

Elle éclata de rire et en convint : « Je l'ai fait. Pendant toute une année, j'y ai pensé. Tout le monde fait pareil — vous avez qu'à poser la question, à qui vous voulez. Voyez-vous, la première année qu'on passe à Millbank est effroyable. On est prête à promettre n'importe quoi — on jurera de mourir de faim et de faire mourir toute sa famille plutôt que de commettre encore un crime et d'être renvoyée ici. On est prête à promettre n'importe quoi à n'importe qui, tellement on se repent. Mais ça dure jamais qu'un an. Après, on regrette plus rien. On pense toujours aux crimes qu'on a commis, mais pas pour se dire : "Si seulement j'avais pas fait ça, je serais pas là où je suis." Non, ce qu'on se dit, c'est : "Si seulement je l'avais fait *mieux*..." On pense à tous les coups fameux, les grinches et les floueries qu'on montera en sortant. On se dit : "J'ai été enfermée là parce que les gens me croient méchante." Hé ben, le diable m'emporte si je leur en fais pas voir, de la méchanceté, au bout des quatre ans qu'il me reste à tirer ! »

Elle me fit un clin d'œil. Je tombais de haut. Finalement, j'éructai : « Vous n'espérez pas me faire dire que je suis contente de vous entendre parler ainsi » — et elle répondit du tac au tac, toujours le sourire aux lèvres, que bien sûr elle ne s'aviserait jamais de concevoir pareil espoir...

Lorsque je me levai pour la quitter, elle aussi se redressa et fit à mon côté les trois ou quatre pas qui nous séparaient de la grille, comme pour me reconduire. Elle dit : « Allons, mademoiselle, j'ai eu plaisir à discuter avec vous. N'oubliez pas surtout, pour la monnaie ! » Je promis de m'en souvenir tout en guettant l'approche d'une surveillante dans le corridor. Nash hocha la tête et demanda : « C'est qui que vous allez voir maintenant ? » Elle ne semblait pas penser à mal. Je répondis donc, en me tenant sur la réserve : « Peut-être bien votre voisine, Selina Dawes.

— Celle-là ! La p'tite amie des fantômes... », s'exclama-t-elle aussitôt, roulant ses beaux yeux bleus dans un nouvel éclat de rire.

Du coup, je la trouvai moins sympathique. Je lançai un appel à travers les barreaux. Mme Jelf vint me libérer, et je me fis en effet ouvrir la cellule de Dawes. La figure de la prisonnière me parut plus pâle que la dernière fois, ses mains certainement plus rouges et plus calleuses. Je portais un gros manteau fermé sur la poitrine ; je ne parlai pas de mon médaillon, ne revins pas sur ses propos de la dernière fois. Je dis en revanche que j'avais pensé à elle. J'avais réfléchi à ce qu'elle m'avait raconté de sa vie. Ne voulait-elle pas m'en dire plus, aujourd'hui ?

Qu'est-ce que je voulais qu'elle raconte ?

Qu'elle parle encore de la vie qu'elle avait menée avant la prison. « Depuis combien de temps avez-vous été... ce que vous êtes ?

— Ce que je suis ? répéta-t-elle en penchant la tête sur l'épaule.

— Ce que vous êtes. Depuis combien de temps voyez-vous des esprits ?

— Ah ! Depuis toujours, depuis que j'ai ouvert les yeux, il me semble... »

La question l'avait fait sourire. Elle me parla alors de son enfance. Elle avait vécu chez une tante, et elle avait souvent été souffrante. Une fois qu'elle était particulièrement mal, une dame était venue la voir. En fait, la dame était sa propre mère défunte.

« C'est Tantine qui me l'a dit.

— N'avez-vous pas eu peur ?

— Tantine m'a dit qu'il ne fallait pas avoir peur, puisque ma mère m'aimait. C'est pourquoi elle venait... »

Ainsi les visites s'étaient répétées, jusqu'au jour où sa tante avait eu l'idée de « tirer parti du pouvoir qui l'habitait ». Elle avait donc commencé à la mener dans des réunions spirites où il y eut des coups frappés, des cris poussés et d'autres esprits. « Alors c'est vrai que j'ai eu un peu peur, dit-elle. Les nouveaux esprits n'étaient pas tous aussi gentils que ma mère ! » — Quel âge avait-elle à l'époque ? — « Treize ans, peut-être... »

Je me l'imagine, fine et terriblement pâle, criant « Tantine ! » lorsque la table tourne. Mais c'est la tante qui m'étonne, le fait qu'elle ait exposé une enfant à de telles expériences. Lorsque j'exprimai ma pensée, elle réagit cependant par un geste de dénégation et se dit persuadée que sa tante avait agi pour son bien. C'eût été encore pire de devoir affronter ces esprits-là en tête à tête, comme cela arrive (m'assura-t-elle) à d'autres médiums, seuls au monde. D'ailleurs, elle finit par s'habituer à ce qu'elle voyait. « Tantine me faisait vivre très retirée. Les autres jeunes filles de mon âge ne m'intéressaient pas, elles parlaient de choses tellement banales et, bien sûr, elles me trouvaient bizarre. Parfois je croisais des personnes dont je sentais qu'elles étaient comme moi. Mais cela ne servait à rien, si l'autre l'ignorait — ou, pis, si elle s'en doutait, sans trouver le courage... »

Elle me regardait en face. Ce fut moi qui me détournai. « Enfin, reprit-elle d'un ton plus énergique, les réunions ont favorisé le développement de mes facultés. » Elle avait ainsi appris très vite à repousser les esprits « de bas étage » et à attirer les bons ; elle en avait très vite reçu des communications, « pour leurs chers amis ici-bas ». Et c'était un bonheur pour les gens, n'est-ce pas ? Qu'elle leur transmette des messages pleins de tendresse, alors qu'ils étaient en proie au deuil et au chagrin ?

Je pensai à mon médaillon perdu, au message que pour ma part je tenais de son entremise — mais nous évitâmes toujours d'en parler. Je me bornai à résumer : « Vous vous êtes donc fait une réputation comme médium spirite. On venait vous voir alors contre argent ? »

Elle protesta vigoureusement qu'elle n'avait « jamais pris un penny » pour elle-même ; parfois les gens lui faisaient des cadeaux — mais ce n'était pas pareil ; et de toute manière il était bien connu que, d'après les esprits eux-mêmes, il n'y avait pas de mal à accepter des petites sommes, si cela vous permettait de poursuivre un travail spiritualiste.

En parlant de cette période de sa vie, elle souriait : « C'étaient pour moi des mois agréables, encore que je ne m'en sois guère rendu compte sur le moment. Ma tante était partie — passée, comme nous disions entre nous, sur l'autre bord. Elle me manquait, mais elle était mieux là-haut qu'elle ne l'avait jamais été sur la terre, je ne pouvais donc pas la pleurer. J'ai vécu un temps dans un hôtel de Holborn : chez une famille de spirites où tout le monde était bon pour moi — même si, je regrette de le dire, ils se sont retournés contre moi ensuite. Je faisais mon travail, qui apportait de la joie aux autres. Je rencontrais beaucoup de gens intéressants — des gens comme vous, mademoiselle Prior ! On m'a fait venir plus d'une fois dans des maisons de Chelsea. »

Je repensai à la mondaine amateur de bijoux, se vantant de ses visites dans la résidence préférée de la reine. La petite vanité de Dawes faisait peine à voir entre les murs étroits de sa cellule. Je demandai : « Et c'est dans une de ces maisons-là que la dame et la jeune fille qu'on vous a reproché d'avoir brutalisées ont eu un accident ? »

Elle se détourna et répondit à voix basse. Non, dit-elle, c'était dans une autre maison, à Sydenham.

L'instant d'après elle s'exclamait : Est-ce que je connaissais la nouvelle ? Ce matin, à la chapelle, Jane Pettit, de l'étage de Mlle Manning, avait jeté son livre de prières à la tête de l'aumônier. Il fallait voir la scène !

Elle n'était plus en veine de confidences. Elle ne dirait plus rien, c'était clair et je le regrettais — j'aurais voulu en savoir plus sur l'esprit « farceur », « Peter Quick ».

Je l'avais écoutée sans bouger, suspendue à ses lèvres. À présent, renvoyée à moi-même, je me rendis compte que j'avais froid. Je m'enveloppai plus étroitement dans mon manteau. Le geste fit bâiller la poche où je garde mon cahier, et la prisonnière ne fut pas sans le remarquer. Ensuite, pendant tout le temps que je restai avec elle, ses yeux revinrent encore et toujours au petit coin de reliure qui dépassait. Enfin, quand je me relevai pour partir, elle me demanda pourquoi j'apportais toujours un livre. Est-ce que j'avais l'intention d'écrire sur les détenues de Millbank ?

Je lui dis que mon cahier m'accompagnait partout — c'était une habitude que j'avais contractée en aidant mon père dans son travail, et je me sentirais maintenant toute drôle si je devais m'en passer. Parfois je reportais mes notes sur un autre cahier, mon journal intime, qui était mon meilleur ami : je lui confiais toutes mes pensées les plus secrètes, et je savais qu'elles y étaient en sûreté.

Elle acquiesça de la tête : Mon journal était comme elle, il n'avait personne à qui parler. Je pourrais aussi bien dire mes pensées secrètes là, dans sa cellule. À qui pourrait-elle les révéler ?

La question était posée sans rancœur, sur un ton presque enjoué. Je répondis qu'elle pourrait toujours en parler à ses esprits. « Ah ! fit-elle en penchant à nouveau la tête. Ils voient tout, vous savez. Même les pages de votre cahier secret. Même ce que vous écrivez... » Elle marqua une pause, effleura à peine ses lèvres d'un doigt éloquent et reprit : « ... ce que vous écrivez la nuit chez vous, la porte fermée à clef, la lampe baissée. »

Je tressaillis. Voilà, dis-je, qui était plus que bizarre, car c'était précisément ainsi que j'écrivais dans mon journal. Je la dévisageai un instant, puis elle sourit et reprit : Tout le monde faisait ainsi. Elle aussi avait tenu un journal autrefois, quand elle était libre, et elle y écrivait toujours la nuit, quand il faisait noir tout autour, et le fait d'écrire la faisait bâiller et lui donnait envie de dormir. Elle trouvait pénible que, à présent que le sommeil la fuyait et qu'elle aurait eu toutes les heures de la nuit pour écrire, l'écriture lui fût interdite.

Je pensai aux abominables nuits blanches que j'avais passées quand Helen m'avait dit qu'elle allait épouser Stephen. — Je crois bien que je n'ai pas dormi alors trois nuits pendant des semaines, depuis ce jour-là jusqu'à la mort de papa, quand j'ai pris pour la première fois de la morphine. J'imaginais Dawes couchée, les yeux ouverts, dans la nuit de sa cellule; je me voyais moi-même lui apporter de la morphine ou du chloral, rester là pendant qu'elle avalait le breuvage...

Je la regardai à nouveau. Elle guignait toujours le cahier dans ma poche. Suivant son regard, j'y mis la main. Le geste ne lui échappa pas, et son expression se teinta d'amertume.

Elle m'approuva pourtant : j'avais bien raison de ne pas le lâcher — les détenues feraient n'importe quoi pour du papier, du papier et de l'encre. « Le premier jour, quand on nous amène là, on nous fait signer une page dans un gros registre noir » — c'était la dernière fois qu'elle avait tenu une plume et écrit son nom, la dernière fois qu'elle avait entendu son nom prononcé tout haut — « on m'appelle *Dawes* ici, comme une domestique. Si quelqu'un me disait maintenant *Selina*, je crois bien que je ne me retournerais même pas. *Selina, Selina* — elle est complètement oubliée, celle-là ! Elle pourrait aussi bien être morte. »

Il y avait un trémolo dans sa voix. Je me souvins de la prostituée, Jane Jarvis, qui avait quémandé une page de mon cahier pour envoyer un billet doux à sa copine White — je n'étais plus retournée la voir depuis cette première fois. Mais avoir envie d'une feuille de papier rien que pour écrire son nom, pour se sentir revivre grâce à la magie du mot...

C'était si peu de chose.

Je dressai fugitivement l'oreille pour m'assurer que Mme Jelf était toujours occupée à l'autre bout du corridor. Je sortis alors le cahier de ma poche, l'ouvris à une page blanche, le posai à plat sur la table et tendis mon stylographe. La prisonnière contempla l'objet, puis, m'interrogeant du regard, s'en empara et l'ouvrit maladroitement — déroutée par son poids et peut-être aussi sa forme inhabituelle. Enfin elle tint la plume tremblante au-dessus du papier, le réservoir lâcha une luisante perle d'encre et elle écrivit : *Selina.* Puis encore son nom tout au long : *Selina Ann Dawes.* Suivi derechef du prénom seul : *Selina.*

Elle s'était rapprochée de la table pour écrire, sa tête était donc tout près de la mienne, et sa voix, lorsqu'elle parla, à peine plus forte qu'un murmure. Elle dit : « Je me demande, mademoiselle Prior, s'il vous arrive de mettre aussi ce nom-là dans votre journal. »

De prime abord je restai muette. En entendant son chuchotement, en sentant la chaleur de son corps dans cette cellule glacée, je venais de me rendre compte du nombre de fois que j'avais en effet parlé d'elle. Mais enfin, pourquoi pas, puisque je parle bien des autres détenues ? En tout état de cause, mieux vaut parler d'elle que de Helen.

Je répondis donc par une autre question : « Est-ce que ce serait pour vous déplaire ? »

Déplaire ? Elle sourit. Au contraire, elle serait ravie de penser à n'importe qui — à moi surtout, installée devant mon secrétaire — en train de mettre ses faits et gestes par écrit, de former les mots *Selina a dit ceci* ou *Selina a fait cela.* Elle éclata de rire et ajouta : « *Selina m'a raconté un tas de bêtises sur les esprits...* »

Elle secoua la tête. L'instant d'après cependant, aussi subitement qu'il s'était emparé d'elle, son rire mourut et je vis le sourire s'effacer de ses lèvres. Elle parla à nouveau, plus bas : « Bien sûr, vous n'écririez pas cela. Vous diriez *Dawes* tout court, comme les autres. »

Je voulais bien, dis-je, lui donner tel nom qui lui ferait plaisir.

Elle prit la balle au bond : « C'est vrai ? Mais... Oh ! n'allez pas croire que, de mon côté, j'oserais jamais m'adresser à vous sous un autre nom que "mademoiselle Prior"... »

J'hésitai, puis convins que les surveillantes le jugeraient en effet plutôt déplacé.

« Je ne vous le fais pas dire ! Et pourtant... » Elle se détourna avant de poursuivre : « ... je ne *prononcerais* pas l'autre nom devant elles. Mais le fait est que, quand je pense à vous... C'est vrai, je pense à vous, le soir, quand toute la prison dort... Et alors, ce n'est pas "mademoiselle Prior" qui me vient aux lèvres. C'est... Enfin, c'est vous qui avez eu la bonté de m'en faire part, le jour où vous disiez que vous vouliez être pour moi une amie... »

Un peu maladroitement, elle posa encore la plume sur le papier et traça, sous son propre nom : *Margaret.*

Margaret. C'était comme un gros mot, comme une caricature. Je tressaillis. Oh ! s'exclama-t-elle. Elle comprenait. Elle n'aurait pas dû, c'était trop présumer ! Mais non. Je la rassurai : non, ce n'était pas ça. « Simplement — eh bien, c'est un nom que je n'ai jamais aimé. Un nom qui est comme un abrégé de tous mes défauts — pas comme celui de ma sœur, qui est beau. Quand on me donne ce nom-là, je crois entendre ma mère. Mon père disait "Peggy"...

— Alors, laissez-moi aussi vous le dire ! Voulez-vous ? »

Mais elle me l'avait dit une fois déjà — et maintenant encore je frémis en y repensant. Je refusai d'un signe de tête. Elle murmura enfin : « Choisissez donc un autre nom que je pourrai vous donner. N'importe lequel, mais pas "mademoiselle Prior" — ça ne veut rien dire pour moi, ça pourrait être un nom de surveillante ou celui d'une patronnesse comme les autres... Que j'aie pour vous un nom qui me parle — un nom secret, qui résume tous vos meilleurs côtés, pas vos défauts... »

Elle parla encore dans la même veine, et finalement, sur un coup de tête étrange, aussi subit que celui qui m'avait fait ouvrir d'abord mon cahier, puis offrir mon porte-plume, je répondis : « Aurora ! Appelez-moi Aurora ! C'est un nom... Un nom qui... »

Non, je ne lui dis pas que c'était Helen qui m'avait baptisée ainsi, autrefois, avant d'épouser mon frère. J'affirmai que c'était un nom que moi-même je me donnais, « au temps de ma jeunesse », sottise qui me fit aussitôt rougir.

Elle, pour sa part, avait pris un air solennel. Elle resserra ses doigts autour du porte-plume, biffa *Margaret*, inscrivit à la place *Aurora* et s'en félicita :

« Selina et Aurora. Comme ça fait bien ! On dirait des noms d'anges — vous ne trouvez pas ? »

Je fus frappée soudain du silence qui régnait dans la prison. Je n'entendais que le fracas d'une grille, le cri d'un verrou refermé au loin, puis, plus près, un son semblable au crissement du sable sous la semelle d'une gardienne. Maladroitement, consciente du contact des doigts qui s'opposaient aux miens, je repris mon stylographe. Je dis : « Allez, je vous ai fatiguée.

— Mais non.

— Si, je pense que si. » Je me relevai et allai jeter un coup d'œil craintif à travers les barreaux. Le corridor était désert. J'appelai : « Madame Jelf ! » La réponse — « minute, mademoiselle ! » — me parvint d'assez loin. Du coup, je me retournai et — comme il n'y avait personne pour nous voir ou nous entendre — je lui tendis la main. « Au revoir, Selina. »

À nouveau la sensation de ses doigts contre les miens, son sourire. « Au revoir, *Aurora...* » Murmuré dans l'air glacé de la cellule, le nom resta un long instant suspendu comme un voile de gaze devant ses lèvres. Je retirai ma main, j'allais me tourner à nouveau vers la grille, lorsque je fus frappée soudain de son air entendu.

Je demandai pourquoi elle faisait cela.

« Faire quoi, Aurora ? »

Pourquoi ce sourire complice ?

« J'ai donc un sourire, complice qui plus est ?

— Vous le savez parfaitement. Qu'avez-vous ? »

Elle parut hésiter. Enfin elle répondit : « C'est votre amour-propre. Il est incroyable. Toute cette discussion sur les esprits et... »

Et quoi donc ?

Mais elle était de nouveau d'humeur badine. Elle secoua la tête, riant de ma question.

Enfin elle redemanda ma plume, s'en saisit sans me laisser le temps de répondre, s'approcha du cahier toujours ouvert et se mit à écrire rapidement. Le pas de Mme Jelf se faisait entendre tout de bon sur les dalles du couloir. « Vite ! » soufflai-je. Mon cœur palpitait dans ma poitrine, si fort que je voyais l'étoffe de mon corsage vibrer comme une peau de tambour. La prisonnière souriait toujours, écrivait... Les pas se rapprochaient, mon cœur s'affolait ! — enfin le cahier fut refermé, le stylographe revêtu de son capuchon et glissé dans ma main à l'instant même où Mme Jelf faisait son apparition de l'autre côté de la grille. Je vis ses yeux noirs, inquiets comme toujours, sonder la cellule, mais il n'y avait plus rien à voir, sinon mon sein agité que je recouvris de mon manteau avant que la surveillante n'eût fini de tourner la clef dans la serrure. Dawes s'était éloignée d'un pas. À présent elle joignit les mains sur son tablier et baissa la tête, sans l'ombre d'un sourire. Ses seules paroles furent : « Au revoir, mademoiselle Prior. »

Je pris congé d'un signe de tête et me laissai emmener en silence, hors de sa cellule, hors du quartier et du corps de bâtiment.

Je sentais à chaque pas mon cahier contre ma cuisse, tel un faix mystérieux et terrible. Là où la prison des femmes communique avec celle des hommes, j'ôtai un gant et collai la paume nue au dos du volume — le cuir gardait la chaleur des doigts calleux qui venaient de le toucher — mais je n'osais rien laisser paraître. Je ne sortis le cahier de ma poche qu'à l'abri d'un fiacre, une fois que le cocher eut fait prendre le trot à son cheval. Je mis un moment à retrouver la page, à découvrir ensuite l'angle propice pour déchiffrer, à la lumière de la rue, ce qu'elle y avait écrit. Je lus, refermai le cahier et le remis aussitôt dans ma poche, gardant toutefois ma main au contact de la reliure, sans bouger, malgré tous les cahots du trajet — jusqu'à sentir le cuir moite de mon émotion.

Il est là maintenant, ouvert, devant moi. Je vois les taches d'encre, les noms écrits de sa main — son nom et le mien, mon nom secret d'autrefois. Et après, sous les noms, il y a ceci :

Toute cette discussion sur les esprits & pas un mot sur votre [médaillon.
Croyez-vous donc qu'ils l'auraient pris sans me le dire ?
Et comme ils se sont amusés à vous regarder chercher, [Aurora !

J'écris à la lueur d'une bougie dont la flamme, déjà bien basse, plonge de plus en plus. La nuit est rude, le vent s'engouffre sous les portes et soulève le tapis. Ma mère et Pris sont au lit. Elles dorment, comme tout Cheyne Walk, tout Chelsea a l'air de dormir. Je suis seule à veiller — ou plutôt seule avec Vigers que j'entends bouger au-dessus de ma tête, dans la vieille chambre de Boyd... Qu'a-t-elle donc entendu pour s'agiter ainsi ? Autrefois je croyais la maison silencieuse la nuit ; à présent il me semble distinguer le tic-tac de chaque montre et de chaque pendule, le grincement de chaque marche et de chaque lame de parquet. Je contemple mes propres traits, réfléchis dans la vitre bombée de ma fenêtre : ma figure me paraît étrange, j'ai peur de la regarder de trop près. Mais je crains tout autant de sonder, au-delà, la nuit qui m'assiège. En effet, dans la nuit il y a Millbank avec ses ombres impénétrables ; et à l'ombre d'une de ces ombres repose *Selina... Selina...* C'est elle qui me pousse à inscrire son nom ici, elle devient de plus en plus réelle, plus consistante, plus vivante à chaque trait de ma plume sur le papier... *Selina.* À l'ombre d'une de ces ombres repose *Selina.* Elle a les yeux ouverts et c'est moi qu'elle regarde.

26 novembre 1872

J'aimerais que Tantine me voye, où je suis arrivée maintenant. — Je suis à Sydenham, chez Mme Brink ! C'est elle qui m'a enlevée, du jour au lendemain, elle disait qu'elle aimerait mieux me voir morte plutôt que de me laisser passer une heure de plus chez M. Vincy. M. Vincy a dit : prenez-la, Madame, & bon débarras ! j'espère qu'elle vous en fera voir pour votre argent, mais Mlle Sibree a pleuré quand je suis passée devant sa porte, elle dit qu'elle sait que je serai très célèbre un jour. Mme Brink m'a emmenée dans son propre carrosse, & quand nous sommes arrivées chez elle j'ai cru que j'allais tourner de l'œil, je n'ai jamais rien vu d'aussi grandiose, avec un jardin tout autour & une allée sablée qui va jusqu'à la porte d'entrée. Mme Brink m'a vue écarquiller les yeux & elle a dit : mon enfant, vous êtes blanche comme un linge ! Eh oui, ce sera pour vous une expérience étrange. Elle m'a prise alors par la main pour me faire passer sous le porche, puis de pièce en pièce, en me posant tout le temps des questions : allez, que vous en semble de ceci ? Reconnaissez-vous cela — & ça encore ? Je disais que je n'étais pas sûre, que je n'avais pas les idées claires, & elle répondait : allons, ça reviendra certainement, avec le temps.

Pour finir, elle m'a amenée ici, dans cette chambre qui était autrefois à sa mère & qui sera maintenant la mienne. Elle est tellement grande, je croyais d'abord que c'était encore une salle de réception. Puis j'ai vu le lit & je suis allée toucher une des colonnes, & apparemment j'ai encore pâli puisque Mme Brink a dit : oh ! malgré tout, le choc a été trop grand pour vous ! Voulez-vous que je vous reconduise à Holborn ?

Il n'en est pas question, & je le lui ai dit. J'ai dit que j'allais avoir des faiblesses, que c'était à prévoir, mais que ce n'était rien, ça allait passer. Elle a dit : bien, je vais vous laisser maintenant une petite heure, le temps pour vous de vous faire à votre nouvelle demeure. Alors elle m'a embrassée. Elle m'a embrassée en disant : je présume que je peux, maintenant ? J'ai pensé à toutes les dames en pleurs dont j'ai tenu la main depuis 6 mois, & puis aussi à M. Vincy qui guettait devant ma porte & à ses mains vagabondes. Pourtant personne ne m'a embrassée, vraiment personne, pas depuis la mort de Tantine.

Je n'y avais pas pensé jusque-là, ce n'est que sur le coup que je m'en suis rendu compte, en sentant ses lèvres contre ma joue.

Quand elle est partie, je suis allée regarder à la fenêtre où on voit des arbres & encore des arbres avec le Crystal Palace au milieu. Mais le Crystal Palace n'a pas l'air aussi fabuleux qu'on le dit. Quand même, ça vaut mieux que la vue de ma fenêtre à Holborn ! Quand j'ai eu regardé tout mon soûl, je me suis promenée un peu à travers la chambre & comme il y a un si beau parquet, j'ai essayé un pas de polka ; la polka, j'ai toujours eu envie d'avoir de l'espace pour la danser. J'ai dansé donc sans faire de bruit pendant un quart d'heure, j'avais fait attention d'enlever d'abord mes chaussures, pour que Mme Brink ne m'entende pas en bas. Enfin, j'ai regardé autour de moi, tout ce qu'il y a là.

C'est quand même une drôle de chambre, avec plein de commodes & de tiroirs partout & le tout plein de choses comme, par ex., des dentelles, des papiers, des dessins, des mouchoirs, des boutons &c. Il y a un immense placard, & il est bourré de robes, & il y a aussi plein de rangées de petits souliers & des rayonnages avec des bas pliés & des sachets de lavande. Il y a une table de toilette & là-dessus des brosses à cheveux & des flacons de parfum à moitié vides & un coffret avec des broches & des bagues & un collier d'émeraudes. Toutes ces choses sont vieilles, & pourtant ça se voit qu'on enlève toujours la poussière & que tout est briqué & aéré pour sentir bon, & si on voyait tout ça sans connaître Mme Brink, on penserait que sa mère est une femme bien ordonnée. On se dirait qu'on fait mal de toucher à ses affaires, qu'elle va certainement rentrer d'un instant à l'autre — alors qu'en fait voilà 40 ans qu'elle est morte, & on pourrait tout tripoter jusqu'à la fin des temps que ça ne lui ferait ni chaud ni froid. Moi, je savais, mais j'avais quand même l'impression que je ferais mieux de ne pas y toucher. Quelque chose me disait que si je touchais à ses affaires, j'allais me retourner & la voir à la porte, en train de me regarder.

En pensant cela, je me suis retournée tout de bon, du côté de la porte, & c'était vrai : il y avait là une femme qui me regardait ! Le cœur m'a sauté dans la gorge quand j'ai vu ça...

Mais ce n'était que la femme de chambre de Mme Brink, Ruth. Elle était arrivée sans bruit, pas comme Betty, mais comme la servante d'une vraie femme du monde, comme un fantôme. Elle m'a vue sursauter & elle a dit : ah, Mademoiselle ! Je vous demande bien pardon ! Mme Brink m'a dit que vous vous reposiez. Elle apportait de l'eau pour ma toilette, & quand elle est entrée & qu'elle a rempli la cuvette en porcelaine de la mère de Mme Brink, elle a demandé encore : où est la robe que vous comptez mettre pour le dîner ? Si vous voulez bien me la confier, je vous la ferai repasser. Elle gardait les yeux à terre, sans me regarder, mais je crois qu'elle a bien vu que j'étais pieds nus & je me demande si elle devinait que j'avais dansé. Elle restait plantée là, attendant que je lui donne ma robe, mais le fait est que je n'en possède qu'une un peu mieux que celle que j'avais sur moi. Je lui ai demandé : vous croyez vraiment que Mme Brink va vouloir que je me change ? & elle a dit : oui, je le pense, Mademoiselle. Alors je lui ai donné ma robe de velours & elle me l'a rapportée ensuite défripée & chaude encore du fer à vapeur.

J'ai attendu tout habillée la cloche qui a sonné enfin à 8 h, puisque telle est la drôle d'heure où on sert ici à dîner. Ruth est venue me chercher & elle a défait le nœud de ma ceinture & elle l'a rattachée en disant : voilà ! n'est-ce pas que nous sommes belle ? & quand elle m'a fait descendre à la salle à manger, Mme Brink m'a vue & elle s'est exclamée : ah ! comme vous voilà belle ! & j'ai vu Ruth qui souriait. On m'a fait asseoir à un bout d'une grande table polie comme un miroir avec Mme Brink à l'autre bout qui me regardait manger &

n'arrêtait pas de dire : Ruth, ne voulez-vous pas resservir des pommes de terre à Mlle Dawes ? & : Mlle Dawes, voulez-vous bien que Ruth vous coupe un morceau de fromage ? Elle m'a demandé si le repas était à mon goût & quels sont mes plats préférés. Le repas, c'était un œuf, une côtelette de porc & un rognon, avec encore du fromage & des figues. À un moment j'ai pensé au lapin de Mme Vincy, & j'ai ri tout haut. Mme Brink m'a demandé pourquoi je riais, & j'ai dit que c'était de bonheur.

Après le dîner, Mme Brink a dit : voyons maintenant l'influence de la maison sur vos pouvoirs, & je suis entrée en transe, la léthargie a duré une heure & je crois qu'elle était très contente. Elle dit que demain nous irons ensemble m'acheter des robes & qu'ensuite, dans un jour ou deux, elle me fera donner une séance pour ses amies qui ont tellement envie que je travaille pour elles aussi. Elle m'a ramenée enfin dans cette chambre & elle m'a encore embrassée & Ruth a encore apporté de l'eau chaude & emporté mon pot de chambre, mais ce n'était pas du tout comme avec Betty, & ça m'a fait rougir. Maintenant il est 11 h & je suis éveillée comme en plein jour, comme toujours au sortir d'une transe, mais j'aime mieux ne pas en parler ici. Rien ne bouge, nulle part dans toute cette grande maison. Il n'y a que Mme Brink & Ruth, & la cuisinière & une autre servante, & moi, toutes seules. Comme des nonnes dans un couvent.

Une chemise de nuit de dentelle blanche, la chemise de la mère de Mme Brink, m'attend sur le grand lit surélevé. Mme Brink dit qu'elle espère que je la mettrai. Mais ça ne m'étonnerait pas que je ne ferme pas l'œil de la nuit. Jusque-là je suis restée à la fenêtre, à regarder les lumières de la ville en pensant au changement si grand & merveilleux qui m'a happée sans crier gare, le tout à cause du rêve qu'a fait Mme Brink !

Le Crystal Palace a meilleure mine maintenant, avec toutes ses lumières allumées.

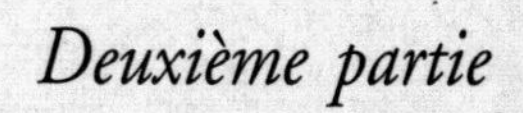

Deuxième partie

23 octobre 1874

Le temps s'est refroidi cette semaine. L'hiver est en avance, comme l'année de la mort de papa, et j'assiste à nouveau à la métamorphose de la ville, comme je l'ai vue se transformer petit à petit pendant les semaines désolantes de sa dernière maladie. Les marchands ambulants aux pieds enveloppés de haillons battent maintenant la semelle dans Cheyne Walk en maudissant le froid, et là où les chevaux attendent on voit des grappes d'enfants blottis contre les flancs moites des bêtes pour s'y réchauffer. Une mère et ses trois fils ont été trouvés morts de faim et de froid il y a deux jours, à ce que m'a dit Ellis, dans une rue sur l'autre rive. Et Arthur raconte qu'en passant au petit matin en voiture dans le Strand il voit des mendiants recroquevillés sous les portes cochères, leurs couvertures blanches de givre.

Nous avons eu aussi du brouillard — des brouillards jaunes, bruns, voire tellement noirs qu'on dirait de la suie liquide qui sourd des pavés, brassée dans les égouts par des machines infernales. Le brouillard souille nos vêtements, envahit nos poumons et nous fait tousser, monte à l'assaut de nos fenêtres — sous certains éclairages, on le voit se couler dans la maison par les châssis mal ajustés. Le soir tombe maintenant à trois ou quatre heures de l'après-midi, et quand Vigers allume les lampes, les flammes sont étouffées et ne donnent qu'une lumière crépusculaire.

En ce moment même, ma propre lampe n'éclaire guère. Elle est presque aussi faible que les chandelles à mèche de jonc qu'on nous donnait, enfants, comme veilleuses. Je me revois comme si c'était hier, au lit, comptant les lueurs qui filtraient à travers le tuyau en fer-blanc, me sachant seule à veiller dans toute la maison, prêtant l'oreille à la respiration endormie de ma nourrice, aux ronflements ou aux plaintes qui s'élevaient parfois des lits de Stephen et de Pris.

Ma chambre est toujours reconnaissable comme celle où nous dormions autrefois tous les trois. On voit des marques, là où les cordes d'une escarpolette étaient fixées au plafond, et j'ai encore dans ma bibliothèque quelques recueils de comptines. Il y en a un — j'en vois le dos en ce moment — dont Stephen raffolait. C'est un livre avec des images de diables et de fantômes, peints en couleurs vives ; on les regardait fixement, et si on se tournait ensuite assez vite vers un mur nu ou qu'on levât la tête au plafond, on y voyait flotter le spectre, très clairement, dans une tout autre couleur.

Comme les revenants me trottent dans la cervelle ces temps-ci !

Je m'ennuie à la maison. Ce matin je suis retournée au British Museum, mais il y faisait plus sombre que jamais, à cause du brouillard, et à deux heures une voix discrète a annoncé la fermeture de la salle de lecture. Annonce accueillie, comme toujours, par les protestations des lecteurs, réclamant de la lumière, mais qui ne me gênait pas personnellement, occupée que j'étais à noter des extraits d'une histoire des prisons, pour tuer le temps autant que pour mon édification. En sortant du musée, je retrouvai même avec plaisir le jour gris et ouaté, aussi irréel qu'un conte de fées. Jamais je n'ai vu de rue semblable à Great Russell Street en cet instant, vidée à ce point de toute couleur et de toute profondeur. J'hésitais presque à y poser le pied, de crainte de partager moi aussi l'immatérialité délavée de la chaussée et des toits.

Bien sûr, le propre du brouillard est de paraître plus dense, vu de loin. Mon corps échappait au flou ambiant, gardait des contours aussi nets que jamais. Comme si je me trouvais sous une cloche qui se serait déplacée en même temps que moi — une cloche de gaze, je la voyais clairement, comme celles que les bonnes mettent sur les assiettes de gâteaux en été pour les protéger des guêpes.

Je me demandais si les autres passants avaient conscience comme moi de la cloche de gaze qui anticipait leur moindre pas.

Au bout d'un moment, je commençai à trouver l'idée angoissante. Je décidai que je ferais mieux de chercher une station de fiacres et de rentrer en voiture, les stores baissés. Je pris la direction de Tottenham Court Road, laissant errer mes regards sur les vitrines et les enseignes devant lesquelles je passais — puisant un triste réconfort dans le peu de changement intervenu depuis le temps où je passais au bras de papa devant ce même défilé de commerces et de bureaux...

J'y pensais encore, lorsque mon œil fut attiré par un carré de cuivre à côté d'une porte, une plaque qui me parut plus reluisante que les autres. Je ne déchiffrai que dans un second temps les lettres qui s'y découpaient en noir : *Association nationale des Spirites britanniques — Salle de conférences, Cabinet de lecture et Archives.*

Voilà une plaque qui, j'en jurerais, n'était pas là il y a deux ans ; ou peut-être est-ce simplement moi qui ne l'ai pas vue, en ces jours où le spiritisme ne m'intéressait en rien. En la remarquant aujourd'hui, je m'arrêtai, puis m'approchai. Bien entendu, je ne pouvais pas ne pas penser à *Selina* — je ne me suis pas encore faite à écrire ce nom. Je pensais : *elle* a pu venir là dans sa première vie ; elle a pu me croiser dans cette rue. Je me souvenais d'avoir un jour attendu Helen à ce même carrefour, peu après avoir fait sa connaissance. Peut-être Selina était-elle passée alors tout près.

Idée étrange. Je considérai à nouveau la plaque de cuivre, puis le bouton de la porte ; j'y mis la main, tournai et pénétrai à l'intérieur.

Je ne vis d'abord qu'une volée de marches étroites — les salles se trouvent toutes au premier et au second étage, au-dessus d'un magasin, et on n'y accède qu'au prix d'une grimpette. L'escalier débouche dans un petit bureau : une pièce aménagée avec de belles boiseries et des stores vénitiens, également en bois, fermés aujourd'hui pour mieux protéger les occupants du brouillard qui sévissait au-dehors. Entre les deux fenêtres on a accroché un grand tableau — mauvais, à mon avis — qui montre *Saül chez la sorcière d'Endor.* L'ameublement comporte notamment un tapis rouge et une table à écrire. À mon entrée, une dame était assise à la table, une feuille de papier devant elle et un monsieur à ses côtés. La dame arborait une broche d'argent représentant un emblème que l'on voit parfois sur les pierres tombales — deux mains jointes, aux doigts entrelacés. Le monsieur, lui, portait des pantoufles brodées de soie. Le sourire dont tous deux m'accueillirent fit place presque aussitôt à des mines qui semblaient demander pardon. Le monsieur déplora la raideur de l'escalier et enchaîna : « Quel dommage que vous soyez montée pour rien ! Vous venez pour la démonstration, n'est-ce pas ? Nous avons dû l'annuler, à cause du brouillard. »

C'était un homme normal, très aimable. Je le détrompai, avouant que je ne venais pas pour la démonstration, mais — c'était la pure vérité — que j'étais tombée sur leurs locaux par hasard et que j'en avais franchi le seuil par curiosité. Du coup, les mines navrées se firent plutôt *complices*. La dame hocha la tête et s'exclama : « Le hasard et la curiosité. Quelle belle rencontre ! » Le monsieur me donna une cordiale poignée de main ; il est menu, avec les attaches les plus fines que j'aie jamais vues chez un homme, autant qu'il m'en souvienne. Il dit : « Je crains que nous n'ayons pas grand-chose à vous offrir, par ce temps qui claquemure les nôtres chez eux. » Je mentionnai le cabinet de lecture. Était-il ouvert au public ? Pouvais-je consulter les ouvrages ? Oui, bien sûr — en m'acquittant d'un droit d'inscription fixé à un shilling. Le prix ne me parut pas excessif. On me fit signer un registre, le monsieur penchant la tête pour lire par-dessus mon épaule : « *Mlle Pri-or* ». Il me présenta alors à la dame : Mlle Kislingbury, secrétaire de l'association. Pour sa part, il est conservateur des collections et il s'appelle Hither.

Les présentations faites, il m'introduisit dans le cabinet de lecture qui, à première vue très modeste, faisait penser à une bibliothèque de club ou de lycée, avec trois ou quatre armoires à livres, pleines à craquer, et un dispositif semblable à un tendoir, proposant un assortiment de journaux et de revues enfilés à des baguettes. Il y avait aussi une table et des fauteuils de cuir, un ensemble hétéroclite de tableaux aux murs et une vitrine. La vitrine est la seule véritable curiosité — la seule véritable horreur, devrais-je dire —, mais cela, je n'allais l'apprendre que tout à l'heure. Dans un premier temps, mon intérêt alla exclusivement aux livres. Ils étaient rassurants. Je commençais en effet à me demander ce que je faisais là. Or, face à une armoire à livres, quelle que soit la bizarrerie des thèmes, je serai toujours sur mon terrain.

Je me mis donc à feuilleter, tandis que M. Hither se penchait à l'oreille d'une dame assise à la grande table. Elle était la seule lectrice présente, moi-même exceptée : une femme d'un âge certain, portant des gants blancs d'une propreté douteuse, une main posée sur les pages de la brochure qu'elle lisait. Elle avait appelé M. Hither d'un geste pressé pour s'exclamer : « Quel texte merveilleux ! Tellement inspirateur ! »

Elle leva la main. Le fascicule se referma, révélant son titre : *La Force odique*.

Les rayonnages étaient chargés de livres portant des titres semblables. Pourtant, quand j'en ouvrais un, j'y trouvais chaque fois des conseils des plus terre à terre — ainsi un « Traité des chaises », mettant en garde contre les influences emmagasinées dans les fauteuils rembourrés ou à coussins qui servent à de nombreuses personnes sans distinction de sexe, recommandant en revanche aux médiums les chaises cannées et en bois. — En lisant cela, je dus me détourner, de peur que M. Hither ne se formalisât de mon sourire. J'abandonnai les livres, passai aux périodiques, levai enfin les yeux sur les images qui ornaient le mur au-dessus du présentoir. Elles montraient, selon la légende affixée aux cadres, des « Esprits manifestés par la médiumnité de Mme Murray, octobre 1873 », soit une dame à l'air placide, assise dans un fauteuil à côté d'un faux palmier, avec à l'arrière-plan trois formes floues drapées de blanc — « Sancho », « Annabel » et « Kip ». Les esprits étaient plus cocasses encore que dans les livres. Je me dis avec un pincement au cœur : Oh ! si seulement papa avait pu voir cela !

À l'instant où je formulais cette pensée, un mouvement à mon côté me fit tressaillir. C'était M. Hither.

Désignant les photographies d'un signe de tête, il dit : « Nous n'en sommes pas peu fiers. Le guide de Mme Murray est tellement puissant. Voyez-vous bien le détail — là, regardez ! — sur la robe d'Annabel ? Nous avions dans le temps un fragment de ce col sous verre, à côté des épreuves photographiques, mais nous ne l'avons même pas gardé quinze jours. Il s'est dématérialisé, hélas, à la façon de tout ce qui touche aux esprits. Un beau matin, nous n'avons retrouvé que le cadre vide. » J'écarquillais des yeux incrédules, mais il se borna à souligner le propos d'un « oui, mais oui », puis alla se poster devant la vitrine en m'invitant à le suivre. À l'en croire, c'était là la vraie pièce maîtresse de la collection, des preuves d'une nature, Dieu merci, moins éphémère...

Le ton du petit monsieur, son attitude en général piquait ma curiosité. De loin, j'avais eu l'impression que la vitrine abritait un entassement de statues brisées ou de pierres blanches. En regardant de plus près, je vis qu'on y exposait, non pas du marbre, mais du plâtre et de la *cire* — des moulages et des empreintes de visages et de doigts, de pieds et de bras. Beaucoup présentaient des difformités étranges, certains étaient fêlés, ou encore jaunis par l'âge et le soleil. Comme les photographies des apparitions, chaque objet portait une légende.

Je reportai les yeux sur M. Hither, qui expliqua : « Vous savez, bien sûr, comment on procède ? Non ? Allons, c'est simple comme bonjour, mais il fallait le trouver ! On matérialise l'esprit et on lui présente deux bassines — l'une contenant de l'eau, l'autre de la paraffine fondue. L'esprit a l'obligeance de fournir pour sa part une main, un pied ou peu importe ; le membre est plongé d'abord dans la paraffine, puis, très rapidement, dans l'eau. L'esprit laisse ainsi un moule en partant. Évidemment, bien peu sont parfaits. Et tous ne sont pas assez solides pour que nous puissions risquer une reproduction en plâtre. »

Il semblait s'excuser, et j'eus en effet l'impression que la plupart des objets exposés étaient terriblement *im*parfaits, identifiables grâce à un petit détail grotesque — l'ongle d'un orteil, une ride, la courbe des cils au-dessus d'un œil globuleux —, mais inachevés, tordus ou brouillés, comme si les esprits participants avaient entamé le voyage de retour vers « l'autre bord » avant que la paraffine n'ait eu le temps de se solidifier. « Regardez l'empreinte que voici, reprit M. Hither. Elle nous a été laissée par un bébé-esprit — voyez-vous ce bras potelé, ces doigts mignons ? » Je voyais en effet, et j'avais le cœur au bord des lèvres. La chose ressemblait tout à fait à un enfant né avant terme, monstrueux et incomplet. Je me souvenais de la sœur de ma mère qui avait accouché d'une telle chose quand j'étais encore tout enfant, je me souvenais des conciliabules des adultes, de ces chuchotements qui ne me laissaient pas en paix et, la nuit encore, hantaient mes rêves. Je me détournai, regardant plutôt tout en bas, dans un coin obscur. J'y découvris, là précisément, l'objet le plus horrible du lot. C'était le moulage d'une main — une main d'homme, en cire, qui n'avait pour ainsi dire aucun rapport avec ce que le mot évoque à l'ordinaire. On aurait dit plutôt une tumescence obscène — cinq doigts boursouflés et un poignet lui aussi trop gros et sillonné de veines, le tout luisant à la lumière du gaz, comme si c'était mouillé. Le moule du bébé m'avait donné la nausée. Celui-ci me faisait presque peur, je n'aurais pas su dire pourquoi.

Mon regard tomba alors sur l'étiquette — et je tremblai pour tout de bon.

J'y lus : « Main de l'Esprit familier "Peter Quick", matérialisé par Mlle Selina Dawes. »

Je regardai fugitivement M. Hither, le vis l'air absent, abîmé dans la contemplation du petit bras dodu... Toute tremblante que j'étais, je ne pus m'empêcher de me rapprocher encore du verre. Face à cette masse de cire informe, je me souvenais des doigts fuselés de Selina, de l'ossature délicate qu'on voit jouer lorsqu'elle cambre et fléchit les poignets en tricotant les mailles couleur de mastic d'une paire de bas militaires. La comparaison était horrible. Je pris soudain conscience de moi-même, pliée en deux devant ce meuble dont mon souffle haletant embuait la vitre terne. Je me redressai — trop vite, car la sensation qui suivit fut celui des doigts de M. Hither agrippés à mon bras. « Vous vous trouvez mal, chère enfant ? » demandait-il. L'unique lectrice leva la tête et plaqua un gant crasseux sur sa bouche. Sa brochure se referma derechef et tomba à terre.

Ce n'était rien, dis-je : un léger vertige, joint à la chaleur qui régnait dans la salle. M. Hither approcha une chaise et n'eut de cesse que je ne me fusse assise. Le changement de posture mit mes yeux au niveau de la vitrine ; à nouveau je frémis, mais lorsque la vieille dame proposa d'aller chercher Mlle Kislingbury et un verre d'eau, je protestai que j'étais parfaitement rétablie. Elle était bien aimable, mais qu'elle ne se dérange pas pour moi. M. Hither m'étudiait d'un regard impassible qui me parut prendre note plus particulièrement de ma toilette. Bien sûr, je comprends maintenant que je n'étais sans doute pas la première femme à se présenter là, vêtue de deuil, invoquant le hasard ou la curiosité comme seul motif de sa venue en ces lieux. Peut-être d'autres avant moi se sont-elles évanouies au spectacle du cabinet de cires. Lorsque je reportai les yeux sur la collection, M. Hither adoucit à la fois sa voix et ses traits pour dire : « C'est vrai. Ils sont un peu bizarres, n'est-ce pas ? Mais une chose fantastique à avoir, avec tout ça ! »

Je ne réagis pas, le laissant libre de penser ce que bon lui semblerait. Il reprit alors son petit discours sur la paraffine, l'eau et les immersions, et je finis par me calmer. Je hasardai même une question : Étaient-ce les médiums particulièrement habiles qui évoquaient les esprits sur lesquels on avait pris ces moulages ?

Il resta un instant songeur avant de répondre : « Je dirais *puissants* plutôt qu'habiles. Ni plus ni moins intelligents que vous ou moi, sans doute. Mais il s'agit ici de l'esprit, qui ne se résume pas à l'intellect. » Voilà pourquoi les sceptiques reprochent parfois au spiritisme un parfum « plébéien ». Les esprits ne s'embarrassent pas de l'âge ou du rang de ceux qu'ils favorisent de leurs communications, ni de quelque « distinction mortelle » que ce soit ; ils trouvent le don de médiumité épars dans la population, comme le grain semé dans un champ. Ainsi, tel grand seigneur que je croisais dans le monde pouvait être un sensitif ; mais la petite bonne qui cirait ses bottes à la cuisine pouvait être le meilleur médium des deux. « Voyez, poursuivit-il en désignant un objet dans la vitrine. Mlle Gifford, qui a réalisé le moulage que voici, était une domestique qui servait à table et qui ne s'est même pas doutée de ses pouvoirs, jusqu'au jour où sa maîtresse a été atteinte d'une tumeur ; elle a eu alors l'idée de lui imposer les mains, et le cancer de la dame a été guéri. Ou encore, là. M. Severn est un garçon de seize ans, qui a commencé à évoquer les esprits quand il n'en avait que dix. J'ai vu des médiums qui n'avaient que trois ou quatre ans. J'ai vu des nourrissons au berceau tendre les bras, prendre une plume et écrire l'amour que les esprits leur portaient... »

Je me retournai vers les armoires à livres. Mais oui, je savais parfaitement pourquoi j'étais montée là et ce que j'y cherchais. Je posai une main sur mon cœur et désignai d'un signe de tête la main de cire de « Peter Quick ». Je demandai : Et ce médium-là ? Selina Dawes ? M. Hither la connaissait-il ?

Sa réponse, instantanée, fut un oh ! qui, moitié soupir, fit à nouveau lever la tête à la lectrice solitaire. Oh ! mais bien sûr ! N'avais-je donc pas entendu parler du malheur de la pauvre Mlle Dawes ? « Voyons, à l'heure qu'il est elle croupit en prison ! »

Il secoua la tête et prit un air très grave. J'acquiesçai enfin : Oui, je me souvenais vaguement d'une rumeur qui avait couru. Mais j'ignorais que Selina Dawes fût célèbre à ce point.

Célèbre ? Il répéta le mot et enchaîna : Ah ! sans doute pas dans le grand monde. Mais chez les spirites... Tous les spirites du pays avaient tremblé en apprenant l'arrestation de Mlle Dawes ! Tous les spirites d'Angleterre avaient suivi le procès dans les journaux — tous avaient pleuré en en apprenant l'issue. Oui, pleuré — ou s'ils ne l'avaient pas fait, ils l'auraient dû — sur leur propre sort autant que sur le sien. « La justice nous tient pour une bande de "hors-la-loi" et de "vagabonds", dit-il. De ceux qui pratiquent "la chiromancie et autres arts occultes". Quelle était l'accusation portée contre Mlle Dawes ? Coups et blessures, n'est-ce pas ? — et escroquerie ! Quelle *calomnie* ! »

Un rouge tendre lui était monté au front. Sa véhémence m'étonnait. Il me demanda si j'étais au fait de tous les détails de l'arrestation et de l'incarcération de Mlle Dawes ? Sur ma réponse — je n'en savais que les grandes lignes, mais ne demandais qu'à en apprendre davantage — il se dirigea vers l'une des armoires, laissa courir les yeux et les doigts le long d'une série de volumes reliés en cuir et en prit un sur l'étagère. « Regardez là, dit-il en l'ouvrant. C'est *The Spiritualist*, un de nos périodiques. Voici les numéros de l'an passé, de juillet à décembre. Mlle Dawes a été appréhendée par la police — quand donc ?

— Au mois d'août, je crois », répondit la dame aux gants sales. Elle avait écouté notre échange depuis le début et demeura spectatrice de la suite. M. Hither approuva d'un signe de tête et feuilleta la revue. « Voilà, annonça-t-il au bout d'un moment. Regardez, chère enfant. »

Je portai les yeux sur le gros titre qu'il me montrait : « LES SPIRITES PÉTITIONNENT POUR MLLE DAWES. *Médium à matérialisations gardée à vue. Témoignages spirites rejetés.* » Les trois phrases chapeautaient un entre-filets qui rendait compte de l'arrestation et de la garde à vue du médium à matérialisations Mlle Dawes à la suite du décès de sa protectrice, Mme Brink, au cours d'une séance privée de développement dans la résidence de cette dernière, à Sydenham. Mlle Madeleine Silvester, sujet de la séance, aurait également été blessée. Le désordre serait dû à l'esprit familier de Mlle Dawes, « Peter Quick », ou à un esprit inférieur, aux tendances violentes, se faisant passer pour ce dernier...

L'histoire était la même que m'avait contée la surveillante Mlle Craven à la prison, la même que je tenais aussi de Stephen et de Mme Wallace et de Selina elle-même — la première version, il est vrai, à concorder avec la sienne en désignant l'esprit comme le coupable. Regardant M. Hither bien en face, je dis : « Je ne sais que penser de tout cela. Franchement, j'ignore tout du spiritisme. Vous croyez qu'on a surpris la bonne foi de Selina Dawes... »

Oui, c'était bien cela, et *grossièrement*; il en était tout à fait certain. Je repartis, me souvenant de quelque chose que m'avait dit Selina : « *Vous* en êtes certain. Mais tous les spirites partagent-ils votre conviction ? Est-ce qu'il n'y en avait pas qui étaient plus sceptiques ? »

Il baissa la tête et reconnut le fait. Oui, il y avait eu des doutes exprimés, « dans certains milieux ».

Des doutes ? Qu'était-ce à dire ? Mettait-on en question l'intégrité de l'accusée ?

Il resta un instant muet avant de répondre en baissant la voix, sur un ton d'étonnement indigné : « Des doutes quant à savoir si Mlle Dawes était vraiment bien avisée. Mlle Dawes était un médium puissant, mais aussi bien jeune. Mlle Silvester était plus jeune encore — à peine quinze ans, si je ne me trompe. Or, de tels médiums attirent souvent les esprits espiègles ; et le guide de Mlle Dawes — Peter Quick — se montrait à l'occasion plus qu'espiègle... »

Mlle Dawes, poursuivit-il, avait peut-être manqué de prudence en exposant sa jeune amie, seule et sans chaperon, aux attentions d'un tel esprit — bien qu'elle eût déjà tenté l'expérience avec d'autres dames. Les facultés latentes de Mlle Silvester elle-même étaient aussi un impondérable. Comment savoir l'influence qu'elles avaient pu exercer sur Peter Quick ? Comment savoir si la séance n'avait pas été détournée par quelque puissance de bas étage ? Comme il venait de me le dire, les éléments de ce genre s'attachaient aux novices et en abusaient pour jouer leurs mauvais tours. « Et ce sont les mauvais tours — jamais, non, jamais les miracles opérés par notre mouvement ! — qui ont les honneurs de la presse. Hélas, de nombreux spirites — ceux-là mêmes qui jusque-là célébraient le plus ses réussites ! — ont alors tourné le dos à la pauvre Mlle Dawes, en cet instant où elle avait le plus grand besoin de leur appui. Il semble que l'expérience l'ait aigrie. À présent c'est elle qui nous rejette — même ceux d'entre nous qui lui ont conservé leur amitié. »

Je le regardais sans répondre. Que quelqu'un chante ainsi les louanges de Selina — qu'il parle d'elle avec respect, en l'appelant « Mlle Dawes », « Mlle Selina Dawes », plutôt que « Dawes » tout court ou « détenue » — c'était plus déconcertant que je ne puis dire. Entendre là un monsieur comme il faut conter son histoire, c'était tout autre chose que de l'entendre dans sa bouche à elle, dans les limbes crépusculaires de la prison des femmes, monde tellement différent de tous ceux dont j'ai l'usage que personne — ni les détenues, ni les surveillantes, ni moi-même, pendant mes visites — personne ne m'y paraît tout à fait réel, un vrai être en chair et en os. Je parvins finalement à poser une question : « Avait-elle vraiment tant de succès, avant son procès ? » Là-dessus, M. Hither joignit les mains comme ravi en extase et jura que « mon Dieu, oui ! », ses séances étaient étonnantes ! « Il est vrai qu'elle n'a jamais acquis la notoriété de nos meilleurs médiums — des personnes comme Mme Guppy, M. Home, Mlle Cook de Hackney... »

Les noms ne m'étaient en effet pas inconnus. M. Home avait la réputation de pouvoir traverser des fenêtres fermées et toucher des charbons ardents sans se brûler. Mme Guppy aurait été un jour transportée par un esprit de Highbury jusqu'à Holborn... « Transportée pendant qu'elle écrivait "oignons" sur sa liste de commissions ? C'est bien ça ? » La question m'échappa.

« Voilà que vous vous moquez, dit M. Hither. Vous êtes comme tous les autres. Plus nos facultés sont extraordinaires et plus cela vous arrange, car vous croyez pouvoir les nier à titre d'absurdités. »

Son regard demeurait toujours aussi débonnaire. Je reconnus qu'il n'avait peut-être pas tort. Mais pour revenir à Selina Dawes — *ses* pouvoirs n'étaient pourtant pas aussi spectaculaires que ceux de M. Home ou de Mme Guppy. N'est-ce pas ?

Il haussa les épaules et dit qu'il n'avait peut-être pas les mêmes idées que moi sur la définition du mot « spectaculaire ». Tout en parlant, il alla prendre encore un volume dans les rayons — *The Spiritualist* toujours, mais des livraisons plus anciennes. Il mit un moment à y trouver le texte qu'il cherchait, me passa ensuite le périodique en demandant si c'était là le genre de phénomène qui, à mon sens, méritait cette épithète ?

Le texte était la relation d'une séance donnée par Selina à Holborn, occasion à laquelle des esprits avaient sonné des cloches dans le noir et on avait entendu une voix chuchoter dans un tube en carton. Il me tendit un second volume — un autre périodique, dont j'ai oublié le titre, rendait compte d'une réunion privée à Clerkenwell, où des mains invisibles auraient fait pleuvoir des fleurs et écrit des noms sur une ardoise. Un numéro plus ancien de la même revue contait l'histoire d'un monsieur en deuil qui avait été stupéfait de lire en lettres rouges, à même le bras nu de Selina, un message en provenance de « l'autre bord »...

Sans doute était-ce là le moment de sa vie dont elle avait un peu parlé, cette « période faste » dont elle avait tenu à se vanter. Sur le moment déjà son petit mouvement d'orgueil m'avait chagrinée — à plus forte raison maintenant. Les fleurs et les tubes de carton, les mots écrits à même sa chair — quel que fût le rôle des esprits là-dedans, le spectacle volait bas. En en parlant à Millbank, elle avait pris la pose d'une grande tragédienne, passant en revue une carrière mirifique. Entre les lignes des comptes rendus des journaux, je croyais voir à présent cette carrière sous son vrai jour — carrière de papillon crépusculaire, sans chez-soi, toujours sur les chemins, ballottée de trou de province en trou de province, à jouer des tours cousus de fil blanc pour des cachets de misère, comme une artiste de music-hall.

Je pensai à la tante qui l'avait lancée dans cette voie. Je pensai à la dame qui y avait perdu la vie — Mme Brink. Jusqu'à ce que M. Hither en ait parlé en passant, je n'avais pas compris que Selina vivait *avec* Mme Brink, *chez elle*... « Mais oui », confirma-t-il, et cette circonstance précisément rendait d'autant plus invraisemblables les accusations portées contre Selina — qu'il s'agît de fraude ou de voies de fait —, car Mme Brink avait été en admiration devant elle, tellement qu'elle lui avait donné un foyer, se comportant « tout à fait comme une mère pour elle ». C'était grâce à ses soins que Selina avait pu consolider et développer ses facultés. C'était chez Mme Brink, à Sydenham, qu'elle avait pour la première fois matérialisé son guide, « Peter Quick ».

Pourtant, c'était Peter Quick, n'est-ce pas, qui avait fait une telle peur à Mme Brink — une peur dont elle ne s'était plus remise ?

Mon interlocuteur branla la tête. « Nous n'y voyons pas clair. L'affaire est une énigme dont personne, hormis les esprits, ne saurait trouver le mot. Hélas, les esprits ne furent pas appelés à témoigner au procès de Mlle Dawes. »

Ses paroles avaient piqué ma curiosité. Je regardai le premier journal qu'il m'avait montré, daté de la semaine de l'arrestation. N'aurait-il pas également les numéros suivants ?

Y trouverais-je le compte rendu des débats, l'énoncé du jugement, les détails du transfèrement de Selina à Millbank ? La réponse fut « bien sûr », et l'instant d'après il me les apportait, rangeant en même temps avec un soin maniaque les fascicules antérieurs. J'approchai une chaise de la grande table, le plus loin possible de la dame gantée de blanc et à un angle qui m'empêcherait de voir le cabinet de cires. Enfin, M. Hither m'ayant quittée sur un sourire et un salut cérémonieux, je m'assis et me plongeai dans la lecture. J'avais sur moi le cahier où j'avais noté des extraits des histoires des prisons consultées au Museum. Je tournai à présent la page et m'appliquai à résumer plutôt le procès de Selina.

Le premier témoin interrogé est Mme Silvester, l'Américaine, mère de la jeune agitée et amie de Mme Wallace. On lui demande : « Quand au juste avez-vous fait la connaissance de Selina Dawes ? » — Elle répond : « C'était à une séance au domicile de Mme Brink, au mois de juillet. J'avais entendu parler d'elle dans Londres comme d'un médium très habile, et je voulais m'en faire une idée par moi-même.

— Quelles furent vos impressions ?

— Elle est en effet très habile, je l'ai vu tout de suite. Elle m'a aussi paru honnête. Il y avait à la réunion deux jeunes libertins avec qui elle aurait pu être tentée de flirter. Elle s'en est scrupuleusement abstenue, et je lui en ai su gré. Tout le monde la décrivait comme une jeune fille bien, et c'est en effet l'impression qu'elle m'a faite. Vous comprenez que, sans cela, je n'aurais jamais toléré qu'elle devînt intime avec ma fille.

— À quelle fin avez-vous donc encouragé cette intimité ?

— Pour des raisons objectives, médicales. J'espérais que

Mlle Dawes pourrait aider ma fille à recouvrer la santé. Le fait est que son état laisse à désirer depuis plusieurs années. Mlle Dawes m'a amenée à croire que le mal dont elle souffre serait de nature plutôt spirituelle que physiologique.

— Mlle Dawes a donc soigné votre fille dans la maison de Sydenham ?

— Oui.

— Pendant combien de temps ?

— Quinze jours. Mlle Dawes donnait à ma fille une séance d'une heure, dans l'obscurité, deux fois par semaine.

— Votre fille était-elle seule avec Mlle Dawes à ces occasions ?

— Non. Ma fille était timide. J'y assistais avec elle.

— Comment décririez-vous l'état de santé de votre fille pendant les quinze jours où elle a reçu les soins de Mlle Dawes ?

— J'ai cru constater un mieux. Mais je pense maintenant que ce semblant d'amélioration était en réalité un effet de l'exaltation morbide provoquée chez ma fille par le traitement de Mlle Dawes.

— Qu'est-ce qui vous fait dire cela ?

— L'état dans lequel j'ai trouvé ma fille le soir où Mlle Dawes l'a maltraitée.

— Il s'agit bien du même soir où Mme Brink a eu l'attaque à laquelle elle allait succomber ? Le soir du 3 août 1873 ?

— C'est cela.

— Et ce soir-là, contrairement à votre habitude, vous avez permis à votre fille de se rendre seule auprès de Mlle Dawes. Pour quelle raison ?

— Mlle Dawes m'avait fait comprendre que je freinais les progrès de Madeleine en prenant part aux séances. Elle disait qu'il fallait ouvrir entre elle et ma fille certaines voies au regard desquelles ma présence apparaissait comme une entrave. Elle savait être très éloquente, et je me suis laissé duper.

— Ces messieurs du jury en seront juges. Tenons-nous-en aux faits : vous avez permis à Mlle Silvester de se rendre seule à Sydenham.

— Toute seule, oui. Elle n'avait avec elle que sa femme de chambre et, bien sûr, notre cocher.

— Et quelle impression Mlle Silvester vous a-t-elle faite en vous quittant pour son rendez-vous avec Mlle Dawes ?

— Je l'ai trouvée énervée. Je pense maintenant, comme je viens de le dire, que les soins de Mlle Dawes entretenaient chez elle un état d'exaltation morbide.

— Un "état d'exaltation"... Pouvez-vous être plus précise ?

— Elle se sentait flattée. Ma fille est une enfant naïve. Mlle Dawes lui avait mis dans la tête qu'elle possédait les facultés d'un médium spirite. Elle disait qu'elle retrouverait la santé lorsqu'elle aurait développé sa médiumnité.

— Et vous ? Croyiez-vous que votre fille pût réellement posséder une telle faculté ?

— J'étais prête à croire n'importe quoi, monsieur, pourvu que j'aie une explication du mal dont souffrait ma fille.

— Ainsi c'est pour les motifs les plus louables que vous avez donné créance au dire de l'accusée. Bien. Le tribunal en tiendra compte.

— Je l'espère, monsieur.

— N'en doutez pas. Vous nous avez décrit l'état de votre fille lorsqu'elle vous a quittée pour se rendre chez Mlle Dawes. Dites-nous, madame Silvester : quand avez-vous revu ensuite votre enfant ?

— Pas avant des heures. Elle devait être rentrée à neuf heures au plus tard, mais à dix heures et demie j'étais toujours sans nouvelles.

— Qu'avez-vous pensé de ce retard ?

— J'étais hors de moi de peur ! J'ai envoyé notre valet de pied aux nouvelles, dans une voiture de louage. Il a vu là-bas la femme de chambre de ma fille, et il est revenu me dire que ma fille était blessée et qu'il fallait que j'y aille de suite. C'est ce que j'ai fait.

— Comment avez-vous trouvé la maison en y arrivant ?

— Elle était en plein émoi, les domestiques couraient dans les escaliers et les lumières étaient allumées partout.

— Et votre fille ?

— Je l'ai trouvée... Oh ! elle était comme une somnambule, avec sa toilette en désordre et des marques de violences sur sa figure et sa gorge.

— Comment a-t-elle réagi en vous voyant ?

— Elle n'avait pas toute sa tête. Elle m'a repoussée avec des mots orduriers. Elle avait subi la contamination de ce petit charlatan, Mlle Dawes !

— Avez-vous vu Mlle Dawes ?

— Oui.

— Dans quel état était-elle ?

— Elle m'a paru bouleversée, mais en fait je ne sais pas, sans doute qu'elle jouait la comédie. Elle m'a dit que ma fille avait été brutalisée par un esprit mâle — l'histoire la plus grotesque que j'aie entendue de ma vie. Je ne lui ai pas caché ma façon de voir, et alors elle est devenue agressive. Elle a voulu me faire taire, et pour finir elle a pleuré. Elle m'a dit que ma fille était une petite sotte et qu'*elle* avait tout perdu, par sa faute. C'est alors que j'ai appris que Mme Brink avait eu une attaque et qu'elle était malade au lit, en haut. Je crois bien que c'est à ce moment-là qu'elle est morte, pendant que je prodiguais mes soins à ma fille.

— Êtes-vous certaine des mots de Mlle Dawes ? Elle vous a bien dit : "J'ai tout perdu" ?

— Oui.

— Et qu'avez-vous compris par là ?

— Rien. Enfin, rien sur le moment. Je me faisais trop de souci pour ma fille. Maintenant c'est autre chose, je comprends très bien. Elle voulait dire que Madeleine s'était mise en travers de ses ambitions. Son intention était d'en faire sa bonne amie, pour ensuite lui soutirer jusqu'à son dernier cent. Or, comment faire, dans l'état où ma fille s'était mise, vu aussi la mort de Mme Brink... ? »

Cela continue, mais je ne transcris pas le peu qui reste. Le tout vient d'un même numéro du journal ; la semaine suivante, il y a un compte rendu du témoignage de la fille, Mlle Madeleine Silvester. À chacune des trois tentatives faites pour l'interroger, elle fond en larmes. Mme Silvester ne me plaît guère — elle ressemble à ma mère. Pour sa fille cependant, j'ai de la haine : c'est à moi-même qu'elle me fait penser.

On lui demande : « Vous souvenez-vous, mademoiselle Silvester, des événements de cette nuit-là ?

— Je n'en suis pas sûre. Je ne sais plus.

— Vous souvenez-vous d'avoir quitté votre propre maison ?

— Oui, monsieur.

— Vous souvenez-vous de votre arrivée chez Mme Brink ?

— Oui, monsieur.

— Qu'avez-vous fait d'abord en y arrivant ?

— J'ai pris le thé, dans une pièce où il y avait Mme Brink et Mlle Dawes.

— Comment avez-vous trouvé Mme Brink ? Paraissait-elle en bonne santé ?

— Oh, oui !

— Avez-vous remarqué son attitude à l'égard de Mlle Dawes ? Vous a-t-elle paru froide ou hostile, différente en quoi que ce soit de ce qu'elle était à l'ordinaire ?

— Non, elle était gentille avec elle, c'est tout. Mlle Dawes et elle étaient assises tout près l'une de l'autre, et par moments Mme Brink prenait la main de Mlle Dawes et lui caressait les cheveux ou la joue.

— Vous souvenez-vous des propos tenus par Mme Brink ou Mlle Dawes ?

— Mme Brink m'a dit que ou elle se trompait fort, ou j'étais excitée comme une puce ; je lui ai dit que oui. Elle a dit que j'avais de la chance, d'avoir Mlle Dawes pour me former. Ensuite Mlle Dawes a dit qu'il était sans doute temps que Mme Brink nous laisse, et elle nous a laissées.

— Mme Brink vous a laissée seule avec Mlle Dawes ? Que s'est-il passé ensuite ?

— Mlle Dawes m'a conduite à la pièce où elle me donnait les séances, où il y avait le cabinet.

— Il s'agit de la pièce dans laquelle Mlle Dawes dirigeait des réunions spirites, ses "séances dans le noir" ?

— Oui.

— Et le cabinet, c'est l'espace clos où Mlle Dawes prenait place, une fois en état de transe ?

— Oui.

— Et ensuite, mademoiselle ?

[Le témoin hésite.]

— Nous nous sommes assises toutes les deux et Mlle Dawes m'a tenu les mains, puis elle a dit qu'il lui fallait se préparer. Elle s'est retirée dans son cabinet, et quand elle en est sortie elle avait ôté sa robe, elle était en chemise et jupon. Elle m'a dit alors qu'il fallait que je fasse comme elle — pas dans le cabinet, mais là, sous ses yeux.

— Elle vous a fait ôter votre robe ? Pourquoi croyez-vous qu'elle ait fait cela ?

— Elle a dit qu'il le fallait, dans l'intérêt de mon développement.

— Avez-vous ôté votre robe ? Dites-nous la vérité, allez, sans vous préoccuper de ces messieurs.

— Oui, je l'ai ôtée. Ou plutôt c'est Mlle Dawes qui l'a fait, puisque ma femme de chambre était dans une autre pièce.

— Mlle Dawes vous a-t-elle fait enlever aussi de vos bijoux ?

— Elle m'a dit d'enlever ma broche, puisque l'agrafe traversait aussi les dessous, si bien que je n'aurais pas pu ôter ma robe sans la déchirer.

— Qu'a-t-elle fait de la broche ?

— Je ne me souviens pas. Lupin, ma femme de chambre, me l'a rapportée quand tout a été fini.

— Bien. Maintenant, dites-moi. Qu'avez-vous ressenti après que Mlle Dawes vous eut amenée à ôter votre robe ?

— Tout d'abord je me suis sentie toute chose, mais cela n'a pas duré. Il faisait tellement chaud ce soir-là, et Mlle Dawes avait fermé la porte à clef.

— La pièce était-elle bien éclairée ou plutôt obscure ?

— Pas vraiment obscure, mais pas trop éclairée non plus.

— Vous voyiez clairement Mlle Dawes ?

— Oui, tout à fait.

— Que s'est-il passé ensuite ?

— Mlle Dawes m'a pris encore les mains, puis elle a commencé à dire qu'un esprit était proche.

— Qu'avez-vous ressenti ?

— J'ai eu peur. Mlle Dawes a dit qu'il ne fallait pas, puisque l'esprit n'était que Peter.

— C'est-à-dire l'esprit qui s'appellerait "Peter Quick" ?

— Oui. Elle disait que ce n'était que Peter, que je l'avais déjà vu à une séance dans le noir et qu'il voulait simplement lui apporter son aide pour mon développement.

— Avez-vous eu moins peur ?

— Non, ça a été pire. J'ai fermé les yeux. Mlle Dawes a dit : "Regardez, Madeleine, le voici", et j'ai entendu un bruit comme s'il y avait quelqu'un là avec nous, mais je n'ai pas regardé, j'avais trop peur.

— Vous êtes certaine que vous avez entendu une tierce personne ?

— Je crois.

— Et que s'est-il passé ?

— Je ne sais pas bien. J'avais tellement peur que je me suis mise à pleurer. Puis j'ai entendu Peter Quick demander : "Pourquoi pleures-tu ?"

— Êtes-vous certaine que c'est la voix d'un tiers qui a dit cela, et non pas celle de Mlle Dawes ?

— Je crois, oui.

— Y a-t-il eu un moment où Mlle Dawes et ce tiers aient parlé en même temps ?

— Je ne sais plus. Je vous demande pardon, monsieur.

— Ne vous excusez pas, mademoiselle Silvester, vous êtes très courageuse. Racontez-nous donc ce qui s'est passé ensuite. Vous en souvenez-vous ?

— Je me souviens, monsieur, que j'ai senti une main. Une main très dure, froide, qui me touchait.

[Le témoin pleure.]

— Très bien, mademoiselle, vraiment vous êtes un excellent témoin. Il ne me reste plus que quelques petites questions. Pouvez-vous y répondre ?

— J'essaierai.

— Bien. Vous avez donc senti l'attouchement d'une main. Où la main vous a-t-elle touchée ?

— Sur mon bras, monsieur. Au-dessus du coude.

— Mlle Dawes affirme qu'à ce stade vous avez commencé à crier. En avez-vous gardé souvenir ?

— Non, monsieur.

— Mlle Dawes affirme que vous êtes tombée en convulsions, qu'elle a tenté de vous calmer et qu'elle a été amenée, ce faisant, à vous houspiller un peu. En avez-vous gardé souvenir ?

— Non, monsieur.

— Qu'est-ce que vous vous rappelez de cet instant ?

— Rien, monsieur, jusqu'au moment où Mme Brink est venue ouvrir.

— Mme Brink est venue. Comment avez-vous su que c'était elle ? Aviez-vous rouvert les yeux ?

— Non, je gardais les yeux fermés, puisque j'avais peur. Mais je savais que c'était Mme Brink parce que je l'ai entendue qui appelait à travers la porte, puis il y a eu le bruit du verrou qu'on tirait, la porte s'est ouverte et j'ai entendu encore Mme Brink, tout près de moi.

— D'après le témoignage de votre femme de chambre, vous avez appelé alors au secours. Vos mots étaient plus précisément ceux-ci : "Madame Brink, oh ! madame Brink, on m'assassine !" Vous en souvenez-vous ?

— Non, monsieur.

— Vous ne vous rappelez pas avoir crié ou prononcé ces mots ? Vous en êtes certaine ?

— Je ne sais plus, monsieur.

— Pouvez-vous concevoir une raison qui vous aurait fait dire cela ?

— Non, monsieur. Sauf que Peter Quick me faisait bien peur.

— Peur, parce que vous pensiez qu'il vous voulait du mal ?

— Non, monsieur. Parce qu'il était fantôme, c'est tout.

— Je vois. Allez, pouvez-vous nous raconter maintenant ce qui s'est passé lorsque vous avez entendu Mme Brink ouvrir la porte ? Qu'a-t-elle dit ? Pouvez-vous nous répéter ses paroles ?

— Elle s'est écriée : "Oh ! mademoiselle Dawes", puis

“oh !” encore une fois. Et alors je l’ai entendue qui appelait sa mère, mais elle avait une drôle de voix.

— Comment cela, “drôle” ?

— Une toute petite voix, très haut perchée. Et alors je l’ai entendue tomber.

— Que s’est-il passé à ce moment-là ?

— Je pense que c’est là que la femme de chambre de Mlle Dawes est arrivée. Mlle Dawes lui a dit de l’aider pour Mme Brink, je l’ai entendue.

— Aviez-vous les yeux ouverts ou toujours fermés ?

— Je les ai ouverts alors.

— Y avait-il trace dans la chambre d’un quelconque esprit ?

— Non.

— Y avez-vous vu quelque chose qui n’était pas là au moment où vous aviez fermé les yeux — un vêtement, par exemple ?

— Je ne crois pas.

— Que s’est-il passé ensuite ?

— J’ai essayé de remettre ma robe, et au bout d’un moment Lupin, ma femme de chambre, est venue. Quand elle m’a vue, elle a fondu en larmes, et ça m’a fait pleurer à nouveau moi aussi. Alors Mlle Dawes nous a grondées, elle a dit qu’au lieu de pleurer nous ferions mieux d’aider pour Mme Brink.

— Mme Brink s’était affaissée ?

— Oui, et Mlle Dawes et sa femme de chambre essayaient de la relever.

— Lui avez-vous prêté votre concours lorsqu’elle vous l’a demandé ?

— Non, monsieur. Lupin ne voulait pas. Elle m'a fait descendre au salon, puis elle est allée me chercher un verre d'eau. Après, je ne me souviens plus de rien, jusqu'à l'arrivée de ma mère.

— Vous rappelez-vous avoir parlé à votre mère à son arrivée ?

— Non, monsieur.

— Vous ne vous rappelez pas avoir tenu des propos inconvenants ? Vous n'avez pas souvenir d'avoir été incitée par Mlle Dawes à vous montrer grossière envers votre mère ?

— Non, monsieur.

— Avez-vous revu Mlle Dawes avant de quitter la maison ?

— Oui, elle parlait à ma mère.

— Quelle impression vous a-t-elle faite ?

— Elle pleurait. »

Suivent d'autres témoins — des domestiques, l'agent de police appelé par Mme Silvester, le médecin traitant de Mme Brink, des familiers de la maison. Le journal n'ayant pas la place de reproduire au long toutes les dépositions, le compte rendu saute à l'audition de Selina elle-même. Avant de lire ses déclarations, je m'accordai un instant pour évoquer son image dans le cadre lugubre du tribunal. Ses cheveux, je les voyais très clairs, resplendissants au milieu de tous ces messieurs de noir vêtus ; son teint, pâle. Elle « fit bonne figure », selon les termes du chroniqueur de *The Spiritualist.* La salle était remplie d'une foule venue exprès pour la voir à la barre ; sa voix, plutôt faible, tremblait par moments.

Elle fut questionnée d'abord par son propre avocat, Cedric Williams, puis par le substitut du procureur,

M. Locke — c'est-à-dire M. Halford Locke, le même qui a dîné un soir chez nous à Cheyne Walk et que mon frère tient pour un excellent homme.

M. Locke a dit : « Mademoiselle Dawes, vous avez habité un peu moins d'un an au domicile de Mme Brink. C'est bien cela ?

— Oui.

— En quelle qualité y viviez-vous ?

— J'étais l'hôte de Mme Brink.

— Vous ne payiez pas de loyer ?

— Non.

— Où demeuriez-vous avant de vous installer chez Mme Brink ?

— Je logeais dans un hôtel de Holborn, dans Lamb's Conduit Street.

— Pendant combien de temps comptiez-vous profiter encore de l'hospitalité de Mme Brink ?

— Je ne me suis jamais posé la question.

— Votre avenir ne vous préoccupait pas ?

— Je savais que les esprits me conseilleraient.

— Je vois. Étaient-ce les conseils des esprits qui vous avaient conduite chez Mme Brink ?

— Oui. Mme Brink était venue me voir à Holborn, à l'hôtel dont je viens de parler, et elle a eu l'inspiration de m'inviter à lui donner plutôt mes soins à domicile.

— Vous donniez à Mme Brink des séances spirites ? En tête à tête ?

— Oui.

— Et vous avez continué, chez Mme Brink, à offrir des séances privées à d'autres personnes, contre rémunération ?

— Pas tout d'abord. Ce sont les esprits, plus tard, qui m'ont suggéré de le faire. Mais je n'ai jamais exigé d'être payée.

— Vous donniez bien des séances pourtant. Or, si je ne m'abuse, il était d'usage que vos visiteurs vous remercient de vos services par des dons d'argent ?

— Je laissais cela à leur appréciation.

— Ces services, de quelle nature étaient-ils ?

— Je consultais les esprits.

— Comment ? Vous mettiez-vous en état de transe ?

— Le plus souvent, oui.

— Et ensuite ? Que se passait-il ?

— Je ne le sais que par ce que les participants me racontaient, après. Le plus souvent, un esprit parlait à travers moi.

— Et il arrivait aussi que l'on voie apparaître cet "esprit" ?

— Oui.

— Est-il vrai que la plupart de vos clients — excusez-moi, vous préférez le terme "participants" — étaient femmes ?

— J'avais la visite de messieurs aussi bien que de dames.

— Receviez-vous les messieurs en tête à tête ?

— Non, jamais. Je n'admettais la participation des messieurs qu'aux réunions publiques où, même dans l'obscurité, il y avait aussi des dames présentes.

— Celles-ci, en revanche, vous les receviez individuellement, pour des séances particulières de formation ou de questions-réponses avec les esprits ?

— Oui.

— Grâce à ces tête-à-tête vous étiez en position d'exercer une influence considérable sur les femmes qui s'adressaient à vous. N'est-ce pas ?

— C'est pour cela qu'elles venaient me voir. Pour s'imprégner de mon influence.

— Votre influence, parlons-en, mademoiselle Dawes ! Comment la caractériseriez-vous ?

— Je ne comprends pas la question.

— Diriez-vous que c'était une influence salubre ? Ou, au contraire, plutôt malsaine ?

— Salubre, et purement spirituelle.

— Une influence où certaines de ces dames trouvaient de quoi soulager leurs infirmités ou indispositions féminines. Parmi elles, Mlle Silvester.

— Oui. Beaucoup de femmes me consultaient pour les mêmes symptômes.

— Plus précisément ?

— La faiblesse, la nervosité, les douleurs diffuses.

— Et votre traitement, en quoi consistait-il ? *[Le témoin hésite.]* Était-il homéopathique ? Magnétique ? Galvanique ?

— C'était un traitement spirite. J'ai constaté que les dames présentant les symptômes dont se plaignait Mlle Silvester sont souvent impressibles — sensitives, si vous préférez —, mais que leur faculté a besoin d'être développée.

— Et vous leur proposiez ce service ?

— Oui.

— De quoi s'agissait-il au juste ? Des massages ? Des frictions ?

— Il y avait de l'imposition des mains.

— Massages et frictions, donc.

— Oui.

— Ce pour quoi vous demandiez à vos visiteuses de se mettre en petite tenue ?

— Quelquefois. Nos toilettes sont souvent malcommodes. Je pense que n'importe quel docteur en médecine en demanderait autant à ses patientes.

— Mais il n'irait pas, j'espère, jusqu'à se déshabiller aussi de son côté.

[Rires.]

— Les exigences de la médecine ordinaire ne sont pas celles de la médecine spirite.

— Tant mieux. Permettez-moi de vous poser encore une question, mademoiselle Dawes. Parmi les dames qui venaient vous voir, ou disons plutôt parmi les amateurs de frictions spirituelles, y en avait-il beaucoup qui possédaient de la fortune ?

— Quelques-unes, oui. Il y en avait.

— J'aurais cru que toutes étaient à leur aise. N'est-ce pas ? Ne me dites pas que vous auriez introduit chez Mme Brink des personnes qui n'étaient pas de son monde.

— Non, je n'aurais pas fait cela.

— En ce qui concerne Madeleine Silvester en particulier, vous saviez pertinemment qu'elle était une très riche héritière. C'est pour cette raison que vous teniez à vous lier avec elle. N'est-ce pas ?

— Non, ce n'est pas vrai. Je la plaignais, c'est tout, j'espérais lui rendre la santé.

— Je présume qu'il y a plus d'une dame qui vous doit ainsi de s'être refait une santé ?

— Oui.

— Puis-je vous demander de nous citer quelques noms ?

[Le témoin hésite.]

— Je ne voudrais pas être indiscrète. C'est une affaire privée.

— C'est ça, mademoiselle Dawes. Tellement privée que mon confrère Me Williams ne parvient pas à dénicher une seule personne prête à comparaître devant ce tribunal pour témoigner de l'efficacité de vos pouvoirs. Étrange, vous ne trouvez pas ?

[Le témoin se tait.]

— Pouvez-vous nous dire, mademoiselle Dawes, si la maison de Mme Brink à Sydenham est grande ? Combien y a-t-il de pièces ?

— Neuf ou dix, je crois.

— Dites plutôt treize. Et à l'hôtel, à Holborn... Votre logement se composait de combien de pièces ?

— Une seule, monsieur.

— Comment définiriez-vous votre relation avec Mme Brink ?

— Je ne comprends pas.

— Était-ce un rapport d'affaires ? Un sentiment plus tendre ?

— Un sentiment plus tendre. Mme Brink était veuve, sans enfants. Pour ma part, je suis orpheline. Nous sympathisions.

— Iriez-vous jusqu'à dire qu'elle vous regardait un peu comme sa fille ?

— Peut-être bien.

— Saviez-vous qu'elle souffrait d'une faiblesse du cœur ?

— Non.

— Elle ne vous en avait jamais parlé ?

— Non.

— Vous avait-elle parlé de ses dispositions testamentaires ?

— Non, jamais.

— Vous avez passé bien des heures seule avec Mme Brink, si je ne me trompe ?

— De temps à autre, oui.

— Sa femme de chambre, Jennifer Wilson, a témoigné que vous aviez accoutumé de vous enfermer chaque soir une heure ou plus avec Mme Brink, en tête à tête, avant son coucher.

— C'est alors que je consultais les esprits pour elle.

— Vous passiez avec Mme Brink une heure tous les soirs à consulter les esprits ?

— Oui.

— À consulter peut-être un esprit en particulier ?

[Le témoin hésite.]

— Oui.

— À quels sujets l'interrogiez-vous ?

— Je ne peux pas vous le dire. C'était une affaire privée, qui ne regardait que Mme Brink.

— L'esprit n'a jamais abordé le chapitre des insuffisances cardiaques ou des dernières volontés ?

[Rires.]

— Non.

— Que vouliez-vous dire lorsque, parlant à Mme Silvester la nuit du décès de Mme Brink, vous avez traité Madeleine Silvester de "petite sotte" par la faute de qui vous auriez "tout perdu" ?

— Je n'ai pas souvenir d'avoir dit cela.

— Accusez-vous Mme Silvester d'avoir menti au tribunal ?

— Non, simplement je ne me souviens pas d'avoir prononcé ces mots. J'étais hors de moi, affolée par mes craintes pour la vie de Mme Brink ; et vous êtes cruel de me taquiner maintenant à ce propos.

— La possibilité de la mort de Mme Brink était une perspective que vous redoutiez ?

— Bien sûr.

— Pourquoi est-elle morte ?

— D'une faiblesse du cœur.

— Pourtant Mlle Silvester jure qu'elle a vu Mme Brink dans son état normal, sereine et bien portante, deux ou trois heures seulement avant sa mort. Il semble que ce soit en ouvrant la porte de votre antre qu'elle s'est trouvée mal. Qu'y avait-il pour l'effrayer à ce point ?

— Elle a vu Mlle Silvester dans les convulsions. Elle a vu un esprit qui malmenait Mlle Silvester.

— Ce n'est pas vous qu'elle a vue, travestie en esprit ?

— Non. Elle a vu Peter Quick et elle en a été toute retournée.

— Un rude lapin, votre M. Quick ! C'est le même que vous aviez l'habitude de "matérialiser" à vos séances ?

— Oui.

— Lui que vous avez matérialisé tous les lundis, mercredis et vendredis soir — et aussi hors programme, aux séances privées offertes aux femmes seules — pendant six mois, depuis février de cette année jusqu'à la nuit de la mort de Mme Brink ?

— Oui.

— Voulez-vous “matérialiser” M. Quick pour nous maintenant, mademoiselle Dawes ?

[Le témoin hésite.]

— Je n'ai rien de ce qu'il faut pour cela.

— Et que vous faut-il ?

— Il me faudrait un cabinet. Il faudrait faire l'obscurité dans la salle — non, c'est impossible.

— Impossible ?

— Oui.

— M. Quick est donc du genre timide. Ou aurait-il peur de prendre votre place dans le box des accusés ?

— Il ne pourrait pas apparaître dans un lieu dont l'atmosphère lui est à ce point hostile et antipathique. Aucun esprit ne le pourrait.

— Dommage pour vous, mademoiselle Dawes. Car, sans M. Quick pour témoigner en votre faveur, le langage des faits n'est que trop éloquent. Une mère confie à vos soins une jeune fille fragile, jeune fille dont vous troublez l'esprit et que vous soumettez à des traitements équivoques... Équivoques, oui, à telle enseigne que le spectacle que vous offrez en lui imposant les mains suffit pour déclencher chez votre protectrice, Mme Brink, une crise fatale.

— Non, vous vous trompez. Mlle Silvester a pris peur, c'est tout. C'est Peter Quick qui l'a effrayée. Elle-même vous l'a dit !

— Elle nous a répété l'idée que vous, par suggestion, vous lui aviez mise dans la tête. Elle a pris peur, dites-vous... Oui, sans doute, au point de crier au meurtre ! Situation épineuse, n'est-ce pas ? Nul doute que vous n'ayez été prête à toutes les violences vis-à-vis de celle dont les cris risquaient d'attirer Mme Brink et de vous démasquer à ses yeux, travestie en l'esprit au nom duquel vous aviez ourdi vos escroqueries. Mais Mme Brink est intervenue, malgré tout ce que vous avez pu faire. Pauvre dame ! Le tableau qui s'est offert alors à elle ! Tableau assez cruel pour lui briser le cœur — pour que, du fond de son désarroi, elle invoque feu sa mère ! Peut-être s'est-elle souvenue alors des visites que "Peter Quick" lui avait rendues, soir après soir ; peut-être s'est-elle souvenue de la façon dont il avait parlé de vous — comme il vous avait louée et portée aux nues, en vous appelant la fille qu'elle n'avait jamais eue, en l'incitant à vous faire des cadeaux, à vous donner de l'argent.

— Ce n'est pas vrai ! Je n'ai jamais fait venir Peter Quick dans mes séances avec elle. Et ce qu'elle me donnait, elle me l'a donné pour moi, parce qu'elle m'aimait.

— Peut-être a-t-elle pensé alors à toutes ces dames que vous aviez su attirer. Ces dames dont vous aviez fait vos amies intimes, que vous aviez flattées, chez qui vous aviez provoqué — selon le terme de Mme Silvester — un "état d'exaltation morbide". Ces dames à qui vous aviez soutiré des cadeaux et de l'argent et des faveurs.

— Non, non, il n'y a pas un mot de vrai là-dedans !

— Je soutiens, moi, que tout est vrai. Comment sinon m'expliquerez-vous votre intérêt pour Madeleine Silvester — jeune fille votre cadette, mais dont le rang dans le monde était de loin supérieur au vôtre ; jeune fille dotée d'un portefeuille solide et d'une santé chancelante ; jeune fille frêle et vulnérable ? En *quoi* pouvait-elle vous intéresser, sinon pour des raisons mercenaires ?

— Par les motifs spirituels les plus hauts et les plus purs : le désir d'aider Mlle Silvester à prendre conscience de son don de seconde vue.

— C'est tout ?

— Oui ! Que voulez-vous qu'il y ait eu encore ? »

La question est accueillie, dans la tribune réservée au public, par un charivari et des sifflets. Ma lecture confirme les dires de Selina : le journal, qui commence par faire d'elle une championne de la cause, change de camp à mesure que les débats avancent. « Pourquoi aucune de ces dames n'offre-t-elle de faire en public l'éloge des méthodes de Mlle Dawes ? » demande d'abord le chroniqueur, sans cacher son indignation, mais la question se lit autrement lorsqu'il la répète après M. Locke. Vient ensuite le témoignage d'un M. Vincy, propriétaire de l'hôtel à Holborn où Selina avait une chambre. « J'ai toujours connu Mlle Dawes très intrigante », dit-il. Il la qualifie de « rusée » et « colérique », se plaisant à « soulever les jalousies »...

Enfin, il y a une caricature, un dessin reproduit d'après l'hebdomadaire satirique *Punch.* On y voit un médium à la mine chafouine en train de détacher le collier de perles au cou d'une jeune femme timide. « Il faut donc ôter aussi les perles ? » s'inquiète l'ingénue. La caricature s'intitule *Influences peu magnétiques.* Peut-être a-t-elle été dessinée pendant que Selina, debout dans son box, le teint blême, écoutait l'énoncé du verdict qui la frappait, pendant qu'on l'escortait, menottée, à la voiture cellulaire qui allait la conduire à Millbank — voire à l'instant où, frémissante, elle courbait le front sous les ciseaux de Mlle Ridley.

Je ne voulais pas voir ça. En levant les yeux, je croisai le regard de la lectrice assise à l'autre bout de la table.

Elle était restée plongée dans sa *Force odique* pendant que je notais ce qui précède. Sans doute avions-nous passé ainsi deux heures et demie à la même table, sans que j'eusse une seule fois pensé à elle. À présent, en me voyant lever la tête, elle sourit et prit la parole, me félicitant pour ma diligence « inouïe ». Si je voulais son avis, c'était l'aura de la salle qui inspirait ainsi des prouesses à ceux qui venaient y étudier. « Enfin, conclut-elle en désignant d'un signe de tête le volume ouvert devant moi, on dirait que vous vous intéressez à la pauvre Mlle Dawes. Quelle histoire ! Comptez-vous faire quelque chose pour elle ? Voyez-vous, j'ai souvent assisté à ses séances dans le noir. »

J'ouvris des yeux ronds. Pour un peu, j'aurais éclaté de rire. Il me sembla tout d'un coup que je pourrais descendre dans la rue et donner une tape sur l'épaule du premier venu en prononçant le nom « Selina Dawes » : chacun aurait quelque détail ou bizarrerie à me proposer, une petite tranche de l'histoire à laquelle la clôture de la grande porte de Millbank avait coupé court.

Mais oui, dit la femme en remarquant ma mine ahurie. Elle avait été une habituée des réunions à Sydenham. Elle avait vu bien des fois Mlle Dawes en état de transe, elle avait vu « Peter Quick » — elle avait même senti la main de l'esprit saisir la sienne, les lèvres de l'esprit lui effleurer les doigts dans un baiser !

« Mlle Dawes était si douce, dit-elle. Il était impossible de la regarder sans l'admirer. Mme Brink nous l'amenait chaque fois vêtue d'une petite robe toute simple, ses beaux cheveux blonds flottant sur ses épaules. Elle s'asseyait avec nous et conduisait une prière, et avant qu'on en ait fini, comme si de rien n'était, elle entrait en transe. C'était si bien fait qu'on se rendait à peine compte qu'elle n'était plus là. On ne savait pour sûr qu'au moment où elle se mettait à parler ; ce n'était plus sa voix, mais celle d'un esprit... »

Elle dit qu'elle avait entendu sa propre grand-mère lui parler par la bouche de Selina. Elle l'avait assurée de son amour et exhortée à surmonter sa tristesse.

Je demandai si elle apportait des messages de ce genre à tous les participants.

« Elle apportait des messages jusqu'à ce qu'il n'y eût plus de voix ou que celles-ci se fissent, au contraire, trop pressantes. Parfois les esprits l'assaillaient tous en même temps — voyez-vous, il y a des esprits bien mal élevés ! — et ça la fatiguait. Alors Peter Quick venait les chasser — parfois, il est vrai, il faisait autant de chahut à lui tout seul. Mlle Dawes nous disait de la porter dans son cabinet, vite ; Peter arrivait, et elle en mourrait si nous ne l'installions pas sur-le-champ dans son cabinet ! »

Elle disait « son cabinet » comme elle aurait dit « son pied », « sa figure », « son doigt ». Lorsque je me permis une question à ce sujet, elle répondit, étonnée : « Voyons ! tout médium a un cabinet, un espace où il fait venir les esprits ! » Les esprits ne venaient pas là où il y avait de la lumière, qui leur fait mal. Elle avait vu des cabinets construits exprès pour les besoins de la cause, des structures en bois qui fermaient à clef, mais le cabinet de Selina se bornait à deux lourds rideaux accrochés devant un paravent qui cachait une petite alcôve. On installait Selina entre les rideaux et le paravent, et Peter Quick venait pendant qu'elle était assise là, dans le noir.

« Il venait, répétai-je. Bien, mais comment ? »

On savait toujours l'instant de sa venue, car Selina poussait alors un cri. « C'était le côté pénible de la chose, car il fallait bien sûr qu'elle renonce à son propre fluide, afin qu'il s'en serve, et cela lui était douloureux ; et je pense, impatient comme il l'était, qu'il la maltraitait. Il a toujours été un esprit violent, voyez-vous, même avant la mort de la pauvre Mme Brink... »

Elle me dit donc qu'il venait et que Selina poussait un cri ; après cela, il se montrait devant le rideau — pas plus grand au départ qu'une boule de lumière. Mais la boule, palpitante, grossissait et s'étirait jusqu'à la hauteur du rideau ; et petit à petit elle prenait la forme d'un homme — enfin *c'était* un homme, un homme barbu qui s'inclinait devant vous en gesticulant. « C'était le spectacle le plus insolite, le plus cocasse qu'on a jamais vu, dit-elle, et j'en ai été témoin, je vous le dis franchement, maintes et maintes fois. Il commençait toujours par faire un discours sur le spiritisme. Il nous parlait de l'ère nouvelle qui viendra, quand les adeptes du spiritisme seront si nombreux que les esprits courront les rues en plein jour — voilà ce qu'il disait. Mais enfin, bref, c'était un farceur. Il se lançait dans un discours, mais il ne tardait pas à se laisser distraire. On le voyait regarder autour de lui — il y avait un peu de lumière, une lampe à phosphore du type qu'un esprit peut supporter. On le voyait donc regarder autour de lui. Savez-vous ce qu'il cherchait ? La plus belle femme ! Lorsqu'il l'avait trouvée, il allait se coller à elle en lui demandant si elle n'avait pas envie de courir avec lui les rues de Londres. Et alors il la faisait mettre debout et la promenait à travers la pièce, bras dessus bras dessous ; et il l'embrassait. » Elle dit qu'il était toujours « le parfait homme à femmes », il les embrassait, leur offrait des cadeaux ou les taquinait. En revanche, il n'aimait pas les messieurs. Elle l'avait vu pincer des messieurs ou leur tirer la barbe. Une fois un monsieur en avait reçu carrément un coup de poing, si bien appliqué qu'il avait saigné du nez.

Elle rit en rougissant. Elle dit que Peter Quick se mêlait ainsi à l'assemblée pendant un moment, mais que passé une demi-heure il commençait à se fatiguer. Il prenait place à nouveau devant les rideaux du cabinet et, de même qu'il avait d'abord grandi, il se mettait à présent à *se rapetisser*. À la fin, il n'était plus qu'une mare de fluide lumineux sur le parquet — mare qui à son tour devenait de plus en plus petite et plus terne. « Et puis Mlle Dawes criait une seconde fois. Le cri était suivi d'un silence, et enfin un coup frappé nous donnait le signal d'ouvrir le rideau. L'une de nous pénétrait alors dans le cabinet pour détacher Mlle Dawes et la ramener parmi nous... »

Je m'étonnai : la *détacher*? — et à nouveau mon interlocutrice rougit. Elle expliqua : « Mlle Dawes y insistait. Je pense que personne n'aurait eu d'objection si elle avait conservé le libre usage de ses membres — ou si elle n'avait eu disons qu'un ruban autour de la taille, qui l'aurait empêchée de quitter sa chaise. Mais elle disait qu'elle était là pour apporter des preuves aux adeptes et aux sceptiques au même titre, et elle se faisait donc ligoter en détail au début de chaque démonstration. Bien sûr, elle n'aurait pas accepté qu'un monsieur s'en chargeât : c'était toujours une dame qui mettait les cordes en place, toujours une dame qui la fouillait avant de l'attacher... »

Elle dit que Selina, une fois installée sur sa chaise, se faisait lier les poignets et les chevilles et que les nœuds des cordes étaient scellés avec des cachets de cire ; ou encore elle croisait les bras derrière le dos et on attachait les manches de sa robe au corsage par quelques points de couture. Un bandeau de soie était placé sur ses yeux, un autre servait à la bâillonner, et parfois une longueur de fil était passée à travers le lobe de son oreille percée et assujettie au parquet au-delà du rideau — mais le plus souvent elle se faisait mettre « un petit tour de cou » et on attachait au fermoir une cordelette dont l'autre bout était confié à l'une des participantes. « Quand Peter arrivait, on avait parfois l'impression qu'elle tirait dessus ; mais quand nous allions la rejoindre à la fin, les cordes qui la ligotaient étaient toujours en place, les cachets intacts. Il n'y avait de changé que son état, car nous la trouvions sans force, prostrée. Il fallait la coucher sur un divan et lui faire prendre un cordial, et Mme Brink venait lui frictionner les mains. Elle retenait une jeune fille, parfois deux, pour lui tenir compagnie, mais je n'ai jamais voulu rester. Vous comprenez, il me semblait que nous l'avions suffisamment fatiguée sans cela. »

Elle accompagna tout ce récit de gestes, me montrant avec ses gants crasseux où Selina faisait resserrer et nouer ses liens, quelle posture elle adoptait sur sa chaise, comment Mme Brink s'y prenait pour ses frictions. À la fin je me tortillai et détournai le regard ; mots et gestes me donnaient la nausée. Je pensais à mon médaillon, à Stephen et à Mme Wallace, à la manière aussi dont j'étais tombée sur ce cabinet de lecture — par hasard, c'était bien réellement un hasard, mais un hasard où je sentais si fort la main de Selina... Le lieu ne me paraissait plus risible, mais simplement insolite. J'entendis la femme se lever et enfiler son manteau. Je gardai les yeux détournés, mais elle, de son côté, s'avançant pour replacer son livre dans les rayons, vint assez près pour voir la page ouverte devant moi. Elle dit alors en désignant avec un geste de désapprobation la caricature du médium à la mine sournoise :

« C'est censé être Mlle Dawes, mais personne qui l'avait vue n'aurait pu la dessiner ainsi. L'avez-vous connue ? Elle avait une tête d'ange. »

Elle se pencha et tourna les pages jusqu'à ce qu'elle ait trouvé une autre image — deux plutôt, publiées un mois avant l'arrestation de Selina. « Regardez », dit-elle. Elle s'attarda un instant encore, témoin de ma contemplation, avant de me laisser.

Les deux images étaient des portraits, reproduits côte à côte sur une même page. La première était une gravure d'après une photographie ; datée de juin 1872, elle montrait Selina à l'âge de dix-sept ans. Elle y a des joues rondes et des sourcils noirs à l'arc élégant ; elle porte une robe au collet montant, en taffetas sans doute, un pendentif et des boucles d'oreilles assortis. Sa coiffure est trop compliquée à mon goût — la coiffure du dimanche d'une demoiselle de magasin, qui n'empêche pas toutefois d'apprécier la beauté des cheveux, très blonds et très abondants. Elle ne ressemble en rien à la *Veritas* de Crivelli. Sans doute qu'elle n'a jamais eu l'air austère avant d'arriver à Millbank.

L'autre portrait pourrait faire rire s'il n'était pas si bizarre. C'est un crayon réalisé par un adepte artiste, montrant en buste Peter Quick tel qu'il apparaissait aux séances dans le noir chez Mme Brink. Il porte un linge blanc sur les épaules et un bonnet blanc sur la tête. Son teint semble pâle, sa barbe et ses favoris sont fournis et très bruns ; bruns aussi, les cils et les sourcils qui surmontent des yeux noirs. Il est représenté de trois quarts, tourné vers le portrait de Selina. On dirait qu'il la fixe, comme s'il voulait la contraindre à rencontrer son regard.

Telle fut du moins mon impression cet après-midi, car je suis restée là à étudier les portraits après le départ de l'autre lectrice, jusqu'à voir l'encre vibrer sur le papier et les muscles des visages se contracter. Abîmée dans ma contemplation, je me suis souvenue tout d'un coup de la vitrine et du moulage en cire jaune de la main de Peter Quick. Je me suis demandé si la cire aussi tressaillait. Je m'imaginais qu'en me retournant je verrais la main venir soudain se coller à la vitre en repliant un doigt boursouflé *pour m'appeler*.

Sans me retourner, je suis restée pourtant un moment encore devant la page imprimée, les yeux dans les yeux noirs de Peter Quick. C'est étrange à dire, plus qu'étrange, mais ils me semblaient *familiers*, comme si je les avais déjà vus quelque part — peut-être en rêve.

9 décembre 1872

Mme Brink dit qu'il n'est pas question que je me lève le matin avant 10 h. Elle dit qu'il faut tout faire pour préserver & renforcer mes pouvoirs. Elle m'a cédé sa propre femme de chambre, Ruth, qui ne va s'occuper que de moi, & elle en a engagé une autre pour elle, une fille qui s'appelle Jenny. Elle dit que son propre confort passe après le mien. Maintenant Ruth m'apporte le petit déjeuner & prend soin de mes robes, & si je laisse tomber un mouchoir ou un bas ou la moindre petite chose elle le ramasse, & si je dis merci elle sourit & répond : allons bon, Mademoiselle n'a pas de remerciements à me faire. Elle est plus âgée que moi. Elle dit qu'elle fait partie de la maison depuis 6 ans, depuis que Mme Brink a perdu son mari. Je lui ai dit ce matin : Mme Brink aurait pu faire venir une foule de médiums depuis ce temps-là, non ? & elle a répondu : elle en a fait venir 1 000, Mademoiselle, au bas mot ! Tout ce monde, aux trousses d'un pauvre petit Esprit. Mais en fait c'étaient des charlatans. On a vite fait de démasquer leurs astuces à toute la bande. Je n'ai pas besoin de vous dire les sentiments d'une femme de chambre pour sa maîtresse. J'aimerais mieux qu'on me perce 10 fois le cœur plutôt que de voir un seul cheveu de ma maîtresse froissé par un individu pareil. Elle a dit cela en agrafant ma robe, en me regardant dans la glace. Toutes mes nouvelles robes ferment dans le dos, & je ne peux pas les mettre sans elle.

Une fois habillée, je descends en général chez Mme Brink & nous passons ensemble une heure dans son petit salon, ou bien elle m'emmène faire des courses ou un tour dans les jardins du Crystal Palace. Parfois il y a de ses amies qui viennent pour une séance dans le noir. En me voyant elles s'exclament : oh ! mais vous êtes encore tout enfant ! Plus jeune que ma propre fille ! Pourtant elles me serrent la main à la fin de la séance, & je les vois hocher la tête. Mme Brink a fait savoir à toutes ses relations que je suis là, chez elle, & que je suis quelque chose qu'on ne voit pas tous les jours — mais je pense qu'elle a dû en dire autant de pas mal de médiums. Les gens demandent : voulez-vous bien regarder s'il n'y a pas un Esprit près de moi en ce moment, Mlle Dawes ? Voulez-vous bien lui demander s'il n'a pas un petit message ? Je fais ces choses-là les doigts dans le nez, depuis 5 ans ça me connaît. Mais ces dames me voient faire dans ma belle robe, au salon élégant de Mme Brink, & elles n'en reviennent pas. Je les entends dire tout bas à Mme Brink : oh, Margery ! Quel talent ! Voulez-vous me la prêter ? Lui permettrez-vous de faire tourner les tables chez moi, à une fête que je veux donner ?

Mme Brink dit qu'il n'en est pas question ; elle n'entend pas me laisser gaspiller mes dons à des réunions frivoles.

Quand j'essaie de lui faire comprendre qu'elle doit me laisser aider d'autres personnes aussi, à part elle, puisque c'est pour ça que mes pouvoirs m'ont été donnés, elle répond toujours : bien sûr, je sais, je sais. C'est ce que je ferai, le moment venu. Mais maintenant que je vous tiens, hé bien ! j'ai envie de vous garder pour moi. Me trouverez-vous terriblement égoïste si je vous monopolise rien qu'un petit instant encore ? Ses amies viennent donc après le déjeuner, mais jamais en soirée. Les soirées sont réservées à nos séances privées. Il n'y a que Ruth qui nous rejoint parfois, apportant du vin & des biscuits quand je me sens prête à m'évanouir.

28 octobre 1874

Allée à Millbank. Ma dernière visite ne remonte qu'à huit jours, mais l'ambiance de la prison n'est plus la même ; la mauvaise saison qui s'installe au-dehors semble y avoir déversé un surcroît de ténèbres et d'amertume. Les tours en paraissent plus hautes et plus massives, les fenêtres plus exiguës que jamais ; il n'y a pas jusqu'aux odeurs qui n'aient changé depuis mon dernier passage — les cours, avec leurs quelques touffes d'herbes marécageuses, sentent à présent aussi le brouillard et la fumée des cheminées, tandis que l'intérieur a ajouté à la puanteur des baquets et à la promiscuité des cheveux et des bouches et des corps mal lavés, des relents de gaz et de rouille et de maladie. On a installé dans les corridors, aux angles du pentagone, d'énormes poêles noirs à la peinture cloquée, qui rendent l'air irrespirable, mais l'intérieur des cellules demeure glacé, les murs humides d'une condensation qui transforme le badigeon en un enduit semblable à de la caillebotte dont les détenues ont toutes les jupes tachées. On tousse beaucoup dans tous les quartiers, et ce ne sont partout que traits tirés, tristesse et tremblements.

L'obscurité qui habite l'édifice n'est plus celle que je croyais connaître. On y allume maintenant les lampes dès quatre heures de l'après-midi, et les corridors, avec leurs étroites fenêtres haut placées, noires contre le ciel, leurs dalles de pierre sablées qu'éclaire à intervalles la flamme irrégulière d'un bec de gaz, leurs rangées de cellules, où les détenues, semblables à des gnomes, ne lèvent pas la tête de leur travail, couture ou cardage, tout paraît plus terrible et plus vétuste que dans mon souvenir. Les surveillantes elles-mêmes semblent affectées par ce regain de noirceur. Elles se déplacent avec moins de bruit, leurs traits et leurs mains jaunis par les flammes du gaz, leurs pèlerines noires comme des capes d'ombre jetées sur leur robe.

Aujourd'hui elles me montrèrent le parloir où les détenues reçoivent la visite de leurs amis, de leur mari et de leurs enfants — c'est, je pense, l'endroit le plus lugubre que j'aie encore vu dans tout l'établissement. On en parle comme d'une salle, mais l'appellation ne se justifie pas, on dirait plutôt une étable à bestiaux, car le local se compose d'une rangée de loges ou de niches étroites qui se suivent de part et d'autre d'une longue galerie. Lorsqu'une détenue de Millbank reçoit une visite, la surveillante de son quartier l'escorte jusqu'à l'un de ces réduits et l'y installe en retournant le sablier fixé au-dessus de sa tête. À la hauteur du visage de la prisonnière s'ouvre un guichet muni d'une grille à barreaux. Une autre ouverture, protégée par un grillage plus léger, lui fait face de l'autre côté du couloir central — c'est là que les visiteurs prennent place, eux aussi debout, eux aussi sous un sablier que l'on retourne en même temps que le premier.

L'espace qui sépare les deux rangées de loges est large de plus d'une toise, arpenté en permanence par une gardienne vigilante qui a à cœur de ne laisser aucun objet changer illicitement de mains. Détenues et visiteurs sont obligés de hausser la voix pour se faire entendre — d'où, par moments, un vacarme redoutable. Aux instants de silence relatif en revanche, celle qui parle sait que son moindre mot tombera dans l'oreille non seulement de celui à qui elle le destine, mais encore de toutes ses voisines. Les sabliers mesurent une durée d'un quart d'heure ; à l'écoulement de ce temps, le visiteur doit partir et la détenue est reconduite dans sa cellule.

Les femmes enfermées à Millbank peuvent recevoir ainsi leurs parents et amis *quatre fois dans l'année.*

« Et toujours à distance ? N'est-il même pas permis aux femmes d'embrasser leur mari, de caresser leurs enfants ? »

Je posai ces questions à la gardienne qui m'accompagnait, en parcourant le corridor sur lequel s'ouvraient les loges des prisonnières. Mon guide n'était pas aujourd'hui Mlle Ridley, mais une femme plus jeune, une blonde du nom de Godfrey. Elle fit non de la tête et répondit par une phrase que j'ai déjà entendue je ne sais combien de fois en ces lieux :

« *C'est le règlement.* Il vous paraît sévère, je sais, mademoiselle Prior. Mais si on autorise un contact entre les détenues et les visiteurs, il y aura toutes sortes de choses qui entreront ici en fraude. Des clefs, du tabac... On peut apprendre à un petit enfant à passer une lame à sa mère en l'embrassant. »

J'observais les détenues devant lesquelles nous passions, ces femmes dont les regards ne quittaient pas leurs proches de l'autre côté de l'allée centrale, par-delà l'ombre de la surveillante en faction. Elles n'avaient pas l'air de penser au couteau ou à la clef qu'elles auraient pu cueillir dans un baiser. Leur physionomie à toutes exprimait un malheur absolu, une détresse qu'aucune ne m'avait laissé soupçonner jusque-là. Une femme à la joue marquée d'une balafre parfaitement verticale, comme d'un coup de rasoir, pressait son front contre les barreaux pour mieux entendre la voix de son mari. Quand il lui demanda si elle allait bien, elle répondit : « Aussi bien, John, qu'on veut bien me le permettre — c'est te dire que c'est pas fameux... » Une autre — Laura Sykes, de l'étage de Mme Jelf, celle qui harcèle toutes les préposées pour qu'elles disent un mot en sa faveur à Mlle Haxby — recevait la visite de sa mère, une dame de piètre apparence, qui tressaillait et répandait des torrents de larmes à la vue du grillage de fer devant son nez. Sykes la chapitrait : « Allons, m'man, ça suffit. Me diras-tu ce que tu sais ? As-tu eu l'occasion de parler à Me Cross ? » La mère cependant, entendant la voix de sa fille et voyant la surveillante passer entre elles, sanglotait de plus belle. Sykes poussa enfin un cri. Oh ! la moitié de son temps déjà écoulé ! Et sa propre mère qui l'avait gaspillé à chialer ! « La prochaine fois il faudra m'envoyer Patrick. Pourquoi Patrick n'est-il pas venu ? Ce n'est pas la peine de venir simplement pour que je te voie pleurer... »

Mlle Godfrey, suivant mon regard, hocha la tête et acquiesça : « Certes, c'est dur pour nos pensionnaires. Il y en a qui ne le supportent pas. Elles attendent leurs proches, comptent les jours qui les séparent de la visite, se rongent les sangs d'impatience ; mais quand nous les amenons là, c'est trop d'émotion et elles disent à leurs amis de ne plus revenir. »

Nous quittâmes le parloir pour regagner les quartiers cellulaires. Je demandai s'il y avait des détenues qui ne recevaient jamais de visite. Mon guide répondit par l'affirmative : « Quelques-unes, oui. Apparemment elles n'ont ni famille ni amis. Écrouées ici, on dirait que le monde les oublie. Je ne sais pas ce qu'elles pourront bien devenir en sortant. Collins est dans ce cas-là, et Barnes, et Jennings. Et aussi... » — elle luttait pour faire tourner une clef dans une serrure réfractaire — « ... aussi Dawes, si je ne m'abuse, du quartier E. »

Je pressentais qu'elle allait prononcer ce nom-là, je le savais, avant que sa bouche n'en eût formé la première lettre.

Je me laissai conduire sans poser d'autres questions. Mlle Godfrey me remit enfin à Mme Jelf, et j'allai, comme à mon ordinaire, d'une femme à l'autre — honteuse d'abord, la mort dans l'âme, car c'était horrible, après ce que je venais de voir, de me dire que moi, une étrangère, j'étais libre de me rendre à mon gré auprès de n'importe laquelle d'entre elles et qu'on leur faisait un devoir de me parler. Pourtant, ma conversation était une alternative au silence réglementaire, je ne pouvais oublier cela, et je finis par me rendre compte qu'elles étaient contentes de me voir à la grille de leur cellule, contentes de venir à moi et de me donner des nouvelles de leur santé. Pour beaucoup, je l'ai déjà dit, les nouvelles étaient mauvaises. Peut-être pour cette raison — ou peut-être aussi parce qu'elles avaient senti, même à travers l'épaisseur des murs de la prison et l'exiguïté des soupiraux, le changement subtil des saisons, préludant au tournant d'une nouvelle année — toujours est-il qu'il fut beaucoup question du « temps » qu'il restait à « faire » aux unes et aux autres. Ainsi : « Encore dix-sept mois, mademoiselle, à compter d'aujourd'hui, et j'aurai fini mon temps ! » Ou : « Un an et huit jours de tirés, mam'selle Prior ! Voilà où j'en suis de mon temps. » Ou encore : « Il me reste plus que trois mois à faire, mademoiselle. Qu'est-ce que vous en dites ? »

Je cite en dernière Ellen Power, emprisonnée — selon sa propre version — pour avoir laissé les garçons et les filles se faire des câlins dans son salon. J'ai beaucoup pensé à elle depuis que le froid s'est installé. Frêle et un peu tremblante, elle semblait pourtant moins affectée que je ne le craignais. Nous bavardâmes une demi-heure dans sa cellule ; en lui serrant la main avant de m'en faire extraire par Mme Jelf, je lui dis comme j'étais contente de la voir si bien portante.

Elle prit un air matois pour répondre : « Eh ben, faut rien dire, mademoiselle, à Mlle Haxby ou à Mlle Ridley — m'en voulez pas de vous le demander, je sais que c'est pas vous qui le feriez de toute façon. Mais le fait est que je dois tout à notre surveillante, Mme Jelf. Elle me donne de la viande en plus, de la viande qu'elle prend dans sa propre assiette, et elle m'a apporté un bout de flanelle rouge pour m'emmitoufler la gorge la nuit. Et quand le fond de l'air est trop frais, elle a une pommade et elle me frotte avec, là » — elle montra sa poitrine et ses épaules — « de sa propre main, et ça change tout. Elle est aussi bonne pour moi que ma propre fille — elle m'appelle “mère” d'ailleurs, pour tout vous dire. “Faut qu'on vous prépare, la mère, qu'elle me dit, pour votre billet de sortie”... »

Ses yeux luisaient en disant cela, et elle prit ensuite son gros fichu bleu et s'en tamponna un instant la figure. Je dis que j'étais ravie de savoir que Mme Jelf au moins était bonne pour elle.

« Elle est bonne pour tout le monde. Elle est la surveillante la plus gentille de toute la prison, fit-elle en branlant la tête. Pauvre femme ! Elle est pas là depuis assez longtemps pour avoir pris les manières de Millbank. »

La révélation me surprit. Mme Jelf offre une figure tellement morne et usée qu'il ne me serait jamais venu à l'idée qu'elle ait eu naguère encore une autre vie, au-delà des murs de la prison. Power cependant insistait : Oui, Mme Jelf était là depuis — eh bien, cela ne faisait même pas un an, si elle se souvenait bien. Elle ne savait pas ce qui avait pu attirer une femme comme Mme Jelf à Millbank. Elle n'avait jamais vu de gardienne moins faite pour les devoirs de sa charge !

À croire que l'exclamation avait l'effet d'un coup de baguette magique. Nous entendîmes des pas dans le corridor et levâmes la tête pour découvrir Mme Jelf en personne que sa ronde conduisait devant la grille de Power. Remarquant nos regards tournés de son côté, elle ralentit l'allure et sourit.

Power rougit. « Voilà que vous me prenez la main dans le sac. Je parlais justement à Mlle Prior de vos bontés. Vous m'en voudrez pas, j'espère. »

À ces mots, les lèvres de la surveillante se pincèrent, elle leva une main à son cœur et jeta un regard anxieux derrière elle. Elle craignait manifestement la présence de Mlle Ridley. Je pris donc congé de Power d'un signe de tête et fis un geste vers la grille sans rien dire de la flanelle ni des suppléments de viande. Mme Jelf ouvrit, persistant toutefois à éviter mon regard et à ignorer mon sourire. Finalement, pour la mettre à l'aise, je dis que je ne m'étais pas rendu compte qu'elle était une nouvelle venue à Millbank. Qu'avait-elle fait dans la vie avant de travailler à la prison ?

Elle prit un moment pour rattacher le trousseau de clefs à sa ceinture, se laissa distraire encore par une tache de salpêtre sur le revers de sa manche avant de se tourner enfin vers moi avec une petite révérence. Elle avait servi comme domestique, dit-elle, mais sa maîtresse ayant été appelée dans les colonies, elle n'avait pas eu le cœur de se placer chez une autre.

Elle avait repris sa ronde tout en parlant. Je fis un bout de chemin avec elle et lui demandai si le travail lui convenait. Elle répondit qu'elle regretterait désormais de quitter Millbank. J'insistai : « Mais ne trouvez-vous pas vos devoirs un peu durs ? Vos journées bien longues ? N'avez-vous pas de famille ? J'aurais cru que les vôtres souffriraient des heures qu'on vous impose. »

Elle m'expliqua alors qu'aucune surveillante n'est en puissance de mari ; toutes sont ou vieilles filles ou veuves, comme elle : « On ne peut pas être gardienne si on est mariée. » Elles étaient, certes, quelques-unes à avoir des enfants qu'il fallait mettre en nourrice, mais ce n'était pas son cas. Elle garda les yeux baissés en me faisant cette confidence. Je répondis d'un « allons bon ! ». Sans doute n'en était-elle que meilleure surveillante. Elle avait à son étage une centaine de femmes, aussi dépendantes que des nourrissons, qui comptaient toutes sur ses soins et ses conseils. Ou je me trompais fort, ou elle était une bonne mère pour toutes celles qu'on avait confiées à sa garde.

Là-dessus, elle leva enfin la tête et fixa sur moi un regard que l'ombre de son bonnet rendait sombre et triste. Elle dit : « J'espère bien, mademoiselle. » Et de se frotter encore la manche. Elle a les mains larges, comme les miennes — les mains d'une femme à qui le travail ou les deuils n'ont laissé que la peau sur les os.

Jugeant mieux, pour l'instant, de ne pas la questionner davantage, je reportai mon attention sur les prisonnières. Je rendis visite à Mary Ann Cook, à Agnes Nash, la faussaire, et enfin, comme toujours, à Selina.

J'étais déjà passée devant la grille de sa cellule, en me retenant pour ne pas y entrer — de même que je me suis retenue de parler d'elle dans les pages qui précèdent —, je m'étais même détournée en passant, fixant le mur pour ne pas la voir. Sans doute était-ce de la superstition. Je pensais toujours au parloir : j'avais idée qu'un sablier allait mesurer aussi le temps de *nos* retrouvailles, et je ne voulais pas permettre à un seul grain de franchir prématurément le goulet de verre. À présent encore, de retour devant sa grille, flanquée de Mme Jelf, je me refusais à la regarder. Je ne levai enfin les yeux pour rencontrer les siens que lorsque la surveillante eut fait jouer sa clef et repris sa ronde, après un dernier instant passé à tripoter le trousseau à sa ceinture, en nous laissant enfermées ensemble dans la cellule. Je levai donc les yeux sur Selina et découvris qu'en vérité il n'y avait pas une seule partie de sa personne où mon regard pouvait se poser sans émotion. Je voyais pointer sous son bonnet sa chevelure jadis luxuriante, à présent mutilée. Je voyais sa gorge, que ceignaient autrefois des colliers de velours ; ses poignets, si souvent ligotés ; la ligne oblique de sa bouche menue, d'où sortaient des voix qui n'étaient pas la sienne. Je voyais tout cela, tous ces rappels de sa carrière insolite qui collaient toujours à sa pauvre chair exsangue et en brouillaient la perception, tels les stigmates que portent les saints. Elle n'avait pourtant pas changé — c'était moi qui, sachant ce que je savais, n'étais plus la même. Mon savoir nouveau avait opéré au fond de moi une mutation occulte, de même qu'une goutte de vin transforme une coupe d'eau ou qu'un ferment fait lever la pâte.

C'était, pendant que je la regardais, une palpitation à peine sensible, comme l'éveil d'une *nouvelle vie* dont je pris conscience avec une pointe d'effroi. Je levai une main à mon cœur et me détournai.

Elle parla alors, et sa voix — Dieu merci ! — était tout à fait normale, familière. Elle dit : « Je pensais que vous n'alliez peut-être pas venir. Je vous ai vue passer devant ma porte pour aller dans l'autre quartier. »

Je m'étais approchée de sa table, je palpais la laine qu'elle y avait posée. Je lui dis qu'elle n'était pas la seule, qu'il y avait aussi d'autres détenues qui m'attendaient. Puis, comme je sentais son regard me quitter et se teinter de tristesse, j'ajoutai que, si elle le désirait, je lui réserverais toujours ma dernière visite avant de quitter la prison.

Sa réponse fut : « Merci. »

Évidemment, elle est comme les autres, elle saisit l'occasion de me parler pour échapper un instant au carcan du silence. Notre conversation tourna donc sur la vie carcérale. Le temps humide a fait sortir des murs une armée de gros cancrelats noirs auxquels les détenues donnent le surnom de « jacquot ». C'est, semble-t-il, une invasion qui se répète tous les ans à la même époque. Elle me montra sur son mur blanchi les restes d'une douzaine qu'elle avait écrasés avec le talon de sa chaussure. Elle dit que certaines femmes un peu simples d'esprit attrapent les insectes et les gardent — on le raconte, du moins — comme animaux familiers. D'autres, poussées par la faim, les mangent. Elle ne sait pas si ce dernier fait est bien avéré, mais elle le tient de la bouche des surveillantes...

Je l'écoutais parler, ne répondant que par des hochements de tête ou des grimaces. J'aurais pu lui demander comment elle avait su la perte de mon médaillon, mais je n'en fis rien. Je ne lui dis pas non plus que j'avais visité le siège de l'Association spirite, que j'y avais passé deux heures et demie à parler d'elle et à prendre des notes sur son procès. Pourtant, je n'arrivais toujours pas à la regarder sans que mes lectures me revinssent en mémoire. Contemplant son visage, je repensais aux deux portraits du journal. Observant ses mains, je me souvenais de la collection de cires dans la vitrine.

Je compris enfin que je ne pourrais pas la quitter sans avoir touché mot de tout cela. Je l'invitai à me parler encore de son passé. « Vous m'avez conté la dernière fois la vie que vous avez menée avant Sydenham. Mais la suite ? Ne voulez-vous pas me dire ce qui vous est arrivé là-bas ? »

Elle se renfrogna. Pourquoi donc avais-je envie de le savoir ? Je répondis que cela m'intéressait. Je m'intéressais à l'histoire de toutes les femmes enfermées là, mais la sienne... « Enfin, vous savez vous-même qu'elle a quelque chose d'exceptionnel... »

Elle ne répondit pas tout de suite, et ce fut alors pour dire que si j'étais spirite, si j'avais fréquenté depuis toujours, comme elle, les milieux spiritualistes, je n'y verrais pourtant rien d'extraordinaire. « Vous devriez acheter un journal spirite et lire les petites annonces — vous verrez que des comme moi, il y en a treize à la douzaine ! On aurait presque l'impression en les lisant qu'il y a plus de médiums dans ce monde que d'esprits dans l'autre. »

Non, dit-elle, elle n'avait jamais rien eu d'*exceptionnel*, jamais au temps où elle vivait chez sa tante, puis dans l'hôtel spirite de Holborn...

« C'est quand j'ai rencontré Mme Brink et qu'elle m'a recueillie chez elle, c'est alors que je suis devenue un phénomène rare. *Alors*, Aurora. »

Elle avait baissé la voix, je m'étais penchée vers elle pour ne pas perdre un mot, mais je me sentis rougir à présent, en l'entendant me donner ce nom absurde. Je demandai : « Et qu'avait-elle, Mme Brink, pour vous changer ? Qu'a-t-elle fait ? »

Mme Brink, dit-elle, était venue la voir déjà à Holborn. « Elle est venue pour une séance, je pensais d'abord qu'elle était comme les autres, mais en fait c'étaient les esprits qui l'avaient conduite à moi. Elle venait dans un but précis, où j'étais seule à pouvoir l'aider. »

Dans quel but ?

Elle ferma les yeux. Lorsqu'elle les rouvrit, ils me parurent agrandis, verts comme des yeux de chat. Elle parla, du ton dont on évoquerait une merveille. « Elle avait besoin que je fasse apparaître un esprit. Elle me demandait de renoncer à ma propre chair, afin qu'elle serve au monde des esprits. »

Elle me regardait en face, sans broncher. Du coin de l'œil je vis quelque chose courir sur le sol de la cellule, une tache noire, furtive. J'eus la vision nette d'une détenue affamée, arrachant la carapace d'un insecte pour en sucer la chair, croquant les pattes qui gigotaient toujours.

Je secouai la tête. « Mme Brink vous entretenait donc. Elle voulait vous avoir sous la main pour des tours de passe-passe spirites.

— Elle m'a fait accomplir mon destin », repartit-elle. Je me souviens des mots, très clairement. « Elle m'a amenée à moi-même, au moi qui m'attendait chez elle. Elle m'a amenée là où je pourrais être trouvée par les esprits qui me cherchaient. Elle m'a amenée à... »

À *Peter Quick* ! Ce nom-là, c'est moi qui le prononçai. Elle garda un instant le silence, puis approuva d'un signe de tête. Je me rappelai les questions du substitut à son procès, les insinuations quant à la nature de l'amitié qui l'avait unie à Mme Brink. Je parlai encore, plus lentement : « Elle vous a amenée à *elle*, là où *lui* pouvait vous trouver. Elle vous a amenée là, n'est-ce pas, pour que vous l'introduisiez, *lui*, discrètement, auprès d'elle, la nuit... ? »

Je vis cependant son regard changer, comme si j'avais dit quelque chose d'inconvenant. Elle protesta : « Jamais je ne l'ai introduit auprès d'*elle*. Jamais je n'ai fait venir Peter Quick pour Mme Brink. Ce n'est pas pour *lui* qu'elle tenait à moi. »

Pas pour lui ? Pour qui d'autre, alors ? — Elle ne voulut pas répondre d'abord. Elle se détourna avec un geste de refus, s'enferma dans le silence. J'insistai : « Qui donc faisiez-vous apparaître pour elle, sinon Peter Quick ? Qui ? Son mari ? Sa sœur ? Son enfant ? »

Elle leva une main à ses lèvres, parla enfin, tout bas : « C'était sa mère, Aurora. Sa mère, que Mme Brink avait perdue toute petite. Elle lui avait dit en mourant qu'elle ne s'en allait pas, qu'elle reviendrait. Mais elle n'était pas revenue. Mme Brink avait eu beau chercher pendant vingt ans, elle n'avait pas trouvé de médium capable de la matérialiser. Alors elle m'a trouvée, moi. Elle m'a trouvée grâce à un rêve. Il y avait une ressemblance entre sa mère et moi, une — comment dire ? — une certaine affinité. Mme Brink l'a vue, c'est pourquoi elle m'a prise chez elle, à Sydenham, elle m'a donné toutes les affaires de sa mère, et alors sa mère lui rendait visite dans sa chambre, à travers moi. Elle venait dans le noir, elle venait la... consoler. »

Je sais qu'il n'avait pas été question de tout cela à son procès, et elle dut prendre sur elle pour m'en parler maintenant. Elle semblait réticente à poursuivre sur le sujet — mais je pense qu'elle n'a pas tout dit, qu'elle eût presque voulu me voir deviner ce qu'elle me cachait. Je ne pouvais pas. Je n'avais aucune idée de quoi il pouvait s'agir. Je trouve seulement étrange, voire un brin troublant que Mme Brink, telle que je me l'imagine, regardant Selina Dawes avec ses dix-sept ans, ait jamais pu voir en elle l'ombre de sa mère défunte, qu'elle l'ait persuadée de lui faire des visites nocturnes pour donner corps à cette ombre.

Nous n'en parlâmes pas. Je continuai à la questionner sur Peter Quick. *Lui* donc venait pour elle, pour elle seule ? La réponse fut oui : pour elle seule. Et pourquoi venait-il ? Elle répéta la question : Pourquoi ? Il était son protecteur, voyons, son esprit familier. Son *guide.* Bref : « Il venait pour moi, et... Avais-je donc le choix ? J'étais à lui. »

Elle me montrait un visage pâli, rehaussé par deux touches de feu aux pommettes. Je sentais monter en elle une exaltation, un émoi de plus en plus marqué, comme une qualité diffuse dans l'air vicié de la cellule. Pour un peu, je le lui aurais envié. Je demandai, à voix basse : « Comment était-ce, quand il venait ? » Mais elle esquissa de la tête un geste d'impuissance tout en poussant un oh ! Comment dire ? C'était comme de se perdre, de ne plus être soi-même, elle avait la sensation qu'on lui arrachait l'âme, comme on aurait pu lui faire ôter sa robe ou ses gants ou ses bas...

« Mais c'est horrible ! m'exclamai-je.

— Horrible, oui ! Mais c'était merveilleux en même temps. C'était tout pour moi, c'était ma vie transfigurée. J'étais comme l'esprit qui se libère d'une sphère obscure pour passer dans un ordre supérieur, plus parfait. »

Je fronçai les sourcils. Je ne comprenais pas. Elle reprit : comment expliquer cela ? Ah ! elle ne trouvait pas les mots... Elle laissa errer ses regards autour de la cellule, cherchant un moyen de me convaincre. Finalement, un objet sur l'étagère retint son attention et elle sourit. « Vous avez parlé tout à l'heure de tours de passe-passe. Eh bien... »

Elle approcha tout près et tendit le bras, comme pour m'inviter à lui prendre la main. Pensant à mon médaillon, au message qu'elle avait inscrit dans mon cahier, j'eus plutôt un mouvement de recul, mais elle souriait toujours, sans rien dire, et l'invitation qui vint enfin, à voix basse, fut une autre : « Allez, retroussez ma manche. »

J'ignorais totalement ce qu'elle s'apprêtait à faire. Je sondai une fois ses traits, puis, avec précaution, relevai sa manche, dénudant tout l'avant-bras. Un petit tour, et elle me montrait la saignée, la chair très blanche et très lisse, chaude encore de sa robe. « Maintenant, dit-elle pendant que je l'admirais, il faut fermer les yeux. »

J'hésitai un instant avant d'obtempérer en avalant une grande goulée d'air pour ne pas être prise au dépourvu par ce qui allait suivre. Pourtant elle ne faisait rien d'étrange, je la sentais seulement passer le bras par-dessus mon épaule, sans doute pour prendre quelque chose dans la pile de laine sur la table. Je l'entendis ensuite aller chercher un objet sur l'étagère. Il y eut un silence. Les paupières prises d'abord d'un tremblement, puis de spasmes involontaires, je luttais pour garder les yeux fermés. Plus le mutisme de Selina se prolongeait et plus le soupçon me gagnait. « Minute ! » dit-elle en me voyant tressaillir. Enfin, l'instant d'après : « Vous pouvez regarder maintenant. »

Je relevai les paupières, restant sur mes gardes. Je craignais qu'elle ne se fût tailladé les chairs du bras avec son mauvais couteau. C'était tout ce qui me venait à l'idée, mais non, la peau était toujours aussi lisse, intacte. Elle l'approcha de mon visage — moins près que tout à l'heure, et sans l'exposer directement à la lumière, interceptée par sa robe. Si je l'avais examinée de près, peut-être aurais-je discerné quelques petites rougeurs ou inégalités. Elle ne m'en laissa pas l'occasion. Tandis que je battais encore des paupières, à moitié éblouie, elle leva l'autre bras et passa la main, dans un geste très ferme, sur la chair dénudée. Une fois, puis une seconde, une troisième, une quatrième fois encore, jusqu'à ce que le mouvement des doigts me fît déchiffrer, à même la chair, un *mot* écrit en lettres d'écarlate — lettres approximatives, floues, mais parfaitement lisibles.

Le mot était : VÉRITÉ.

Lorsque le dernier trait se fut dessiné, elle éloigna la main et, guettant ma réaction, me demanda si je trouvais le tour habile. Je n'étais pas en état de répondre. Elle approcha son bras, m'invita à le toucher — puis, lorsque je me fus exécutée, à porter les doigts à ma bouche et à les lécher.

Hésitante, je levai la main et contemplai le bout de mes doigts. J'y discernais une substance blanchâtre qui me fit penser à la matière éthérée censée composer l'enveloppe des esprits. Je ne pouvais me décider à goûter, j'avais presque la nausée. Comprenant ce qui m'arrivait, Selina éclata de rire. Elle me montra les objets qu'elle avait manipulés pendant que j'avais eu les yeux fermés.

Ils étaient deux : une aiguille à tricoter et sa boîte de sel. L'aiguille lui avait servi à tracer les lettres, qui s'étaient ensuite dessinées en rouge lorsque ses doigts y avaient fait pénétrer du sel.

Je lui saisis à nouveau le bras. Les marques commençaient déjà à s'effacer. Je me souvins alors des journaux spiritualistes qui citaient ce tour précisément à titre d'illustration de ses pouvoirs. Il y avait des gens pour y croire — M. Hither n'en doutait pas, et moi aussi, j'avais été prête à donner dans le panneau. Je dis : « Voilà donc ce que vous aviez à offrir aux pauvres gens souffrants qui venaient solliciter votre aide ? »

Elle se dégagea, baissa posément la manche de son costume pénal et haussa les épaules. Les gens, dit-elle, ne seraient pas contents s'ils ne voyaient pas des signes concrets qu'ils pouvaient attribuer aux esprits. Si de temps à autre elle se frictionnait avec du sel ou faisait tomber une fleur sur les genoux d'une dame dans le noir, les esprits étaient-ils moins vrais pour autant ? « Parmi les médiums qui font insérer des annonces dans les journaux, il n'y en a pas un qui reculerait devant un tour de ce genre, affirma-t-elle. Non, pas un ! » Elle dit connaître des femmes qui gardent une aiguille à repriser dans leur chignon pour graver dans leur chair le message des esprits. Elle dit connaître des hommes qui cachent sur leur personne des cornets en papier pour déguiser leur voix lorsqu'on éteint le gaz. Tous les professionnels s'accordent pour reconnaître qu'il y a des jours où les esprits se présentent tout seuls, mais des jours aussi où ils ont besoin qu'on leur fasse la courte échelle...

Elle aussi avait travaillé ainsi, avant d'aller vivre chez Mme Brink. Après... Après, il n'avait plus été question de passe-passe. Avant Sydenham, tous ses pouvoirs auraient été de la frime que cela n'aurait rien changé ! « Peut-être n'en avais-je même pas — vous me suivez, n'est-ce pas ? Le tout n'était rien en regard du pouvoir que j'allais découvrir en moi grâce à Peter Quick. »

Je la regardai en silence. Elle venait de me faire des aveux, de me montrer des choses que, vraisemblablement, elle n'avait encore révélées à personne — je m'en rends compte. Quant à ce pouvoir autrement puissant, qui ferait d'elle un phénomène rare — eh bien, je sais un peu de quoi elle parle, n'est-ce pas ? Je ne peux pas le nier sans autre forme de procès, je sais qu'il y a là *quelque chose.* N'empêche qu'elle demeure toujours aussi mystérieuse ; il y a un point noir, une lacune dans l'image que je crois discerner...

Je lui fis part de mon incompréhension, comme déjà à M. Hither. Ses dons miraculeux l'avaient amenée *là*, à la prison de Millbank. Elle parlait de Peter Quick comme d'un protecteur, mais c'était lui qui avait maltraité la jeune Américaine, lui aussi qui avait effrayé Mme Brink, au point de la faire passer de vie à trépas ! De quel secours avait-il été pour elle en la conduisant là où elle se trouvait ? À quoi tous ses pouvoirs lui servaient-ils maintenant ?

Elle se détourna et répondit — comme M. Hither — que « les voies des esprits sont insondables ».

J'abondais dans son sens : où les esprits voulaient en venir en l'envoyant à Millbank, cela me dépassait en effet ! « À moins qu'ils ne soient jaloux de vous, qu'ils ne veuillent vous tuer pour vous rendre semblable à eux. »

Elle fronça le front, sans comprendre. Oui, articula-t-elle, il y avait des esprits qui portaient envie aux vivants. Mais même ceux-là ne lui jalouseraient pas sa situation actuelle.

En parlant, elle porta une main inquiète à la naissance de sa gorge, blanche comme neige. Je pensai à nouveau aux colliers qu'on y attachait autrefois, aux liens qui retenaient ses poignets.

Il faisait froid dans la cellule. Je frissonnai. J'ignorais pendant combien de temps nous avions parlé — il me semble maintenant que nous avons dû nous dire bien plus de choses que je n'en ai noté ici — mais, regardant du côté de la fenêtre, je trouvai le jour bien bas. La main de Selina n'avait pas bougé. Voilà maintenant qu'elle toussait, qu'elle déglutissait avec effort. Elle dit que je lui avais trop fait parler. Elle alla chercher son broc sur l'étagère, but au goulot quelques gorgées d'eau, toussa derechef.

Pendant la quinte, Mme Jelf refit son apparition à la grille. Son regard, ouvertement interrogateur, me rendit à nouveau sensible au temps écoulé depuis qu'elle m'avait fait entrer là. Je me levai à contrecœur et lui fis signe d'ouvrir, puis me retournai encore vers Selina pour lui proposer de reprendre notre conversation une prochaine fois. La prisonnière me signifia son accord d'un mouvement de tête. Elle se massait toujours le cou, d'un geste nerveux qui éveilla la sollicitude inquiète de sa gardienne. Dès qu'elle m'eut fait sortir, Mme Jelf prit donc ma place auprès de Selina et demanda : « Ça ne va pas ? Vous êtes malade ? Voulez-vous que j'aille chercher le médecin ? »

Tandis qu'elle conduisait la prisonnière sous la faible flamme du bec de gaz pour mieux scruter ses traits, j'entendis quelqu'un prononcer mon nom. Je tournai la tête et aperçus Nash, la faussaire, à la grille de la cellule voisine.

« Vous êtes toujours de ce monde, à ce que je vois, mademoiselle ? » dit-elle, poursuivant tout bas et sur un ton faussement dramatique, en penchant la tête vers la cellule de Selina : « Je pensais qu'elle vous avait peut-être escamotée par un de ses tours de magie — qu'elle vous avait fait emporter par ses copains les fantômes ou bien changée en grenouille ou en souris. » Elle tressaillit. « Ah, ces fantômes ! Y en a qui viennent la voir, là, au milieu de la nuit ! Vous vous rendez compte ? Je les entends quand ils ouvrent sa porte. Je l'entends, elle, qui discute avec eux, des fois c'est des rires — des fois aussi des pleurs. Je vous jure, mademoiselle, à ces moments-là je donnerais n'importe quoi pour être dans une autre cellule, n'importe où, pourvu que j'entende pas ces voix de l'autre monde dans le calme de la nuit. » Elle frissonna à nouveau tout en faisant la grimace. Peut-être qu'elle me faisait marcher, comme la première fois, avec sa fausse monnaie, mais elle ne riait pas. Et quand, me souvenant d'une remarque de Mlle Craven, je dis que la règle du silence rendait sans doute les détenues fantasques, elle grogna : Fantasques ? Elle se croyait capable de faire la différence entre un fantasme et un fantôme ! Fantasques ! Que j'essaie donc de dormir dans sa cellule, avec Dawes pour voisine, avant de la traiter de *fantasque* !

Elle hocha la tête, reprit son ouvrage en grommelant, et je retournai devant la grille de Selina. Je la retrouvai avec Mme Jelf, toujours devant le bec de gaz, la gardienne tapotant soucieusement le fichu qu'elle venait de resserrer autour de son cou. Elles ne regardaient pas de mon côté. Peut-être me croyaient-elles déjà loin. Je vis cependant Selina poser une main sur le bras où, sous la robe de tiretaine, le mot rouge — VÉRITÉ — allait s'effaçant. Je repensai alors à ma propre main, goûtai enfin le sel sur mes doigts.

J'en étais là lorsque la surveillante vint me reconduire. Nous fûmes harcelées en passant par Laura Sykes qui colla la bouche aux barreaux de sa grille pour crier : Oh ! Ne voulions-nous pas porter de sa part un mot à Mlle Haxby ? Si seulement Mlle Haxby voulait autoriser son frère à lui rendre visite, si seulement elle pouvait faire parvenir une lettre à son frère, elle serait certaine d'obtenir la révision de son procès. Un mot de Mlle Haxby, et elle serait libre avant la fin du mois !

17 décembre 1872

Ce matin j'étais tout habillée lorsque Mme Brink est entrée chez moi. Elle a dit : allons, Mlle Dawes, j'ai une question à régler avec vous. Êtes-vous tout à fait certaine que vous ne voulez pas que je vous paye ? Je refuse de prendre son argent depuis qu'elle m'a fait emménager ici, & comme elle remettait ça sur le tapis, j'ai répété ce que j'ai déjà dit, que tout ce qu'elle me donne en nature, avec les robes & les repas & tout, est une rétribution suffisante, & que de toute manière je ne pourrais jamais prendre de l'argent pour le travail des Esprits. Elle a dit : chère enfant, j'étais sûre que vous alliez dire cela. Elle m'a pris la main & menée au coffret à bijoux de sa mère qui se trouve toujours sur ma table de toilette, & elle l'a ouvert. Elle a dit : vous ne voulez pas d'argent, mais vous ne refuserez tout de même pas le cadeau d'une vieille amie, je pense, & il y a là une chose que j'aurais tant envie de vous donner. Le cadeau, c'était le collier d'émeraudes. Elle l'a sorti & mis autour de mon cou, s'approchant tout près pour l'attacher. Elle a dit : je pensais que je ne donnerais jamais rien de ce qui avait appartenu à ma mère. Mais je sens que ceci vous appartient désormais à meilleur droit qu'à quiconque, & oh ! comme il vous va bien ! Les émeraudes font ressortir vos yeux, comme les *siens* autrefois.

Je suis allée me regarder dans la glace, & c'est vrai, c'est étonnant comme ils me vont bien, surtout pour un bijou aussi vieux. J'ai dit, je ne mentais pas, que jamais personne ne m'avait rien donné d'aussi beau, & que ma foi je ne méritais pas ça du moment que je ne fais que ce que les Esprits me disent de faire. Elle a dit que si moi, je ne le mérite pas, elle aimerait bien savoir qui.

Alors elle est revenue tout près & elle a mis la main sur le fermoir du collier. Elle a dit : vous savez que tout ce que je veux, c'est accroître vos pouvoirs. Pour cela, je serais prête à tout. Vous savez bien, *vous*, combien de temps j'ai attendu. Avoir eu les messages que vous m'avez transmis, oh ! alors que je ne croyais plus jamais entendre de telles paroles ! Mais, Mlle Dawes, Margery devient gourmande. Si elle s'imaginait que, outre les paroles, elle pourrait voir une forme ou sentir une main. Eh bien ! Elle sait qu'il y a dans le monde des médiums qui ont commencé à obtenir de tels effets. Elle donnerait tout un coffret de bijoux au médium qui ferait cela pour elle, & elle ne le regretterait pas un instant.

Elle caressait le collier & ma peau nue aussi, par la même occasion. Évidemment, quand j'ai essayé avec M. Vincy & Mlle Sibree de provoquer des apparitions, je n'ai jamais réussi. J'ai dit : vous savez qu'un médium doit avoir un cabinet pour ce genre de travail ? Vous savez que c'est une affaire très sérieuse & qu'on ne comprend pas bien encore ? Elle a dit que oui, elle savait tout cela. Je voyais sa figure dans la glace, ses yeux ne me quittaient pas, & mes propres yeux, que l'éclat des pierres rendait tellement verts, ne se ressemblaient plus, on aurait dit les yeux d'une autre. Je les ai fermés, mais c'était comme si je les avais gardés ouverts. Je voyais Mme Brink qui me regardait, & je voyais le collier autour de mon cou, mais la monture n'était plus en or, il était gris, comme du plomb.

19 décembre 1872

Ce soir en descendant au salon de Mme Brink j'y ai trouvé Ruth, elle avait cousu une pièce d'étoffe noire à une tringle & elle était en train de l'accrocher devant l'alcôve. Tout ce que j'avais demandé, c'était du noir, mais j'y suis allée voir, & c'était du velours. Ruth me l'a vue tâter & elle a dit : n'est-ce pas qu'il est beau ? C'est moi qui l'ai choisi. Je l'ai choisi pour vous, Mademoiselle. Il est temps, je pense, qu'on vous donne du velours. C'est un grand jour pour vous, & pour Mme Brink, & pour toute la maisonnée. & puis le fait est que vous n'êtes plus à Holborn ici. Je la regardais sans rien dire, & elle a souri & elle a tendu l'étoffe pour que j'y frotte la joue. Quand je me suis mise devant, dans ma vieille robe de velours, noire elle aussi, Ruth a dit : allez, c'est comme si une ombre vous avalait ! Je ne vois plus que votre figure & vos beaux cheveux blonds.

Alors Mme Brink est arrivée & elle l'a renvoyée. Elle m'a demandé si j'étais prête, & j'ai dit que oui, sans doute, je ne pouvais pas savoir avant d'avoir commencé.

Nous avons pris place, toutes les lampes étaient baissées, & au bout d'un moment j'ai dit : je crois que si ça va se faire, ce sera pour maintenant. Je suis passée derrière le rideau & Mme Brink a éteint, & un instant j'ai eu peur. Je ne m'attendais pas à ce que le noir soit aussi noir ni qu'il y fasse chaud comme ça, & le réduit où j'étais assise était tellement exigu qu'il me semblait que j'allais bientôt épuiser tout l'air & mourir asphyxiée. J'ai crié : Mme Brink, je ne sais pas ! mais sa seule réponse a été : s'il vous plaît, Mlle Dawes, *essayez* ! Essayez un coup, pour l'amour de Margery ! N'avez-vous pas un petit signe ? Une aura ? Rien ? Sa voix, entendue au travers du rideau de velours, n'était plus la même, c'était une voix de tête, pointue comme un crochet. Je la sentais qui commençait à tirer, j'avais l'impression pour finir qu'elle m'arrachait la robe du corps. Puis, tout d'un coup, la nuit s'est peuplée de couleurs chatoyantes. Une voix s'est écriée : ah ! *Me voici !* & Mme Brink a dit : je te vois, oh ! je te vois !

Après, quand je suis retournée auprès d'elle, elle était en larmes. J'ai dit : il ne faut pas pleurer ! N'êtes-vous pas contente ? Elle a dit que c'étaient des larmes de bonheur. Puis elle a sonné Ruth. Elle a dit : Ruth, j'ai vu faire des choses impossibles dans cette pièce ce soir. J'ai vu ma mère devant moi qui me faisait signe, vêtue d'une robe lumineuse. Ruth a dit qu'elle le croyait, puisque le salon n'avait pas son aspect ordinaire, & il y avait aussi une odeur dans l'air, un parfum insolite. Elle a dit : ça veut dire que des anges sont passés par là pour sûr. Quand les anges visitent une séance, ils apportent du parfum, c'est un fait notoire. J'ai dit que c'était la première fois que j'entendais cela, & alors elle m'a regardée & elle a hoché la tête. Elle a dit : oh ! oui, c'est bien vrai, & elle a posé un doigt sur ses lèvres. Elle a dit que les Esprits apportent le parfum dans leur bouche.

8 janvier 1873

Nous sommes à peine sorties depuis quinze jours, nous ne faisons qu'attendre la tombée du soir, qu'il fasse assez noir au salon pour qu'un Esprit puisse s'y matérialiser sans encombre. J'ai dit à Mme Brink qu'il ne faut pas s'attendre à voir sa mère revenir tous les soirs, qu'il se peut qu'elle ne voye que sa main blanche ou sa figure. Elle dit qu'elle le sait & pourtant elle se montre de jour en jour plus passionnée, elle m'attire plus près d'elle & elle dit : viendras-tu ? Oh ! un peu plus près ! Tu ne veux pas ? Me reconnais-tu ? Ne m'embrasseras-tu pas ?

Pourtant, quand elle a eu enfin son baiser, il y a trois jours, elle a poussé un grand cri en plaquant une main sur son cœur, & elle m'a fait une telle peur que j'ai bien pensé en mourir. Quand je suis ressortie de derrière le rideau, j'y ai trouvé Ruth, elle était accourue allumer une lampe. Ruth a dit : c'était à prévoir. Elle attendait depuis si longtemps & maintenant c'est trop fort. Elle a fait respirer des sels à Mme Brink qui s'est calmée alors un peu. Elle a dit : la prochaine fois ça ira. La prochaine fois je serai préparée. Mais il faudra rester avec moi, Ruth. Il faudra être là & me tenir la main, vous qui êtes forte, comme ça je n'aurai pas peur. Ruth a promis. Nous n'avons pas essayé une seconde fois ce soir-là, mais maintenant, quand je sors pour Mme Brink, Ruth est là, assise à côté d'elle, & elle regarde. Mme Brink demande : la voyez-vous, Ruth ? Voyez-vous ma maman ? & Ruth répond : je la vois, Madame. Oui, je la vois.

Mais le premier moment passé, Mme Brink ne pense plus à elle. Elle prend les 2 mains de sa mère & les garde dans les siennes. Elle demande : Margery est-elle une bonne fille ? & sa mère répond : très, très bonne. C'est pourquoi je suis venue. Alors elle insiste : bonne à combien ? 10 baisers ou plutôt 20 ? Sa mère dit : bonne pour 30 baisers, & quand elle ferme les yeux, je me penche vers elle & je l'embrasse — seulement sur les yeux & les joues, jamais sur la bouche. Quand elle a eu ses 30 baisers, elle soupire & elle me prend dans ses bras & laisse reposer sa tête sur le sein de sa mère. Elle garde la pose une demi-heure, jusqu'à ce que la gaze qui voile le sein maternel soit tout humide, & alors elle dit : maintenant Margery est contente. Ou : maintenant Margery n'a plus faim !

& pendant tout ce temps Ruth est là & elle regarde. Elle ne me touche pas. J'ai dit que personne ne doit toucher l'Esprit sauf Mme Brink, puisque c'est son Esprit, c'est pour elle qu'il vient. Alors Ruth regarde seulement en ouvrant ses yeux noirs.

& quand je suis redevenue tout à fait moi-même, elle me raccompagne chez moi & elle me déshabille. Elle dit qu'il n'est pas question que je m'occupe de mes vêtements, qu'une femme du monde n'aurait jamais idée d'y toucher. Elle prend ma robe & lisse le tissu, elle ôte les souliers de mes pieds, & puis elle me fait asseoir sur ma chaise & elle me coiffe pour la nuit. Elle dit : je sais comme les belles dames aiment qu'on leur brosse les cheveux. Regardez mon gros bras. Je peux brosser d'un seul trait, du sommet du crâne jusqu'à la taille, & encore & encore, jusqu'à ce que la dame ait les cheveux unis comme l'eau & doux comme la soie. Ses propres cheveux, très bruns, restent toujours cachés sous son bonnet, mais j'entrevois parfois la raie, une ligne blanche, droite comme une lame de couteau. Ce soir aussi elle m'a fait asseoir à ma toilette, mais quand elle s'est mise à brosser, j'ai fondu en larmes. Alors elle a demandé : pourquoi pleurez-vous ? J'ai dit qu'elle me tirait les cheveux. Elle a dit : quelle idée ! Pleurer pour quelques coups de brosse ! Elle a ri un bon moment, & puis elle s'est remise à brosser, un peu plus fort. Elle a dit que j'aurais droit à 100 coups, elle me les a fait compter.

Enfin elle a posé la brosse & elle m'a menée devant la grande glace. Elle a mis la main au-dessus de ma tête & mes cheveux sont allés se coller à sa paume en jetant des étincelles. Alors j'ai arrêté de pleurer, & elle est restée là un bon moment à me regarder. Elle a dit : allez, Mlle Dawes, sommes-nous assez belle ? Une jeune dame du grand monde, dirait-on pas, faite pour tirer l'œil à ces messieurs ?

2 novembre 1874

Je suis montée chez moi, en bas c'est un branle-bas effroyable. À chaque jour qui nous rapproche du mariage de Pris, on trouve autre chose à ajouter à la frénésie des commandes à passer et des dispositions à prendre — hier c'étaient les couturières, avant-hier les cuisinières et les coiffeuses. Le simple aspect de tout ce monde m'insupporte. Ce sera Ellis qui me coiffera, comme toujours, et, si je veux bien faire rétrécir mes jupes, j'entends garder le gris pour toutes mes robes et le noir pour les manteaux. Je l'ai dit à ma mère. Bien sûr, elle n'est pas contente. Elle gronde. Une vraie pelote d'épingles. Quand elle ne m'a pas sous la main, elle s'en venge sur Ellis ou Vigers — elle est prête même à morigéner Gulliver, le perroquet de Pris. Elle gronde jusqu'à ce qu'il se mette à agiter ses pauvres ailes rognées en sifflant de frustration.

Et Pris au milieu de tout cela garde un calme olympien. Frêle esquif dans l'œil du cyclone, elle est déterminée à présenter au monde un front d'airain, en attendant du moins qu'elle ait fini de poser pour son portrait. Il semble que M. Cornwallis soit un artiste des plus fidèles à la réalité. Elle a peur d'attraper des cernes ou des rides qu'il se sentirait tenu de reporter sur la toile.

Je préférerais la compagnie des détenues de Millbank à celle de Priscilla en ce moment. Plutôt bavarder avec Ellen Power que de me faire tancer par ma mère. Plutôt rendre visite à Selina que de passer chez Helen à Garden Court — comme les autres, Helen aussi ne parle que des noces, mais Selina est tellement loin des règles et des usages de la vie ordinaire qu'elle pourrait être, dans sa grâce et sa froideur, une habitante de la Lune.

Tel était du moins le langage que je me tenais hier encore, mais cet après-midi, en arrivant à la prison, j'ai trouvé tout l'établissement sens dessus dessous et Selina en rien moins affolée que les autres détenues. « Vous avez choisi un moment bien triste pour venir nous voir, mademoiselle, dit la gardienne à l'entrée. Une de nos détenues est partie, et ça s'agite dans tous les quartiers. » J'ouvris des yeux ronds — évidemment, j'avais compris qu'une femme s'était évadée, mais lorsque je posai la question, l'autre éclata de rire. Là-bas, *partir* est un euphémisme désignant une crise ou plutôt une explosion de folie furieuse qui s'empare périodiquement des prisonnières et les amène à se mutiner et à saccager leur cellule. Mlle Haxby m'en expliqua le sens exact. Je la croisai dans l'escalier d'une des tours. Elle montait d'un pas las, flanquée de Mlle Ridley.

« C'est, me dit-elle, une drôle de chose. Ça ne se voit que dans les prisons de femmes. » Qu'on ait ou non raison de conclure à une prédisposition innée chez toutes les réclusionnaires, elle pouvait attester pour sa part que presque toutes les femmes incarcérées à Millbank passaient par là tôt ou tard. « Et quand elles sont jeunes et fortes et têtues — eh bien, on dirait des sauvages. Elles se mettent à hurler et à tout casser — nous ne pouvons même pas en approcher, il faut aller chercher des hommes. Le tapage s'entend partout dans tous les quartiers, et j'ai besoin de toute mon autorité pour calmer les esprits. Le fait est que quand une détenue part, on peut être à peu près sûr qu'il y en aura aussi une autre qui s'y mettra. L'exemple réveille la pulsion latente, et elle se laisse entraîner, c'est quasiment plus fort qu'elle. »

Elle passa une main sur son visage. La forcenée du jour était la voleuse Phoebe Jacobs, du quartier D. Elle s'y rendait justement avec Mlle Ridley pour inspecter les dégâts.

« Voulez-vous venir avec nous, voir la cellule saccagée ? » demanda-t-elle.

Le quartier D, avec ses portes closes, la physionomie renfrognée de ses pensionnaires et son air empuanti, irrespirable, chargé de poussière de coco, était resté dans mon souvenir comme le dernier cercle de l'enfer carcéral. Aujourd'hui, habité d'un silence peu naturel, il me parut plus sinistre encore. Mme Pretty nous y accueillit telle une lutteuse tout juste descendue du ring, baissant ses manches, épongeant la sueur qui perlait à sa lèvre, lançant avec un hochement de tête à mon adresse : « Vous venez voir la casse, mademoiselle ? Eh ben — ha, ha — ça vaut le coup d'œil ! » Un geste de la main nous invita à la suivre vers une grille ouverte un peu plus loin dans le corridor. « Attention à vos jupes, mesdames. La diablesse a renversé son baquet », avertit-elle en me voyant prête à y pénétrer avec Mlle Haxby.

J'ai essayé ce soir de décrire à Helen et à Stephen le chaos dans lequel Jacobs avait laissé sa cellule ; ils m'écoutaient avec des mines de circonstance, mais je voyais bien qu'ils n'y étaient pas. À un moment, Helen a demandé : « Si les cellules sont tellement nues pour commencer, comment les femmes font-elles pour les dégrader encore ? » La scène dont j'ai été témoin cet après-midi passait tout ce qu'ils pouvaient imaginer. C'était réellement comme un coin d'enfer — ou plutôt comme une loge dans le cerveau épileptique d'un dément, après la crise.

« Elles sont d'une ingéniosité étonnante, me dit tout bas Mlle Haxby en promenant ses regards sur l'intérieur de la cellule. Voyez-vous la fenêtre ? La grille de fer tordue, écartée pour exposer et fracasser la vitre. Le tuyau du gaz arraché — il a fallu le boucher avec un chiffon — vous voyez ? — pour sauver les autres détenues d'une intoxication. La literie, elle ne l'a pas simplement déchirée, elle l'a *mise en charpie.* Elles font ça en la broyant avec leurs dents, et on y en trouve parfois, des dents qu'elles perdent sans même s'en rendre compte... »

Elle était comme un marchand de biens, mais l'état des lieux qu'elle dressait était un inventaire de violences dont elle pointait les éléments, signalant à mon attention jusqu'aux détails les plus sordides. Les planches du lit avaient volé en éclats ; la grosse porte de chêne, balafrée de haut en bas, portait les marques de plusieurs coups de talon ; le règlement de la prison avait été arraché au mur et foulé aux pieds ; la Bible réduite à une bouillie nauséabonde au fond du baquet renversé — dernière touche éminemment terrible, qui a fait blêmir Helen. L'énumération fastidieuse, marmonnée d'une voix blanche, n'en finissait pas. Lorsque je posai une question sur un ton de tous les jours, Mlle Haxby me mit en garde : « Ne parlez pas trop fort ! » Elle craignait que d'autres détenues, entendant le récit de l'incident, ne se laissent tenter par l'exemple.

Finalement elle prit Mme Pretty à part pour traiter du nettoyage de la cellule. Ce point réglé, elle consulta sa montre et demanda : « Jacobs est au cachot, n'est-ce pas, mademoiselle Ridley ? Depuis combien de temps ?

— Ça fera bientôt une heure, répondit la gardienne-chef.

— Bien, allons lui dire un mot. » Elle hésita, puis se tourna vers moi. Désirais-je voir cela aussi ? Est-ce que cela pouvait m'intéresser de visiter avec elles le cachot obscur ?

Le « cachot obscur » ? J'avais parcouru le pentagone des femmes en long et en large, une bonne dizaine de fois, mais c'était la première fois que j'entendais ces deux mots accolés. Le cachot obscur ? Je répétai ma question : qu'est-ce que cela ?

Je m'étais présentée à la prison à quatre heures passées. Pendant notre inspection de la cellule saccagée, la lumière du jour avait déserté les corridors. J'ai toujours du mal à me faire à la nuit de Millbank, plus noire qu'ailleurs, ponctuée de l'éclat livide des becs de gaz, et à présent je me sentais soudain dépaysée au milieu des tours et des cellules silencieuses. Nous avions emprunté d'ailleurs — Mlle Ridley, Mlle Haxby et moi — une galerie que je ne reconnaissais pas, un chemin qui, à ma grande surprise, s'éloignait des quartiers des femmes et nous ramenait plutôt vers le cœur de

Millbank en s'enfonçant par une succession de plans inclinés et d'escaliers tournants ; le froid y était de plus en plus vif, et les miasmes putrides se teintèrent enfin d'une note saline qui me fit penser que nous nous trouvions sous terre, peut-être même sous le niveau de la Tamise. Nous débouchâmes enfin dans un corridor un peu plus large sur lequel s'ouvraient plusieurs antiques portes de bois, toutes assez basses. Mlle Haxby fit halte devant la première de la série avec un signe de tête à l'adresse de Mlle Ridley. Celle-ci ouvrit et s'avança pour éclairer le local.

« Autant vous montrer cela aussi, puisque nous passons devant, me dit Mlle Haxby en y pénétrant. C'est notre dépôt de fers. Nous gardons là nos carcans, nos gilets de force et ainsi de suite. »

Sa main levée me montrait les murs. Je les contemplai avec elle, seule dans l'horreur qu'ils m'inspiraient. Les murs n'étaient pas recrépis, comme en haut, mais bruts, sans revêtement d'aucune espèce, luisants d'humidité. Tous les quatre disparaissaient presque sous une panoplie de fers — pitons, chaînes, poucettes et autres instruments sans nom, plus compliqués, dont la destination me faisait frémir tout en demeurant pour moi une énigme.

Mlle Haxby, lisant sans doute ma pensée sur mes traits, reprit avec un sourire amer :

« Ces articles datent pour la plupart des premières années de Millbank. Nous les gardons un peu comme des pièces de musée. Vous remarquerez néanmoins qu'ils sont bien entretenus : nous ne pouvons jamais savoir si nous n'allons pas recevoir demain une femme assez vicieuse pour nous contraindre à les remettre en service ! Tenez, voici des menottes — celles-ci sont pour les toutes jeunes filles, regardez — voyez comme c'est coquet, comme les bracelets d'une femme du monde ! Voici des bâillons » — ce sont des courroies de cuir percées de trous qui permettent à la patiente de respirer « mais non pas de crier » — « et voici des ceps ». Les ceps, dit-elle, sont réservés aux femmes uniquement, on n'y met jamais les hommes. « Ils nous servent à contenir les détenues — Dieu sait qu'il y en a ! — à qui il prend la lubie de se coucher par terre et de donner des coups de pied dans la porte de leur cellule. Voyez-vous bien la posture que l'appareil leur impose ? Cette courroie assujettit la cheville à la cuisse ; ceci retient les mains. Tout le poids du corps porte sur les genoux, et c'est une gardienne qui fait manger la patiente à la cuillère. Elles s'en lassent vite et s'assouplissent. »

Je palpai la courroie de l'engin qu'elle me tendait. Elle portait des marques éloquentes — une ligne saillante et une rainure noire, polie — à l'endroit où la boucle la serrait. Je demandai si elles avaient souvent l'occasion de s'en servir, et Mlle Haxby répondit que c'était selon les cas : peut-être cinq ou six fois dans l'année, en moyenne. « N'est-ce pas, mademoiselle Ridley ? » Mlle Ridley approuva d'un hochement de tête.

« Notre principal moyen de contention, adapté à la plupart des cas, c'est toutefois le gilet de force. Tenez, regardez », poursuivit la directrice en allant prendre dans un placard deux articles lourds, en toile, tellement grossiers et informes que je les pris d'abord pour des sacs. Elle en passa un à Mlle Ridley et déplia l'autre en le mesurant à son propre corps, telle la femme qui essaie une robe devant une glace. Je vis alors que l'objet était en effet une sorte de souquenille — garnie de courroies aux manches et à la taille, là où d'autres vêtements portent des galons ou des rubans. « Nous les mettons aux détenues par-dessus leurs robes, pour empêcher qu'elles ne les abîment. Notez bien les attaches » — non pas des boucles, mais de grosses vis de cuivre. « Nous avons ce qu'il faut pour les serrer bien fort. Mlle Ridley a là une camisole. » La gardienne déplia alors son gilet, et je vis que les manches étaient en cuir, noires comme le goudron, anormalement longues, fermées au bout par de minces courroies. Celles-ci, comme les courroies des ceps, portaient les marques de la boucle qui les avait si souvent serrées. En les contemplant, je sentis mes mains moites de sueur sous mes gants. Elles se remettent encore à transpirer maintenant que j'y repense, malgré le froid de la nuit.

Les deux gardiennes remirent tout en place, et nous quittâmes ce lieu sinistre et reprîmes notre progression jusqu'à une voûte de pierre, basse, au-delà de laquelle le corridor avait à peine la largeur de nos jupes. Là, il n'y avait plus de becs de gaz, mais une unique bougie allumée dans une applique murale. Mlle Haxby cueillit ce lumignon pour nous éclairer, abritant de sa main la flamme erratique contre la brise saline qui soufflait dans ces souterrains. Je regardais autour de moi. Je ne savais pas qu'il y avait un tel endroit à Millbank. Je ne savais pas qu'il y avait un tel endroit dans le monde entier et, l'espace d'un instant, je me sentis gagnée par la terreur. Je me disais : Elles vont m'assassiner ! Elles vont prendre la bougie et me laisser là pour chercher seule, à tâtons, la lumière ou la folie !

Nous arrivâmes alors à une rangée de quatre portes et Mlle Haxby s'arrêta devant la première. Mlle Ridley, à la clarté défaillante de la bougie, chercha maladroitement une clef dans le trousseau à sa ceinture.

Lorsqu'elle l'eut fait jouer dans la serrure, elle ne tira pas la porte à elle, comme je m'y attendais, mais la fit plutôt coulisser : je vis alors que le battant était très épais, matelassé — ayant pour fonction d'étouffer les imprécations et les pleurs de la prisonnière dans le cachot au-delà. Celle-ci, bien sûr, en perçut le mouvement. J'entendis soudain — horrible dans ce réduit sombre et silencieux — un grand *floc* contre la porte, puis à nouveau le même bruit mou, et enfin un cri — « Garce ! Tu es donc venue me regarder pourrir ! Le diable t'emporte si je ne m'étrangle pas dès que tu auras le dos tourné ! » La porte matelassée une fois écartée, Mlle Ridley souleva un panneau masquant un guichet d'inspection dans une seconde porte pleine, en bois. Le panneau cachait des barreaux. Entre les barreaux il faisait noir — un noir à ce point intense, absolu, que mes yeux ne savaient par où le prendre. Je les écarquillais de plus en plus, à en avoir mal à la tête. Les cris avaient cessé, rien ne bougeait dans le cachot — lorsque soudain une figure humaine surgit de ce noir sans fond pour venir se plaquer contre les barreaux. Une figure terrible — blême et ruisselante et meurtrie, une écume sanglante aux lèvres, les yeux fous, à demi fermés, comme éblouis par la faible lueur de notre bougie. Le spectacle fit tressaillir Mlle Haxby, et pour ma part je fis un pas en arrière ; la figure suivit mon retrait, puis la voix reprit : « Toi aussi, le diable t'emporte, toi qui te rinces les yeux ! » Mlle Ridley frappa le bois du plat de la main pour lui imposer silence.

« Taisez-vous, Jacobs ! Encore des propos inconvenants, et nous vous laisserons là un bon mois, vous entendez ? »

La femme cala sa tête contre les barreaux et serra les lèvres, mais continua à fixer sur nous le regard terrible de ses yeux déments. Mlle Haxby s'approcha et dit : « Vous avez fait des bêtises, détenue. Nous sommes déçues, Mme Pretty, Mlle Ridley et moi. Vous avez détruit une cellule. Vous vous êtes blessée à la tête. Est-ce cela que vous avez voulu, vous faire mal à vous-même ? »

La femme inspira convulsivement. « Il faut bien que je fasse mal à quelque chose, répondit-elle. Et quant à Mme Pretty — cette garce ! Je la mettrai en pièces, peu importe combien de jours vous me gardez au cachot pour ça !

— Assez ! trancha Mlle Haxby. Cela suffit. Je reviendrai vous voir demain. Peut-être vous repentirez-vous après une nuit dans l'obscurité. Mademoiselle Ridley ! » Mlle Ridley avança avec sa clef. Je vis dans l'œil hagard de Jacobs la frénésie du désespoir.

« Ferme pas, vieille chipie ! M'ôte pas la lumière ! Oh ! » Elle pressa son visage contre les barreaux, et avant que Mlle Ridley n'eût refermé le guichet, j'entrevis le gilet qui enserrait son cou — la camisole de force, avec ses longues manches noires attachées par des courroies. Lorsque la clef eut tourné dans la serrure, nous entendîmes encore un bruit mat — comme d'un coup de crâne contre le bois — puis un cri étouffé, sur un ton différent, plus aigu : « Me laissez pas là, mademoiselle Haxby ! Oh ! mademoiselle Haxby, je serai sage comme une image ! »

La prière était pire que les imprécations. Je me tournai vers les surveillantes. Elles n'allaient pourtant pas la laisser là ? L'abandonner, toute seule, dans le noir ? Mlle Haxby, très raide, ne bougea pas. Elle dit qu'on enverrait des préposées pour la tenir à l'œil ; dans une heure, on lui apporterait du pain. J'insistai : « Mais l'obscurité, mademoiselle Haxby !

— L'obscurité est la punition », répondit-elle simplement. Elle s'éloigna, emportant la bougie, ses cheveux blancs un îlot de clarté floue dans les ténèbres. Mlle Ridley avait refermé la porte matelassée. Les cris de la prisonnière, très amortis, demeuraient pourtant distincts : « Garces ! Allez au diable — *et votre dame patronnesse avec !* » Je restai un instant figée, les yeux sur la lumière qui allait s'estompant ; enfin les cris se firent plus perçants et je courus après la flamme dansante, si vite que je faillis tomber. « Garces, garces ! » La femme ne cessait — peut-être n'a-t-elle toujours pas cessé — d'endêver. « Je vais mourir dans le noir — vous m'entendez, la visiteuse ? Je vais mourir dans le noir comme un fichu rat !

— Toujours la même chanson, commenta Mlle Ridley d'un ton amer. Dommage qu'elles ne fassent pas comme elles disent. »

Je croyais que Mlle Haxby allait la reprendre. Mais non. Elle avançait toujours, repassant devant la porte du dépôt de fers, s'engageant dans la galerie qui grimpait vers les cellules. Au rez-de-chaussée, elle nous quitta pour la lumière de son bureau, laissant Mlle Ridley pour m'escorter en haut. Sur le palier des quartiers de punition nous aperçûmes Mme Pretty, accoudée avec une autre surveillante à la grille de la cellule de Jacobs, tandis que deux détenues armées de balais lavaient à grande eau le sol souillé. On me remit enfin à Mme Jelf. J'échangeai un regard avec elle puis, Mlle Ridley repartie, plaquai les deux mains sur mes yeux. Elle murmura : « On vous a montré le cachot. » Je répondis d'un geste et posai la question qui me tracassait. La justice pouvait-elle exiger que des femmes fussent traitées ainsi ? Elle n'avait pas de réponse. Elle se détourna en hochant la tête.

Il régnait là le même silence inhabituel qu'aux autres étages, et je trouvai les détenues hérissées et défiantes. Celles que je visitai ne parlaient toutes que de l'incident ; elles voulaient savoir où exactement il s'était produit, qui était l'énergumène et ce qu'elle était devenue. « On l'aura collée au cachot, hein ? » demandaient-elles en frissonnant d'horreur.

« Au cachot, hein, mademoiselle Prior ? Dites ! C'était Morris ? »

« C'était Burns ? »

« Elle s'est fait bien mal ? »

« Je parie qu'elle regrette, à l'heure qu'il est ! »

« Moi, on m'a collée une fois au cachot, mademoiselle, me conta Mary Ann Cook. J'ai jamais eu aussi peur de ma vie, nulle part. Il y a des filles qui se moquent de l'obscurité, mais pas moi, mademoiselle. Eh non, pas moi.

— Moi non plus, Cook », répondis-je.

Selina elle-même avait subi la contagion de cet état d'âme collectif. Je la trouvai en train d'arpenter sa cellule, son tricot abandonné sur la table. En me voyant entrer, elle battit des paupières, croisa les bras, mais continua à se dandiner sur place dans une sorte de danse de Saint-Guy. J'aurais eu envie d'aller à elle, de lui faire sentir le contact de mes mains, pour la calmer.

Elle parla sans attendre que Mme Jelf eût fini de refermer la grille : « Il y en a une qui est partie. Qui était-ce ? Hoy, peut-être ? Ou bien Francis ?

— Je ne peux pas répondre, et vous le savez », répondis-je, troublée. Elle se détourna, dit qu'elle voulait seulement me mettre à l'épreuve — qu'elle savait très bien que c'était Phoebe Jacobs. On l'avait mise au cachot, dans un gilet de force avec une vis dans le dos. Est-ce que c'était bien, à mon avis ?

J'hésitai, puis répondis par une autre question : Elle, trouvait-elle bien de porter l'insoumission aussi loin que Jacobs l'avait fait ?

« Je pense que plus personne ici ne sait ce qui est bien ou mal, dit-elle. Cela nous serait d'ailleurs bien égal, sans les gens comme vous qui venez nous troubler avec vos belles distinctions ! »

Elle parlait d'une voix rude, du même ton que Jacobs ou Mlle Ridley. Je m'assis sur sa chaise, posai les mains sur sa table, étirai les doigts et me rendis compte que je tremblais. J'espérais, dis-je, qu'elle ne parlait pas sérieusement. Elle riposta : mais si, très sérieusement ! Qu'en savais-je, moi, de l'horreur que c'était pour elle, enfermée entre ces murs de brique, derrière ces barreaux, d'entendre une autre en train de démolir sa cellule ? C'était comme si on lui jetait une poignée de sable à la figure en lui interdisant de cligner des yeux. Comme une démangeaison, une souffrance — « il faut hurler ou mourir ! Mais si on hurle, on sait qu'on n'est qu'une... une brute ! Et alors Mlle Haxby vient, l'aumônier vient, *vous* venez — et pendant ce temps-là on ne peut pas être des brutes, il faut redevenir êtres humains. J'aimerais mieux que vous ne veniez pas du tout ! »

Je ne l'avais jamais vue énervée, hors d'elle à ce point. Je lui dis que s'il n'y avait que mes visites pour la faire souvenir de son humanité, je viendrais au contraire plus souvent. « Oh ! » Je voyais ses mains se crisper sur les manches de sa robe ; les jointures de ses doigts, d'ordinaire rouges, se dessinaient en blanc sous la peau tendue. Je l'entendais : « Oh ! *Eux aussi*, ils disent exactement la même chose. »

Elle avait repris sa promenade, de long en large, entre la grille et la fenêtre de sa cellule ; l'étoile sur sa manche luisait, trop claire, tel le phare qui signale un danger, chaque fois qu'elle passait sous le bec de gaz. Je me souvenais de ce que Mlle Haxby m'avait dit de la contagion des crises de fureur. Je ne pouvais rien imaginer de plus horrible que Selina jetée dans la nuit d'un cul-de-basse-fosse, Selina en gilet de force, défigurée, démente. Imposant à mes paroles un calme que j'étais loin de ressentir, je demandai : « Qui donc, Selina ? C'est Mlle Haxby qui vous dit cela ? Mlle Haxby et l'aumônier ?

— Ceux-là ! Ils ne sont pas si malins !

— Chut ! » Je craignais que Mme Jelf ne l'entende. Je n'avais qu'à la regarder pour savoir de qui elle parlait. Je dis : « Ce sont donc vos amis, les esprits.

— Oui, c'est *eux*. »

Eux. Ici, sous le couvert de la nuit, j'ai pu un instant admettre leur réalité. Mais cet après-midi, à Millbank, la nuit précisément venait de se charger d'une violence en regard de laquelle les esprits de Selina me paraissaient sans consistance, une histoire à dormir debout. Je crois bien que je me voilai les yeux. Je dis : « Je suis trop fatiguée pour vos esprits aujourd'hui, Selina...

— Fatiguée ! *Vous !* hurla-t-elle. *Vous* qui n'avez jamais été importunée par un esprit, vous qui ne les entendez pas vous murmurer à l'oreille et vous crier après, qui ne savez pas ce que c'est que la main désincarnée qui vous tire par la manche, qui vous pince... » Ses cils étaient noirs de larmes. Elle avait suspendu son va-et-vient, mais elle s'étreignait toujours en tremblant de tout son corps.

J'ignorais que les attentions de ses amis lui pesaient si fort, j'avais cru, au contraire, que leur présence était pour elle un réconfort. À l'aveu que j'en fis, elle répondit tristement : ils la réconfortaient en effet... « Mais ils sont comme vous, ils viennent et ensuite ils s'en vont. Ils me laissent toute seule, et alors je me sens moins libre et plus malheureuse que jamais, plus *semblable aux autres...* » Un signe de tête me fit comprendre qu'elle parlait de ses codétenues.

Elle poussa un soupir, ferma les yeux. Je saisis l'occasion, m'approchai enfin et lui pris les mains — je voulais faire un geste simple, pour la tranquilliser. Sans doute se calma-t-elle en effet, car elle releva les paupières, et je sentis ses doigts bouger au contact des miens... Ses doigts, tellement raides et glacés que je tressaillis malgré moi. Sans plus poser de questions, je retirai mes gants, les lui enfilai, m'emparai à nouveau de ses mains et ne les lâchai plus. Elle protesta : « *Il ne faut pas.* » Pourtant, elle ne se déroba pas, et au bout d'un moment je la sentis fléchir les doigts, tout doucement, comme pour savourer la sensation oubliée des gants contre sa paume.

Nous restâmes ainsi une minute peut-être, les mains dans les mains. « J'aimerais que vous puissiez les garder », dis-je. Sa tête fit un mouvement de refus. Je repris : « Il faudra demander alors à vos esprits de vous apporter des moufles. Ne serait-ce pas plus raisonnable que des fleurs ? »

Elle se détourna et, parlant à voix étouffée, avoua qu'elle aurait honte si je savais tout ce qu'elle avait prié les esprits de lui apporter. Elle avait demandé de la nourriture, de l'eau et du savon pour ses ablutions — même un miroir pour voir à quoi elle ressemblait. Ils lui apportaient ce qu'ils pouvaient. « Mais d'autres demandes... »

Ainsi, elle avait eu une fois l'idée de se faire remettre les clefs de toutes les serrures de la prison ; elle avait demandé des habits de ville, de l'argent.

« Vous me trouvez bien méchante ? » demanda-t-elle.

Non, elle n'avait rien fait de si répréhensible, mais j'étais contente que ses esprits lui eussent fait faux bond, car elle aurait assurément grand tort de tenter de s'évader de Millbank.

« Mes amis m'ont dit la même chose, fit-elle en hochant la tête.

— Vos amis sont donc sages.

— Très sages, oui. Mais c'est dur de penser parfois qu'ils me retiennent là, jour après jour, alors que je sais qu'ils pourraient me prendre avec eux. » Sans doute tiquai-je sur ce langage, car elle insista : « Mais oui, c'est eux qui me retiennent ! Ils pourraient me libérer en un tournemain. Ils pourraient m'enlever d'entre vos mains, telle que je suis en cet instant. Ils se rient des serrures. »

Elle était trop sérieuse. Je retirai mes mains. Libre à elle de caresser de telles chimères, si cela lui permettait de mieux supporter les heures qu'elle avait à passer là ; mais qu'elle se garde de les ruminer au point de perdre le contact avec le monde réel. « C'est Mlle Haxby qui vous retient, Selina. Mlle Haxby et M. Shillitoe et toutes les surveillantes.

— Ce sont les esprits, répéta-t-elle sans broncher. Ce sont eux qui m'ont amenée là, et ils m'y retiendront jusqu'à... »

Jusqu'à quand ?

« Jusqu'à l'accomplissement de leur dessein. »

Sceptique, je secouai la tête. Quel dessein donc ? De la punir, elle ? Et que faisait-elle de Peter Quick ? J'avais cru comprendre que c'était lui qui avait démérité.

La réponse vint avec un soupçon d'agacement : « Il ne s'agit pas de *ça*, de ce que pense *Mlle Haxby* ! Je voulais dire... »

Un dessein *spirituel*, sans doute, dans un sens ou un autre. Je repris : « Vous m'en avez déjà dit un mot. Je n'ai pas compris sur le moment, et je ne comprends pas davantage maintenant. Pas plus que vous, d'ailleurs, si je ne me trompe. »

Elle m'avait à moitié tourné le dos. À présent elle leva à nouveau les yeux sur moi, et je vis qu'elle avait changé de visage. L'air éminemment solennel, elle murmura d'une voix à peine audible : « Mais si, je crois que je commence à comprendre. Et... j'ai peur. »

Ces paroles, sa physionomie, la nuit tombante... Je m'étais montrée sévère avec elle, elle m'avait mise mal à l'aise, mais à présent je lui serrai derechef les deux mains et repris mes gants pour réchauffer un instant ses doigts nus entre les miens. Je la pressai de questions. Qu'est-ce qu'il y avait ? Qu'est-ce qui lui faisait peur ? Elle se détourna, sans répondre. Ses mains en même temps se tordirent entre les miennes, les gants m'échappèrent et je me baissai pour les ramasser.

Ils étaient tombés sur les dalles de pierre, nettes et froides. En les récupérant, je découvris cependant, juste à côté, une traînée blanche. Une traînée luisante, qui émit un craquement lorsque j'y appuyai le doigt. Ce n'était pas du salpêtre, tombé des murs suants.

C'était de la cire.

De la cire. Je me mis à trembler. Je me redressai enfin, reportai mes regards sur Selina. Elle remarqua bien ma pâleur, mais non pas la chose qui en était cause. « Qu'est-ce qu'il y a ? fit-elle. Qu'avez-vous, Aurora ? » À cela j'ébauchai un mouvement de recul, car j'avais cru entendre, au-delà, la voix de Helen — Helen qui m'avait baptisée autrefois du nom d'une héroïne de roman ; Helen qui, pour sa part — avais-je dit alors —, ne pourrait jamais prendre un nom plus seyant que celui qu'elle portait depuis toujours...

« Qu'est-ce qui ne va pas ? »

Je posai les mains sur ses épaules. Je pensais à Agnes Nash, la faussaire, parlant des voix fantomatiques qu'elle entend dans la cellule de Selina. Je dis : « Vous avez peur... De quoi donc ? Peur de *lui* ? Est-ce qu'il vient encore vous relancer là ? Est-ce qu'il vous importune la nuit, maintenant encore, même *ici* ? »

Je sentais la chair subtile de ses bras sous les manches du costume pénal, les os sous la chair. Elle inspira un grand coup, comme si je lui faisais mal, avec un bruit qui me fit relâcher prise et reculer, honteuse. Je revoyais la main de cire de Peter Quick. Objet enfermé dans une vitrine, à une demi-lieue de Millbank, et qui n'était d'ailleurs qu'une écorce vide, incapable de lui faire du mal.

Et pourtant, et pourtant — oh ! il y avait bien un rapport. Un rapport sinistre qui s'imposait à mon esprit et me faisait frémir. Certes, la main était en cire, mais... Je repensai au cabinet de lecture. Comment serait-il la nuit ? Plongé dans l'obscurité, sans un bruit, sans un mouvement... Pourtant, les moulages dans leur armoire vitrée étaient peut-être moins tranquilles. Peut-être la cire était-elle parcourue de remous. Peut-être les lèvres d'une face spectrale étaient-elles tiraillées par un tic, peut-être les yeux roulaient-ils sous les paupières baissées ; la fossette se creusait encore dans le bras de bébé qui se déployait — je le voyais en cet instant, dans la cellule de Selina, en reculant loin d'elle avec un frisson d'effroi. Les doigts boursouflés du poing de Peter Quick — je les voyais, je les voyais ! — ils se déroulaient, fléchissaient et derechef s'étiraient. Voilà que la main rampait sur l'étagère de bois. Les doigts traînaient la paume à leur suite. Voilà qu'ils entr'ouvraient la porte de la vitrine en laissant de longues traces sur le verre.

Du coup, je voyais tous les moulages se mettre à ramper à travers le silence du cabinet de lecture ; et en rampant, ils mollissaient, se liquéfiaient et se mêlaient les uns aux autres. Ils formaient ensemble un flot de cire que je voyais couler à travers les rues, jusqu'au quai de Millbank et à la prison, plongée dans le repos... La coulée de cire traversait la languette de gravier et les premiers pentagones, s'insinuait entre les gonds des portes, à travers les intervalles des barreaux, les guichets d'inspection, les *trous de serrure.* La cire était blême sous les flammes du gaz, mais personne n'y faisait attention, et sa progression, lorsqu'elle se déplaçait, était sans bruit. Il n'y avait que Selina, dans toute l'immense prison endormie, qui guettait le glissement discret du flot de cire sur le sol sablé de son corridor. Je voyais la cire approcher petit à petit des briques chaulées à côté de sa porte, je la voyais pousser le masque de fer du guichet, couler dans la ténèbre de sa cellule pour former une mare sur les dalles glacées. Je la voyais croître, semblable d'abord à l'aiguille d'une stalagmite. Elle durcissait...

Et tout d'un coup c'était Peter Quick. Il était là, il l'embrassait.

Je vis tout cela en l'espace d'une seconde — avec une netteté, une force qui me soulevait le cœur. À nouveau Selina venait à moi, mais je me dérobai et, croisant son regard, éclatai d'un rire atroce. Je dis : « Je ne peux rien faire pour vous aujourd'hui, Selina. Je voulais vous réconforter, au lieu de quoi je me suis fait peur à moi-même. Pour rien. »

Mais non, ce n'était pas rien. Je savais que ce n'était pas rien.

Près de son talon la traînée de cire se découpait, très blanche, sur le sol de pierre. *Comment* avait-elle pu arriver là ? Mais Selina s'approchait. Un dernier pas, et la tache s'estompa, disparut dans l'ombre de sa jupe.

Je restai un moment encore avec elle, distraite, le cœur dans la gorge, obnubilée à la fin par la crainte qu'une surveillante, venant à passer devant la grille, ne me vît ainsi, pâle et défaite. Il y aurait certainement quelque chose pour me dénoncer, un stigmate de désordre ou d'exaltation dans mon aspect. Je me souvins soudain que j'avais éprouvé la même crainte vis-à-vis de ma mère, en rentrant à la maison après une visite chez Helen. J'appelai Mme Jelf. Son regard se porta cependant, non pas sur moi, mais sur Selina, et elle ne me fit aucune remarque en me raccompagnant. Elle ne parla qu'à la sortie du quartier, levant alors une main à sa gorge : « Sans doute avez-vous trouvé nos pensionnaires un peu énervées aujourd'hui. Elles sont toujours ainsi, les pauvres, après une crise de ce genre. »

Du coup, je me jugeai abominable, après tout ce que Selina m'avait dit, de l'avoir laissée seule et terrorisée, le tout à cause d'une petite croûte de cire blanche ! Mais je ne pouvais pas revenir en arrière. Je marquai seulement un temps d'arrêt devant la grille du palier. Mme Jelf m'observait patiemment de ses yeux noirs, pleins de bonté. C'était vrai, dis-je, les femmes étaient agitées, et il me semblait que Dawes — Selina Dawes — était particulièrement affectée.

Je dis : « Je suis contente de la savoir confiée à *votre* vigilance, madame Jelf, plutôt qu'à une autre. »

Elle baissa les yeux, comme par modestie, et répondit qu'elle aimait se croire l'amie de toutes ses pensionnaires. « Mais pour ce qui est de Selina Dawes... Soyez tranquille, mademoiselle Prior, personne ne lui fera de mal tant que *je* serai là pour la garder. »

Cela dit, elle inséra la clef dans la serrure. Frappée par la largeur de sa main, blanche dans la pénombre, je repensai au flot de cire et à nouveau faillis me trouver mal.

Hors les murs de la prison, le jour s'était assombri, la rue se noyait dans un brouillard de plus en plus dense. L'homme envoyé par le concierge pour me chercher un fiacre fut long à revenir. En montant enfin en voiture, j'avais l'impression de tirer le brouillard derrière moi, tel un fil qui se serait enroulé autour de mes jupes en les appesantissant. Maintenant encore il n'a pas fini de s'épaissir. Le brouillard arrive à la hauteur de ma chambre et commence à s'infiltrer sous les rideaux. Ellis, envoyée par ma mère pour m'appeler à table, m'a trouvée ce soir agenouillée par terre à côté du miroir, en train de calfeutrer les fenêtres avec des bourrelets de papier. Et de s'écrier : Qu'est-ce que je faisais là ? J'allais attraper froid ou me blesser les doigts.

J'ai dit que j'avais peur du brouillard, peur qu'il ne vienne me suffoquer dans le noir.

25 janvier 1873

Ce matin je suis allée trouver Mme Brink & je lui ai dit que j'avais une confidence à lui faire. Elle a demandé : est-ce que cela regarde les Esprits ? J'ai dit que oui, & elle m'a fait passer dans sa chambre & elle m'a fait asseoir, mes mains dans les siennes. J'ai dit : Mme Brink, j'ai eu une apparition. Quand elle a entendu cela, elle a changé de visage, je voyais à qui elle pensait mais j'ai dit : non, ce n'était pas *elle*, c'était un Esprit tout nouveau. J'ai dit : c'était mon *guide*, Mme Brink. C'était mon *Esprit familier*, que tout médium attend. Il est venu enfin & il s'est manifesté à moi ! Elle m'a interrompue : *il* est venu, & j'ai secoué la tête, j'ai dit : *il, elle*, vous devriez savoir que dans les sphères ces différences-là n'ont plus cours. Mais l'Esprit en question était un monsieur ici-bas & il ne peut m'apparaître maintenant que sous cette forme. Il est venu dans le dessein de démontrer les vérités du spiritisme. Il veut le faire chez vous, Mme Brink !

Je pensais qu'elle serait contente, mais non. Elle a retiré ses mains, elle s'est détournée en disant : oh, Mlle Dawes ! je sais ce que cela veut dire ! Ce sera la fin de nos séances à deux ! Je savais que je n'étais pas destinée à vous garder, que je vous perdrais un jour. Je n'aurais pas cru qu'un monsieur se mettrait ainsi entre nous !

J'ai compris alors pourquoi elle me cloîtrait dans sa maison & ne me montrait qu'aux dames de ses amies. Cela m'a fait rire, & je lui ai pris encore les mains en disant : allons bon, où allez-vous chercher cela ? Croyez-vous que je n'aie pas assez de pouvoirs pour tout le monde & vous aussi, par-dessus le marché ? J'ai dit : Margery pense-t-elle que sa maman la quitterait à nouveau, pour ne plus revenir ? Mais non, la maman de Margery n'aura que plus de facilité à venir si mon guide est là pour lui offrir son bras & l'aider ! Mais si nous ne laissons pas venir le guide, c'est alors que je risque de perdre de mes facultés, & je ne sais pas jusqu'où ça pourrait aller.

Elle m'a regardée, elle est devenue blanche comme un linge & elle a murmuré : que dois-je faire ? & je lui ai fait savoir ce que j'avais promis — qu'elle inviterait demain soir 6 ou 7 de ses amies pour une séance dans le noir. Qu'elle ferait transférer le cabinet dans l'autre alcôve, puisqu'on m'avait fait comprendre que le magnétisme y était meilleur. Qu'elle ferait préparer une bouteille d'huile phosphorée, qui servirait de lampe pour voir l'Esprit, & qu'elle ne me donnerait à table qu'un peu de viande blanche & deux doigts de vin. J'ai dit : ce sera un très grand événement, & très étonnant, je le sais.

En fait je ne savais pas, & j'avais terriblement peur. Mais elle a sonné Ruth & elle lui a répété tout ce que je venais de demander, & Ruth est allée en personne porter le message chez les amies de Mme Brink. & quand elle est revenue de sa tournée, elle a annoncé que 7 personnes avaient promis de venir sans faute, & que Mme Morris voulait nous amener aussi ses nièces, les 2 Mlles Adair, qui passent les vacances chez elle & qu'elle croit aussi amateurs que d'autres d'une bonne séance dans le noir. Elles seront donc une vraie foule : 9, c'est plus que je n'aimais avoir même dans le temps, avant les apparitions. Mme Brink a vu la tête que je faisais & elle m'a grondée : comment ! vous avez le trac ? Après tout ce que vous m'avez dit ? & Ruth aussi : que craignez-vous ? Allez, ce sera merveilleux.

26 janvier 1873

Je suis allée ce matin à l'église avec Mme Brink, comme tous les dimanches. Mais ensuite j'ai gardé la chambre, sauf pour descendre grignoter une aile de poulet & un brin de poisson que Ruth s'était mise exprès aux fourneaux pour cuisiner à mon intention. J'ai eu droit aussi à un verre de vin tiède, & alors je me suis calmée un peu, mais les invitées arrivaient, je les entendais bavarder ensemble en entrant au salon, & quand Mme Brink m'y a conduite à mon tour & que j'ai vu toutes les chaises alignées face à l'alcôve & ces dames qui étaient tout yeux, je me suis mise à trembler. J'ai dit : je ne sais pas ce que ça va donner ce soir, d'autant qu'il y a là des étrangères. Mais mon guide m'a parlé, c'est lui qui m'a enjoint de vous donner une séance, & je ne peux pas lui désobéir. Alors quelqu'un a demandé : pourquoi avez-vous refait le cabinet dans l'alcôve où il y a une porte ? Mme Brink a expliqué que le magnétisme y était meilleur & que la porte ne devait pas les inquiéter — personne ne l'avait ouverte depuis que la bonne en avait perdu la clef, & elle l'avait d'ailleurs cachée derrière un paravent.

Plus personne n'a rien dit. Tout le monde me regardait. J'ai expliqué que nous allions rester ensemble dans le noir & attendre un message ; au bout de 10 minutes, il y a eu des coups frappés, & j'ai dit que c'était le signal pour que je me retire dans mon cabinet & qu'elles dévoilent la lampe à phosphore. Elles ont fait comme j'ai dit, j'ai vu la lueur bleutée se refléter sur le plafond en haut de l'alcôve, au-dessus du rideau. Alors je leur ai dit de chanter. Elles ont chanté 7 cantiques de bout en bout, & je commençais à me demander si ça n'allait pas rater après tout, & je n'aurais pas su dire si j'en étais fâchée ou plutôt contente. Mais juste au moment où je me posais la question, j'ai senti un grand mouvement, tout près, & je me suis écriée : oh ! l'Esprit est là !

Ensuite ce n'était pas du tout comme je m'y attendais, c'était *un homme* qui était là ; ces gros bras, ces favoris bruns, ces lèvres rouges étaient bien ceux *d'un homme.* Je l'ai regardé en tremblant & j'ai murmuré : oh, mon Dieu ! C'est pour de bon ? Il a entendu l'hésitation dans ma voix, & il m'a montré un front lisse comme de l'eau, il a souri & il a fait oui de la tête. Mme Brink a crié : qu'est-ce qu'il y a, Mlle Dawes ? Qui est là ? J'ai dit : je ne sais pas quoi répondre, & il s'est penché, il a mis la bouche tout contre mon oreille & il a soufflé : dis que c'est ton maître. J'ai dit cela, & il m'a quittée, il est sorti devant le rideau & j'ai entendu tout le monde au salon pousser des oh ! & des ah ! & des : grand Dieu ! c'est un Esprit ! Mme Morris a crié : qui es-tu, Esprit ? & il a répondu en enflant sa voix : mon nom spirite est *Irrésistible*, mais sur terre je me nommais *Peter Quick*. Vous autres mortelles, vous devrez me donner mon nom terrestre, car c'est sous la forme d'un homme que vous me verrez ! L'une d'elles a dit alors : Peter Quick, & quand elle a prononcé ces syllabes, je les ai répétées avec elle, car jusqu'à cet instant je n'avais pas su moi-même quel serait son nom.

Ensuite j'ai entendu Mme Brink demander : viendras-tu parmi nous, Peter ? Mais il ne voulait pas, il est resté devant le rideau & il a répondu à leurs questions — & elles, pendant tout ce temps, ne cessaient de s'exclamer d'admiration devant la justesse de ses réponses. Enfin il a fumé une cigarette qu'on a été chercher exprès pour lui, & il a pris un verre de citronnade, il a ri en y goûtant & il a dit : Quand même, une petite goutte de *spiritueux* n'aurait pas été de trop. Une dame lui a demandé ce que la boisson deviendrait quand il serait reparti ? Il a réfléchi avant de répondre : on la retrouvera dans l'estomac de Mlle Dawes. Alors Mme Reynolds, en le voyant le verre en main, a demandé : est-ce que je peux te prendre la main, Peter, pour voir comment elle est au toucher ? Je l'ai senti moins sûr de lui, mais pour finir il l'a invitée à s'approcher. Il a dit : allez, qu'est-ce que tu en dis ? & elle a répondu : ta main est chaude & résistante ! Il a ri. Puis il a dit : oh ! tiens-la encore un peu, tu me feras plaisir. Je viens d'un monde transitoire, où il n'y a pas de dames aussi belles que toi. Il s'est tourné vers le rideau en disant cela, mais ce n'était pas pour me taquiner, c'était plutôt une façon de dire : tu m'entends ? Qu'est-ce qu'elle peut savoir, elle, de ce qui me plaît & qui je trouve belle ? Mais il a bien dit ce qu'il a dit, & Mme Reynolds est partie d'un petit rire frétillant, & quand il est repassé derrière le rideau il a plaqué une main sur ma figure & je l'ai reconnue à l'odeur, c'était comme si elle frétillait dans sa paume. Alors j'ai poussé un cri & j'ai dit à tout le monde de se remettre à chanter, bien fort. Quelqu'un a demandé : elle se trouve mal ? & Mme Brink a répondu que je résorbais le fluide que j'avais prêté à l'Esprit & qu'il ne fallait pas me déranger avant que l'échange ne soit accompli.

Tout d'un coup je me suis retrouvée seule. J'ai dit de rallumer le gaz & je suis sortie rejoindre les autres, mais je tremblais si fort que je tenais à peine debout. Elles s'en sont rendu compte & elles m'ont fait allonger sur le canapé. Mme Brink a sonné, & Jenny est venue d'abord, puis Ruth aussi, & Ruth a dit : oh ! qu'est-ce qui s'est passé ici ? Vous avez vu des merveilles ? Mais voilà Mlle Dawes blanche comme un linge ! Qu'est-ce qui lui arrive ? Le son de sa voix m'a fait trembler encore plus, & Mme Brink l'a bien vu, elle m'a pris les mains & elle les a frictionnées en demandant : vous n'êtes pas trop épuisée ? & Ruth m'a ôté mes pantoufles & elle a pris mes pieds dans ses mains & elle s'est penchée pour les réchauffer de son haleine. Mais pour finir l'aînée des demoiselles Adair lui a dit : allez, ça suffit, ce sera moi qui m'occuperai d'elle maintenant. Alors elle s'est assise près de moi & une autre dame m'a pris la main. Mlle Adair a dit tout bas : oh ! Mlle Dawes, je n'ai jamais rien vu d'aussi fort que cet Esprit-là ! C'était comment, quand vous l'avez senti venir dans le noir ?

Quand elles sont reparties, 2 ou 3 ont donné de l'argent à Ruth pour moi, je les ai entendues déposer les pièces dans sa main. Mais j'étais tellement fatiguée que, pièces d'or ou petite monnaie, cela m'était égal, je voulais seulement aller me blottir dans le noir & y poser la tête. Je n'ai pas bougé du canapé. J'entendais Ruth verrouiller la grande porte, & Mme Brink aller & venir dans sa chambre, puis se mettre au lit & attendre. Tout d'un coup j'ai su qui elle attendait. Je suis sortie dans l'escalier, j'ai levé une main pour me tâter la figure. Ruth était là, elle m'a regardée, une fois, & elle a dit en hochant la tête : c'est ça.

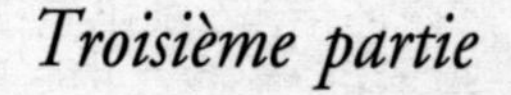
Troisième partie

5 novembre 1874

Hier, c'était le second anniversaire de la mort de mon cher père. Aujourd'hui, ma sœur Priscilla a enfin épousé Arthur Barclay dans l'église de Chelsea. Elle ne remettra plus le pied à Londres avant l'année prochaine et la nouvelle saison mondaine, au plus tôt. Le voyage de noces est prévu pour durer dix semaines, après quoi ils rentreront tout droit d'Italie dans le Warwickshire, où il est question que nous allions les rejoindre en janvier pour villégiaturer jusqu'au printemps — j'aime mieux ne pas y penser pour l'instant. À l'église, j'étais entre ma mère et Helen. Pris a fait son entrée au bras de Stephen, avec une des enfants Barclay portant ses fleurs dans une corbeille. Elle était voilée de dentelle blanche, et lorsqu'elle est sortie de la sacristie et qu'Arthur lui a découvert le visage — eh bien, il faut croire que le masque de pierre qu'elle s'est composé depuis six semaines aura tout de même servi à quelque chose — je crois bien ne l'avoir jamais vue aussi belle. Ma mère se tamponnait les yeux avec son mouchoir, et j'entendais Ellis sangloter tout haut à la porte de l'église. Évidemment, Pris a déjà sa propre femme de chambre, une jeune qui nous est arrivée de Marishes, envoyée par l'intendante.

Je craignais que ce ne soit pénible de voir ma sœur passer devant moi à l'église. Mais non. Je n'ai boudé un peu qu'au moment des baisers d'adieu, lorsque j'ai vu les bagages des nouveaux mariés, ficelés et étiquetés, et que Priscilla, resplendissante dans une cape moutarde — première tache de couleur que la famille se soit permise en deux fois douze mois —, a promis de nous envoyer des cadeaux de Milan. Une fois ou deux, j'ai cru lire de la pitié indiscrète dans les regards qui se tournaient de mon côté — bien moins en tout cas qu'au mariage de Stephen. À l'époque, j'étais la croix que ma pauvre mère avait à porter. Me voilà devenue maintenant sa *consolation*. Je l'ai entendu dire plusieurs fois ce matin autour de la table : « Remerciez Dieu pour Margaret, madame Prior. Elle ressemble tellement à son père ! Elle sera pour vous un réconfort à présent. »

Je n'ai rien d'un réconfort. Elle n'a pas envie de voir les traits et les maniérismes de son mari reproduits *chez sa fille* ! Une fois tous les invités partis, je l'ai trouvée errant à travers la maison ; elle hochait la tête en soupirant — « quel silence tout d'un coup ! » — comme si ma sœur était une petite enfant qu'elle était triste de ne plus entendre s'égosiller dans l'escalier. Je l'ai suivie jusqu'à la chambre de Priscilla, j'ai contemplé avec elle les armoires vides. Tout a été emballé et expédié à Marishes, même ses affaires de fillette — que Pris donnera sans doute à ses propres filles, quand elle en aura. J'ai dit : « Il n'y aura bientôt plus chez nous que des chambres vides », et ma mère a soupiré de plus belle.

Elle s'est approchée alors du lit, elle en a arraché d'abord le rideau, puis la courtepointe, disant qu'il ne fallait pas laisser tout cela prendre l'humidité et moisir. Elle a sonné Vigers et lui a fait défaire complètement le lit, puis battre les tapis et briquer la cheminée. Ensemble au salon, nous avons prêté l'oreille au remue-ménage inhabituel, ma mère ne cessant de pester contre Vigers — « maladroite comme un veau » — que pour consulter la pendule de la cheminée et se remettre à soupirer en disant « Priscilla sera à Southampton maintenant » ou « à l'heure qu'il est ils seront au milieu de la Manche ».

Entre les deux, c'était : « Qu'elle est bruyante, cette pendule ! » L'instant d'après, son regard cherchant l'endroit où le perroquet avait eu son perchoir : « Quel silence, maintenant que Gulliver nous a quittées. »

C'était bien l'ennui, disait-elle, avec les animaux qu'on introduisait dans la maison. On s'habituait à eux, on se sentait tout ému en les perdant.

La pendule s'obstinait dans son tic-tac. Nous avons parlé des noces et des invités et de la splendeur de Marishes et de la beauté des sœurs d'Arthur et de leurs toilettes ; la soirée avançant, ma mère a pris de l'ouvrage dans sa boîte pour s'occuper. Vers neuf heures, comme à mon habitude, je me suis levée pour me retirer en lui souhaitant une bonne nuit. Elle m'a regardée d'un air étrange, hargneux. Elle a dit : « Vous n'allez pas me laisser m'abêtir toute seule, j'espère. Allez chercher votre bouquin et apportez-le ici. Vous pourrez me le lire, personne ne m'a fait la lecture depuis la mort de votre père. » Atterrée, paniquant presque, j'ai protesté qu'elle savait bien qu'aucun de mes livres n'avait de chances de lui plaire. Elle a insisté : que j'apporte donc autre chose, plus à son goût, un roman ou une correspondance. Et pendant que j'ouvrais des yeux ronds, elle est allée prendre un volume au hasard dans l'armoire à livres à côté de l'âtre. C'était le premier tome de *La Petite Dorrit.*

Je lui ai donc fait la lecture, tandis qu'elle travaillait distraitement à son ouvrage, regardait l'heure toutes les deux minutes, sonnait pour se faire apporter du thé et des biscuits, grondait Vigers qui avait failli renverser le plateau, au bruit pétaradant d'un feu d'artifice tiré dans Cremorne Gardens, des rires et des éclats de voix des passants qui nous parvenaient de la rue. Je lui ai fait la lecture — elle écoutait l'esprit ailleurs, sans réaction apparente — mais chaque fois que je marquais une pause, elle m'encourageait d'un signe de tête : « Allez, Margaret, continuez. Allez, encore un chapitre. » Je reprenais donc en l'observant en dessous, hantée par une vision aussi claire que terrible.

Je la voyais vieillir. Je la voyais se voûter avec l'âge, égrotante, jamais contente — sans doute un peu dure d'oreille. Je voyais son caractère s'aigrir, parce que son fils unique et sa fille préférée avaient fondé leur propre foyer et vivaient loin d'elle, au milieu des rires et des ébats de leurs enfants, dans des maisons animées par la jeunesse et les dernières modes, où elle aussi aurait eu sa place s'il n'y avait eu son autre fille, sa *consolation* ou plutôt tout le contraire : celle qui ne s'était pas mariée et qui préférait les prisons et la poésie aux gravures de mode et aux mondanités. Pourquoi n'avais-je pas pressenti que les choses se passeraient forcément ainsi, lorsque Pris s'en irait? Je n'avais écouté que l'envie qui me rongeait. À présent, assise là à observer ma mère, je sentais la peur me gagner, une peur dont je n'avais pas lieu d'être fière.

Quand enfin elle s'est levée pour se retirer chez elle, je suis allée à la fenêtre. Le front collé à la vitre, j'ai regardé les fusées qui, malgré la pluie, éclataient toujours au-dessus des arbres de Cremorne.

Voilà pour ce soir. Demain, Helen nous amène son amie, Mlle Palmer. Mlle Palmer est à la veille de se marier.

J'ai vingt-neuf ans. Dans trois mois je passerai le cap de la trentaine. Pendant que ma mère déclinera en s'aigrissant, qu'adviendra-t-il de moi?

Je me dessécherai, je deviendrai cassante, décolorée — telle la feuille qu'on garde, pressée entre les pages d'un triste livre noir, jusqu'à ce que l'oubli la réclame. J'en ai trouvé une hier — une feuille de lierre — dans un volume de la bibliothèque derrière la table de travail de papa. J'y étais allée en disant à ma mère que je voulais commencer à trier sa correspondance, mais en fait c'était simplement pour penser à lui. La pièce est restée telle qu'il l'a laissée, sa plume toujours sur le buvard, son cachet, le couteau qui lui servait à couper ses cigares, la glace...

Je me rappelle l'avoir vu devant cette glace, quinze jours avant que les médecins ne découvrissent son cancer; il s'était détourné alors, un sourire atroce aux lèvres. Sa nounou lui avait dit autrefois, tout enfant, que les malades ne devraient pas contempler leur reflet, de peur que leur âme ne s'envole à travers le miroir en les abandonnant à la mort.

Je suis restée hier un bon moment devant ce miroir, à y chercher papa — à y chercher n'importe quoi du temps où il vivait encore. Il n'y avait que moi.

10 novembre 1874

En descendant ce matin, j'ai trouvé trois chapeaux de papa accrochés au portemanteau et sa canne appuyée comme autrefois contre le mur de l'entrée. Un instant je suis restée paralysée, malade de peur, revisitée par le souvenir de mon médaillon. Je me disais : « C'est *Selina* qui a fait cela, mais comment est-ce que je vais l'expliquer aux autres ? » Ellis est arrivée alors en me regardant d'une drôle de façon, et elle m'a donné le mot de l'énigme. C'est une idée de ma mère : elle s'imagine que les cambrioleurs nous laisseront tranquilles s'ils ont lieu de croire qu'il y a un homme dans la maison ! Elle a demandé aussi qu'un agent de police soit posté dans la rue, et chaque fois que je sors maintenant, je le vois qui me regarde, puis qui lève une main à son couvre-chef et me salue d'un « bonjour, mademoiselle Prior ». Un peu plus et elle voudra que la cuisinière dorme avec des pistolets chargés sous son oreiller, comme chez les Carlyle. Et alors la pauvre femme se retournera dans son sommeil et se brûlera la cervelle par inadvertance, et ma mère s'en mordra les doigts et dira : quel dommage ! à la broche comme au fourneau, notre Mme Vincent était une cuisinière hors pair...

Mais je deviens cynique. C'est Helen qui me l'a dit. Elle est passée ce soir, avec Stephen. Je suis montée ici en les laissant avec ma mère, mais Helen est encore venue frapper à ma porte — elle le fait souvent, elle monte me souhaiter bonne nuit, cela n'a rien d'extraordinaire. Ce soir cependant, en lui ouvrant, j'ai remarqué qu'elle apportait quelque chose, un objet qui la mettait visiblement mal à l'aise. Mon flacon de chloral. Elle s'est expliquée, le regard fuyant : « Ta mère m'a demandé de t'apporter ton médicament, si je voulais bien, puisque je montais de toute façon. Je lui ai dit que cela ne te plairait pas, mais elle se plaint des marches, il paraît qu'elle a mal aux jambes. Elle dit qu'elle aime mieux s'en remettre à moi, plutôt qu'à une domestique. »

À tant faire, je pense, moi, que je préférerais Vigers à Helen. J'ai dit : « Si cela continue comme ça, un de ces jours elle me le fera prendre au salon, à la petite cuillère, sous les yeux de nos invités. Enfin... Est-ce que tu es allée toute seule le chercher chez elle ? Tu es privilégiée, tu sais, si elle t'a dit où elle le garde. Moi, elle ne veut pas que je le sache. »

Elle s'est donné du mal pour doser la poudre et préparer le breuvage. Je l'ai regardée faire. Lorsqu'elle m'a apporté le verre, je l'ai posé sur mon secrétaire sans y toucher, et elle a dit : « Il faut que je reste jusqu'à ce que tu aies tout bu. » J'ai dit que je le prendrais tout à l'heure. Qu'elle ne s'inquiète pas : je ne cherchais pas un prétexte pour la retenir. La réplique l'a fait rougir, et elle a détourné la tête.

Nous avons parlé un peu de la lettre de Pris et d'Arthur, postée à Paris, qui est arrivée ce matin. J'ai demandé à Helen, sans ambages : « Est-ce que tu te rends compte comme j'étouffe ici, depuis le mariage ? Est-ce que tu me trouves bien égoïste ? » Elle a hésité un instant avant de répondre que, bien sûr, je devais traverser un moment pénible, avec ma sœur mariée et...

Je la dévisageais, je n'en croyais pas mes oreilles. Oh! combien de fois n'avais-je pas entendu ces mots-là!? Quand j'avais dix ans et que Stephen est parti au collège : on disait que ce serait « un moment pénible », attendu que j'étais tellement intelligente et que je ne comprendrais pas pourquoi je devais me contenter, moi, des leçons de ma gouvernante. Quand il est entré à l'université, à Cambridge, ç'avait été la même histoire; et puis encore, quand il est rentré avec son diplôme et qu'il a été reçu avocat. Quand on a compris que Pris allait être une beauté, on a encore parlé d'un moment pénible, eh oui, j'aurais sans doute du mal à en prendre mon parti, laide comme je l'étais. Et ensuite, quand Stephen s'est marié, quand papa est mort, quand Georgy est né... Une chose amenait l'autre, et on ne trouvait rien à dire sinon que oui, bien sûr, il était tout naturel que j'en souffre — tel était le lot de la sœur aînée non mariée. « Mais Helen, ai-je conclu. Oh, Helen! Si on sait que ce sera pénible, pourquoi ne change-t-on pas quelque chose pour le rendre plus supportable? Il me semble que si seulement on voulait bien m'accorder un peu de liberté... »

Et qu'en ferais-je? a demandé Helen. Me voyant incapable de lui répondre, elle a laissé tomber en m'encourageant à venir la voir plus souvent à Garden Court.

« Pour contempler le couple que tu formes avec Stephen. Les jeux et les ris du petit Georgy », ai-je complété sans enthousiasme, et Helen a dit que je n'avais alors qu'à attendre le retour de Pris, je serais sûrement invitée à Marishes, et cela me changerait les idées. « Marishes! » —

c'était un cri — « et on me placera à table à côté du fils du vicaire, et je passerai mes journées avec la cousine d'Arthur, elle aussi vieille fille, à épingler des scarabées noirs sur un fond de feutre vert. »

Helen fixait sur moi un regard scrutateur. C'est alors qu'elle m'a dit que je devenais cynique. J'ai répliqué que pour être cynique, je l'avais toujours été — seulement elle avait appelé cela autrement. Elle disait plutôt que j'étais *courageuse.* Elle me qualifiait d'*originale.* J'avais eu l'impression qu'elle m'admirait pour cela.

Le mot l'a fait rougir derechef — et soupirer en même temps. S'écartant de moi, elle est allée se poster au pied du lit, et j'ai lancé sans réfléchir : « Attention, pas trop près ! Ne sais-tu pas que ma couche est hantée par nos baisers d'antan ? Ils reviendront te faire peur.

— Oh ! » Elle a poussé un cri en tapant du poing contre une colonne du lit, pour s'y asseoir enfin en cachant son visage dans ses mains. Allais-je la tourmenter jusqu'à la fin des temps ? C'était *vrai* qu'elle admirait mon courage — maintenant encore, elle n'a pas changé d'avis —, mais de mon côté, j'avais cru trouver la même vertu chez elle... « Et je n'ai jamais eu de courage, Margaret, pas assez, pas pour ce que tu voulais. Et maintenant, alors que tu pourrais être toujours pour moi une amie chère... Oh ! j'ai tellement envie de t'avoir pour amie ! Mais tu transformes nos rapports en un combat ! Si tu savais comme j'en suis lasse. »

Elle a secoué la tête, fermé les yeux, et j'ai senti du coup sa lassitude. La sienne, oui, et la mienne en même temps. Une fatigue qui pesait sur moi, sombre et lourde, plus noire, plus accablante que toutes les drogues qu'on m'avait fait prendre

— chargée de tout le poids de la mort. J'ai regardé le lit. Il m'est arrivé en effet d'y voir nos baisers, suspendus au ciel, pareils à des chauves-souris prêtes à fondre sur moi. Maintenant, pensais-je, je pourrais secouer le rideau et ils tomberaient du premier coup pour se briser en mille morceaux.

Je lui ai demandé pardon. J'ai dit — je mentais, je n'en sentais pas un mot et jamais je n'en serai contente — j'ai dit : « Je suis contente que ce soit précisément à Stephen que tu t'es donnée. Je pense qu'il doit être très bon. »

Oui, le meilleur homme qu'elle avait jamais connu. Un silence — elle hésitait manifestement à lâcher le mot — et elle a poursuivi : elle souhaiterait tant..., elle pensait, si j'allais un peu plus dans le monde..., bref, il y avait aussi d'autres hommes bons...

Bons tant qu'ils voudraient. Bons et raisonnables et gentils. Ils ne seraient jamais ce qu'elle était.

J'ai gardé toutefois ma pensée pour moi. Je savais qu'elle ne comprendrait pas. J'ai dit autre chose — des mots banals, anodins, je ne sais plus lesquels. Et au bout d'un moment elle est venue m'embrasser sur la joue, et ensuite elle est partie.

Elle a emporté le flacon de chloral, mais avec tout cela elle avait oublié de me regarder boire ma potion. Le verre était toujours là, sur la tablette de mon secrétaire, l'eau claire, sans corps, indigente comme les larmes, le chloral un sédiment boueux au fond. Tout à l'heure j'ai vidé l'eau pour prendre la drogue à la cuillère, passant ensuite un doigt sur le verre pour ne pas en laisser échapper un grain. Maintenant j'ai une grande amertume dans la bouche, mais la chair est complètement engourdie. Je crois bien que je pourrais me mordre la langue jusqu'au sang, je ne sentirais rien.

14 novembre 1874

Et voilà, nous avons lu une vingtaine de chapitres de *La Petite Dorrit*, ma mère et moi, et j'ai été merveilleusement sage et patiente tout le long de cette semaine. Nous sommes allées prendre le thé chez les Wallace et dîner à Garden Court en compagnie de Mlle Palmer et de son fiancé ; nous avons même entrepris ensemble une tournée chez les couturières de Hanover Street. Et oh ! que c'est odieux de regarder ces filles au visage étudié, dotées de peu de menton et de beaucoup de poitrine, se pavaner en minaudant, tandis que la patronne soulève les plis de leurs jupes pour exhiber tel ou tel détail des dessous, en *faille** ou en *foulard** ou couleur *groseille**. J'ai demandé s'il n'y avait pas quelque chose dans les tons gris ? — La patronne a pris un air dubitatif. Quelque chose de simple, sans falbalas ? — On m'a montré une fille en robe fourreau. Petite et bien faite. On aurait dit une cheville dans une bottine de chez le bon faiseur. Je savais que moi, avec la même toilette, je ressemblerais plutôt à un braquemart dans sa gaine.

J'ai acheté une paire de gants chamois. J'aurais aimé en prendre encore une douzaine à apporter à Selina, dans sa cellule glacée.

* En français dans le texte.

Ma mère cependant semblait croire que nous faisions ensemble de grands progrès. Ce matin, à la table du petit déjeuner, elle m'a offert un cadeau. C'étaient, dans un étui d'argent, les nouvelles cartes de visite qu'elle vient de faire imprimer. Des bristols bordés d'un liséré noir dont les boucles réunissent nos deux noms — le sien d'abord, le mien dessous, en plus petit et moins tarabiscoté.

En voyant cela, j'ai senti mon ventre se serrer comme un poing.

Cela faisait près de quinze jours que je n'étais plus retournée à la prison, que je n'en avais même pas parlé — le tout pour l'accompagner, elle, dans ses courses et ses visites. Je pensais qu'elle avait compris, qu'elle m'en savait gré. Mais ce matin, lorsqu'elle m'a apporté les cartes en disant qu'elle avait justement une visite à faire et en me demandant si je comptais l'accompagner ou plutôt rester à la maison pour lire, lorsque j'ai répondu sans hésiter que, tout bien considéré, je pensais aller plutôt à Millbank — elle m'a dévisagée avec une surprise qui n'avait rien de feint. « Millbank ? Je croyais que vous en aviez fini avec tout cela.

— Fini ? Et pourquoi ? En voilà, une idée ! »

Elle a fait claquer la fermeture de son sac à main. « Eh bien, vous ferez comme vous l'entendez. »

J'ai dit que je ferais comme avant le mariage de Priscilla. « Cela mis à part, rien n'a changé, n'est-ce pas ? » — Elle s'est enfermée dans le silence.

Son irritabilité nouvelle, les huit jours passés pour lui faire plaisir entre les visites mondaines et *La Petite Dorrit*, la folle idée que j'en aurais « fini » avec mon travail à la prison, tout cela a eu son effet sur mon moral. Millbank aussi — comme toujours, quand je reste un moment sans y retourner — m'a paru triste à mourir, les prisonnières plus pitoyables que jamais. Ellen Power a de la fièvre et une mauvaise toux. Les quintes la plient en deux et laissent des filets de sang sur le linge qui lui sert de mouchoir — les suppléments de viande et la flanelle rouge de la bonne Mme Jelf ne lui auront servi à rien. La petite romanichelle condamnée pour avortement et surnommée Z'yeux-Noirs porte maintenant un pansement sale au visage et mange sa viande filandreuse avec les doigts. Il n'y avait pas trois semaines qu'elle était là que, prise d'un accès de folie ou de désespoir, elle a essayé de s'éborgner avec son méchant couteau; sa gardienne me dit que l'œil est bien crevé, qu'elle n'y voit plus. Dans les cellules il fait toujours froid comme dans un garde-manger. J'ai demandé à Mlle Ridley, pendant qu'elle m'escortait d'un quartier à l'autre, quel bien cela pouvait faire aux détenues de grelotter ainsi, livrées en proie au désespoir et à la maladie. Sa réponse : « Nous ne sommes pas là pour leur faire du bien, mademoiselle. Notre tâche est de les punir. Il y a trop d'honnêtes femmes qui souffrent de la misère et de la maladie et de la faim pour qu'on se mette en frais pour les criminelles. » Elle dit que toutes ses pensionnaires pourraient se réchauffer sans peine si seulement elles voulaient *mettre du cœur à l'ouvrage*.

Je suis donc entrée chez Power; puis chez Cook et une autre encore, du nom de Hamer; et enfin chez Selina. Elle leva la tête en entendant mon pas, ses yeux rencontrèrent les miens par-dessus l'épaule de la surveillante qui se penchait pour ouvrir, et je vis son regard s'illuminer. Du coup, je mesurai ce que cela m'avait coûté de renoncer, non seulement à mes visites à la prison, mais à elle. Je ressentis à nouveau cette palpitation de mon être le plus intime que j'assimilerais volontiers à ce qu'éprouve la future mère, lorsqu'elle sent pour la première fois son bébé remuer dans son sein.

Quel mal peut-il y avoir à cela, à une sensation aussi subtile, silencieuse, secrète ?

Sur le moment, là, dans la cellule de Selina, je n'en voyais aucun.

Elle était tellement reconnaissante, tellement contente de me revoir ! Elle me dit : « Vous avez été patiente avec moi, la dernière fois, quand je n'étais pas dans mon assiette. Et ensuite, comme vous êtes restée si longtemps sans venir — je sais que ce n'est pas longtemps, mais le temps me paraît terriblement long ici, à Millbank. Comme vous ne veniez pas, j'ai pensé que vous vous étiez peut-être ravisée et que je ne vous reverrais plus jamais... »

Je repensai à ma dernière visite et aux fantasmes étranges que j'en avais emportés. Je lui dis qu'il ne fallait pas se faire de ces idées-là. En parlant, je regardais les dalles de pierre — il n'y avait plus aujourd'hui de taches blanches par terre, aucune trace de cire ou d'huile ou même de salpêtre. J'expliquai que j'avais été retenue malgré moi par mes devoirs à la maison.

Elle hocha la tête, mais son expression était triste. Sans doute — dit-elle — avais-je beaucoup d'amis. Elle comprenait parfaitement que je préfère passer mes journées en leur compagnie, plutôt que de venir à Millbank.

Si seulement elle pouvait savoir comme mes journées se traînent, mornes et vides et aussi interminables que les siennes ! J'allai m'asseoir sur sa chaise, je posai le bras sur sa table. Je lui dis que Priscilla s'était mariée, et que ma mère avait plus besoin de moi à la maison maintenant que ma sœur était partie. Elle répéta avec un geste d'assentiment, sans me quitter des yeux : « Votre sœur s'est mariée. Elle a trouvé un beau parti ? » — Oui, dis-je, excellent. — « Vous devez donc être heureuse pour elle. » Je ne répondis que par un sourire, et elle vint plus près.

« J'ai l'impression, Aurora, dit-elle, que vous jalousez peut-être un peu votre sœur. »

Je souris derechef et lui donnai raison. Oui, je l'enviais. « Non pas parce qu'elle a un mari, non, surtout pas ! Plutôt parce qu'elle a... Comment dire ? Parce qu'elle a *évolué*, comme un de vos Esprits. Elle a avancé dans sa voie. Et moi, je reste là, sur place, plus que jamais *en dehors* de toute progression.

— Vous êtes donc comme moi. Comme nous toutes à Millbank. »

En effet. Et pourtant, elles n'avaient été condamnées que pour un temps, leur peine aurait une fin...

Je baissai les yeux, sans cesser de sentir les siens braqués sur moi. Elle me pria de lui parler encore de ma sœur. Je protestai qu'elle me trouverait égoïste... Elle me coupa la parole : « Mais non ! je ne pourrais jamais penser une chose pareille.

— Si. Voyez-vous, je n'ai pas supporté de regarder ma sœur partir en voyage de noces. Je n'ai pas supporté de l'embrasser, de lui faire mes adieux. C'est *alors* que j'ai été verte d'envie ! Oh ! comme si le sang dans mes veines avait tourné au vinaigre ! »

Je marquai une pause. Elle m'observait toujours. Finalement, elle dit, tout bas, que je ne devrais pas avoir honte de révéler mes vraies pensées, là, à Millbank. Là, il n'y avait que les pierres des murs pour m'entendre — et puis elle, qui était par la force des choses muette comme les pierres et ne pouvait en parler à personne.

Elle m'avait déjà tenu le même langage, mais ce n'est qu'aujourd'hui que j'en ai perçu toute la force. Lorsque enfin je parlai, c'était comme un arrachement, comme si un fil amenait au jour, l'un après l'autre, les mots jusque-là renfermés dans mon sein. Je racontai : « Ma sœur voyage en Italie, Selina ; en Italie où j'aurais dû aller, moi, avec mon père et... une amie. » Il va de soi que je n'ai jamais fait allusion à Helen dans l'enceinte de Millbank. Maintenant encore je dis simplement que nous avions eu le projet de séjourner à Florence et à Rome ; que papa voulait étudier dans les archives et les galeries en se faisant assister dans ses travaux par moi et par mon amie. L'Italie était donc pour moi une idée fixe, une sorte de symbole. « Nous voulions faire le voyage avant le mariage de Priscilla, pour ne pas laisser ma mère toute seule. Maintenant ça y est, Priscilla est mariée et c'est elle qui est partie là-bas sans penser un instant aux projets que j'avais tant caressés. Et moi... »

Voilà des mois que je n'ai plus pleuré, mais je me sentis alors au bord des larmes. J'en étais horrifiée et honteuse tout ensemble. Je me détournai avec une torsion du buste et fixai le mur suintant. Lorsque je reportai mes regards vers la prisonnière, elle s'était encore rapprochée. Je la vis assise sur les talons à côté de la table, les bras posés sur le plateau, le menton dans les mains.

Elle me dit que j'étais très courageuse — exactement comme Helen, il y a huit jours. Pour le coup, le mot faillit me faire rire. Courageuse ! dis-je. Il en fallait, du courage, pour me supporter moi-même, geignarde comme je l'étais ! Alors que je ne demandais qu'à en finir — mais je ne pouvais pas, je n'avais pas pu, même cela m'avait été interdit.

Elle remua la tête en signe de dénégation et répéta : « Courageuse d'être venue à Millbank, telle que vous êtes, pour nous toutes qui vous attendons... »

Elle était près de moi, et il faisait froid dans la cellule. Je sentais sa chaleur, la vie qui l'animait. Alors, toujours sans me quitter des yeux, elle se releva, s'étira, parla : « Votre sœur, dont vous êtes tellement jalouse, qu'a-t-elle donc pour faire envie ? Qu'a-t-elle de si merveilleux ? Vous pensez qu'elle a *progressé* — mais est-ce bien vrai ? Après tout, elle n'a fait que ce que fait tout le monde. Peut-être a-t-elle avancé, mais sur un chemin qui tourne en rond. Ce n'est pas bien malin. »

Je pensai à Pris — qui, comme Stephen, a toujours été proche de notre mère, alors que pour ma part je ressemble à papa. Je me l'imaginais, telle qu'elle sera dans vingt ans, en train de gronder ses filles.

Malin ou pas, peu importe. On ne demande pas aux femmes d'être intelligentes. J'en dis autant : « Les femmes sont élevées pour faire toujours la même chose — c'est leur fonction. Il n'y a que les personnes de mon espèce qui détraquent le système et y provoquent des ratés... »

Elle prit à nouveau le contre-pied, affirma que c'est précisément en faisant toujours la même chose que nous restons « enchaînés à la terre » ; que nous avons été créés pour nous élever, mais que nous en demeurerons incapables tant que nous n'aurons pas subi une *transformation.* Quant à la distinction entre *femmes* et *hommes* — ce serait, d'après elle, la première chose à rejeter.

Je ne comprenais pas. Elle sourit et demanda : « Quand nous nous élevons, croyez-vous que nous prenions avec nous tous les traits qui étaient nôtres ici-bas ? Seuls les esprits novices, dépaysés, cherchent autour d'eux les choses de la chair. Lorsque des guides se présentent à eux, les esprits les regardent et ne savent comment leur parler — ils leur demandent s'ils sont "homme ou femme". Mais les guides sont l'un et l'autre, et ni l'un ni l'autre. C'est seulement quand un esprit a compris cela qu'il est prêt à passer dans un ordre supérieur. »

J'essayais de m'imaginer le monde dont elle parlait — ce monde où, à l'en croire, se trouverait aussi mon papa. Je voyais papa, dévêtu et asexué, et moi-même à son côté... Idée atroce, qui me donna des sueurs froides.

Non, protestai-je. Ce qu'elle racontait là était absurde. Cela ne pouvait pas être vrai. Comment, d'ailleurs ? Ce serait le chaos !

« Ce serait la liberté. »

Ce serait un monde sans différences. Un monde sans amour.

« C'est un monde *fait* d'amour. Croyez-vous donc que la sorte d'amour que votre sœur porte à son mari soit la seule qui existe ? Qu'il doive obligatoirement y avoir un monsieur barbu, d'un côté, et une dame en jupes, de l'autre ? Est-ce que je ne viens pas de dire qu'il n'y a plus ni barbes ni jupes chez les esprits ? Que fera-t-elle d'ailleurs, votre sœur, si son mari meurt et qu'elle en prenne un autre ? À qui sera-t-elle réunie après, en franchissant les sphères ? Elle sera réunie à quelqu'un, cela est certain, tout le monde retrouvera quelqu'un, nous réintégrerons le corps éthéré dont notre âme fut extraite de concert avec une autre, sa moitié éternelle, son "duel". Peut-être le mari que votre sœur vient de prendre est-il également son partenaire spirituel — je l'espère pour elle. Mais ce sera peut-être le second homme dans sa vie, ou peut-être ne sera-ce ni l'un ni l'autre. Ce sera peut-être quelqu'un à qui elle n'aurait jamais pensé sur la terre, une personne tenue loin d'elle par une barrière factice... »

Je suis frappée maintenant de l'étrangeté de nos propos, échangés derrière les barreaux, sous la surveillance de Mme Jelf, au milieu des toux et des plaintes et des soupirs de trois cents détenues, des bruits métalliques des clefs et des verrous. Sur le moment, face aux yeux verts de Selina, je n'y pensais pas. Je ne voyais qu'elle, je n'avais d'oreilles que pour sa voix, et lorsque je parlai enfin ce fut pour demander : « Comment une personne peut-elle savoir, Selina, que son âme sœur, son "duel", est proche ?

— Elle le saura. Est-ce qu'elle cherche l'air avant de s'en remplir les poumons ? Son amour viendra la trouver. Elle en reconnaîtra l'approche et, dès lors, elle sera prête à tout pour garder son amour à ses côtés. Le perdre, ce serait pour elle comme une mort. »

Elle me regardait toujours — mais je voyais à présent une expression étrange se refléter dans ses prunelles. Elle me regardait comme elle eût fait d'une inconnue. Elle se détourna enfin, comme honteuse, comme si elle venait de me dévoiler trop de son intimité.

Je cherchai à nouveau la traînée de cire sur le sol de sa cellule. — Il n'y avait rien.

20 novembre 1874

Encore une lettre de Priscilla et d'Arthur aujourd'hui — postée, celle-ci, en Italie, à Piacenza. Lorsque je contai le fait à Selina, elle me fit répéter le nom trois ou quatre fois — « *Piacenza, Piacenza...* » — et elle souriait en m'écoutant. Elle dit : « Ça a l'air de sortir tout droit d'une pièce de vers. »

Je lui confessai que la même idée m'était venue plus d'une fois. Je lui racontai comment, du vivant de papa, je me berçais au lit en récitant, non pas des prières ou des poésies, mais les litanies des villes italiennes : *Verona, Reggio, Rimini, Como, Parma, Piacenza, Cosenza, Milano...* J'avais passé bien des heures à anticiper le plaisir que j'aurais à voir tous ces lieux en chair et en os.

Elle dit que je pourrais les voir encore, un jour.

Je souris. « Je pense que... non.

— Vous avez des années devant vous, voyons! Plus qu'assez pour faire le voyage d'Italie!

— Peut-être. Mais je ne serai plus celle que j'étais.

— Vous irez donc telle que vous *êtes* maintenant, Aurora. Telle que vous serez peut-être, bientôt. »

Elle me regarda dans le blanc des yeux. C'est moi finalement qui me détournai.

Elle me demanda alors ce que l'Italie avait de spécial pour mériter autant d'admiration, et je répondis aussitôt : « Ah, l'Italie ! Dans mon idée l'Italie est le pays le plus parfait de la terre... » Elle pouvait s'imaginer ce que j'avais vécu durant toutes les années passées à aider mon père dans son travail ; ces années au cours desquelles j'avais appris à connaître tous les tableaux et les sculptures merveilleux de l'Italie par les livres et les gravures — reproduits en noir et blanc et gris avec, tout au plus, une touche de rouge sale. « Mais voir les Offices et le Vatican, passer le seuil de n'importe quelle petite église campagnarde ornée d'une fresque, ce serait comme de passer dans un autre monde fait de lumière et de couleur ! » Je lui parlai de la maison de la via Ghibellina à Florence où on peut visiter les appartements de Michel-Ange, voir ses pantoufles et sa canne et le cabinet où il s'enfermait pour écrire. Voir tout cela de mes propres yeux ! Qu'elle se l'imagine ! Voir le tombeau de Dante à Ravenne ! Qu'elle s'imagine le climat, la chaleur et le soleil à longueur d'année. Les fontaines à tous les carrefours et les orangers en fleur — qu'elle s'imagine les rues, pleines du parfum des fleurs d'oranger comme les nôtres sont pleines de brouillard ! « Les gens là-bas sont ouverts et tolérants. Les Anglaises peuvent se promener dans les rues, librement, sans heurter les convenances. Imaginez donc les mers, étincelantes de soleil ! Imaginez Venise, cette ville qui ne fait qu'un avec sa lagune, à telle enseigne qu'il faut louer une barque pour la parcourir... »

Je continuai un bon moment dans la même veine avant de me taire, frappée soudain autant par le son de ma propre voix que par l'aspect de celle qui m'écoutait, là, debout, souriant de mon plaisir. Sa figure était à moitié tournée vers la fenêtre dont la lumière affinait à l'extrême ses lignes anguleuses, asymétriques. Je me souvins des sentiments avec lesquels j'avais contemplé ces traits pour la première fois, de la *Veritas* de Crivelli à laquelle ils m'avaient fait penser, et sans doute changeai-je de visage en y pensant, car elle reprit l'initiative pour demander pourquoi je ne parlais plus et à quoi je pensais.

Je répondis que je pensais à un musée de Florence, à l'un des tableaux qui s'y trouvaient.

Un tableau que j'avais voulu étudier avec mon père et mon amie ?

Non, un tableau qui m'était indifférent au temps où je nourrissais mes projets de voyage...

Elle fronça le front, perplexe. Comme je ne m'expliquais pas, elle finit par hocher la tête et prit le parti d'en rire.

Il faudra qu'elle fasse attention à l'avenir, qu'elle ne rie plus. Quand ensuite, libérée de la cellule par Mme Jelf, redescendue au rez-de-chaussée, j'arrivais à la grille qui sépare le pentagone réservé aux femmes de la prison des hommes, je m'entendis appeler par mon nom ; je me retournai pour découvrir Mlle Haxby qui venait de mon côté, arborant une mine sévère. Je ne l'avais plus revue depuis notre descente commune au cachot. À présent, en me souvenant de ma course éperdue dans l'obscurité, je me sentis rougir. Elle me pria de bien vouloir lui accorder un instant. J'acquiesçai d'un signe de tête et elle renvoya la surveillante qui m'avait escortée jusque-là pour ouvrir elle-même et me raccompagner tout en discourant :

« Comment allez-vous, mademoiselle Prior ? À l'occasion de l'incident si regrettable qui nous a réunies dernièrement, je n'ai pas pu prendre le temps de m'entretenir avec vous de vos progrès. Vous me jugez sans doute bien négligente. » Le fait était, poursuivit-elle, qu'elle avait cru pouvoir s'en remettre, en ce qui me concernait, à la vigilance de ses subordonnées dont les rapports — « notamment ceux de Mlle Ridley, mon bras droit » — indiquaient que je me tirais d'affaire très bien sans son secours.

Jusque-là il ne m'était jamais venu à l'idée que je pouvais faire l'objet de « rapports » ou d'échanges de quelque nature que ce fût entre Mlle Haxby et ses subordonnées. Je repensai au gros registre noir sur sa table dans lequel elle note la conduite des prisonnières. Je me demande si elle a pensé à y ouvrir aussi une rubrique pour les dames patronnesses.

Sur le moment je dis simplement que j'avais trouvé toutes les surveillantes aussi aimables qu'obligeantes. Nous fîmes halte un instant, pendant qu'un gardien nous ouvrait une grille — dans la prison des hommes, les clefs de Mlle Haxby sont impuissantes.

Elle m'interrogea alors sur les détenues. Quelles étaient mes impressions ? Elle dit qu'il y en avait — Ellen Power, Mary Ann Cook — qui lui parlaient toujours de moi en bien. « Vous leur avez inspiré de l'amitié, ou je ne m'y connais pas ! Elles sauront l'apprécier. Qu'une femme du monde s'intéresse à elles, ce sera pour elles un encouragement, un motif de se reprendre en main. »

J'approuvai : tel était en effet mon espoir. Elle me regarda en dessous, puis se détourna pour évoquer le danger qu'une prisonnière ne se méprenne sur la nature d'une telle amitié et que son commerce avec moi ne lui donne des idées. « Nos pensionnaires passent de longues heures en tête à tête avec elles-mêmes, elles n'en sont que plus enclines à la fabulation. Une dame du beau monde rend visite à une détenue, lui donne le titre d'"amie", puis retourne parmi les siens — dans un milieu dont la détenue ignore évidemment tout. » Elle espérait que j'étais à même d'apprécier les périls inhérents à pareille situation. Elle pensait pouvoir compter sur moi. Mais on a beau savoir, il est parfois difficile d'agir en conséquence...

Elle finit par lâcher le morceau : « Je me demande si l'intérêt que vous portez à certaines de nos pensionnaires n'est pas un peu... disons un peu trop exclusif. »

Je crois avoir suspendu un instant mon pas, mais j'avançai ensuite en accélérant d'autant l'allure. Je savais à qui elle faisait allusion — j'avais compris au premier mot. Pourtant, je demandai : « L'intérêt que je porte à quelles pensionnaires, mademoiselle Haxby ? »

Elle répondit : « Il s'agit notamment d'une seule, mademoiselle Prior. »

Je parlai sans la regarder : « Vous pensez, je présume, à Selina Dawes ? »

Elle acquiesça d'un hochement de tête. Elle savait par les surveillantes que je passais le plus clair de mon temps à la prison dans la cellule de Dawes.

Vous le savez par *Mlle Ridley*, pensais-je, amère. *Évidemment* qu'on lui fera encore cela. On l'a dépouillée de ses cheveux et de ses vêtements normaux. On l'oblige à mariner dans sa sueur, dans la crasse du costume pénal, on gâche ses belles mains par un travail absurde — *évidemment* qu'on tentera encore de lui ôter les quelques miettes de soulagement et de réconfort qu'elle a pris l'habitude de chercher chez moi. Une fois de plus, ma mémoire me la dépeignit telle que je l'avais vue pour la première fois, abritant une violette entre ses mains. J'avais compris — alors déjà, la chose était claire — que si on trouvait la fleur sur elle, on la lui prendrait pour la fouler aux pieds. C'est de même qu'on voulait à présent piétiner notre amitié. Elle était *contraire au règlement.*

Bien sûr, je me gardai de rien laisser paraître de mes pensées. Je reconnus m'intéresser particulièrement au cas de Dawes. J'avais cru comprendre qu'il arrivait souvent aux dames patronnesses de s'occuper individuellement de certaines prisonnières. Mlle Haxby m'avait parlé de celles grâce à qui des détenues avaient pu commencer une vie nouvelle, dans une situation conforme à leur rang, loin de leur déshonneur et des influences subies autrefois, voire carrément loin de l'Angleterre, comme pour celles à qui on trouvait des maris dans les colonies.

Elle me fixa de son œil perçant et demanda si j'avais une telle situation en vue pour Selina Dawes.

Je répondis que je n'avais pas le moindre projet pour Selina. Que mon seul désir était de lui apporter le peu de réconfort dont elle ne pouvait se passer. J'insistai : « Vous avez bien dû vous en rendre compte, vous qui connaissez son histoire. Vous sentez forcément à quel point son cas est différent de la plupart. » Elle n'était pourtant pas de celles qu'on pouvait placer comme domestiques. Elle était une créature pensante et sensible — au même titre qu'une femme de mon monde, ou presque. « Je pense qu'elle souffre davantage que les autres détenues des rigueurs de la prison.

— Vous avez apporté ici vos propres idées, répondit Mlle Haxby au bout d'un moment. Mais le régime de Millbank, comme vous avez pu le constater, ne nous laisse guère de marge. » Elle sourit en prononçant ces derniers mots — nous venions en effet de nous engager dans un passage tellement étroit que nous ne pouvions y avancer qu'à la file et en ramassant nos jupes — et poursuivit : il n'y avait pas de distinctions à faire entre les détenues, hormis celles que les personnes préposées à la surveillance jugeaient opportunes et, sur ce chapitre, Dawes jouissait de tous les privilèges afférents à sa catégorie. En revanche, si je continuais à distinguer l'une des prisonnières par des attentions particulières, loin d'adoucir son lot, je la rendrais plus malheureuse, et je finirais par susciter aussi des rancœurs chez les autres.

En un mot, elle-même et toutes les préposées à la surveillance de la prison des femmes me sauraient gré de limiter à l'avenir le nombre et la durée des visites que je rendrais à Dawes.

Je détournai les yeux. L'amertume du premier instant commençait à faire place à de l'appréhension. Je me souvenais du rire de Selina : elle n'avait jamais souri dans les premiers temps, je l'avais trouvée toujours triste et maussade. Je me souvenais de ce qu'elle avait dit de l'impatience avec laquelle elle attendait mes visites, du dépit qu'elle éprouvait lorsque je restais loin de Millbank où le temps paraissait tellement plus long qu'ailleurs. Je me disais : m'interdire de la voir maintenant, autant vaudrait l'enfermer à perpétuité dans le cachot obscur !

Dans un coin de mon être je me disais aussi : autant vaudrait m'y enfermer, *moi.*

Je ne voulais pas que Mlle Haxby se doute de cette idée-là. Pourtant, son regard scrutateur ne me lâchait pas, et à présent — nous venions d'atteindre la grille du premier pentagone — à présent je vis que le gardien aussi me regardait comme une bête curieuse, et je sentis le sang me monter, brûlant, au visage. Je joignis les mains sur le ventre, faisant passer dans mes doigts entrelacés toute la tension qui m'habitait, lorsque, soudain, j'entendis un pas sur les dalles du corridor derrière nous. Je me retournai pour voir. C'était M. Shillitoe. Il m'appelait, se félicitait de l'heureux hasard qui nous faisait nous croiser ainsi ! Avec un signe de tête à l'adresse de Mlle Haxby, il me prit la main et s'enquit des progrès de mes visites.

Je répondis, d'une voix qui, en dépit de tout, ne trembla pas : « Les visites font tous les progrès que je pourrais désirer... Mais Mlle Haxby vient de me notifier une mise en garde...

— Ah ! » fit-il.

Mlle Haxby expliqua qu'elle me déconseillait de marquer des préférences parmi les détenues. J'avais en effet une *protégée* * — elle écorcha le mot français —, une femme en particulier à qui je témoignais de l'amitié, mais qui était sans doute moins sage qu'elle n'en avait l'air. Il s'agissait de Dawes, la « spirite ».

M. Shillitoe réitéra son « ah ! » sur un autre ton. Il pensait souvent, dit-il, à Selina Dawes ; cela l'intéresserait de savoir comment elle s'accommodait du régime carcéral.

Très mal, je ne le lui cachai pas. Elle était faible... Il riposta sans attendre que j'en aie fini : ça ne l'étonnait pas,

* En français dans le texte.

les personnes de son espèce souffraient toutes de faiblesse, c'était cette qualité qui en faisait un véhicule d'élection pour les influences contre nature qu'elles qualifiaient de *spirituelles.* Spirituelles, si l'on voulait, mais « sans rien qui vienne de Dieu » — rien de sacré, rien de bon — au bout du compte, ces influences-là se révélaient à tous les coups malfaisantes. Dawes en était bien la preuve ! Il aimerait voir tous les spirites d'Angleterre enfermés comme elle, derrière les barreaux d'une prison !

Je tombais des nues. À mon côté, Mlle Haxby remonta sa pèlerine sur ses épaules. M'obligeant à articuler lentement, je donnai raison au directeur. Dawes, à mon avis, avait été manipulée — sous influence — je ne savais au juste par qui ou par quoi. Restait qu'elle avait de l'éducation et qu'elle souffrait de la solitude imposée par la prison. Elle n'avait pas la force de se délivrer toute seule des folies qui parfois lui passaient par la tête. Elle avait besoin de conseils.

« Elle a les conseils de ses gardiennes, intervint Mlle Haxby, comme toutes nos pensionnaires. »

J'insistai : elle avait besoin des conseils d'une patronnesse — d'une amie extérieure à la prison. Elle avait besoin d'un objet sur lequel elle pourrait fixer ses pensées non seulement en travaillant, mais encore dans le désœuvrement et le silence de la nuit. « Car c'est alors, je pense, qu'elle est assaillie par des influences morbides. Et, je vous l'ai dit, elle est faible face à ce qui lui arrive. Elle me fait l'effet d'être... déconcertée, de ne pas savoir elle-même qu'en penser. »

La directrice se récria que s'il fallait passer tous leurs caprices à toutes les détenues qui perdaient le nord, elles auraient besoin d'un régiment de patronnesses.

M. Shillitoe cependant avait froncé le front et réfléchissait à présent en tapotant du pied sur le sol dallé. Je suivais son jeu de physionomie, et Mlle Haxby avec moi, telles les deux mères passionnées — l'une vraie, l'autre fausse — qui se disputent un enfant devant le tribunal de Salomon...

Enfin, s'adressant à la préposée en chef, sa subordonnée, il dit qu'il lui semblait, tout bien pesé, que « Mlle Prior avait peut-être raison ». Ils avaient des devoirs envers leurs prisonniers, l'obligation non seulement de punir, mais encore de protéger. Peut-être, dans le cas de Dawes, cette protection souffrirait-elle... certains égards. Un régiment de patronnesses, eh oui, c'était bien ce qu'il leur aurait fallu ! « Nous devrions être reconnaissants à Mlle Prior qui, *elle* au moins, ne lésine pas sur ses efforts. »

Sa reconnaissance m'était tout acquise, assura Mlle Haxby avant de prendre congé sur une révérence, dans le cliquetis amorti de son trousseau de clefs.

Lorsqu'elle nous eut quittés, M. Shillitoe prit à nouveau ma main pour dire : « Comme votre père serait fier s'il pouvait vous voir maintenant ! »

10 mars 1873

Il y a tant de monde qui vient maintenant pour les séances dans le noir qu'il faut poster Jenny à la porte quand la salle est pleine pour prendre les cartes & dire aux gens de revenir un autre soir. Ce sont surtout des dames qui viennent, mais quelques-unes nous amènent des messieurs. Peter préfère les dames. Il se promène parmi elles & se fait tenir la main & les invite à lui tâter les favoris & la barbe. Ce sont elles qui allument ses cigarettes. Il dit : mince ! le beau brin de fille ! Tu es le plus beau brin de fille que j'aie vu de ce côté-ci du Paradis ! Il sort des bêtises comme ça & elles rient & répondent : oh ! quel polisson ! Elles pensent que les baisers de Peter Quick ne portent pas à conséquence.

Les messieurs, il les taquine. Il dit : je t'ai vu la semaine passée chez une jolie fille. Ce que ton petit bouquet lui a plu ! Puis il regarde l'épouse du monsieur en question & lâche un sifflement & dit : hé ben, je vois d'où vient le vent. Motus & bouche cousue ! & encore : je suis muet comme la tombe, moi, y a pas à dire ! Ce soir nous avons eu un monsieur, il s'appelait Harvey, en chapeau haut de forme. Peter a pris le chapeau pour s'en coiffer lui-même & il a paradé comme ça à travers le salon. Il a dit : tiens ! me voilà dandy de chez les dandys. Je me présente : Peter Quick de Savile Row. J'aimerais que mes copains Esprits me voient avec ça. M. Harvey a dit alors : gardez-le, je vous en prie, & Peter a répondu, émerveillé : c'est vrai, je peux ? Mais quand il est repassé dans le cabinet, il m'a montré le chapeau & il a chuchoté : voyons, qu'est-ce que je vais bien pouvoir en faire ? & si je le fourrais dans le pot de chambre de Mme Brink ? La question m'a fait rire, les gens m'ont entendue à travers le rideau & j'ai crié : oh ! c'est Peter qui me taquine !

Quand ils sont venus ensuite fouiller le cabinet, évidemment il n'y avait rien, & alors tout le monde de hocher la tête à l'idée de Peter faisant le beau chez les Esprits avec le haut-de-forme de M. Harvey. Ils ont quand même fini par retrouver le chapeau. Quelqu'un l'avait accroché à la cimaise du vestibule, & le bord était cassé & le fond complètement défoncé. Il fallait croire, a dit M. Harvey, que c'était un objet trop terre à terre pour voyager dans les sphères, mais Peter était un sacré gaillard d'avoir tenté le coup. Il l'a décroché comme si le chapeau était en verre. Il dit qu'il va le faire monter comme un trophée.

Avec cela, Ruth m'a dit ensuite que le chapeau n'était pas du tout de Savile Row — il venait de chez un petit tailleur bon marché de Bayswater. Libre à M. Harvey de jouer les rupins, elle ne donne pas cher de son goût en fait de gibus.

21 novembre 1874

Il n'est pas loin de minuit, il fait un froid noir, et je suis fatiguée, abrutie de chloral — mais la maison est calme, et je ne peux pas ne pas consigner la chose par écrit. J'ai eu encore une visite, un signe de la part des esprits de Selina. Où pourrais-je en parler, sinon dans ces pages ?

C'est arrivé pendant que j'étais à Garden Court. Je m'y suis rendue ce matin, et en rentrant à trois heures je suis montée tout droit ici, comme de coutume ; je me suis tout de suite rendu compte que ma chambre n'était pas comme avant, quelqu'un y avait touché à quelque chose. Il faisait sombre, je ne voyais rien de changé, ce n'était rien de plus qu'une sensation. Ma première idée, effrayante, fut que ma mère avait peut-être trouvé ce cahier en fouillant dans mon secrétaire, qu'elle y avait mis le nez, qu'elle l'avait lu.

Mais non, ce n'était pas le cahier. Encore un pas, et je vis. Il y avait des fleurs, dans un vase qu'on avait pris sur la tablette de la cheminée. Le vase était posé sur mon secrétaire, et il contenait des fleurs d'oranger — des fleurs d'oranger en Angleterre, en plein hiver!

De prime abord, je fus incapable d'y aller voir. Je restai clouée sur place, mon manteau toujours sur mes épaules, mes gants dans un poing serré. On avait fait du feu dans l'âtre, et l'air était tiède et lourd du parfum des fleurs — sans doute était-ce cela qui m'avait mis la puce à l'oreille. À présent, j'en tremblais. Je me disais : Elle a fait cela pour m'être agréable, mais j'en suis épouvantée. — J'avais peur en regardant ces fleurs — peur d'elle!

L'instant d'après, je me traitais de petite sotte. C'était la même histoire qu'avec les chapeaux de papa accrochés dans l'entrée. Les fleurs venaient certainement de Priscilla. Priscilla nous avait envoyé un bouquet d'Italie... Je me suis approchée alors, tout près, j'ai soulevé le vase, j'y ai plongé le nez. Ce n'est qu'un cadeau de Pris, me répétais-je, un cadeau de Pris, tout bêtement. — La déception que j'éprouvai soudain était aussi cuisante que la peur.

Pourtant, je ne savais rien au juste. Il me fallait une certitude. Je reposai le vase, sonnai Ellis, fis les cent pas jusqu'à ce qu'une main sur la poignée me signalât sa présence. Mais non, ce n'était pas Ellis — c'était Vigers, son long visage plus sec et exsangue que jamais, ses manches retroussées jusqu'au coude. Ellis, me dit-elle, était occupée à dresser la table dans la salle à manger; elle se trouvait seule à l'office avec la cuisinière lorsque j'avais sonné. Je la rassurai : Cela n'avait pas d'importance, elle ferait parfaitement l'affaire. Je demandai : « Ces fleurs, qui est-ce qui les a apportées? »

Elle promena un regard stupide du secrétaire à moi et vice versa... « Pardon, Mademoiselle? »

Les fleurs ! Elles n'étaient pas là lorsque j'étais sortie. Quelqu'un les avait apportées, quelqu'un les avait arrangées dans le vase en majolique. Était-ce elle ? — Non, elle n'avait rien fait. — Était-elle restée toute la journée à la maison ? Elle affirma que oui. — Qu'elle essaie donc de se souvenir. Un commissionnaire avait dû passer, apportant des paquets. Qui nous les envoyait ? Était-ce ma sœur, Mlle Priscilla — Mme Barclay — qui se trouvait en Italie ?

Vigers ne savait pas.

Savait-elle quoi que ce soit ? Pouvait-elle au moins aller me chercher Ellis ? — Elle s'en fut sans demander son reste et revint avec Ellis. Toutes deux restèrent sur le seuil où, l'air légèrement ahuri, elles me regardèrent arpenter la chambre en gesticulant et en rabâchant : Les fleurs, les fleurs ! Qui donc avait apporté ces fleurs ? Qui les avait mises dans ce vase ? À qui avait-on remis le paquet envoyé par ma sœur ?

« Le paquet, Mademoiselle ? » — Il n'y avait pas eu de paquet.

Pas de paquet de la part de Priscilla ? — Pas de paquet de nulle part.

La peur me reprit. Je levai à ma bouche une main dont le tremblement n'échappa pas à Ellis. Elle demanda si je désirais faire emporter les fleurs — mais je ne savais pas, je ne savais ni quoi dire, ni quoi faire. Elle attendait, Vigers aussi, et pendant que je flottais ainsi dans l'indécision, j'entendis une porte s'ouvrir, puis le froufrou des jupes de ma mère. — « Ellis ! Ellis, où êtes-vous ? » Elle avait sonné.

Je dis aussitôt : « Vous pouvez disposer. Laissez les fleurs et allez-y, toutes les deux ! »

Ma mère cependant avait été plus rapide. Attirée au pied de l'escalier, elle levait la tête, apercevait les domestiques à ma porte.

« Qu'est-ce qu'il y a, Ellis ? Margaret ! Vous êtes là ? » Ses pas résonnaient sur les marches. J'entendis Ellis se retourner pour répondre que c'était Mlle Margaret, Madame, qui se faisait du souci pour des fleurs. — Puis à nouveau la voix de ma mère : des fleurs ? quelles fleurs ?

« Ce n'est rien, Mère ! » lançai-je. Ellis et Vigers traînaient toujours devant ma porte. « Allez ! dis-je. Laissez-moi ! » Trop tard. Ma mère était là, derrière elles, elle leur coupait la retraite. Son regard me chercha, se porta sur mon secrétaire... Tenez ! fit-elle. Quelles belles fleurs ! Elle me regarda derechef et reprit son interrogatoire. Qu'est-ce qui n'allait pas ? Pourquoi étais-je si pâle ? Pourquoi n'y avait-il pas de lumière chez moi ? Elle envoya Vigers recueillir du feu dans l'âtre pour allumer la lampe.

Je protestai que tout allait très bien. C'était une méprise. J'étais désolée d'avoir dérangé les deux bonnes pour rien.

Une méprise ? Quelle sorte de méprise ? « Ellis, dites ! » ordonna ma mère.

« Mademoiselle ne savait pas qui avait apporté les fleurs, Madame.

— Elle ne sait pas ? Voyons, Margaret, comment est-ce possible ? »

Je dis que je savais très bien, que j'avais eu simplement un instant de distraction. Je dis... Je dis que c'était moi qui avais apporté les fleurs. Je me détournai en parlant, sans réussir à fuir le sentiment de son regard sur moi, de plus en plus insistant. Finalement elle dit un mot à l'oreille des deux domestiques, et celles-ci nous quittèrent. Ma mère entra dans ma chambre et ferma la porte derrière elle. Sa présence m'inspira un mouvement de recul — normalement, elle n'entre chez moi que le soir. À présent elle me sommait de lui expliquer le sens de ces « sottises ». Je répondis, toujours sans la regarder en face, qu'il ne s'agissait pas de sottises mais d'un simple malentendu. Qu'il était inutile qu'elle reste plus longtemps. Que je voulais me déchausser et me changer. Je vaquai à mes occupations, passai devant elle pour accrocher mon manteau à une patère, laissai tomber mes gants — les ramassai — les sentis à nouveau m'échapper.

Ma mère insistait : Un *malentendu* ? Qu'est-ce que je voulais dire par là ? Comment avais-je pu acheter un tel bouquet et ne pas m'en souvenir ? Où avais-je la tête ? Et me mettre dans tous mes états sous les yeux des filles de chambre...

Je ne me mettais pas dans le moindre état, dis-je, sans réussir à bannir le trémolo de ma voix. Ma mère vint plus près. Je fis un geste — mis, je pense, la main sur mon bras, avant que ses doigts à elle ne pussent le prendre en étau — et me détournai. Le mouvement me remit face aux fleurs, j'en perçus à nouveau le parfum, plus fort que tout à l'heure, et à nouveau je cherchai à fuir en me disant : Si elle ne me laisse pas tranquille, ou je fonds en larmes ou je la frappe !

Mais non, elle avançait toujours, s'obstinait : « Vous sentez-vous bien ? » — Puis, comme je ne répondais pas : « Non, vous êtes malade... »

Elle l'avait prévu, dit-elle. Je sortais trop, plus que mon état ne l'admettait. C'était aller au-devant d'une rechute.

« Je vais parfaitement bien, voyons », dis-je.

Parfaitement bien ? Allons bon ! Que je m'écoute plutôt parler ! Que je m'imagine les idées que j'avais pu donner aux domestiques ! Elle pariait qu'en ce moment même elles en faisaient des gorges chaudes à l'office...

« Je ne suis pas malade ! criai-je alors. Je suis parfaitement saine et dispose, mes nerfs sont tout à fait remis ! Tout le monde me l'a dit. Mme Wallace me l'a dit. »

Mme Wallace, répliqua-t-elle, ne me voyait pas dans des états comme celui où je venais de me mettre. Mme Wallace ne me voyait pas rentrer de Millbank, blême comme un revenant. Elle ne me voyait pas veiller jusqu'à pas d'heure, la plume à la main et les nerfs en pelote...

Elle a dit cela ; et j'ai compris que malgré toutes mes précautions — malgré tous mes efforts pour ne pas attirer l'attention et ne pas faire de bruit dans ma chambre tout en haut de la maison — elle m'espionnait, de même que Mlle Ridley et Mlle Haxby me tiennent à l'œil.

Je dis que j'avais toujours veillé tard, même avant la mort de papa, même tout enfant. Que mes insomnies ne voulaient rien dire — et que de toute manière elles ne résistaient pas à mon médicament. La réponse fut un faux-fuyant : c'était bien le problème, que tout enfant j'eusse été gâtée. Elle avait eu tort de laisser faire mon père qui cédait à tous mes caprices ; l'irresponsabilité de ses gâteries expliquait aussi mon incapacité à faire mon deuil... « Je l'ai toujours dit ! Et te voir maintenant qui, par entêtement, fais tout pour te rendre à nouveau malade... »

À cela, je criai tout haut que si elle ne me laissait pas tranquille, je ferais une maladie pour tout de bon ! Je lui tournai le dos et allai me poster à la fenêtre. Je ne sais plus ce qu'elle dit alors : je ne voulais ni écouter ni répondre — finalement elle me donna l'ordre de descendre la rejoindre au salon. Si dans vingt minutes elle ne me voyait pas venir, elle enverrait Ellis me chercher. Là-dessus, elle sortit.

Je restai où j'étais, à regarder par la fenêtre. Il y avait une barque sur le fleuve, avec un homme à bord qui martelait une tôle d'acier. Je regardais son bras qui se levait et retombait, se levait et retombait. Je voyais des étincelles jaillir, mais le bruit du coup était décalé, mettait chaque fois une seconde à me parvenir — le marteau était à nouveau brandi avant que le gémissement de l'acier ne le rattrape.

Je comptai trente coups, puis descendis auprès de ma mère.

Elle ne revint pas sur l'incident, mais je la voyais scruter mes mains et mon visage, guettant des signes de faiblesse, et je me gardai bien de lui en offrir. Plus tard, je repris la lecture de *La Petite Dorrit*, d'une voix qui ne trembla pas, et à présent j'ai réglé ma lampe au plus bas, et je fais glisser si doucement ma plume sur le papier — le chloral ne m'empêche pas d'y faire attention — qu'elle ne m'entendra pas même si elle vient coller l'oreille à la porte. Peut-être se mettra-t-elle à genoux pour regarder à travers le trou de la serrure, mais je l'ai aveuglé avec un chiffon.

Les fleurs d'oranger sont là, devant moi, en cet instant. Leur parfum est si lourd dans l'air renfermé de ma chambre qu'il me fait tourner la tête.

23 novembre 1874

Je suis retournée aujourd'hui au cabinet de lecture de l'Association des Spirites. Je voulais poursuivre mes recherches sur le passé de Selina, étudier le portrait troublant de Peter Quick et revoir la collection de cires. La vitrine était exactement telle que je l'avais laissée l'autre jour, les pièces en cire et en plâtre recouvertes d'une couche de poussière intacte.

M. Hither vint me rejoindre pendant que je regardais. Il portait aujourd'hui des babouches aux pieds et une fleur à la boutonnière. Il dit que Mlle Kislingbury et lui avaient été certains que je reviendrais — « et vous voilà, j'en suis ravi ». Il scruta mes traits et reprit : « Mais que vois-je ? Qu'est-ce que cet air sombre ? Manifestement, notre collection vous a donné à réfléchir. C'est bien. Mais il n'y a pas là de quoi vous attrister, mademoiselle Prior. Au contraire, vous devriez y trouver cause de sourire. »

Je lui fis alors un sourire qu'il me rendit, avec un regard plus clair encore et plus débonnaire que tout à l'heure. Comme aucun autre lecteur ne se présentait, nous restâmes près d'une heure à causer ensemble, sans penser à nous asseoir. Je lui demandai, entre autres, depuis combien de temps il était spirite et pourquoi il avait adhéré à cette doctrine.

Il dit : « C'est d'abord mon frère qui est entré dans le Mouvement. Moi, je n'y voyais qu'un ramassis d'absurdités, je le trouvais terriblement crédule. Il prétendait voir notre mère et notre père aux cieux, il disait qu'ils étaient témoins de nos moindres faits et gestes. C'était pour moi une idée horrible ! »

Je demandai ce qui lui avait fait changer d'avis. Il hésita un instant avant de répondre : il avait perdu son frère. Je m'empressai de lui présenter mes condoléances, mais il esquissa un geste de refus et faillit éclater de rire : « Non, il ne faut jamais employer ce mot-là, pas *ici.* En effet, moins d'un mois après son décès, mon frère est revenu. Il est venu me serrer dans ses bras, il était aussi réel que vous — en meilleure forme que de son vivant, lavé de tous les stigmates de sa dernière maladie. Il est donc venu, il m'a dit de croire, mais je persistais à nier la vérité. Je m'expliquais sa visite comme une hallucination. Les signes alors se sont multipliés, mais je trouvais chaque fois de nouvelles explications spécieuses. C'est proprement incroyable, comme on peut s'entêter dans l'erreur ! Enfin, j'ai fini malgré tout par voir la lumière. Maintenant mon frère est mon meilleur ami.

— Et vous vous sentez entouré d'esprits ? » demandai-je. — La réponse fut un soupir. Ah ! il sentait les esprits qui *venaient à lui.* Il n'a pas les dons d'un grand médium. Simplement, « j'entrevois de temps à autre un petit quelque chose — "un bref éclair, une suggestion mystique", selon le mot de M. Tennyson * — là où d'autres embrassent de vastes horizons. Je perçois quelques notes — une petite mélodie, si j'ai de la chance. D'autres, mademoiselle Prior, entendent des symphonies. »

Mais sentir la présence d'esprits...

« On ne peut pas *ne pas* y être sensible, dès lors qu'on les a vus une fois ! Pourtant, il arrive aussi qu'ils fassent peur. » Il sourit, croisa les bras sur la poitrine et m'offrit une parabole étrange. Que je m'imagine, dit-il, neuf Anglais sur dix atteints d'une maladie de la vue qui les rende incapables de percevoir la couleur rouge. Que je m'imagine moi-même

* *In memoriam,* XLIV, trad. M. Cazamian : « Que se passe-t-il parmi les heureux morts ?/Car ici l'homme accroît son existence,/Mais il oublie les jours qui se sont écoulés/Avant que Dieu n'ait clos les portes de son esprit./Ces jours-là, leur accent, leur couleur, se sont évanouis./Et cependant peut-être la mémoire, amassant ses trésors,/Laisse passer parfois (il ne sait d'où)/Un bref éclair, une suggestion mystique... » *(N.d.T.)*

souffrant de cette infirmité. Je me promènerais dans les rues de Londres, je verrais le ciel bleu, les fleurs jaunes — je trouverais le monde très beau. Je ne me douterais pas de l'affection qui m'en dérobe toute une partie. Si alors des personnes pas comme les autres me révélaient mon état — me parlaient d'une troisième couleur, merveilleuse — je les prendrais pour des insensés. Mes amis seraient du même avis. La presse également. Tout ce que je lirais me conforterait dans ma certitude, me ferait croire à plus forte raison que les adeptes du rouge déliraient. *Punch* imprimerait même des caricatures pour illustrer l'excès de leur déraison ! Les dessins m'amuseraient et je serais contente de moi.

Il poursuivit : « Alors, un beau matin vous vous réveillerez pour constater que votre œil s'est corrigé. Vous appréciez désormais les bouches d'incendie et les lèvres, les coquelicots et les cerises et les tuniques des soldats de la Garde. Vous distinguez toutes les exquises nuances du rouge — cramoisi, écarlate, vermeil, vermillon, incarnat, rose... Dans un premier temps, partagée entre l'étonnement et la crainte, vous aurez envie de vous voiler les yeux. Ensuite vous les ouvrirez tout grands et vous apporterez la nouvelle à vos amis, à vos parents — et ils se moqueront de vous, ils arboreront des mines soucieuses, ils vous enverront chez le médecin, chez un spécialiste des nerfs ou du cerveau. Ce ne sera pas facile de prendre conscience de toutes les merveilleuses choses rouges. Et pourtant — je vous le demande, mademoiselle Prior — du moment que vous les aurez aperçues, supporteriez-vous l'idée de ne voir à nouveau un jour dans le monde que des bleus et des jaunes et des verts ? »

Je restai un moment sans répondre, perdue dans les pensées que son discours m'avait inspirées. Lorsque je pris enfin la parole, ce fut pour demander : « Supposons une personne dans la situation que vous venez de décrire. Une personne qui voit les rouges. Que doit-elle faire ? »

Je pensais, bien sûr, à Selina. La réponse vint sans hésiter : « Se mettre en quête de ceux qui lui ressemblent ! Ils la guideront, ils la préserveront des périls inhérents à son état... » Le développement de la médiumnité, dit-il, est en effet une opération éminemment délicate, encore mal comprise. La personne à laquelle je m'intéressais serait sujette à toutes sortes de changements, autant dans son corps que dans son esprit. Conduite au seuil d'un autre monde, invitée à porter le regard par-delà cette frontière, elle pourrait trouver des « guides sages » et de bon conseil, mais il y aurait aussi sur son chemin des « esprits obsesseurs », « de bas étage ». Ces derniers se donneraient peut-être des airs bons et charmeurs — en réalité cependant ils ne chercheraient qu'à se servir d'elle à leurs propres fins, pour retrouver par son entremise les trésors terrestres qu'ils ne pouvaient prendre leur parti d'avoir perdus...

Je demandai quelle protection elle avait contre de tels esprits. — Elle devrait, dit-il, faire attention au choix de ses amis ici-bas : « Combien de jeunes femmes n'a-t-on pas vues s'abandonner au désespoir — sombrer dans la démence ! — pour avoir appliqué leurs facultés à mauvais escient ! Parfois on les incite à évoquer les esprits pour rire — c'est ce qu'il ne faut faire en aucun cas. Parfois on leur persuade d'exercer trop souvent, à des séances réunies n'importe comment, au risque d'épuiser et de corrompre leurs facultés. Certains aussi les encouragent à exercer dans la solitude

— voilà, mademoiselle Prior, le pire abus qu'elles puissent faire de leurs dons. J'ai connu autrefois un homme — jeune, d'excellente famille — c'est un bon ami, aumônier dans un hôpital, qui m'a conduit auprès de lui. Il avait été trouvé à moitié mort, la gorge tranchée, et il a fait à mon ami, à l'hôpital, une confession étrange. Il était médium écrivain, psychographe passif — connaissez-vous le terme ? Un ami étourdi l'avait encouragé à donner des séances. Il s'asseyait, muni d'une plume et de quelques feuilles de papier, et au bout d'un moment des esprits venaient agir sur sa main, indépendamment de sa volonté, pour transmettre des messages... »

C'était là, d'après M. Hither, une prouesse pratiquée par bon nombre de médiums, avec modération. Le jeune homme dont il me contait l'histoire n'avait pas su se modérer. Il avait commencé à exercer la nuit, seul chez lui — et il avait constaté que les messages arrivaient plus rapidement que jamais. Ils arrivaient même pendant qu'il dormait. Il était réveillé par sa main qui s'agitait convulsivement sur la courtepointe. Il ne pouvait faire cesser ces mouvements qu'en insérant une plume entre ses doigts et en laissant sa main libre d'écrire... Il écrivait alors sur le papier qui se trouvait là, sur les murs de sa chambre, voire à même sa propre chair ! Il écrivait à en avoir les doigts couverts d'ampoules. Il avait cru d'abord que tous ces messages émanaient de ses aïeux défunts... « Mais c'est moi qui vous le dis, une âme bonne ne tourmenterait jamais un médium de cette façon. Tout ce qu'il avait écrit était l'œuvre d'un même esprit impur. »

L'esprit s'était enfin fait connaître du jeune homme, et cela de la façon la plus horrible. Il lui était apparu, conta

M. Hither, sous les espèces d'un crapaud, « et il lui est entré dans le corps, là » — il se donna une petite tape sur l'épaule — « à la naissance du cou. Une fois dans la place, l'esprit impur tenait l'homme en son pouvoir. De fait, il s'est mis aussitôt à lui inspirer quantité d'actes immondes ; et l'homme était impuissant à résister... »

C'était, dit-il, un véritable supplice. Finalement, l'esprit avait enjoint à sa victime de prendre un rasoir et de se couper un doigt. L'homme avait obéi, appliquant toutefois le rasoir, non pas à sa main, mais à sa gorge... « Voyez-vous, il faisait son possible pour chasser l'esprit, et c'est cela qui l'a conduit à l'hôpital. Les médecins lui ont sauvé la vie, mais l'esprit obsesseur ne l'a pas lâché pour autant. Ses vieilles habitudes abjectes ont repris le dessus, et il a été déclaré fou. Je crois bien qu'il est enfermé dans une maison à l'heure qu'il est. Pauvre homme ! Son histoire aurait pu prendre une tout autre tournure — vous me suivez ? — si seulement il avait recherché la compagnie et les conseils éclairés de ceux qui étaient eux-mêmes passés par là... »

Il baissa la voix en prononçant ces dernières paroles — je m'en souviens — avec un regard éloquent... Peut-être avait-il deviné que je pensais à Selina Dawes, vu l'intérêt que je lui avais témoigné lors de mon premier passage. Nous restâmes un instant face à face, en silence. Il attendait ma réponse, comme s'il en espérait quelque chose, mais je ne pus rien dire. Je n'en eus pas le temps. Nous fûmes dérangés par Mlle Kislingbury qui mit la tête à la porte de la salle et appela M. Hither. « J'arrive ! » lui lança celui-ci, posant en même temps une main sur mon bras pour murmurer : « J'aurais tellement envie de poursuivre cette conversation.

Est-ce que vous aussi, ça vous dirait ? Il ne faut pas manquer de revenir... Voulez-vous ? Un autre jour, n'est-ce pas, quand je serai plus disponible... »

Moi aussi, je regrettais qu'il dût me quitter. Tout de même, j'aimerais en savoir davantage sur ce qu'il pense de Selina. J'aimerais savoir comment c'était pour elle, d'être contrainte de voir toutes ces choses rouges dont il avait parlé. Je sais qu'elle a eu peur — mais elle a eu aussi de la chance, elle me l'a dit une fois : elle, elle a eu de sages amis qui l'ont guidée, qui ont pris sur eux pour former ses dons et en faire quelque chose d'*exceptionnel.*

Elle le croit du moins, manifestement. Mais sur qui a-t-elle pu compter en fait ? Elle a eu sa tante — qui a fait d'elle un phénomène de foire. Elle a eu Mme Brink, bonne bourgeoise de Sydenham — qui l'a exhibée à des inconnus, derrière un rideau, attachée avec des cordes et un collier de velours ; Mme Brink qui, pour l'amour de sa propre mère, l'a séquestrée chez elle — à la disposition de Peter Quick. *Lui* enfin, qu'avait-il fait pour elle ? Quel acte lui avait-il inspiré, pour la faire échouer à Millbank ?

Et maintenant, dans sa prison, qui y a-t-il pour la protéger ? Mlle Haxby, Mlle Ridley, Mlle Craven... Dans tout l'établissement, la seule personne à lui montrer un peu de douceur est la bonne Mme Jelf.

J'entendais la voix de M. Hither, celle de Mlle Kislingbury et d'une tierce personne, mais la porte du cabinet de lecture demeurait close, personne ne venait. Face à la vitrine, je me penchai pour étudier à nouveau la collection de moulages spirites. La main de Peter Quick était toujours là, au même endroit, sur l'étagère du bas, touchant presque le verre de ses gros doigts et de son pouce boursouflé. La dernière fois, je l'avais supposée massive. Aujourd'hui, je fis une chose que j'avais négligée alors, la regardant aussi sous un autre angle, par le petit côté du meuble. Je vis alors qu'elle était tranchée net à l'os du poignet. Qu'elle était une coque vide. À l'intérieur, empreints nettement dans la cire jaunie, on distingue les plis de la peau, les lignes de la paume, les concavités des jointures.

J'y avais pensé jusque-là comme à une main solide, mais à vrai dire, il s'agit plutôt d'une sorte de *gant*. À le voir, on a l'impression que le moulage vient d'être réalisé, là, sur place, que la cire retient la chaleur des doigts qu'elle enserrait encore l'instant d'avant... Dans cette salle déserte, l'idée me donnait froid dans le dos. Je rentrai à la maison sans plus attendre.

Maintenant Stephen est là, je l'entends, il parle à notre mère, haussant la voix avec des accents quinteux. Il s'occupait d'une affaire inscrite à l'audience de demain, mais son client s'est enfui en France où la police ne peut pas le suivre. Il ne reste à Stephen qu'à se désister en faisant une croix sur ses honoraires. — Sa voix s'élève encore, plus forte que tout à l'heure.

Pourquoi l'organe de ces messieurs est-il fait pour porter, alors qu'il est si facile d'étouffer une voix de femme ?

24 novembre 1874

Allée à Millbank, chez Selina. Chez elle — j'avais visité d'abord une ou deux autres, notant ostensiblement dans mon cahier le moindre détail de leur conversation — chez elle enfin, il fut d'emblée question des fleurs. M'avaient-elles plu ? Elle dit qu'elle me les avait envoyées en souvenir de l'Italie et du beau temps qu'il faisait là-bas. Elle dit : « Ce sont les esprits qui les ont portées. Vous pourrez les garder tout un mois, elles ne se faneront pas. »

Je dis qu'elles me faisaient peur.

Je restai une demi-heure chez elle. Ce délai écoulé, nous entendîmes le fracas de la grille du palier, suivi d'un bruit de pas... Selina murmura : « Mlle Ridley », et je me rapprochai de l'entrée de la cellule pour attirer l'attention de la gardienne-chef sur son passage et me faire ouvrir. Très raide, je pris congé sur un « au revoir, Dawes ». Selina pour sa part avait croisé les mains sur son tablier en se composant une mine bien humble. Elle me fit la révérence et répondit : « Au revoir, mademoiselle Prior. » Les mots étaient destinés à l'oreille de la gardienne, je le sais.

Je suis restée alors dans le corridor pendant que Mlle Ridley refermait la grille de la cellule de Selina. J'ai regardé la clef tourner dans la serrure grippée. Cette clef, j'aurais voulu qu'elle soit à moi.

2 avril 1873

Peter dit qu'il faut qu'on m'attache dans mon cabinet. Il est venu à la séance ce soir & il m'a brutalisée, & quand il est sorti devant le rideau il a dit : je ne pourrai pas me mêler à vous tant que je n'aurai pas rempli une tâche qui m'a été imposée. Vous savez que j'ai mission de vous démontrer les vérités du spiritisme. Eh bien, il y a des incrédules dans cette ville, des gens qui mettent en doute l'existence des Esprits. Ils se moquent des pouvoirs de nos médiums, ils pensent que nos médiums quittent leur place & se promènent dans les réunions en travesti. Nous ne pouvons pas nous manifester là où il y a des doutes & des défiances de ce genre. J'ai entendu Mme Brink dire alors : il n'y a pas d'incrédules ici, Peter, vous pouvez venir parmi nous comme avant, & il a répondu : non, il y a une chose à faire d'abord. Regardez & vous verrez mon médium & vous le ferez savoir de vive voix & par écrit & peut-être alors les mécréants auront-ils la foi. Il a mis la main sur le rideau &, tout doucement, il l'a ouvert...

C'était la première fois qu'il faisait cela. J'étais dans l'état de transe où me mettent les séances dans le noir, mais j'ai senti tout le monde qui me regardait. Une dame a demandé : vous la voyez ? & une autre a répondu : je vois une silhouette sur son siège. Peter a dit : ça fait mal à mon médium, quand vous la regardez pendant que je suis là. Je fais ceci à cause de vos doutes, mais il y a autre chose que je peux faire, ce sera un contrôle. Allez ouvrir le tiroir de la table & apportez-moi ce que vous trouverez dedans. J'ai entendu le tiroir qu'on ouvrait & puis une voix qui disait : il y a des cordes, & Peter approuvait : c'est ça, apportez-les-moi. Alors il m'a attachée à ma chaise en disant : il faudra faire cela désormais à chaque séance dans l'obscurité. Si on ne le fait pas, je ne viendrai plus. Il m'a ligoté les poignets & les chevilles & il m'a mis un bandeau sur les yeux. Puis il est repassé devant le rideau & j'ai entendu le bruit d'une chaise qu'on repoussait & il a dit : viens avec moi. Il m'a amené une dame, celle qui s'appelle Mlle d'Esterre. Il a dit : tu vois, Mlle d'Esterre, comme mon médium est ligoté ? Tâte-la, allez, vas-y & dis-moi si elle est ficelée serré. Enlève ton gant. Je l'ai entendue retirer le gant & puis ses doigts me touchaient, tout chauds des doigts de Peter qui faisaient pression sur eux. Elle a dit : elle tremble ! & Peter a dit : c'est pour elle que j'agis ainsi. Alors il a renvoyé Mlle d'Esterre s'asseoir & il s'est penché sur moi en murmurant : c'est pour toi que je le fais, & j'ai répondu : oui, Peter. Il a dit : tous tes pouvoirs, c'est moi, & j'ai dit que je savais.

Alors il m'a bâillonnée avec un foulard de soie & il a refermé le rideau & il est allé parmi les gens. J'ai entendu un monsieur dire : je ne sais pas, Peter, je ne suis pas bien tranquille. Est-ce que cela ne risque pas de compromettre les facultés de Mlle Dawes, de la ligoter ainsi ? Peter a éclaté de rire. Il a dit : voyons, elle serait piètre médium s'il suffisait de 3 ou 4 cordelettes de soie pour lui faire perdre ses moyens ! Les cordes contiennent mes membres mortels, mais mon esprit ne pourra jamais être ligoté ou enfermé sous clef. C'est lui qui l'a dit, & encore : ne savez-vous pas que les Esprits sont comme l'amour ? Ils se rient des serrures.

Mais quand on est venu me détacher, on a découvert que les cordes m'avaient écorché les poignets & les chevilles, & il y avait du sang. Ruth a vu cela & elle a dit : ma foi ! cet Esprit est une vraie brute pour blesser ainsi ma pauvre maîtresse. Elle a dit : Mlle d'Esterre, voulez-vous m'aider à faire monter Mlle Dawes chez elle ? & elles m'ont ramenée ici toutes les deux & Ruth m'a mis de la pommade pendant que Mlle d'Esterre tenait le pot. Mlle d'Esterre a dit que jamais de la vie elle n'avait eu une surprise comme ce soir, quand Peter est venu la chercher pour la faire passer dans le cabinet. Ruth a dit qu'il fallait croire qu'il avait vu un signe, quelque chose de spécial qui l'avait mené droit à elle. Mlle d'Esterre nous a regardées, d'abord elle, puis moi. Elle a demandé : vous croyez ? Elle a dit : c'est vrai que j'ai parfois le sentiment... & elle a baissé la tête.

Je voyais Ruth, la façon dont elle la regardait, & tout d'un coup c'était comme si la voix de Peter Quick soufflait les mots à l'oreille de mon esprit. J'ai dit : Ruth a raison, Peter vous a choisie, c'est sûr. Ce ne serait pas une mauvaise idée de revenir le voir, plus tranquillement. Est-ce que ça vous dirait ? Reviendrez-vous une autre fois ? Voulez-vous que j'essaie voir si je ne peux pas le faire apparaître rien que pour nous 2 ? Mlle d'Esterre ne disait rien, elle avait toujours les yeux dans le pot de pommade & elle ne bougeait pas. Ruth a attendu un moment, puis elle a dit : allez, songez à lui cette nuit, quand vous serez toute seule dans le calme de votre chambre. C'est un fait que vous lui plaisez. Il va peut-être essayer de vous faire une petite visite sans son médium pour lui montrer le chemin. Si vous voulez mon avis, mieux vaut le rencontrer ici, avec Mlle Dawes, plutôt que toute seule, la nuit, dans votre lit. Mlle d'Esterre a dit alors : je vais dormir avec ma sœur. Ruth a dit : libre à vous, ce n'est pas ça qui l'empêchera de vous retrouver. Elle a repris alors la pommade & elle a fermé le pot en me disant : & voilà, Mademoiselle n'a plus bobo. Mlle d'Esterre est redescendue sans rien dire.

J'ai pensé à elle en allant retrouver Mme Brink.

28 novembre 1874

Allée aujourd'hui à Millbank — visite abominable, j'ai honte d'en faire le récit.

Je fus accueillie à la grille de la prison des femmes par Mlle Craven, la surveillante aux traits grossiers : elle avait mission de me chaperonner à la place de Mlle Ridley, appelée ailleurs. Je m'en réjouis. Je me disais : Tant mieux. Je me ferai conduire chez Selina, et Mlles Ridley et Haxby n'y verront que du feu...

Pourtant, nous ne montâmes pas tout de suite. Elle me demanda, tout en me montrant le chemin, s'il n'y avait pas une autre partie de la prison que je désirais voir avant de commencer ma tournée. « Ou c'est-y qu'y a que les visites en cellule qui vous intéressent ? » conclut-elle d'un ton qui appelait une réponse négative. Sans doute était-ce pour elle une expérience nouvelle de faire le cicérone, elle voulait en profiter. Le ton cependant était entendu, et je me dis à la réflexion qu'elle avait sans doute été chargée de me surveiller et que je ferais mieux de me tenir sur mes gardes. Je la priai donc de me conduire où elle voulait ; les femmes en haut pourraient bien m'attendre encore quelques instants. Elle répondit : « C'est le cas de le dire, mademoiselle. »

Elle me fit faire alors le tour des bains et des vestiaires de la prison.

Il n'y a pas grand-chose à en dire. Les bains sont une pièce meublée d'une grande auge où on fait asseoir les femmes pour se savonner, toutes ensemble, à leur arrivée. Aujourd'hui, comme il n'y avait pas de nouvelles arrivantes, le bassin était vide à l'exception d'une demi-douzaine de blattes noires qui fouillaient dans les dépôts de crasse. Au vestiaire il y a des étagères où s'empilent les robes brunes et les bonnets blancs qui composent l'uniforme de la prison, avec aussi des boîtes de souliers, pour toutes les tailles et toutes les pointures. Les souliers sont attachés deux par deux, par les lacets. Mlle Craven souleva une paire qui, d'après elle, m'irait bien — des godillots monstrueux, qu'elle exhiba avec une grimace qui me parut moqueuse. À l'en croire, il n'y a rien de plus solide que les souliers des détenues, même pas les bottes des soldats. Une détenue de Millbank aurait attaqué sa surveillante pour lui voler sa cape et ses clefs, elle aurait réussi ainsi à atteindre la grille extérieure où on l'aurait laissée passer si le gardien ne l'avait pas reconnue pour une prisonnière en regardant ses pieds — la fuyarde avait donc été à nouveau appréhendée et mise au cachot.

Elle me conta l'anecdote, laissa retomber les souliers dans leur boîte et partit d'un éclat de rire. La salle qu'elle me montra ensuite était réservée aux effets de ville. C'est là — j'aurais dû me douter qu'il y avait forcément quelque part dans la prison un endroit de ce genre, mais jusque-là je n'y avais jamais pensé — c'est donc là qu'on dépose les robes, chapeaux et chaussures, toutes les pauvres hardes que les condamnées apportent à Millbank en y arrivant.

Le local, comme tout ce qu'il renferme, exerce une sorte de fascination qui confine à l'horreur. Les murs — fidèles à la passion des géométries insolites qui a présidé à la construction de Millbank — forment un hexagone régulier ; ils sont tapissés, du sol au plafond, d'étagères chargées de boîtes en carton gris. Longs et étroits, garnis de clous, de coins de cuivre et de plaques au nom des détenues, ces cartons ressemblent à s'y méprendre à de petits cercueils. De prime abord, la salle elle-même me fit frémir — on aurait dit une morgue ou une sépulture d'enfants.

En voyant ma réaction, Mlle Craven campa les mains sur ses hanches et promena ses regards à l'entour. « Drôle d'endroit, hein ? fit-elle. Savez-vous ce que j'ai dans la tête, mademoiselle, quand je viens là ? Dans ma tête, ça fait : *zzz, zzz*. Je me dis que je sais maintenant ce que ressent la guêpe ou l'abeille qui rentre chez elle, dans son petit nid. »

Côte à côte nous contemplâmes les murs. Je lui demandai s'il y avait vraiment un carton pour chaque prisonnière, et elle répondit avec un signe de tête affirmatif : « Pour tout le monde, plus quelques-uns de réserve. » Elle alla en prendre un au hasard et le posa devant elle — il y avait là une table à écrire et une chaise. Lorsqu'elle souleva le couvercle, il se dégagea une odeur vaguement soufrée. Elle expliqua que toutes les hardes étaient passées à l'étuve. Il y en a, semble-t-il, qui arrivent infestées de vermine, mais « bien sûr, certaines robes s'en sortent mieux que d'autres ».

Elle me montra le contenu du carton. C'était d'abord une petite robe d'indienne qui avait manifestement souffert de la fumigation, car le col s'en allait en lambeaux et les manchettes avaient l'air roussies. En dessous s'entassaient des sous-vêtements jaunis, des chaussures de cuir rouge, usées, un chapeau avec une épingle qui perdait sa nacre et une alliance ternie. Je regardai la plaque — elle était au nom de *Mary Breen.* Je lui ai rendu visite une fois, c'est la femme qui se mordait les bras et mettait cela sur le compte des rats.

Lorsque Mlle Craven referma la boîte et la remit à sa place, je m'approchai à mon tour et promenai mes regards sur les noms, sans réfléchir. La surveillante, elle, y promenait ses doigts, soulevant encore çà et là un couvercle pour inspecter les effets entreposés. « On le croirait pas! s'exclama-t-elle enfin. Y en a qui nous arrivent avec trois fois rien. »

Je la rejoignis et me laissai montrer ce qui lui avait inspiré ce commentaire : une robe d'un noir rouilleux, des chaussons de toile et une clef attachée à une grosse ficelle — j'aurais aimé savoir ce qu'elle ouvrait. L'autre referma la boîte en murmurant : « Ta ta ta! Même pas un mouchoir pour se couvrir la tête. » Elle entreprit alors de passer en revue tous les cartons d'une rangée et je la suivis en regardant par-dessus son épaule. L'un contenait une toilette somptueuse avec un chapeau de velours orné d'un oiseau empaillé, au bec laqué et aux yeux de verre, mais du linge haillonneux et tellement noir de crasse qu'on l'aurait dit piétiné par des chevaux. Dans un autre, un jupon exhibait un semis de taches brunes, sinistres, qui — l'idée me fit frémir — ne pouvaient être que du sang; un troisième me réservait une surprise avec, outre la robe et les jupons et les souliers et les bas, une tresse de cheveux auburn, attachés à la manière d'une queue de cheval ou d'un drôle de petit fouet. C'étaient les cheveux coupés le premier jour, après la mise sous écrou. « Elle les garde pour s'en faire faire un postiche, expliqua Mlle Craven, pour le jour où elle sortira d'ici. Grand bien lui fasse ! C'est Chaplin — vous la connaissez ? Une empoisonneuse. Un peu plus et elle dansait sous la corde. Sa tête rousse sera devenue toute blanche avant qu'on lui rende ses tifs ! »

Elle ferma le carton et le fit reglisser sur l'étagère d'un geste huilé où je crus percevoir aussi comme un mouvement d'humeur. Ses propres cheveux, là où ils dépassaient un peu sous son bonnet, étaient quelconques, incolores. Je repensai à la préposée au greffe, tâtant les boucles massacrées de la petite romanichelle, Z'yeux-Noirs... L'instant d'après surgissait une vision pénible des deux femmes, Mlle Craven et elle, en admiration devant une tresse coupée, une robe ou le chapeau de tout à l'heure. Je croyais entendre leurs chuchotements de jeunes filles : « *Vas-y, essaie — qui veux-tu qui te voie ? Tu en boucheras un coin à ton jeune homme, avec ça ! Et, dans quatre ans, allez savoir qui c'est qu'aura été la dernière à le porter !* »

Les visages et les propos étaient si clairement présents à mon esprit que je ne pus les chasser qu'en me détournant pour me frotter les yeux. Lorsque je regardai à nouveau Mlle Craven, elle était déjà passée à un carton dont le dépôt la faisait hennir de rire. Je me pris à l'observer, elle, en me disant soudain qu'elle aurait dû avoir honte de tirer ainsi de leur sommeil les tristes vestiges de la vie ordinaire des détenues. Comme si les cartons étaient en vérité des cercueils dont elle, et moi aussi, nous épiions les occupants à l'insu des mères qui, dans les étages, pleuraient leurs petits. Pourtant, plus on savait le spectacle indigne et plus on se laissait captiver. Lorsque Mlle Craven aborda nonchalamment une seconde étagère, scrupules ou non, je ne pus m'empêcher de suivre le mouvement. Il y avait là la boîte d'Agnes Nash, la faussaire, puis celle de la pauvre Ellen Power, où je vis le portrait d'une fillette — sans doute la petite-fille dont elle parle tout le temps. Peut-être s'imaginait-elle qu'elle pourrait garder l'image dans sa cellule.

Enfin — comment ne pas y penser ? — je me mis à chercher de part et d'autre le carton de *Selina*. Je me demandais ce que j'éprouverais en en découvrant le contenu. Je me disais que si seulement je pouvais voir, j'y trouverais quelque chose — je ne savais quoi — quelque chose à elle, quelque chose d'elle — quelque chose, n'importe, qui me donnerait le mot de l'énigme qu'elle demeurait pour moi, qui me la rendrait plus proche... Mlle Craven poursuivait son inspection privée, ouvrant carton après carton avec des oh ! ou des ah ! à la vue des loques ou du luxe que sa curiosité mettait au jour, saluant d'un rire sonore les modes particulièrement surannées. Je la suivais toujours, mais sans me laisser distraire par ce qu'elle me montrait. Mes yeux se levaient plutôt, erraient le long des murs, cherchant. Finalement, je posai une question : « Comment est-ce que les boîtes se suivent ? Quel est l'ordre de rangement ? »

Je trouvai la plaque que je cherchais avant même qu'elle n'ait terminé ses explications. C'était en haut, hors de portée ; il y avait bien une échelle posée contre le mur, mais la surveillante n'avait pas eu l'idée d'y grimper. En fait, elle secouait déjà la poussière de ses mains, prête à me reconduire dans celui des quartiers où je choisirais de commencer ma tournée. Voilà qu'elle campait les poings sur les hanches et levait la tête, fredonnant paresseusement entre les dents : « *Zzz zzz, zzz zzz...* »

Il fallait l'éloigner, et je ne voyais qu'un moyen. « Oh ! » Je poussai un gémissement, levai une main à mon front et dis que je m'étais fatigué les yeux : j'allais me trouver mal ! Je sentais réellement la tête me tourner — l'angoisse était plus forte que moi — et sans doute avais-je pâli, car Mlle Craven se récria, me regarda une fois et accourut. Le front toujours dans la main, je la rassurai : je n'allais pas m'évanouir, mais ne pourrait-elle pas, n'aurait-elle pas la gentillesse d'aller me chercher un verre d'eau ?

Elle me fit asseoir sur la chaise en réfléchissant tout haut : « Est-ce que j'ose vous laisser seule ? Il devrait y avoir des sels chez notre médecin, dans la salle de visite ; mais lui, il sera à l'infirmerie à l'heure qu'il est, et je mettrai bien une minute ou deux à chercher les clefs chez Mlle Ridley. Si jamais vous alliez tomber... »

Je promis de ne pas tomber. Elle se tordait les mains — oh ! quel contretemps embêtant ! Elle finit par y aller en toute hâte. J'entendis encore le carillon de son trousseau de clefs, l'écho de ses pas, le fracas d'une grille refermée.

À ce dernier bruit je me relevai, saisis l'échelle et l'installai au bon endroit. Ramassant mes jupes, j'y grimpai, tirai à moi le carton de Selina et arrachai le couvercle.

Assaillie par l'odeur âcre du soufre, je détournai d'abord la tête et plissai les yeux. L'instant d'après je maudissais ma propre ombre qui, la lampe étant placée derrière mon dos, m'empêchait de voir quoi que ce soit dans le carton, à moins de me pencher périlleusement de côté en appuyant la joue contre le bord d'une étagère. Cela fait, je commençai à distinguer les vêtements — le manteau et le chapeau et la robe, de velours noir ; les chaussures aussi, et les jupons, les bas de soie blancs...

Je touchai, soulevai, palpai tous ces objets — cherchant, cherchant toujours, moi-même je ne savais quoi. Mais non, il n'y avait rien, les vêtements auraient pu appartenir à n'importe qui. La robe et le manteau semblaient neufs, à peine portés. Les chaussures étaient raides, polies, le cuir des semelles sans une éraflure. Même les boucles d'oreilles en jais, toutes simples, que je découvris dans le nœud d'un mouchoir, étaient anonymes, les fils non encore ternis, comme le mouchoir, à liséré noir — frais, sans taches ni plis. Il n'y avait rien là, rien. Elle aurait pu être habillée par un commis de boutique dans une maison en deuil — aucun de ces vêtements ne gardait de trace des membres frêles qui les avaient portés. Rien.

Telle fut du moins mon impression — jusqu'à l'instant où, fouillant une dernière fois parmi les soies et les velours, mon regard tomba sur autre chose, lové dans l'ombre comme un serpent endormi...

Ses cheveux. Ses cheveux, tressés serré en une corde solide qu'on avait nouée d'un bout de grosse ficelle là où les ciseaux avaient tranché. Je touchai la tresse. Elle était lourde et sèche — comme les serpents aussi sont secs au toucher, à ce qu'on dit, malgré le luisant de leurs écailles. Elle renvoyait la lumière comme de l'or mat, mais un or veiné d'autres couleurs, de l'argenté au vert.

Lorsque j'avais eu sous les yeux le portrait gravé de Selina avec sa coiffure recherchée, toute en boucles et en torsades, c'étaient ses cheveux qui lui avaient donné vie, qui avaient fait de l'image une réalité. Les savoir en revanche enfermés là, dans cette salle sans fenêtre, au fond de ce carton semblable à un cercueil — c'était terrible. Je me dis malgré moi : *Si seulement ils pouvaient avoir un peu de lumière, un peu d'air...* Je revoyais en esprit les chuchoteries des deux surveillantes. Si elles venaient rire de cette tresse ? Ou au contraire, la caresser, la tripoter de leurs grosses pattes ?

J'avais le sentiment que, si je ne la prenais pas, elles viendraient sans faute l'abîmer. Je m'en emparai, tentai de la replier — je pense que je voulais la fourrer dans la poche de mon manteau, ou peut-être sur mon sein. Je me débattais ainsi, maladroite, en porte à faux sur l'échelle, le bord de l'étagère mordant toujours dans ma joue — lorsque j'entendis la porte au bout du corridor claquer. Vint ensuite un bruit de voix. C'était Mlle Craven, déjà, et Mlle Ridley l'accompagnait ! Je paniquai, faillis tomber. Je n'aurais pas agi autrement si la tresse de Selina avait été pour de bon une vipère, si elle s'était réveillée à la vie en me montrant les dents : je la rejetai loin de moi, vite refermai la boîte et descendis lourdement de l'échelle — poussée par les voix des deux surveillantes qui pendant tout ce temps ne cessaient de se rapprocher.

Elles me trouvèrent debout, appuyée au dossier de la chaise, tremblant de honte et de peur, le manteau rayé de poussière, la marque de l'étagère inscrite sans doute en rouge sur ma joue. Mlle Craven accourut avec le flacon de sels, mais Mlle Ridley paraissait se douter de quelque chose. À un moment, je crus voir ses yeux chercher l'échelle, l'étagère supérieure, les cartons qui s'y empilaient — les cartons que, dans ma hâte et mon anxiété, j'avais peut-être laissés en désordre, je ne savais plus. Je ne me retournai pas pour voir. Je ne levai les yeux qu'une fois, sur le visage de la gardienne-chef. Je me détournai aussitôt en frémissant de plus belle sous son regard sans fard, aussi mal en point que Mlle Craven l'avait cru en allant chercher les sels. Je venais en effet de comprendre ce que Mlle Ridley aurait vu si elle était arrivée une fraction de seconde plus tôt. Je le voyais — je le vois maintenant encore, avec une franchise brutale qui me donne froid dans le dos.

Je me voyais, la vieille fille que je suis, pâle et laide, suante et échevelée, perchée en haut d'une échelle traîtresse, appâtée par les tresses blondes d'une jeune beauté...

Mlle Craven me tendait un verre d'eau. Je me laissai faire. Je savais que Selina m'attendait en haut, triste dans sa cellule glacée, mais je ne pouvais me résoudre à aller la retrouver — je me serais trouvée détestable, après ce qui venait de se passer. Je dis que je ne ferais pas de visites aujourd'hui. Mlle Ridley m'approuva : c'était en effet plus sage. Elle me raccompagna elle-même jusqu'au pavillon d'entrée.

Ce soir, pendant que je lui faisais la lecture, ma mère m'a demandé ce que je m'étais fait au visage et, me regardant dans la glace, j'ai découvert que j'avais un bleu à la pommette — la marque de l'étagère. Ma voix a commencé alors à me manquer, et j'ai refermé le livre. J'ai dit que je voulais prendre un bain. Je me suis fait préparer un tub par Vigers, en haut, devant ma cheminée. Je m'y suis trempée, jambes repliées, étudiant ma propre chair pour finalement immerger mon visage dans l'eau fraîchissante. En rouvrant les yeux, j'ai vu Vigers qui me tendait une serviette. Elle avait le regard sombre, le teint aussi pâle que moi. Elle a fait la même remarque que ma mère : « Vous vous êtes blessée à la joue, Mademoiselle. » Elle a dit que cela voulait du vinaigre. Je me suis tenue coite, comme un enfant, pendant qu'elle appliquait la compresse à ma figure.

Elle a dit alors que c'était bien dommage que je fusse sortie aujourd'hui, comme un fait exprès, parce que Mme Prior — elle voulait dire Mme Helen Prior, l'épouse de mon frère — était venue en visite avec son petit bébé, et qu'elle avait été bien marrie de ne pas me trouver. Elle a dit : « Quelle belle dame ! N'est-ce pas, Mademoiselle ? »

À ces mots je l'ai repoussée. Le vinaigre, disais-je, me rendait malade. Qu'elle fasse disparaître le tub et demande à ma mère de m'apporter mon médicament : je voulais mon médicament, tout de suite. Quand ma mère est montée, elle a voulu savoir ce qui « n'allait pas », mais j'ai maintenu que ce n'était rien. Pourtant, ma main tremblait si fort qu'elle n'a pas voulu me donner le verre, et c'est elle qui l'a tenu — comme Mlle Craven — pendant que je buvais.

Elle a demandé si j'avais vu quelque chose de pénible à la prison, pour me mettre dans un tel état. Elle a dit qu'il ne fallait plus y aller, du moment que mes visites m'affectaient à ce point.

Quand elle est repartie, j'ai passé un moment à arpenter ma chambre en me tordant les mains et en maudissant ma sottise. Enfin, j'ai ouvert ce cahier, je l'ai feuilleté. J'avais présent à l'esprit le mot d'Arthur, disant que les livres des femmes écrivains ne seraient jamais que des *chroniques du cœur*. Il me semble que j'ai cru sur le moment pouvoir lui donner le démenti en continuant à aller à Millbank et à consigner ici le compte rendu de mes visites. J'ai cru que je pouvais faire de ma vie un livre où il n'y aurait ni vie ni amour — un livre qui ne serait qu'un catalogue, un inventaire tout nu. À présent je vois que mon cœur a malgré tout déteint en catimini sur ces feuillets. J'y retrace son chemin oblique, je vois son empreinte se raffermir de page en page. Empreinte si claire pour finir que j'y lis un nom...

Selina.

Ce soir j'ai été bien près de brûler ce cahier, comme j'avais fait du précédent. Je n'ai pas pu, mais en levant les yeux j'ai revu les fleurs d'oranger dans leur vase : elles sont restées blanches et parfumées jusqu'aujourd'hui, comme elle me l'avait promis. J'ai quitté ma chaise pour les retirer du vase, dégoulinantes d'eau, et ce sont donc les fleurs que j'ai brûlées ; je les ai jetées sur les braises, dans un grand chuintement de vapeur, je les ai regardées se tordre et noircir. Je n'ai gardé qu'une seule tige. Je l'ai pressée entre ces pages qui resteront désormais fermées. Si jamais je rouvre mon cahier, le parfum me sera une mise en garde. Brusque, incisif, périlleux, un parfum comme une lame de poignard.

2 décembre 1874

Je ne sais pas comment conter ce qui est arrivé. Je ne sais presque plus m'asseoir, me lever, marcher, parler, faire la moindre chose de la vie de tous les jours. Voilà trente-six heures que je n'ai plus toute ma tête, on a appelé le médecin, Helen aussi est venue me veiller — même Stephen est passé, il s'est campé au pied de mon lit et il m'a regardée en chemise, je l'ai entendu chuchoter avec les autres, alors que tout le monde me croyait endormie. Et pendant tout ce temps je savais que j'irais parfaitement bien si seulement ils me laissaient seule avec moi-même, seule pour réfléchir et pour écrire. Maintenant ils s'en sont remis à Vigers, postée sur une chaise devant ma porte entr'ouverte, pour le cas où je me mettrais à crier ; mais je suis venue tout doucement m'asseoir à mon secrétaire, et me voilà enfin en tête à tête avec mon journal. C'est le seul endroit où je peux tout dire — et j'y vois à peine pour tracer les mots sur le papier réglé.

Selina a été mise au cachot! — et c'est moi qui en suis cause. Et je devrais aller la voir, mais j'ai peur.

À la suite de ma dernière visite dans la prison, j'avais résolu, la mort dans l'âme, de la fuir. Je savais que mon commerce avec elle m'avait rendue bizarre, étrangère ou plutôt — qui pis est — *trop semblable* à moi-même, à celle que je fus autrefois, à l'être sans masque qui se nomme *Aurora*. Lorsque j'essayais de redevenir *Margaret*, je n'y arrivais plus. *Margaret* semblait avoir rétréci, comme un vêtement au lavage. Je ne savais plus faire fonctionner son personnage, ni quoi faire ni comment parler ou bouger. Je passais mes soirées au salon avec ma mère — mais j'aurais pu être une poupée de carton, capable du seul geste de hocher la tête. Quand Helen venait, je ne pouvais m'amener à la regarder. Lorsqu'elle m'embrassait, la sécheresse de ma joue sous ses lèvres me faisait frémir.

Mes journées se sont écoulées ainsi, depuis ma dernière visite à Millbank. Enfin, hier, je suis allée seule à la National Gallery, espérant que les tableaux me distrairaient. C'était le jour des étudiants, et une jeune fille avait planté son chevalet devant l'*Annonciation* de Crivelli. Elle dessinait au crayon sur sa toile le visage et les mains de la Vierge... Le visage était celui de Selina et, pour moi, il était plus réel que ma propre figure. Du coup, ma décision de ne plus la voir m'est apparue comme incompréhensible. Il était tard, cinq heures et demie, et ma mère attendait du monde à dîner. — Je ne pensai à rien de tout cela. Je me rendis sur-le-champ à Millbank et me fis conduire au pentagone des femmes. Les détenues venaient justement de manger, je les trouvai en train d'essuyer leurs gamelles avec des croûtons de pain. En arrivant à la grille du quartier de Selina, j'entendis Mme Jelf. Elle s'était postée à la jonction des deux corridors pour réciter une prière, d'une voix qui, par un effet d'acoustique, donnait l'impression de trembler.

J'attendis qu'elle en eût fini, mais elle sursauta tout de même en me voyant là à cette heure. Elle me fit entrer chez deux ou trois détenues — en dernière, chez Ellen Power, que je trouvai terriblement changée, tellement malade et reconnaissante de me voir qu'il ne pouvait être question d'écourter ma visite. Je m'assis à son chevet, lui pris la main et tentai de la rassurer en caressant ses doigts noués. Elle ne peut plus dire un mot sans tousser. Le médecin lui a donné une potion, mais on ne peut pas l'admettre à l'infirmerie, à ce qu'elle raconte, parce que tous les lits seraient occupés par des femmes plus jeunes. Elle garde sous la main un plateau portant une pelote de laine et son tricot : une paire de bas ni faits ni à faire. Même malade comme elle l'est, on l'oblige à accomplir sa tâche quotidienne, et elle aime mieux travailler, me dit-elle, plutôt que de se tourner les pouces. Je protestai : « Ce n'est pas juste. Je vais dire un mot à Mlle Haxby. » Mais elle me laissa à peine terminer. Cela ne servirait à rien, et de toute façon je lui ferais plaisir de ne pas en parler. Elle s'expliqua :

« Il me reste que sept semaines à faire. Si on me donne une mauvaise note, comme une qui fait des histoires, peut-être qu'on voudra me garder plus longtemps. » Je tentai de la raisonner : ce ne serait pas elle, mais moi qui ferais les histoires... Pourtant, je sentis en parlant la morsure d'une crainte inavouable. Si j'intervenais réellement en sa faveur, Mlle Haxby ne trouverait-elle pas un biais pour faire retourner cela contre moi — en prendre prétexte, peut-être, pour ne plus autoriser mes visites... ?

Power insistait : « Il faut même pas y penser, mademoiselle, vraiment pas. » Elle voyait à la promenade une bonne vingtaine de femmes aussi mal en point ; si on donnait une entorse au règlement pour elle, il faudrait faire de même pour tout le monde. « Et pourquoi ? Je vous le demande ! » Elle se tapota la poitrine et conclut avec un clin d'œil pitoyable : « J'ai ma petite laine. Au moins ça, Dieu merci ! »

Lorsque Mme Jelf vint m'extraire de la cellule, je lui demandai s'il était vrai qu'il n'y eût pas de lit pour Power à l'infirmerie. Elle avait tenté, dit-elle, de plaider sa cause auprès du médecin, mais il avait répliqué sans mâcher ses mots qu'il croyait savoir son métier mieux qu'elle. Il paraît qu'il a surnommé Power « la mère maquerelle ».

« Mlle Ridley aurait de meilleures chances de se faire entendre. Mais Mlle Ridley a des idées très arrêtées sur la question des peines. Et c'est à elle que j'ai à rendre des comptes, pas à... Pas à Ellen Power ou à une autre des femmes. »

Elle s'était détournée avant de prononcer le nom, et je pensai : *Millbank vous a prise à son piège, vous n'êtes pas plus libre qu'elles.*

Elle me conduisit enfin auprès de Selina, et j'oubliai Ellen Power. Arrivée devant la grille de sa cellule, je tremblais tellement que Mme Jelf, qui m'observait, dit : « Vous avez froid, mademoiselle ! » Je ne m'en étais pas rendu compte. Peut-être étais-je en effet glacée, transie, mais le regard de Selina fit à nouveau sourdre au creux de mon ventre un petit filet de vie — sensation merveilleuse, bien que douloureuse et pénible en même temps. Je compris alors que j'avais été folle de rester loin d'elle — loin d'émousser mes sentiments, de les réduire à la portion congrue, ce temps d'abstinence les avait exaltés, j'étais tout à fait éperdue. Quant à elle, son regard était craintif, et ses premières paroles furent pour s'excuser. Je lui demandai pourquoi donc, et elle répondit, avec un accent interrogatif : les fleurs, sans doute ? Elle avait voulu me faire plaisir. Puis, comme je restais si longtemps sans revenir, elle s'était souvenue de ce que j'avais dit la dernière fois : que les fleurs me faisaient peur. Elle avait pensé que je voulais peut-être la *punir*.

Je me récriai : « Oh, Selina, comment avez-vous pu vous imaginer une chose pareille ? Si je ne suis pas venue, c'est que je craignais... »

Je craignais ma propre passion, aurais-je pu dire. Mais non, je ne le dis pas. Je revoyais en esprit le spectacle obscène de la vieille fille, bavant sur des cheveux tressés en fouet...

Je me bornai à un seul et très bref serrement de main. En lâchant ses doigts, je me corrigeai : « ... je ne craignais rien. » Je me détournai aussitôt et dis que j'étais très prise à la maison, maintenant que Priscilla nous avait quittées.

La conversation se poursuivit un instant ainsi — elle défiante, ses craintes mal dissipées ; moi distraite, n'osant pas approcher trop près ni même la regarder plus de deux secondes d'affilée. Vint là-dessus un bruit de pas, et nous vîmes à nouveau Mme Jelf à la grille, flanquée d'une autre préposée. Je ne reconnus celle-ci qu'en remarquant sa sacoche de cuir : c'était Mlle Brewer, la secrétaire de l'aumônier, qui distribue le courrier aux détenues. Elle m'adressa un sourire, et à Selina aussi, un sourire chargé de sous-entendus. Elle était comme la personne qui apporte un cadeau en le dissimulant à moitié. Je me disais — je l'avais tout de suite compris ! Selina aussi, je pense, s'en doutait — je me disais donc : Elle apporte quelque chose qui va nous déranger. Quelque chose qui va nous faire *mal*.

J'entends maintenant Vigers qui se tortille sur son siège en soupirant. Il ne faut pas faire de bruit en écrivant, pas de bruit, ou elle viendra peut-être m'ôter mon cahier pour m'obliger à dormir. Or, comment dormir, en sachant ce que je sais ? Mlle Brewer entra dans la cellule. Mme Jelf poussa la grille, sans fermer à clef, et je l'entendis s'éloigner dans le corridor, puis faire halte — peut-être pour apporter ses soins à une autre prisonnière. Mlle Brewer se dit contente de me trouver là ; elle avait une nouvelle pour Dawes, quelque chose que je me réjouirais d'entendre. Selina mit une main sur son cœur et demanda de quoi il s'agissait. Mlle Brewer rougit, tellement la tâche qu'elle avait à remplir lui faisait plaisir. « Vous allez être transférée ! dit-elle. Transférée à la prison de Fulham, dans trois jours ! »

Transférée ? fit Selina. Transférée, à Fulham ? Mlle Brewer approuva d'un signe de tête. On venait de recevoir des instructions pour le transfert de toutes les détenues de la classe étoile. Mlle Haxby tenait à le faire savoir aux intéressées sans délai.

« Pensez-y, me dit-elle. Le régime de Fulham est doux : les femmes y travaillent en commun, elles ont même la permission de se parler. L'ordinaire est un peu meilleur, je crois. Les détenues de Fulham ont droit à du chocolat le matin, à la place du thé ! Qu'en dites-vous, Dawes ? »

Selina gardait le silence. Elle paraissait figée, la main toujours levée, dans une attitude très raide ; seuls ses yeux bougeaient un peu, semblables aux yeux à bascule d'une poupée. Pour ma part, j'avais senti mon cœur se tordre à l'annonce de Mlle Brewer, mais je savais qu'il fallait parler, dire quelque chose sans me trahir. J'éructai : « À Fulham, Selina » — mais je pensais, à part moi : Comment, oh ! comment vais-je faire pour te voir là-bas ?

Le ton de ma voix, l'expression de mes traits me trahirent apparemment malgré tous mes efforts. La préposée avait pris un air perplexe.

Selina parla enfin : « Je n'irai pas. Je reste à Millbank. » Mlle Brewer me consulta du regard. Rester là ? demanda-t-elle. Qu'est-ce que Dawes voulait dire ? Elle n'avait pas compris. Le transfert n'était pas une punition. — « Je ne veux pas partir », répétait Selina.

« Mais il le faut !

— Il le faut, confirmai-je d'un ton morne. Si on vous le dit.

— *Non.* »

Son regard papillonnait toujours, sans rencontrer le mien. Pourquoi l'envoyait-on là-bas ? Elle voulait le savoir. Est-ce qu'elle n'avait pas été sage et accompli son travail quotidien ? Est-ce qu'elle n'avait pas fait tout ce qu'on voulait, sans se plaindre ? Sa voix avait un accent étrange, que je ne lui avais jamais entendu.

« N'ai-je pas dit toutes mes prières, à l'office ? N'ai-je pas appris mes leçons, pour les maîtresses ? N'ai-je pas mangé ma soupe ? Rangé mes affaires ? »

Mlle Brewer souriait en hochant la tête. C'était précisément parce que Dawes avait été sage qu'on allait la transférer. Est-ce que Dawes ne voulait pas recevoir sa récompense ? — Sa voix se fit plus douce. — Sans doute Dawes avait-elle été prise au dépourvu. Elle se rendait compte qu'une prisonnière à Millbank pouvait avoir du mal à s'imaginer qu'il y eût au monde d'autres établissements, plus humains.

Elle fit un pas vers la grille et dit : « Je vais vous laisser maintenant avec Mlle Prior. Elle vous aidera à vous faire à cette idée. » Mlle Haxby, qui pourrait lui en dire plus, viendrait elle aussi dans un instant.

Peut-être croyait-elle obtenir une réponse. Peut-être l'incompréhension qui à nouveau se peignit sur ses traits s'explique-t-elle par le silence de Selina. Je ne sais pas. Je sais qu'elle alla à la grille — peut-être y avait-elle déjà mis la main, je n'en suis pas certaine. Je vis Selina bouger — si brusquement que je crus à une syncope et me portai en avant pour freiner sa chute. Mais non, ce n'était pas ça. Elle avait couru à l'étagère derrière la table, elle y avait attrapé quelque chose. Son gobelet de fer-blanc, sa cuillère et son livre tombèrent à terre avec fracas. Mlle Brewer se retourna, avertie par le bruit, et je vis soudain sa figure déformée par l'émotion. Selina avait levé le bras, elle brandissait d'un air de menace sa gamelle de bois. Mlle Brewer tenta de parer le coup, mais trop tard. La gamelle la frappa — de plein fouet, je pense, sur les yeux, car elle les couvrit aussitôt de ses doigts, les coudes en avant pour protéger sa figure.

L'instant d'après, elle tombait. Elle resta à terre, étourdie, lamentable, ses jupes troussées exhibant ses bas de grosse laine, ses jarretières, la chair rose de ses cuisses.

Cela se fit en moins de temps qu'il ne m'en a fallu pour le conter, et avec moins de bruit que je n'aurais cru possible. Après le tintamarre du gobelet et de la cuillère, il n'y eut que le crac! atroce de la gamelle trouvant sa cible, le souffle chassé d'un coup des poumons de Mlle Brewer, enfin le crissement de la boucle de sa sacoche glissant le long du mur. J'avais caché mon visage dans mes mains. Je crois bien que je criai « mon Dieu! » — je sentis les mots me passer entre les doigts — et que je fis un mouvement pour porter secours à Mlle Brewer. Je vis alors la gamelle, à nouveau brandie dans la main de Selina. Je vis son visage, blanc, suant, étrange.

Et je pensai... Je pensai, l'espace d'un instant, en me souvenant de la jeune fille, Mlle Silvester, qui avait été blessée... Je pensai : C'est *vrai* que tu l'as frappée! Et me voilà enfermée avec toi! Je reculai, horrifiée, m'accrochai des deux mains à la chaise.

Enfin elle lâcha la gamelle. Son corps s'affaissa contre le hamac plié, et je vis qu'elle tremblait plus encore que moi.

Mlle Brewer se mit à geindre, essayant de se relever avec l'appui du mur et de la table. Pour le coup, je courus réellement à elle, tombai à genoux et pris sa tête entre mes mains tremblantes. Je dis : « Ne bougez pas. Calmez-vous, mademoiselle Brewer » — elle avait fondu en larmes. Je lançai ensuite un appel dans le corridor : « Madame Jelf! Oh! Madame Jelf, venez vite! »

Elle arriva à l'instant, en courant, s'agrippa aux barreaux de la grille pour ne pas tomber. Le spectacle qui l'attendait lui arracha un cri. Je dis : « Mlle Brewer est blessée. » Je baissai la voix et ajoutai : « Elle a été frappée, en pleine figure. » Mme Jelf blêmit, regarda Selina d'un air affolé et resta un instant figée, comprimant d'une main les battements de son cœur. Enfin elle poussa la grille, mais le battant métallique vint buter dans les jupes et les jambes de Mlle Brewer. Nous passâmes un moment terrible à la manipuler et à remettre de l'ordre dans ses vêtements, tandis que Selina, muette et tremblante, nous regardait faire. Les yeux de Mlle Brewer commençaient déjà à se fermer, les chairs enflées par des ecchymoses livides qui tranchaient sur la pâleur de ses joues et de son front. Dans sa chute, le badigeon blanc du mur avait inscrit de longues traînées sur sa robe et son bonnet. Mme Jelf dit : « Il faut m'aider à la transporter dans ma chambre, mademoiselle Prior, dans la tour d'angle. Puis l'une de nous ira chercher le médecin et... et aussi Mlle Ridley. » Elle me regarda en face, une fraction de seconde, puis se tourna à nouveau vers Selina. Selina qui à présent avait ramené ses genoux contre sa poitrine et les entourait de ses bras en baissant la tête. L'étoile dissymétrique sur sa manche luisait, extrêmement claire, dans la pénombre. Je frémis soudain à l'idée de la fuir comme un objet d'horreur — de la laisser là, isolée, frissonnante, sans un mot de réconfort, en sachant entre les mains de qui elle allait tomber dans un instant. Je l'appelai par son nom — « Selina ! » — sans me soucier d'être ou non entendue de la surveillante. Elle remua la tête. Son regard était morne et flou : je n'aurais pas su dire qui elle fixait, de moi ou de Mme Jelf ou de la malheureuse dont le corps ployait entre nous — je pense que c'était moi. Pourtant, elle ne dit toujours rien. La surveillante finit par m'entraîner, ferma la grille, hésita, puis tira aussi l'autre porte, en bois massif, et la verrouilla derrière nous.

Nous nous acheminâmes vers la tour... Quel trajet ! Les détenues avaient entendu mon appel, le cri de Mme Jelf, les sanglots de Mlle Brewer, et toutes se pressaient à la grille de leur cellule pour suivre des yeux notre progression hésitante et sans grâce. L'une demandait tout haut qui donc avait attaqué Mlle Brewer. Une autre lui répondait : « C'est Dawes ! Selina Dawes a cassé sa cellule ! Selina Dawes est rentrée dans le chou à Mlle Brewer ! » *Selina Dawes !* Le nom passait de bouche en bouche, de cellule en cellule, comme charrié par un remous immonde. Mme Jelf s'évertuait à imposer silence, mais sa voix, plaintive, manquait d'autorité. Finalement, une autre voix se dégagea, s'imposa au milieu du chahut — non plus pour passer la nouvelle ou pour s'étonner, mais pour se gausser : « Enfin, Selina Dawes qui pique sa crise ! *Selina Dawes, bonne pour le cachot et le gilet de force !* »

Je m'exclamai : « Mon Dieu ! Ne se tairont-elles pas ? » J'avais peur qu'elles ne la rendent folle. Mais tout en me sentant gagnée par cette crainte, je perçus le fracas métallique d'une grille et un dernier cri dont je ne pus distinguer les paroles. Les clameurs s'éteignirent aussitôt... Mlle Ridley et Mme Pretty, averties par le bruit alors qu'elles faisaient leur ronde à l'étage au-dessous, venaient reprendre la situation en main. L'instant d'après, nous atteignîmes la chambre de Mme Jelf. Elle tourna la clef dans la serrure, conduisit Mlle Brewer à une chaise et mouilla un mouchoir pour en faire une compresse. Je lui glissai une question furtive : « Va-t-on vraiment mettre Selina au cachot ? » Elle répondit, elle aussi dans un murmure, par l'affirmative, puis se pencha à nouveau sur Mlle Brewer. Lorsque Mlle Ridley arriva en demandant : « Allons, madame Jelf, mademoiselle Prior, qu'est-ce qui se passe chez vous ? », sa main ne tremblait plus et ses traits avaient retrouvé leur calme.

Elle répondit : « Selina Dawes a frappé Mlle Brewer avec sa gamelle. »

Mlle Ridley ne put dissimuler un mouvement de surprise. Sa seconde question fut pour Mlle Brewer. Où souffrait-elle ? La jeune femme répondit : « Je n'y vois plus. » Mme Pretty s'approcha alors à son tour pour mieux évaluer les dégâts. Mlle Ridley souleva le mouchoir. « C'est l'enflure qui vous empêche d'ouvrir les yeux, déclara-t-elle. Je ne crois pas que ce soit plus grave. En tout cas Mme Jelf va courir nous chercher le médecin. » — Mme Jelf ne se le fit pas dire deux fois. Mlle Ridley remit la compresse en place et appuya d'une main, appliquant l'autre à la nuque de Mlle Brewer. Elle se tourna vers Mme Pretty, sans un regard pour moi. « *Dawes* », dit-elle. Comme l'autre y allait, elle lui cria après : « Appelez-moi si elle rue. »

Je ne pouvais que rester là, bras ballants, à guetter les bruits. J'entendis, lourds et rapides, les pas de Mme Pretty sur les dalles sablées. Voilà qu'elle tirait le verrou de la porte de bois à l'entrée de la cellule de Selina, qu'elle faisait tourner la clef dans la serrure de la grille. Vint enfin un murmure de voix, peut-être un cri. Un instant de silence, et les pas lourds revinrent vers nous, doublés de l'écho d'un pied plus léger, pied de quelqu'un qui trébuchait ou qu'on traînait contre son gré. Encore une porte claquée, puis plus rien.

Je sentais les yeux de Mlle Ridley sur moi. Elle demanda : « Vous étiez avec la détenue lorsque l'incident s'est produit ? » Je fis oui de la tête. Elle me demanda ce qui l'avait provoqué. Je protestai de mon ignorance. « Pourquoi est-ce Mlle Brewer qu'elle a attaquée, plutôt que vous ? » demanda-t-elle alors. Je répétai que je ne savais rien avec certitude, que j'ignorais pourquoi elle ferait du mal à quiconque. Je dis enfin : « Mlle Brewer avait apporté une nouvelle.

— Et c'est la nouvelle qui a mis le feu aux poudres ?

— Oui.

— De quoi s'agissait-il, mademoiselle Brewer ?

— Elle va être transférée, à la prison de Fulham », répondit la malheureuse Mlle Brewer. Elle posa une main sur la table à côté de son siège, brouillant sans s'en rendre compte les cartes que Mme Jelf avait disposées pour une réussite.

Mlle Ridley corrigea avec un malin plaisir : « *Plus maintenant.* »

Elle renifla bruyamment, un tic parcourut son visage — un petit mouvement heurté, comme celui que le jeu des roues imprime parfois aux aiguilles d'une horloge — et ses yeux revinrent me chercher.

Mon Dieu! me dis-je à nouveau, devinant ce qu'elle s'imaginait avoir compris.

Je lui tournai le dos. Elle ne prononça plus un mot, et l'instant d'après Mme Jelf nous amenait le médecin de l'établissement. L'homme s'inclina en m'apercevant, puis alla prendre la place de Mlle Ridley auprès de Mlle Brewer, explora avec force *ttt, ttt, ttt* l'état de choses sous le mouchoir et donna à Mme Jelf une poudre à administrer à la blessée dans un verre d'eau. Une poudre à l'odeur familière. Je regardai Mlle Brewer boire la potion à petites gorgées. À un moment, elle en fit tomber quelques gouttes, et je résistai avec peine à l'envie de me précipiter pour recueillir le précieux liquide.

Le médecin lui dit qu'elle allait avoir « des bleus », mais que ce n'était pas bien méchant : elle avait de la chance que le coup n'eût pas atteint le nez ou l'os de la pommette. Il lui mit un pansement, puis se tourna vers moi et demanda : « Vous avez assisté à la scène ? La détenue ne vous a pas frappée ? » Je répondis que j'étais indemne. Lui en doutait : pour une femme du monde, il ne faisait pas bon être mêlée à une histoire de ce genre. Il me conseilla de faire porter un mot chez moi, qu'on m'envoie tout de suite ma femme de chambre et une voiture. Lorsque Mlle Ridley objecta que Mlle Haxby n'avait pas encore entendu mon témoignage, il répondit que Mlle Haxby accepterait bien un ajournement « dans le cas de Mlle Prior ». C'était le même homme qui refusait d'admettre la pauvre Ellen Power à l'infirmerie. Je n'y pense que maintenant, en écrivant ; sur le moment, l'idée ne m'est pas venue. J'accueillis son intervention avec une reconnaissance sans mélange, car si j'avais dû subir alors les questions et les insinuations de Mlle Haxby, je n'y aurais sans doute pas survécu. Il se proposa pour me reconduire. Le chemin nous fit repasser devant la cellule de Selina, et je ralentis le pas et tressaillis, interdite, à la vue du peu de chose qui y avait imprimé les stigmates d'un désordre criant — les portes grandes ouvertes, la gamelle, le gobelet et la cuillère par terre, les plis réglementaires du hamac dérangés, les pages du *Compagnon du prisonnier* déchirées, la couverture du volume rayée de blanc. Je regardais. L'œil du médecin suivit le mien, et je le vis hocher la tête.

« Une fille tranquille, à ce qu'on m'avait dit, fit-il. Enfin, cela s'est vu ; il arrive que même la chienne la plus soumise se retourne contre sa maîtresse. »

Il m'avait conseillé de faire venir une domestique et de rentrer en voiture. Je n'aurais pas supporté de m'enfermer dans la caisse d'un fiacre, en pensant surtout au lieu où on avait claquemuré Selina. Je rentrai à pied, marchant d'un bon pas à travers la nuit déjà tombée, sans l'ombre d'une peur pour moi-même. Je ne ralentis qu'au coin de Tite Street, pour me rafraîchir la figure en l'exposant à la brise. Ma mère allait peut-être me demander si ma visite s'était bien passée, et je savais qu'il faudrait garder mon calme en répondant. Je ne pourrais pas dire : « Une fille a piqué une crise aujourd'hui, Mère, et frappé une surveillante. Une énergumène, qui a mis tout son quartier sens dessus dessous. » Je ne pouvais pas parler ainsi, pas à ma mère. Non seulement parce qu'il vaut mieux qu'elle continue de voir les détenues en brebis dociles, repentantes, sans danger — non, ce n'était pas la seule raison. La raison, c'est que je n'aurais pas pu tenir un tel langage sans pleurer ou trembler de tout mon corps ou clamer tout haut la vérité...

La vérité, c'est que Selina Dawes avait poché les deux yeux à une surveillante ; elle s'était fait jeter au cachot obscur, en gilet de force, parce qu'elle ne supportait pas de quitter Millbank ; elle ne supportait pas de me quitter, moi.

Je voulais donc garder mon calme, monter à ma chambre sans me faire remarquer. Je dirais que j'étais indisposée, mais que je n'avais besoin de rien, simplement qu'on me laisse dormir. Lorsque Ellis m'ouvrit la porte, je vis cependant à son regard qu'il n'en était pas question. Lorsqu'elle se rangea pour me laisser passer, j'aperçus la table mise dans la salle à manger, avec des fleurs et des candélabres et notre meilleur service. Ce fut ensuite ma mère qui sortit dans le vestibule, blême d'inquiétude et d'énervement : « Oh ! Comment osez-vous me manquer d'égards à ce point ?! Me contrarier et me tourmenter ainsi ! »

C'était la première fois depuis le mariage de Prissy que nous avions du monde à dîner, les invités allaient arriver d'un instant à l'autre et je l'avais complètement oublié. Ma mère fonça sur moi en levant la main — je rentrai la tête dans les épaules, croyant qu'elle allait me frapper.

Mais non, elle ne me frappa pas. Elle arracha mon manteau, puis se mit à tirer sur mon col en criant : « Déshabillez-la ici, sur place, Ellis ! Nous ne voulons pas de cette saleté-là en haut, sur les tapis où les gens passent. » Je me rendis compte alors que j'étais rayée de blanc. Apparemment, je m'étais frottée à un mur en tentant de porter secours à Mlle Brewer. Hébétée, passive, je vis ma mère attraper l'une de mes manches et Ellis l'autre. Ensemble, elles m'ôtèrent mon corsage, je me dégageai de mes jupes en trébuchant, on fit disparaître mon chapeau, mes gants, et enfin mes souliers, crottés par le trajet du retour. Lorsque Ellis eut tout emporté, ma mère me prit par le bras — j'avais la chair de poule —, m'entraîna dans la salle à manger et ferma la porte.

Je dis, comme je me l'étais proposé, que j'étais indisposée, mais ma mère rétorqua avec un rire amer : « Indisposée ? Non, Margaret, pas de ça ! Vous jouez cette carte-là à votre convenance. Vos maladies sont des maladies de commande.

— Je suis malade en ce moment, insistai-je, et vous ne faites qu'aggraver mon état...

— Vous êtes pourtant assez bien portante pour vos amies de Millbank ! » Je pris mon front dans une main. Ma mère l'écarta d'un coup sec et reprit : « Vous êtes égoïste et têtue. Je ne veux pas de ça ! »

Je la suppliai : « *S'il vous plaît.* Tout ce que je veux c'est monter chez moi, m'allonger... »

Elle dit que j'allais monter m'habiller — il faudrait me débrouiller toute seule, les domestiques avaient trop à faire pour m'aider. Je protestai que j'en étais incapable, que j'étais trop distraite — que je venais d'assister à une scène horrible dans la prison des femmes.

« Votre place est ici ! martela ma mère. Ici, pas à la prison. Et il est grand temps que vous nous montriez que vous l'avez compris. Maintenant que Priscilla est mariée, il y a des devoirs qui vous incombent à la maison. Votre place est ici, ici que je vous dis. Vous serez là, à côté de votre mère, pour accueillir nos invités... »

Et patati! Et patata! Je lui dis qu'elle aurait Stephen, qu'elle aurait Helen — mais ce nom-là eut le don de l'exaspérer. *Non!* Elle ne le tolérerait pas! Elle n'admettrait pas que nos amis pussent me croire faible ou *excentrique* — ce dernier mot, lancé comme un crachat. « Vous avez beau vous monter la tête, Margaret — vous n'êtes pas Mme Browning. Vous n'êtes même pas Mme Tout-le-Monde. Vous n'êtes que *mademoiselle* Prior. Et votre place — combien de fois faudra-t-il que je le répète? — votre place est ici, aux côtés de votre mère. »

Le petit mal de tête qui m'avait prise à Millbank était à présent une migraine carabinée, mais cela aussi, ma mère l'écarta d'un geste insoucieux en me conseillant de prendre une dose de chloral. Elle n'avait pas le temps d'aller chercher le flacon, mais je pourrais bien faire cela toute seule. — Elle me dit alors où elle garde le médicament : dans le tiroir intérieur de son secrétaire.

Je suis montée d'abord ici. Telle que j'étais, en chemise et jupons, pieds nus. Croisant Vigers sur le palier, je n'ai pu soutenir son regard ébahi. J'ai trouvé ma robe étalée sur mon lit, avec la broche qu'on avait choisie pour moi. Je luttais toujours avec les agrafes, lorsque j'ai entendu une première voiture venir se garer devant le perron — un fiacre, qui nous amenait Stephen et Helen. Sans Ellis pour m'aider, j'étais maladroite : j'ai réussi à tordre un fil de l'armature de ma jupe, à la taille, sans la moindre idée de ce qu'il fallait faire pour réparer les dégâts. Je n'avais la moindre idée de rien, hormis la douleur qui me martelait les tempes. En me brossant les cheveux pour effacer les traces des murs de Millbank, j'avais l'impression de me passer une pelote d'aiguilles sur le crâne. J'ai vu ma tête dans la glace, mes yeux noirs comme des marques de coups, les veines de ma gorge semblables à des cordes, tendues, saillantes. Entendant la voix de Stephen deux étages au-dessous, j'ai guetté la fermeture de la porte du salon avant de descendre chercher le chloral dans la chambre de ma mère. J'en ai pris cinq cents grains — je me suis assise, prête à m'abandonner à la détente, mais l'effet s'est fait attendre, et j'ai donc pris deux cent cinquante grains de plus.

Je l'ai bien senti alors : mon sang épais, comme de la mélasse, les chairs de mon visage engourdies, la douleur à la tempe qui allait diminuant. Le médicament ne m'avait pas trahie. J'ai remis le flacon à sa place dans le tiroir, méticuleusement, comme ma mère l'aurait voulu. Après quoi, je suis allée la rejoindre au salon pour faire bonne mine à nos invités. Elle m'a mesurée des yeux à mon entrée, après quoi, rassurée — oui, j'étais bien présentable — elle ne m'a plus regardée de la soirée. Helen cependant est venue m'embrasser en murmurant : « Vous venez de vous disputer toutes les deux, je sais. » J'ai répondu : « Oh ! Comme je regrette que Priscilla soit partie ! » Craignant soudain qu'elle ne sente le médicament sur mon haleine, j'ai pris un verre de vin sur le plateau que faisait passer Vigers. Je comptais ainsi masquer l'odeur.

Vigers m'a regardée faire. L'instant d'après, sa voix murmurait : « Les épingles de votre chignon ne vont pas tenir, Mademoiselle. » Elle a calé son plateau contre sa hanche pour libérer une main dont j'ai senti la pression à ma nuque... Sur le moment, j'ai perçu ce simple geste comme la plus grande marque de bonté que personne m'ait jamais témoignée.

Enfin, Ellis a sonné la cloche qui donne le signal de passer à table. Stephen a offert le bras à notre mère, et M. Wallace s'est emparé de celui de Helen. Mon cavalier était le fiancé de Mlle Palmer, un M. Dance. M. Dance porte toute sa barbe, sous un front très large. J'ai dit — mais je m'en souviens comme des propos d'une autre — j'ai dit : « Quelle physionomie curieuse que la vôtre, monsieur ! Mon père me dessinait des têtes comme ça quand j'étais petite. On retourne le papier dans l'autre sens et on découvre un autre visage. Dis, Stephen ! Tu t'en souviens ? » M. Dance a ri. Helen m'a lancé un regard interrogateur. J'ai repris : « Il faudra faire le poirier, monsieur, et nous montrer votre visage caché ! »

M. Dance a ri derechef. Dans mon souvenir il a ri aux éclats pendant tout le repas, tellement que j'ai trouvé à la longue tous ces rires fatigants. Je me suis frotté les yeux, et Mme Wallace a dit : « Margaret est lasse ce soir. N'est-ce pas que vous êtes lasse, Margaret ? Vous vous dépensez trop pour ces malheureuses qui vous intéressent tant. » J'ai rouvert les paupières. Les lumières sur la table étaient éblouissantes. M. Dance a voulu savoir de qui on parlait, et Mme Wallace lui a appris à ma place que, patronnesse d'une œuvre, je visitais régulièrement la prison de Millbank où j'étais devenue l'amie de toutes les détenues. M. Dance s'est essuyé la bouche en lâchant un : « Ah ! vous m'en direz tant ! » J'ai réussi à me piquer encore, plus fort, à l'armature abîmée de ma jupe. Mme Wallace parlait toujours : « À ce que Margaret nous raconte, le régime est très sévère là-bas. Mais, bien sûr, ce sont des créatures faites à une vie dépravée et avilie. » J'ai promené mes regards d'elle à M. Dance. Il demandait justement : « Et Mlle Prior y va pour les étudier ? Pour leur dispenser un enseignement ?

— Pour leur dispenser réconfort et inspiration, répondait Mme Wallace. Pour les faire bénéficier de ses conseils, en tant que représentante de la bonne société...

— Ah ! *la bonne société...* »

Là-dessus, c'est moi qui ai éclaté de rire. M. Dance s'est tourné vers moi en clignant des paupières. Il a dit : « Je présume que vous avez été témoin là-bas de scènes abominables. »

Je me rappelle maintenant avoir jeté un coup d'œil dans son assiette, y avoir noté un biscuit, un morceau de fromage veiné de bleu et un couteau au manche d'ivoire ; sur la lame du couteau s'enroulait un ruban de beurre où perlait une fine rosée de condensation. J'ai répondu lentement. Des choses abominables, oui, j'en avais vu. J'avais vu des femmes qui, sous l'effet de la règle du silence, avaient désappris de parler. J'avais vu des femmes se mutiler elles-mêmes simplement pour un instant ébranler la routine. J'avais vu des femmes acculées à la folie. Il y avait là-bas en ce moment même une femme qui se mourait de froid et de malnutrition. Il y en avait une qui s'était éborgnée...

M. Dance a posé son couteau. Mlle Palmer a poussé un cri. Ma mère a aboyé « Margaret ! », et j'ai vu Helen échanger un regard avec Stephen. Mais les mots coulaient de source, ma langue goûtait les contours et la saveur de chacun avant de l'expulser de ma bouche. C'était comme de rendre tripes et boyaux là, sur la table — personne n'aurait su me faire taire.

J'ai dit : « J'ai vu le dépôt de fers et le cachot obscur. Au dépôt de fers il y a des chaînes et des gilets de force et des ceps. Dans les ceps, les poignets et les chevilles de la patiente sont attachés à ses cuisses, si bien qu'il faut la nourrir à la cuillère, comme un bébé, et si elle se souille, on la laisse macérer dans son ordure... » J'ai entendu encore la voix de ma mère, plus coupante que tout à l'heure, avec celle de Stephen en renfort. J'ai poursuivi : « Le *cachot* est une loge souterraine, fermée par une grille et une première porte massive et une seconde encore, rembourrée avec de la paille. Les personnes qu'on y jette n'ont pas l'usage de leurs bras, et il y fait tellement noir qu'elles étouffent. Il y a une jeune femme qui s'y trouve en ce moment même et... Voulez-vous, monsieur, que je vous dise le plus curieux de toute l'affaire ? » Je me suis penchée à l'oreille de mon voisin. J'ai chuchoté : « En fait, c'est moi qu'on aurait dû enfermer à sa place ! Pas elle du tout ! Nenni. »

M. Dance s'est détourné, interrogeant du regard Mme Wallace qui avait accueilli ma confidence d'un petit cri. Une voix anxieuse a demandé ce que je voulais dire. Qu'est-ce qui pouvait me faire parler ainsi ?

J'ai riposté : « Allons donc ! Ne me dites pas que vous ignorez que les suicidés ont droit à la prison !? »

Ma mère s'est empressée d'intervenir à l'intention de notre invité : « La santé de Margaret a été bien ébranlée, monsieur, à la mort de son pauvre père. Et malade comme elle l'était — par accident ! — elle s'est trompée dans le dosage de son médicament... »

Je lui ai coupé la parole, mettant les points sur les i : « J'ai pris de la morphine, monsieur, et j'en serais morte si on ne m'avait pas trouvée à temps. J'ai été maladroite sans doute, sans cela on ne m'aurait pas trouvée. Mais, voyez-vous, tout m'était égal — même qu'on le sache ou qu'on me sauve. Ne trouvez-vous pas que c'est cocasse ? Qu'une femme du peuple, mal dégrossie, puisse être envoyée en prison pour avoir pris de la morphine, tandis que moi, on me remet sur pied et on m'envoie lui prêcher le bon exemple — le tout parce que j'appartiens à *la bonne société* ? »

Sans doute étais-je folle, aussi folle que je l'ai jamais été, et pourtant mes paroles traduisaient une lucidité atroce que certains, je suppose, ont pu prendre pour un mouvement de révolte. J'ai promené sur la table un regard circulaire, mais à présent tout le monde s'est détourné, personne ne voulait me voir si ce n'est ma mère qui, elle, me regardait comme si elle ne me connaissait pas. Au bout du compte, elle s'est bornée à dire, très calme : « Helen, voulez-vous raccompagner Margaret dans sa chambre ? » Elle s'est levée alors, et toutes ces dames ont suivi le mouvement, et les messieurs aussi, pour saluer leur retraite. Les pieds des chaises grinçaient atrocement contre le parquet, et tous les verres et les assiettes vacillaient sur la table. Helen est venue à moi. J'ai dit : « *Toi*, ce n'est pas la peine de me toucher ! » et elle a tressailli — de peur, sans doute, des mots qui pourraient m'échapper encore. Mais elle a passé un bras autour de ma taille. Elle m'a tirée de ma chaise et emmenée ainsi, sous les yeux de Stephen et de M. Wallace et de M. Dance et de Vigers aussi, en faction à la porte. Ma mère a conduit ses invitées au salon, et nous les avons suivies jusque sur le palier du premier, à quelques pas de distance. Passé la porte du salon, Helen a demandé : « Qu'est-ce qui t'arrive, Margaret ? Je ne t'ai jamais vue ainsi — tu n'es pas toi-même. »

Un peu plus calme, je lui ai dit de ne pas se tracasser : j'étais simplement fatiguée, j'avais mal à la tête et ma robe me serrait. Arrivée à ma chambre, je n'ai pas voulu la laisser entrer. Je lui ai dit que ma mère avait besoin d'elle. Pour ma part, j'allais dormir, et demain matin il n'y paraîtrait plus. Elle avait l'air sceptique, mais lorsque je lui ai caressé à un moment la joue — amicalement, pour la rassurer ! — lorsque je l'ai sentie à nouveau réprimer un haut-le-corps et que j'ai compris qu'elle avait peur de moi, de ce que je pourrais faire ou dire à la portée d'oreilles tierces, lorsque je lui ai éclaté de rire au nez, elle est tout de même partie — se retournant tout le temps pour ne pas me perdre des yeux, me montrant un visage de plus en plus petit et pâle et flou, avalé par les ténèbres de l'escalier.

J'ai trouvé ma chambre livrée au silence et à la nuit, sans autre lumière que le faible rougeoiement du feu noyé sous la cendre et les quelques rais qui filtraient de la rue au pourtour du store. L'obscurité était la bienvenue, je n'ai pas un instant pensé à allumer la lampe. Je suis allée de la porte à la fenêtre, puis de retour à la porte, cherchant des doigts les agrafes de mon corsage, trop serré, pour mieux respirer. Mes doigts ne m'obéissaient pas — je ne réussissais qu'à faire descendre un peu le vêtement sur mes épaules, au prix d'une compression encore accrue. Et pendant tout ce temps je continuais ma navette entre la porte et la fenêtre. Je me disais : *Il ne fait pas assez noir !* Je voulais plus d'obscurité. *Où est-ce qu'il fait noir ?* La porte entre-bâillée de ma garde-robe m'attirait, mais même à l'intérieur il y avait un coin où la nuit me semblait plus profonde qu'ailleurs. Je m'y suis blottie, assise sur les talons, la tête sur les genoux. À présent j'étais serrée dans ma robe comme dans une poigne de fer ; plus je me tortillais pour la défaire et plus étroitement elle m'emprisonnait — jusqu'à me faire dire : *Il y a une vis dans mon dos, une vis qu'on resserre !*

Du coup, j'ai compris où je me trouvais. J'étais avec *elle*, tout près, collée — qu'est-ce qu'elle avait dit l'autre jour ? *plus collante que la cire.* J'avais conscience du cachot autour de moi, du gilet de force à même ma peau...

Et pourtant j'avais l'impression en même temps d'avoir les yeux bandés par de larges rubans de soie. Je portais un collier de velours autour du cou.

J'ignore combien de temps je suis restée tapie là. À un moment j'ai entendu des pas dans l'escalier, des coups discrets à la porte, un murmure... « *Dormez-vous ?* » Peut-être était-ce Helen, peut-être l'une des domestiques, sans doute pas ma mère. Je n'ai pas répondu, et la personne — qui que cela ait été — n'est pas venue, elle a dû me croire endormie... Vaguement, je me suis demandé comment la vue de mon lit inoccupé pourrait lui donner une telle idée. Enfin j'ai entendu des voix dans le vestibule en bas, le sifflement de Stephen appelant un fiacre. J'ai entendu le rire de M. Dance dans la rue sous ma fenêtre, la grande porte qu'on fermait et verrouillait, ma mère qui grondait en faisant le tour de toutes les pièces de réception pour contrôler l'extinction des feux. Je me suis bouché les oreilles. Quand j'ai ôté ensuite les mains, il n'y avait plus que le bruit de Vigers, allant et venant au-dessus de ma tête, faisant grincer et soupirer les ressorts de son lit.

Tentant enfin de me relever, j'ai chancelé. Mes jambes, courbatues et engourdies, ne voulaient plus se tendre, et j'avais toujours les coudes emprisonnés par mon corsage, mais dès que j'ai réussi à me remettre debout, la robe est tombée de mes épaules sans effort. Je ne sais pas si le médicament agissait toujours. Un instant, j'ai cru que j'allais me trouver mal et, à tâtons dans le noir, je suis allée me laver la figure et me rincer la bouche, attendant ensuite, penchée sur ma cuvette, que la nausée passe. Quelques braises luisaient faiblement dans l'âtre, et je m'y suis réchauffé les mains avant d'allumer une bougie. Mes lèvres, ma langue, mes yeux me semblaient appartenir à une autre. Je pense que je voulais interroger mon reflet dans la glace, mais en me retournant, mon regard est tombé sur le lit. Il y avait quelque chose sur l'oreiller. Mes doigts se sont mis à trembler si fort que j'ai laissé tomber la bougie.

J'ai cru voir une tête. J'ai cru voir *ma propre tête* dans le lit ouvert, sur le drap. Transie d'effroi, j'étais certaine d'être couchée dans mon lit — sans doute avais-je dormi pendant tout le temps où j'étais restée tapie au fond de la penderie, et à présent j'allais me réveiller, j'allais me lever, venir au-devant de moi-même et *m'ouvrir les bras.* Je me disais : De la lumière ! Il faut de la lumière ! Tu ne peux pas la laisser venir dans le noir ! Me baissant, j'ai retrouvé la bougie... J'ai réussi à la rallumer et, abritant la flamme de mes deux mains, je suis allée inspecter l'objet sur l'oreiller.

Ce n'était pas une tête. C'était un souple cordon de cheveux blonds, une tresse grosse comme mes deux poings. C'était la chevelure que j'avais voulu dérober à la prison de Millbank — la chevelure coupée de Selina. Elle me l'avait envoyée, depuis le sombre cachot où elle languissait, à travers la ville, à travers la nuit. J'y ai plongé mon visage. Elle sentait le soufre.

Je me suis réveillée à six heures ce matin, croyant entendre la cloche de Millbank. Je me suis réveillée comme la morte qui revient à la vie mais demeure à moitié encore dans l'étreinte des ténèbres, aspirée par le limon. J'ai retrouvé les cheveux de Selina à mon côté, leur éclat un peu terni là où la tresse s'était desserrée — j'avais dormi avec. À cette vue, au souvenir de la nuit, j'ai tremblé ; mais j'ai eu assez de présence d'esprit pour me lever, envelopper les cheveux dans un foulard et les soustraire aux regards, dans le même tiroir où je garde ce cahier. En y courant, j'ai eu l'impression que le sol tanguait comme le pont d'un navire ; recouchée, immobile au fond de mon lit, je sentais toujours le roulis. Quand Ellis est entrée chez moi, elle a fait demi-tour dès le seuil pour aller chercher ma mère, et ma mère, arrivée en fronçant le front, prête à gronder, a poussé un cri en me découvrant pâle et frissonnante et malheureuse. Elle a envoyé Vigers chez le Dr Ashe, et une fois que le médecin a été là, j'ai fondu en larmes, je ne pouvais plus m'arrêter de pleurer. Je lui ai dit que j'avais mes époques. Il m'a dit de ne plus prendre de chloral, mais du laudanum, et de garder la chambre.

Quand il est parti, comme je m'étais plainte de crampes, ma mère a dit à Vigers de m'appliquer sur le ventre une assiette chauffée. Ensuite elle m'a apporté le laudanum. Au moins il est meilleur au goût que l'autre médicament.

Elle a dit : « Vous comprenez bien que je ne vous aurais pas obligée à vous mettre à table avec nous hier soir si j'avais su à quel point vous étiez malade. » À l'avenir, ils allaient devoir faire plus attention aux occupations dont je meublais mes journées. Elle m'a amené alors Helen, et Stephen avec elle, et je les ai entendus chuchoter ensemble tous les trois. Je pense qu'à un moment j'ai dormi, mais au réveil je pleurais et criais et j'ai mis une bonne demi-heure à reprendre mes esprits. Après cela, j'ai commencé à avoir peur de ce que je dirais si je me remettais à délirer pendant qu'ils étaient là, à mon chevet. Pour finir, je les ai chassés, j'ai dit que je n'avais besoin que de tranquillité pour aller mieux. Ils ont protesté : « Vous laisser seule ? C'est absurde, voyons ! Vous laisser seule avec votre mal ? » — Je crois que ma mère avait l'intention de me veiller toute la nuit, mais j'ai pris sur moi pour retrouver un semblant de calme, et ils ont reconnu que je serais très bien si on me laissait seulement une des domestiques en cas de besoin. Vigers a donc été postée à ma porte où elle doit monter la garde jusqu'à l'aube. Elle a dû promettre à ma mère de me faire rester couchée, sans remuer le petit doigt — mais si elle m'a entendue tourner les pages de ce cahier, elle n'est pas venue voir. À un moment dans la journée elle m'a apporté en cachette une tasse de lait chaud, battu avec un œuf et de la mélasse. Elle a dit qu'une tasse par jour de sa mixture me remettrait vite fait sur pied. Je n'ai pas pu l'avaler. Elle a fini par l'emporter, son bon visage encore enlaidi par la tristesse. Je n'ai rien pris hormis de l'eau et un peu de pain ; et j'ai gardé les volets fermés et une bougie allumée. Quand ma mère a apporté une lampe, j'ai reculé au fond de mon lit. La lumière me faisait mal aux yeux.

26 mai 1873

Cet après-midi, comme je me tenais coite dans ma chambre, j'ai entendu le timbre de la porte, & Ruth m'a amené une personne. C'était une demoiselle Isherwood qui était venue à une séance dans le noir Merc dernier. Elle m'a regardée & elle a éclaté en sanglots, disant qu'elle n'a plus fermé l'œil depuis ce soir-là, & que tout est la faute à Peter Quick. Elle dit qu'il lui a touché les mains & la figure & qu'elle y sent toujours ses doigts, ils y ont laissé des marques invisibles qui exsudent une sorte de sève ou d'humeur qu'elle sent s'écouler de son corps comme de l'eau. J'ai dit : donnez-moi la main. Sentez-vous maintenant cette humeur dessus ? Elle a dit que oui. Je l'ai observée un moment, puis j'ai dit : *moi aussi.* Alors elle a ouvert des yeux ronds & j'ai ri. Évidemment, je savais la source de son mal. J'ai dit : vous êtes comme moi, Mlle Isherwood, & vous ne le savez pas. Vous avez des pouvoirs ! Vous êtes tellement pleine de fluide qu'il filtre à travers votre peau, voilà la sève que vous sentez, elle veut monter. Il faut lui aplanir le chemin,

& alors vos facultés seront renforcées & accompliront leur destinée. Elles n'ont besoin que d'être *développées*, comme nous disons entre nous. Si votre développement est négligé, vos dons dépériront, ou bien ils pourront aussi se pervertir & vous rendre malade. Je l'ai regardée en face ; elle était terriblement pâle. J'ai dit : je pense que vous avez déjà senti qu'ils commencent à se pervertir, n'est-ce pas ? Elle a reconnu le fait. J'ai dit : hé bien, vous n'aurez plus à vous en plaindre. Ne vous sentez-vous pas un peu mieux, maintenant que je vous ai touchée ? Pensez donc à ce que je pourrai faire pour vous avec la main de Peter Quick pour guider la mienne. J'ai dit à Ruth de préparer le salon, & j'ai sonné Jenny pour l'avertir de ne pas en approcher, ni des pièces voisines, pendant une heure.

J'ai attendu un moment, puis j'ai fait descendre Mlle Isherwood. Nous avons croisé Mme Brink. Je lui ai dit que Mlle Isherwood était là pour une séance privée, sur quoi elle a dit : oh ! Mlle Isherwood, quelle chance vous avez ! Mais j'espère que vous n'allez pas trop fatiguer mon ange ? Mlle Isherwood a promis. Quand nous sommes entrées au salon, nous avons trouvé le rideau en place, mais Ruth n'avait pas eu le temps de préparer de l'huile phosphorée ; elle y a laissé à la place une lampe ordinaire à la flamme très basse. J'ai dit : nous allons garder maintenant cette lampe allumée, & il faudra me dire quand vous pensez que Peter Quick est arrivé. Voyez-vous, il viendra si vous avez des pouvoirs, c'est seulement pour les séances nocturnes que j'ai besoin du rideau, pour me protéger des émanations des yeux vulgaires. Pendant une 20aine de minutes il ne s'est rien passé, & Mlle Isherwood était toujours un paquet de nerfs, quand enfin il y a eu un coup frappé contre le mur

& elle a chuchoté : qu'est-ce que c'est ? J'ai dit : je ne sais pas. Alors il y a eu d'autres coups, plus forts, & elle a dit : je pense qu'il est là ! & Peter est sorti du cabinet en secouant la tête & en se plaignant : pourquoi m'as-tu fait venir à cette heure indue ? J'ai dit : il y a là une dame qui a besoin de ton secours. Je crois qu'elle a le don d'évoquer les Esprits, mais sa faculté est faible & a besoin d'être développée. Je crois que c'est toi qui me l'as amenée pour y travailler. Peter a demandé : est-ce que c'est Mlle Isherwood ? Oui, je reconnais les marques que j'ai laissées sur son corps. Hé bien, Mlle Isherwood, ceci est une grande entreprise, une aventure à ne pas aborder à la légère. Vois-tu, ce que tu possèdes est qualifié parfois de *don fatal*. Ce qui se passe dans cette pièce paraîtra étrange aux oreilles des profanes. Tu devras garder les secrets des Esprits ou bien subir leur courroux sans borne. Peux-tu faire cela ? Mlle Isherwood a dit : je crois que oui, Monsieur. Je crois que Mlle Dawes dit vrai. Je crois que je suis d'un naturel très proche du sien ou qui pourrait le devenir.

J'ai regardé alors Peter & je l'ai vu sourire. Il a dit : mon médium est d'un naturel tout à fait exceptionnel. Tu t'imagines que pour être un médium il suffit de mettre ton Esprit en congé & d'en laisser venir un autre. Mais ce n'est pas ainsi que cela se passe. Tu devras te mettre plutôt au service des Esprits, devenir un instrument docile entre leurs mains. Tu devras les laisser *se servir de* ton âme, ta prière de tous les instants devra être *puissé-je servir*. Dis-le, Selina. Je l'ai dit, puis il a dit à Mlle Isherwood : dis-lui de le dire. Elle a dit : dites-le, Mlle Dawes, & j'ai répété : puissé-je servir. Il a dit : tu vois ? mon médium est obligé de faire ce qu'on lui dit. Tu la crois éveillée, mais elle est en transe. Dis-lui de faire autre chose. J'ai entendu Mlle Isherwood déglutir, puis elle a dit : voulez-vous bien vous lever, Mlle Dawes? mais Peter l'a aussitôt reprise : pas de prières, pas de voulez-vous ; il faut lui commander. Mlle Isherwood a dit alors : *levez-vous, Mlle Dawes!*, & je me suis levée & Peter a dit : autre chose. Elle a dit : joignez vos mains, ouvrez & fermez vos yeux, dites Amen, & j'ai fait tout cela & Peter a ri, d'une voix de plus en plus aiguë. Il a dit : dis-lui de t'embrasser. Elle a dit : embrassez-moi, Mlle Dawes! Il a dit : dis-lui de m'embrasser, moi! & elle a dit : Mlle Dawes, embrassez Peter! Alors il a dit : dis-lui d'enlever sa robe! Mlle Isherwood a dit : oh! pas cela! je ne peux pas! Il a répété : *dis-lui!* & alors elle me l'a dit. Peter a dit : aide-la à se dégrafer, & elle m'a aidée & elle a dit : comme son cœur bat!

Alors Peter a dit : tu vois maintenant mon médium dévêtu. C'est ainsi qu'apparaît l'Esprit dégagé du corps. Touche-la, Mlle Isherwood. Est-elle chaude?
Mlle Isherwood a dit que j'étais très chaude. Peter a dit : c'est parce que son Esprit est tout près de la surface de sa chair. Toi aussi, tu devras t'échauffer. Elle a dit : en effet, j'ai très chaud. Il a dit : c'est bien, mais tu n'es pas assez chaude pour le développement, il faut te laisser échauffer encore par mon médium. Il faut ôter ta robe maintenant & prendre Mlle Dawes dans tes bras. Je l'ai sentie faire tout cela, pendant que je gardais les yeux fermés, parce que Peter ne m'avait pas dit que je pouvais les rouvrir. J'ai senti les bras de la demoiselle se refermer sur moi & sa figure se rapprocher de la mienne. Peter a demandé : comment te sens-tu maintenant, Mlle Isherwood? & elle a répondu : je ne sais pas bien, Monsieur. Il a dit : dis-moi encore la prière que tu dois faire, & elle a dit : puissé-je servir. Il a dit : fais donc ta

prière. Elle l'a dite, & alors il lui a dit de la répéter plus vite, & elle s'est exécutée. Alors il s'est approché & il a mis la main sur sa nuque & elle a sursauté. Il a dit : allons, ton Esprit n'est toujours pas assez chaud ! Il faut qu'il s'échauffe tant & si bien que tu le sentiras fondre, tu sentiras le mien venir prendre sa place ! Il l'a prise dans ses bras & j'ai senti ses mains sur moi, maintenant nous la tenions serrée entre nous & elle s'est mise à trembler. Il a dit : quelle est la prière du médium, Mlle Isherwood ? La prière du médium ? & elle l'a dite, encore & encore & encore, d'une voix toute mourante à la fin, & c'est alors que Peter m'a dit dans un murmure : ouvre les yeux.

11 décembre 1874

J'ai continué à me réveiller toute la semaine au son impossible de la cloche de Millbank, appelant les détenues à une nouvelle journée de travail. Je les ai vues en esprit se lever, enfiler leurs bas de laine et leur robe de tiretaine. Je les ai vues attendre avec gamelle et couvert à la grille de leur cellule, se chauffer les mains à leur gobelet de thé et enfin se mettre à l'ouvrage, les doigts petit à petit engourdis par le froid. Je crois bien que Selina est à nouveau avec les autres, j'ai senti les ténèbres s'éclaircir un peu dans la partie de moi qui partage sa prison. Je sais aussi qu'elle est très malheureuse ; et je ne suis pas allée la voir.

C'est la peur qui tout d'abord m'a tenue loin d'elle, la peur et la honte. À présent c'est ma mère. Sa mauvaise humeur l'a reprise au fur et à mesure de mon rétablissement. Elle est venue me veiller au lendemain de la visite du médecin et, voyant Vigers apporter encore une assiette chauffée, elle a pris un air désapprobateur pour clamer : « Vous n'en seriez pas là si vous vous étiez mariée. » Hier elle a assisté à mon bain, mais elle n'a pas voulu me laisser m'habiller. Elle tient à me faire garder la chambre et rester en chemise. Vigers est arrivée là-dessus avec, sur le bras, le costume trotteur que je m'étais fait faire pour mes visites à Millbank. Le vêtement avait été oublié l'autre soir dans ma garde-robe. Sans doute voulait-elle le brosser. En le revoyant, taché de blanc, je me suis souvenue de Mlle Brewer s'affaissant au pied du mur. Après un regard de mon côté, ma mère a adressé un signe de tête à Vigers. Elle lui a dit d'emporter le costume, de le nettoyer et de le ranger au grenier. Quand je lui ai dit d'attendre — que j'aurais besoin de mon trotteur pour Millbank — ma mère a fait l'étonnée. Je n'avais tout de même pas l'intention de reprendre mes visites, n'est-ce pas, après ce qui s'était passé ?

Elle a redit alors à Vigers, d'un ton mesuré : « Prenez le costume et allez-vous-en. » Et Vigers y est allée avec un dernier regard de mon côté. J'ai suivi ses pas, pressés, dans l'escalier.

Nous avons eu donc encore une dispute, assommante, toujours la même. « Je ne souffrirai pas que vous retourniez à Millbank, a dit ma mère, du moment que cela vous rend tellement malade. » J'ai dit qu'elle ne pourrait pas m'en empêcher, si tel est mon bon plaisir. Elle a répondu : « Votre propre sens des bienséances devrait vous l'interdire. Votre propre loyauté envers votre mère ! »

J'ai protesté que mes visites n'avaient rien d'inconvenant ni de déloyal. Où avait-elle été prendre une telle idée ? Elle, alors : N'était-ce pas de la déloyauté que de la mortifier en présence de M. Dance et de Mlle Palmer, comme je l'avais fait l'autre soir ? Elle l'avait prévu dès le départ, et le Dr Ashe maintenant disait comme elle : mes visites à Millbank étaient cause de ma rechute, alors que j'avais été en si bonne voie. J'avais eu trop de liberté, plus que mon tempérament ne pouvait digérer. J'étais trop malléable, la fréquentation des détenues grossières me faisait oublier les bonnes manières. J'avais trop de loisir, je me faisais des idées — *&c. &c.*

« M. Shillitoe a envoyé un mot, demandant de vos nouvelles », a-t-elle dit enfin. En fait, sa lettre était arrivée au lendemain de ma dernière visite. Elle a dit qu'elle allait lui faire une réponse, pour l'informer que ma santé ne me permettait pas d'y retourner.

Je m'étais épuisée en cherchant de bonne foi à la convaincre. À présent que je voyais clair dans son jeu, j'ai senti monter en moi une bouffée de colère. J'ai pensé : *Garce ! Le diable t'emporte !* — les mots dans ma tête étaient parfaitement nets, comme sifflés par une bouche intérieure. Tellement nets que j'ai tressailli, pensant que ma mère aussi les avait forcément entendus. Mais non, elle allait à la porte sans se retourner, d'un pas dont la fermeté m'indiquait l'attitude que j'avais à adopter pour ma part. M'essuyant les lèvres avec mon mouchoir, j'ai dit qu'il était inutile qu'elle prît la peine d'écrire, que j'enverrais moi-même un petit mot à M. Shillitoe.

Elle avait raison. J'allais renoncer à Millbank. J'en ai fait la promesse, sans la regarder en face. Sans doute qu'elle a mis cela sur le compte de la honte, car elle est revenue sur ses pas pour me caresser sommairement la joue. Elle a dit : « Je ne pense qu'à votre bien. »

Ses bagues étaient froides contre ma peau. Je me suis souvenue alors du soir où on m'avait sauvée de la morphine. Elle était venue dans sa robe de deuil, ses cheveux défaits. Elle avait posé la tête sur ma poitrine et trempé ma chemise de ses larmes.

À présent elle me tendait du papier et une plume, elle restait là, au pied du lit, à me regarder écrire. J'ai écrit :

Selina Dawes
Selina Dawes
Selina Dawes
Selina Dawes

et, voyant la plume glisser sur le papier, elle m'a laissée seule. J'ai brûlé ensuite la feuille dans la cheminée.

Cela fait, j'ai sonné Vigers, j'ai dit qu'il y avait eu un malentendu, qu'après avoir nettoyé mon costume elle devait me l'apporter, dès que ma mère serait sortie; il était inutile de mettre Mme Prior au courant, et Ellis non plus n'avait pas besoin de le savoir.

J'ai demandé alors si elle n'avait pas des lettres à poster. Elle a fait oui de la tête : il y en avait une, en effet. Je lui ai dit de courir tout de suite la mettre à la boîte et, si on lui posait la question, de dire que c'était pour moi. Elle m'a quittée sur une révérence, ayant soin de garder les yeux baissés. Cela, c'était hier. Plus tard, ma mère est revenue, et j'ai encore senti sa main sur ma joue. Pour le coup, j'ai fait semblant de dormir; je ne l'ai pas regardée.

Maintenant j'entends une voiture devant le perron. C'est Mme Wallace qui vient chercher ma mère pour l'emmener au concert. Ma mère sera là d'un instant à l'autre pour me faire prendre mon médicament avant de partir.

J'ai été à Millbank, j'ai vu Selina ; maintenant, plus rien n'est comme avant.

Bien sûr, j'étais attendue. Je crois que le concierge me guettait, car il me parut au courant de tout, lorsque je me présentai au pavillon d'entrée. Parvenue ensuite au pentagone des femmes, je fus accueillie par une surveillante qui me fit monter sur-le-champ dans le bureau de Mlle Haxby où je trouvai aussi M. Shillitoe et Mlle Ridley. C'était comme mon premier entretien — qui maintenant me semble faire partie d'une autre vie. Je ne le regardais pas ainsi cet après-midi, pas encore, mais je ne pouvais pas ne pas être sensible à la différence des deux occasions, car Mlle Haxby ne sourit pas une seule fois, et M. Shillitoe lui-même s'était composé un visage grave.

Il se dit ravi de me revoir. N'ayant pas eu de réponse à sa lettre, il commençait à craindre que la frayeur éprouvée lors de l'incident de la semaine passée ne m'eût définitivement dégoûtée de mes bonnes œuvres. Je répondis que j'avais eu simplement une légère indisposition et que, par la négligence d'une domestique, sa lettre ne m'avait pas été transmise. Tout en parlant, je voyais Mlle Haxby considérer mes yeux cernés et les ombres sous mes pommettes... J'avais, je crois, les pupilles dilatées par les gouttes de laudanum, mais sans doute aurais-je eu plus mauvaise mine encore sans les gouttes. Il y avait plus d'une semaine que je gardais la chambre, et le médicament me redonnait malgré tout quelques forces.

Elle dit qu'elle espérait que j'étais désormais tout à fait rétablie. Elle avait regretté de ne pouvoir s'entretenir avec moi après ce malheureux incident. « Il n'y avait personne pour nous conter les faits, hormis la pauvre Mlle Brewer. Je suis désolée de le dire, mais Dawes s'est montrée extrêmement têtue. »

Mlle Ridley chercha une pose plus confortable. J'entendis le crissement de ses semelles sur le sol de pierre. M. Shillitoe se taisait. Je demandai combien de temps on avait gardé Selina au cachot obscur. — « Trois jours » fut la réponse. On ne pouvait imposer à une détenue une sanction plus lourde « sans un ordre du tribunal ».

Je dis : « Trois jours me semblent une peine très sévère. »

Pour violences contre une surveillante ? Mlle Haxby n'était pas de cet avis. L'événement avait porté un coup terrible à Mlle Brewer ; non seulement elle ne voulait plus revenir à Millbank, mais elle avait tourné le dos au travail dans les prisons en général. M. Shillitoe confirma d'un hochement de tête. C'était, dit-il, « infiniment regrettable ».

J'esquissai un geste de sympathie avant de demander : « Et Dawes ? Comment va-t-elle ?

— Aussi mal qu'elle le mérite », répondit Mlle Haxby. Elle avait rejoint les pensionnaires du quartier de punition pour carder des fibres de coco sous la surveillance de Mme Pretty. Évidemment, il n'était plus question de son transfert à Fulham. La directrice ajouta alors en me regardant bien en face : « Je présume que vous du moins verrez là une bonne nouvelle. »

Je m'étais préparée à la question. Je répondis, d'une voix très ferme, que je m'en réjouissais en effet, car c'était à présent que Dawes aurait plus que jamais besoin des conseils d'une amie. À présent, bien plus que par le passé, que ma sympathie et mes visites pourraient lui être utiles...

« *Non*, coupa Mlle Haxby. Non, mademoiselle Prior. » Comment pouvais-je raisonner ainsi, alors que ma sympathie et mes visites précisément avaient poussé Dawes à agresser une surveillante et à saccager sa cellule ? Alors que l'intérêt que je lui portais était directement responsable de ses violences ? Elle insista : « Vous vous dites son amie. Avant vos visites, il n'y avait pas détenue plus docile ! Quelle amitié est-ce là, qui suscite de telles passions chez une fille de ce genre ?

— Vous voulez m'interdire de la revoir.

— Je veux qu'elle retrouve son calme, pour son propre bien. Elle ne sera pas tranquille tant que vous serez là à lui tourner autour.

— Elle ne sera pas tranquille sans moi !

— Il faudra qu'elle apprenne.

— Mademoiselle Haxby... »

Ma langue fourcha et je m'arrêtai court. J'avais failli dire *Mère !* Je levai une main à ma gorge et consultai du regard M. Shillitoe. Il opina :

« L'incident était extrêmement grave. Supposez, mademoiselle Prior, que la prochaine fois ce soit *vous* qu'elle frappe...

— Elle ne me frappera pas, *moi* ! » Je ne m'en tins pas au démenti. Ne voyaient-ils pas l'horreur de sa situation, le réconfort qu'étaient pour elle mes visites ? Qu'ils y pensent seulement : voilà une jeune femme intelligente, tranquille — la plus docile de tout l'établissement, comme Mlle Haxby elle-même venait de le reconnaître ! Qu'ils essaient de comprendre l'effet de l'enfermement dans son cas — loin de l'amender et de l'amener au repentir, la prison l'avait plongée dans un tel abîme de désespoir que, incapable désormais d'imaginer un monde en dehors de sa cellule, elle avait frappé celle qui lui annonçait qu'elle allait devoir la quitter ! « Bâillonnez-la, interdisez mes visites, dis-je, et si vous voulez mon avis, elle perdra la raison — à moins que vous n'ayez carrément à répondre de sa mort... »

Je poursuivis dans la même veine. Je n'aurais pas été plus éloquente si j'avais plaidé ma propre cause — je sais maintenant que c'est bien ma vie qui était en jeu, et je pense que la voix qui sortait de ma bouche m'était prêtée par une autre. M. Shillitoe se mit enfin à réfléchir, comme l'autre jour. Je ne sais plus exactement quels mots furent échangés entre nous. Je sais seulement qu'il finit par autoriser mes visites, disant qu'il faudrait suivre de près la réaction de la détenue. « Sa gardienne, Mme Jelf, a elle aussi parlé en votre faveur », dit-il — témoignage qui n'était manifestement pas sans poids dans son esprit.

Je me tournai du côté de Mlle Haxby, mais elle avait baissé la tête. Elle ne consentit à rencontrer mon regard qu'après que M. Shillitoe nous eut quittées, lorsque je me levai pour commencer ma tournée. Je fus alors déconcertée par son expression : sans colère, empreinte plutôt d'une sorte de malaise ou d'embarras. Je pensai : Je viens d'être témoin de son humiliation, elle peut difficilement ne pas en être piquée. « Ne nous disputons pas, mademoiselle Haxby », dis-je, et elle répondit aussitôt qu'elle n'entendait aucunement me chercher noise. Restait que je m'étais fait ouvrir les portes de sa prison sans rien savoir... Elle hésita, échangea un regard furtif avec Mlle Ridley avant de poursuivre : « Je dois évidemment des comptes à M. Shillitoe, mais ce n'est pas M. Shillitoe qui fait la loi ici. Il s'agit en effet d'une prison pour femmes, dont M. Shillitoe ne comprend ni les tempéraments ni les humeurs. Je vous ai dit un jour en plaisantant que j'avais fait plus de temps derrière les barreaux que la plupart de nos pensionnaires — c'est un fait, mademoiselle Prior, et je crois connaître tous les dérèglements que comporte la vie carcérale. Je pense que, pas plus que M. Shillitoe, vous ne vous doutez de la nature de... » Elle hésita, comme si elle n'arrivait pas à trouver le mot juste, puis répéta : « ... du *tempérament* — du tempérament particulier — d'une fille comme Dawes, lorsqu'on l'enferme... »

Elle donnait toujours l'impression de chercher ses mots : comme une détenue, incapable de se souvenir d'un vocable sans rapport direct avec la routine de la prison. Je savais à quoi elle pensait. Mais le « tempérament » dont elle parlait là était grossier, vulgaire, le fait d'une Jane Jarvis ou d'une Emma White — quelque chose qui n'avait rien de commun avec Selina et moi. Sans attendre qu'elle en dît plus, je pris moi-même la parole, promettant de me tenir désormais sur mes gardes. Elle me dévisagea un instant encore, puis me confia à la conduite de Mlle Ridley.

Je sentais l'action du narcotique en la suivant à travers les corridors blancs de la prison. Plus encore en atteignant ceux sur lesquels s'ouvrent les portes des cellules, car ils étaient peuplés de courants d'air qui faisaient danser la flamme des becs de gaz ; autour de moi, toutes les surfaces avaient l'air de bouger, ballonnées ou vacillantes. Je fus frappée, comme toujours, par l'aspect lugubre, les miasmes et le silence du quartier de punition. Mme Pretty m'accueillit avec une grimace qui lui donna une tête étrange, étirée en largeur comme le reflet dans une tôle gondolée. « Tiens, tiens, mademoiselle Prior, dit-elle (je suis certaine d'avoir bien entendu). Vous voilà revenue voir votre brebis galeuse ? » Elle me mena à une porte et colla un œil sournois au guichet d'inspection, puis s'attaqua à la serrure, tira le verrou de la grille et m'encouragea : « Allez-y, mademoiselle. Elle a été sage comme une image depuis son petit tour aux loges. »

La cellule où on l'a mise est plus petite que celles des autres quartiers, et il y fait terriblement triste, avec les volets métalliques qui masquent à moitié la fenêtre et la cage de fil de fer dans laquelle on enferme le bec de gaz pour protéger la flamme. Il n'y a ni table ni chaise. Je la trouvai assise sur son lit de planches, penchée maladroitement sur un plateau de fibres de coco. Elle repoussa cet ouvrage et tenta de se mettre debout en entendant la porte s'ouvrir, mais tituba et dut chercher l'appui du mur. L'étoile a disparu de sa manche, et on lui a donné une robe trop grande. Son teint était blême, ses tempes et ses lèvres ombrées de bleu, son front marqué d'une ecchymose jaune. Elle avait les ongles fendus, enflammés par les fibres de coco dont la poussière collait à son bonnet, à son tablier, à ses poignets, à sa literie, partout.

Lorsque Mme Pretty eut refermé la porte et fait tourner la clef dans la serrure, je fis un pas vers elle. Nous n'avions encore rien dit — nous nous regardions seulement, comme si nous nous faisions peur — mais je crois bien avoir murmuré alors : « Qu'est-ce qu'elles ont fait de vous ? Qu'est-ce qu'elles ont fait ? » Là-dessus elle releva brusquement la tête et sourit, sourire qui se déforma et fondit sous mes yeux, comme de la cire. Elle porta une main à son visage et pleura. Voyant cela, je ne pouvais pas ne pas la prendre dans mes bras, la faire rasseoir sur le lit et caresser son pauvre visage meurtri, jusqu'à ce qu'elle se remît. Même alors, elle laissa toujours reposer sa tête contre le col de mon manteau en se cramponnant à moi. Elle parla enfin, elle aussi tout bas : « Comme vous devez me trouver faible.

— Faible, Selina ?

— C'est que j'ai tant prié pour que vous veniez. »

Elle frémit encore de tout son corps avant de retrouver le calme. Je lui pris la main pour me récrier contre l'état de ses ongles, et elle me dit qu'elles avaient quatre livres de fibres de coco à démêler par jour. « Et si on n'y arrive pas, Mme Pretty nous en donne plus le lendemain. Les fibres volent partout — on a l'impression qu'on va étouffer. » On ne lui donne à manger que du pain noir avec de l'eau, et on lui met des *fers* pour la mener à la chapelle. — Je ne supportais pas de l'écouter. Mais lorsque je lui pris à nouveau la main, je la sentis se raidir et retirer ses doigts. « Mme Pretty, murmura-t-elle. Mme Pretty vient nous regarder... »

J'entendis alors un mouvement à la porte ; l'instant d'après, un frémissement parcourait le guichet d'inspection, ouvert lentement par de gros doigts blancs. Je lançai : « Ce n'est pas la peine de nous épier, madame Pretty ! », et la surveillante éclata de rire, disant que pour ouvrir l'œil, il fallait toujours ouvrir l'œil dans ce quartier-là. Pourtant, le judas fut refermé et je l'entendis s'éloigner, puis interpeller l'occupante d'une autre cellule.

Nous gardâmes un instant le silence. Je regardais la marque au front de Selina — elle dit qu'elle avait trébuché dans le noir lorsqu'on l'avait jetée au cachot. Elle eut un haut-le-corps en y repensant. Je dis : « C'était atroce là-bas. » Elle approuva avec un hochement de tête : « Atroce, et si quelqu'un peut savoir à quel point, c'est bien *vous...* » Puis : « Je n'aurais pas pu le supporter si vous n'aviez pas été là pour prendre sur vous une petite part de la noirceur. »

J'écarquillai les yeux. Elle parlait toujours : « C'est *alors* que j'ai compris comme vous êtes bonne, de venir à moi, après tout ce que vous aviez vu. Savez-vous ce qui m'a fait peur surtout pendant ma première heure au cachot ? Oh ! c'était un vrai supplice ! — pire que tout ce que *les autres* pouvaient m'infliger. C'était l'idée que vous ne reviendriez peut-être pas ; l'idée que je vous avais peut-être chassée, perdue par cela même que j'avais fait pour vous retenir près de moi ! »

Je savais — mais le savoir m'avait rendue malade, je ne supportais pas de l'entendre mis en paroles. Je dis : « Il ne faut pas, il ne faut pas » — elle répondit, dans un chuchotement passionné, que si, *il le fallait !* Oh ! quand elle pensait à cette pauvre dame, Mlle Brewer ! Elle ne lui voulait pas de mal. Mais être transférée — être « libre », comme disaient les autres, libre de parler à ses codétenues ! « Pourquoi aurais-je envie de parler avec des criminelles, alors que je ne pourrais plus *vous* parler, à vous ? »

Je crois que je mis alors ma main sur sa bouche. Je répétai encore et encore qu'*il ne fallait pas, il ne fallait pas* dire des choses pareilles. Elle finit par décoller mes doigts et dit que c'était précisément pour ces choses-là qu'elle avait blessé

Mlle Brewer, pour ces choses-là qu'elle avait enduré le cachot et le gilet de force. Allais-je insister pour lui imposer silence, *après cela*?

Je m'agrippai à ses deux bras et, sifflant presque entre les dents, je lui demandai ce que cela lui avait rapporté. Elle n'avait réussi qu'à attirer davantage l'attention sur nous! Ne savait-elle donc pas que Mlle Haxby voulait m'éloigner d'elle? Que Mlle Ridley allait compter les minutes que nous passions ensemble? Que Mme Pretty allait nous tenir à l'œil? — que M. Shillitoe lui-même nous attendait au tournant? « Vous vous rendez compte? Toutes les précautions, toutes les ruses dont nous allons avoir besoin maintenant! »

En parlant, je l'avais attirée plus près. Je percevais à présent ses yeux, sa bouche, son haleine, chaude et âcre. J'entendais ma propre voix, l'aveu qui venait de m'échapper.

Je desserrai mon étreinte et me détournai. Elle dit : « Aurora. »

Je répliquai aussitôt : « Ne prononcez pas ce nom. »

Elle le redit. *Aurora, Aurora.*

« Il ne faut pas.

— Pourquoi non? Je te l'ai dit dans le noir, et tu étais contente de l'entendre et tu me répondais! Pourquoi est-ce que tu t'éloignes de moi maintenant? »

Je m'étais relevée. Je dis : « Il le faut.

— Pourquoi? »

Nous étions trop proches. C'était mal, une infraction au règlement intérieur de la prison. Mais lorsque je lui tins ce langage, elle aussi se redressa, et la cellule était tellement petite que je ne pouvais pas la fuir, il n'y avait nulle part. Mes jupes frôlèrent son plateau, soulevant un nuage de poussière de coco qu'elle traversa sans broncher pour venir tout près, poser une main sur mon bras. Elle dit : « Tu me veux proche. » Je protestai aussitôt que *non, je ne voulais pas*, et elle revint à la charge : « Si, tu me veux. Pourquoi donc as-tu écrit mon nom dans les pages de ton cahier ? Pourquoi as-tu gardé des fleurs qui te viennent de moi ? *Pourquoi, Aurora, as-tu mes cheveux ?*

— C'est vous qui m'avez envoyé tout cela ! dis-je. Je n'ai jamais rien demandé !

— Je n'aurais rien pu envoyer si tu n'y avais frayé les voies par la force de ton désir », répondit-elle simplement.

Il n'y avait rien à répliquer à cela. Lorsqu'elle vit mon visage, elle s'écarta et, à son tour, changea de physionomie. Elle me dit de rester calme, car Mme Pretty allait peut-être regarder. Elle me dit de ne pas bouger et d'écouter les choses dont elle avait à me faire part. Ayant séjourné dans l'obscurité, elle savait tout, et j'allais savoir à présent, moi aussi...

Elle courba un peu la tête, sans me quitter des yeux. Ses yeux étaient immenses, plus grands que je ne les avais jamais vus, noirs comme des yeux de magicienne. Elle parla. Ne m'avait-elle pas dit un jour que son séjour en prison devait servir à l'accomplissement d'un dessein ? Un dessein que les esprits viendraient lui révéler en temps utile ? « Ils sont venus, Aurora, pendant que je gisais au cachot. Ils sont venus et ils me l'ont dit. Ne le devines-tu pas ? Moi, je crois que je m'en doutais. C'est pour cela que j'avais peur. »

Elle se passa la langue sur les lèvres et déglutit. Je la regardais sans bouger. Je posai la question qu'elle attendait. Quoi ? Qu'est-ce que c'était ? Pourquoi avaient-ils tenu à la faire passer par là ?

Elle répondit : « *Pour toi.* Afin que nous puissions nous rencontrer et, nous rencontrant, savoir — et, sachant, ne faire qu'une... »

Comme une lame qui se serait enfoncée en fouillant dans mes chairs... Je sentais battre mon cœur. Je saisissais, par-delà ses palpitations, un autre mouvement, plus vif — la *vie nouvelle* que j'avais déjà sentie se réveiller en moi, désormais plus éperdue que jamais. Je la percevais, je percevais aussi une réponse, un spasme parallèle chez elle...

C'était comme une douleur exquise.

Ses propos m'épouvantaient. « Il ne faut pas parler ainsi, me récriai-je. Pourquoi dites-vous des choses pareilles ? Qu'importe le dessein des esprits ? À quoi bon tous leurs discours délirants ? Il ne s'agit pas de délirer maintenant, il nous faut rester calmes, lucides. Si je veux continuer à te visiter jusqu'à ta libération...

— Quatre ans », dit-elle. Pensais-je donc qu'on allait me laisser continuer mes visites pendant tout ce temps ? Que Mlle Haxby n'y mettrait pas bon ordre ? Que ma mère s'y résignerait ? Et même si tout allait bien, si j'arrivais à venir, une fois par semaine, une fois par mois, jamais plus d'une demi-heure... Allons ! est-ce que je me croyais capable de supporter un tel régime ?

Je dis que je l'avais supporté jusque-là. Je dis que nous pourrions demander la révision de son procès. Il n'y aurait qu'à faire un peu attention...

« Le supporteras-tu après aujourd'hui ? demanda-t-elle sans tourner autour du pot. Seras-tu capable de jouer toujours la *prudence*, l'*indifférence* ? Non... » Je venais de faire un pas vers elle. « Non, ne bouge pas ! Sois ferme, n'approche pas. Mme Pretty pourrait nous voir... »

Je joignis les mains, les tordis dans leurs gants jusqu'à avoir la chair en feu. Quel choix avions-nous ? La question était un cri. Elle me mettait à la torture ! Dire qu'il nous fallait *ne faire qu'une* — ne faire qu'une, *là*, à Millbank ! Pourquoi les esprits lui racontaient-ils des choses pareilles ? Pourquoi me les répétait-elle maintenant ?

Sa réponse fut un murmure si ténu que je dus me pencher au milieu des poussières tournoyantes pour la saisir : « Je te le dis parce que nous avons le choix. Cela dépendra de toi. *Si tu veux, je pourrai m'évader.* »

Je crois que j'éclatai de rire. La main sur la bouche pour étouffer le son, je ris tout de bon. Elle me regarda, attendant, le visage grave — et je me demandai, pour la première fois alors, si les trois jours au cachot obscur n'avaient pas troublé sa raison. Mon hilarité ne tint pas contre sa pâleur livide, son front meurtri. Je répondis, ayant soin de baisser la voix : « Vous en avez trop dit.

— C'est possible, repartit-elle avec sang-froid.

— Non. Ce serait très mal.

— Mal, peut-être, mais les lois qui le condamnent ne sont pas faites pour nous. »

Non. Et, en tout état de cause, comment voulait-elle s'y prendre ? Dans une maison comme Millbank, où il y avait tous les deux pas des grilles fermées à clef et gardées par des préposés... Je regardai autour de moi, la porte massive, les volets de fer à la fenêtre. « Il vous faudrait les clefs, dis-je. Il vous faudrait... des choses inimaginables. Et que feriez-vous, même si vous pouviez réussir à vous évader ? Où iriez-vous ? »

Elle me fixait toujours. Avec des yeux toujours aussi noirs. Elle parla : « Je n'aurais pas besoin de clefs, puisque j'aurais l'aide des esprits. Et je viendrais chez toi, Aurora. Et nous partirions ensemble. »

C'était aussi simple que cela, dans sa bouche. Aussi simple que cela. Je ne riais plus. Je lui demandai si elle croyait vraiment que j'irais avec elle.

Elle ne voyait pas comment je pourrais faire autrement.

Croyait-elle donc que j'accepterais d'abandonner...

« Quoi donc ? Qui donc ? »

Abandonner ma mère. Abandonner Helen et Stephen, et Georgy, et les enfants encore à naître. Abandonner la tombe de mon père. Abandonner ma carte de lectrice au British Museum. — « Abandonner ma vie », dis-je enfin.

Elle m'en donnerait une autre, meilleure.

J'objectai : « Nous n'aurions rien.

— Nous aurions ton argent.

— C'est l'argent de ma mère !

— Tu dois bien avoir de l'argent à toi. Il y a forcément des choses que tu pourrais vendre... »

L'idée même était une sottise, et je le dis. Pire qu'une sottise — c'était idiot, insensé ! Comment pourrions-nous vivre, ensemble, rien que nous deux ? Où irions-nous ?

Mais je n'avais pas fini de poser la question que je rencontrai son regard. Du coup, je compris...

« Songes-y ! dit-elle. Vivre là-bas, sous un soleil qui brillerait pour nous à longueur d'année. Songe à toutes les villes splendides que tu meurs d'envie de visiter — Reggio et Parme, Milan et Venise. Nous y irions. Nous serions libres. »

Je la regardais toujours..., lorsque j'entendis devant la porte le sable crisser sous le talon de Mme Pretty. Je chuchotai : « Nous sommes folles, Selina. *Vous évader*, de Millbank ! Ce n'est pas possible. On vous reprendrait tout de suite. » Elle dit que ses amis esprits la protégeraient. Alors, comme je protestais que non, que je ne pouvais pas y croire, elle répéta son « pourquoi non ? ». Que je pense seulement à toutes les choses qu'elle m'avait fait tenir. Pourquoi ne pourrait-elle faire apporter de même *sa propre personne* ?

Je persistais à nier. Cela ne pouvait pas être vrai. « Si c'était vrai, il y a un an que vous seriez partie. » — Elle dit qu'elle avait attendu, qu'elle avait besoin de *moi*, de quelqu'un *pour qui* partir. Elle avait besoin de mon désir pour l'attirer.

« Et si tu ne veux pas, dit-elle, eh bien... Que feras-tu le jour où on interdira tes visites ? Vas-tu continuer comme avant, à jalouser la vie que mène ta sœur ? Vas-tu rester toi aussi prisonnière, enchaînée à jamais à ton cachot obscur ? »

Je fus visitée à nouveau par la vision morne de ma mère vieillissante. De plus en plus quinteuse, reprenant ses jérémiades à chaque mot que je lisais trop vite ou trop bas. Je me voyais à son côté, vêtue d'une robe brune, couleur de boue.

Pourtant, on nous retrouverait, objectai-je. Nous serions arrêtées par la police.

« Une fois que nous aurons quitté l'Angleterre, personne ne pourra rien contre nous. »

Notre fuite ne resterait pas secrète. Je serais vue et reconnue, même à l'étranger. Des bruits courraient. Nous serions mises au ban de la société !

Mais — elle me le demandait — avais-je jamais fait le moindre cas de cette société-là ? Depuis quand me souciais-je du qu'en-dira-t-on ? Nous pourrions nous retirer loin de tout cela. Nous pourrions trouver la place pour laquelle nous étions faites. Elle aurait accompli sa destinée...

Elle poursuivit en hochant la tête : « Toute ma vie, semaine après semaine, mois après mois, année après année, je croyais comprendre. Mais j'étais ignorante. Je croyais voir la lumière, alors que pendant tout ce temps je n'avais même pas ouvert les yeux ! Toutes les pauvres femmes qui venaient me prendre la main et aspirer une petite part de mon esprit — toutes n'étaient que des ombres. *Tes* ombres, Aurora ! C'était toi seule que je cherchais, comme tu me cherchais de ton côté. Oui, tu me cherchais, moi, ton *duel*, ton autre toi-même. Si tu laisses faire et qu'on nous sépare maintenant, je crois que nous en mourrons toutes les deux ! »

Mon autre moi-même. M'en suis-je doutée ? Elle prétend que oui. Elle dit : « Tu l'as deviné, tu l'as pressenti. Allez, je crois bien que tu as compris avant moi ! Tu en as eu l'intuition dès la première fois que tu m'as vue. »

Je me souvins alors l'avoir épiée dans sa cellule ensoleillée — sa tête penchée pour mieux profiter des rayons, une fleur violette entre ses doigts. Mon regard n'avait-il pas réellement obéi à une fatalité, comme elle le suggérait ?

Je levai une main à ma bouche et dis : « Je ne sais pas bien. Je ne sais pas.

— Tu ne sais pas ? Regarde tes propres doigts. Diras-tu que tu ne sais pas bien s'ils sont à toi ? Regarde n'importe quelle partie de ton être — c'est comme si tu me regardais, moi ! Nous sommes un même être, toi et moi. Nous avons été taillées, moi ta moitié éternelle et toi la mienne, dans un même morceau de matière éthérée. Oh! je pourrais dire : *je t'aime* — c'est bien simple, le genre de chose que ta sœur pourrait dire à son mari. Je pourrais dire cela dans une lettre comme on en écrit à Millbank, quatre fois l'an. Mais mon esprit n'aime pas le tien — il vient *s'enchâsser en lui*. Notre chair n'aime pas : notre chair est une seule et même, mue par le désir de retrouver son intégrité de jadis. Elle y est tenue, sous peine de se flétrir! *Tu es comme moi*. Tu sais ce que c'est que de dépouiller sa vie et son âme — comme on ferait tomber un vêtement de ses épaules. Les autres t'ont reprise, n'est-ce pas, avant que tu n'aies fini de te dégager? Ils t'ont reprise et ramenée en arrière — toi, tu ne voulais pas venir... »

Pensais-je donc que les esprits auraient laissé faire s'il n'y avait pas eu à cela une fin cachée? — C'est elle toujours qui parlait. — Ne comprenais-je pas que mon père m'aurait accueillie à bras ouverts s'il avait su mon heure venue? « Il t'a renvoyée dans le monde, et maintenant tu es à moi. Tu ne tenais pas à ta vie, mais maintenant c'est moi qui y tiens. T'obstineras-tu à t'y opposer? »

Mon cœur battait à tout rompre dans mon sein. Je le sentais, là où reposait naguère mon médaillon. Comme une douleur, comme des coups de marteau. Je protestai : « Vous dites que je vous ressemble. Que mes membres pourraient être les vôtres, que j'ai été taillée dans une matière quintessenciée. Je pense que vous ne m'avez jamais regardée...

— Si, je t'ai regardée, répondit-elle tout bas. Mais penses-tu donc que je te voie des yeux des *autres*? Penses-tu que je ne t'aie pas vue lorsque tu mets de côté tes sévères robes grises? Lorsque tu dénoues tes cheveux et reposes, blanche comme lait, au sein de la nuit...? »

« Penses-tu, demanda-t-elle enfin, que je serai comme *elle* — celle qui t'a préféré ton frère ? »

Je compris alors. Je compris que tout ce qu'elle disait était vrai, tout ce qu'elle avait jamais dit. Je pleurai, telle que j'étais, debout au milieu de la cellule. Je pleurai et tremblai et elle ne fit pas un geste pour me réconforter. Elle regardait seulement, hochant la tête et disant : « Maintenant tu comprends. Maintenant tu sais pourquoi il ne nous suffira pas d'être simplement prudentes et rusées. Maintenant tu sais pourquoi tu es attirée vers moi — pourquoi ta chair se hérisse, ce qu'elle cherche en se portant secrètement au-devant de la mienne. Laisse-la faire, Aurora. Laisse-la venir à moi, laisse-la te porter... »

Elle avait fait de sa voix un murmure lent, passionné, qui me fouettait le sang. L'opium, qui jusque-là m'avait amortie, courait, pantelant, dans mes veines, et je la sentais, elle, comme un arrachement. J'étais attirée, empoignée, aspirée à travers l'air lourd de fibres de coco vers ses lèvres murmurantes. Je m'accrochais au mur de sa cellule — mais le mur était lisse, l'enduit blanc glissant — en m'y appuyant, je le sentais se dérober. Comme si mon corps s'allongeait, grossissait — j'aurais juré que ma tête, turgide, faisait éclater le col de mon costume, que mes doigts se boursouflaient dans leurs gants...

Je regardai mes mains. Elle avait dit que c'étaient les siennes, mais elles étaient trop larges, méconnaissables. J'avais conscience des moindres accidents de l'épiderme, des lignes de la paume, des bosses des jointures.

Je les sentais durcir et devenir cassantes.

Je les sentais mollir et dégouliner.

Du coup, je compris à qui étaient ces mains. Non pas à elle, mais *à lui* — c'étaient les mains dont on avait pris des moulages, les mains qui étaient venues la nuit dans sa cellule et y avaient laissé des traînées. J'avais, moi, les mains de Peter Quick ! Idée effroyable.

Je dis : « *Non*, ce n'est pas faisable. Non, *je ne veux pas !* » — et du coup la sensation de gonflement se relâcha, les palpitations cessèrent, je reculai et posai la main sur la porte — c'était bien ma main à moi, gantée de soie noire. J'entendis un murmure : « Aurora... » — Je répliquai : « Ne me donnez pas ce nom-là, ce n'est pas vrai ! Cela n'a jamais été vrai, jamais le moins du monde ! » Je cognai du poing sur la porte en criant : « Madame Pretty ! Madame Pretty ! » Et lorsque je me retournai pour regarder Selina, je vis sa figure marbrée de rouge, comme par une gifle. Elle restait figée et raide sous l'effet du choc, infiniment malheureuse. Enfin elle se mit à pleurer.

« Nous trouverons une autre solution », dis-je. Elle fit cependant un signe de dénégation et souffla : « Ne voyez-vous pas ? Ne voyez-vous pas qu'il n'y a pas d'autre issue ? » Une larme solitaire apparut au coin de son œil, frémit et coula, souillée de poussière de coco.

Mais Mme Pretty était là. Elle m'invita d'un signe de tête à passer devant elle, et j'y allai sans un regard en arrière — sachant que si je me retournais, je verrais les pleurs et les blessures de Selina, la violence de mon désir me ramènerait à elle et je serais perdue. La porte fut refermée, verrouillée, et *je lui tournai le dos*, marchant comme pourrait marcher la victime d'un supplice inhumain, bâillonnée, lardée de coups de pique, sentant ma chair arrachée en détail à mes os.

Je parvins ainsi jusqu'à l'escalier de la tour. Là, Mme Pretty me quitta, me jugeant sans doute capable de descendre toute seule. Mais je ne descendis pas. Je restai plantée dans l'ombre, le front appuyé à la paroi blanche et froide; je ne bougeai qu'en entendant des pas sur la volée de marches au-dessus de ma tête. Pensant que c'était peut-être Mlle Ridley, craignant qu'elle ne vît sur ma figure des traces de larmes ou de badigeon, je me retournai et y passai la main. Les pas se rapprochaient.

Ce n'était pas Mlle Ridley. C'était Mme Jelf.

Elle parut étonnée de me voir. Elle dit qu'elle avait entendu un mouvement dans l'escalier, qu'elle s'était demandé si... Je fis de la tête un geste négatif. Quand je lui dis que je venais de voir Selina Dawes, elle frissonna; elle avait l'air presque aussi malheureuse que moi. Elle raconta : « Le quartier là-haut est bien changé depuis qu'on me l'a enlevée. Toutes les détenues de la classe étoile sont parties, et on m'en a mis d'autres dans leurs cellules, des femmes que je ne connais même pas toutes. Et Ellen Power aussi... Ellen Power s'en est allée.

— Power est partie? répétai-je, hébétée. J'en suis contente pour elle, au moins. Peut-être qu'on sera moins dure avec elle, à Fulham.

— Elle n'est pas partie à Fulham, mademoiselle. »

Mme Jelf me montrait un visage plus triste encore que tout à l'heure. Elle était désolée que je ne l'eusse pas su, mais Power avait enfin été admise à l'infirmerie, il y avait cinq jours de cela, et elle avait trépassé dans son lit — sa petite-fille était venue réclamer le corps. Toutes les bontés de Mme Jelf n'avaient servi à rien. On avait trouvé le chiffon de flanelle rouge sous sa robe, et Power avait été vertement tancée ; Mme Jelf elle-même allait en être punie par une retenue sur sa paye.

Je l'écoutai, transie d'horreur. « Mon Dieu ! m'exclamai-je à la fin. Comment avons-nous pu supporter cela ? Comment pourrons-nous le supporter encore ? » — le supporter, plus précisément, *quatre ans encore.*

La surveillante hocha la tête, puis se cacha le visage dans les mains et fit demi-tour dans l'escalier. J'y suivis ses pas traînants, petit à petit avalés par le silence.

Je descendis alors à l'étage de Mlle Manning et en parcourus les deux quartiers, observant les détenues dans leurs cellules — je les voyais toutes frissonner, la tête rentrée dans les épaules, toutes malheureuses, toutes malades peu ou prou, affamées ou nauséeuses, leurs mains abîmées par le froid et le travail. Je trouvai à la sortie une autre surveillante qui m'escorta jusqu'à la grille du pentagone n° 2 où un préposé me prit en charge pour la traversée de la prison des hommes — je n'échangeai pas un mot avec aucun des deux. Mettant enfin le pied sur la langue de terre gravelée qui conduit au pavillon d'entrée, je vis au-dessus de moi un ciel menaçant. Le vent qui soufflait du fleuve charriait des grêlons. J'abaissai mon chapeau sur mes yeux et l'affrontai en titubant. Tout autour de moi, Millbank se dressait, morne et silencieux comme un tombeau, mais rempli de femmes et d'hommes souffrants. Jamais au cours de toutes mes visites je n'avais perçu comme en cet instant le poids de leur désespoir collectif, jamais je ne m'en étais laissé accabler à ce point. Je pensais à Power qui naguère me bénissait et maintenant était morte. Je pensais à Selina, meurtrie et en larmes, m'appelant sa *moitié éternelle* — disant que nous nous étions cherchées l'une l'autre et que nous mourrions si nous devions nous perdre à présent. Je pensais à ma propre chambre au-dessus de la Tamise, à Vigers sur sa chaise devant la porte — je voyais le concierge qui balançait son trousseau de clefs, il avait envoyé un préposé me chercher un fiacre. Quelle heure pouvait-il être ? Six heures de l'après-midi ou minuit, c'était tout un. Je me demandais : si ma mère est rentrée — que vais-je lui dire ? J'avais les vêtements salis par le badigeon blanc de la prison, imprégnés de son odeur. Et si ma mère s'avisait d'écrire à M. Shillitoe ? Si elle faisait revenir le Dr Ashe ?

J'hésitais. J'arrivais à la porte du pavillon d'entrée. Au-dessus de moi, le ciel immonde de Londres, bouché par le brouillard ; sous mes pieds, le sol fétide de Millbank, où aucune fleur ne veut venir ; sur mon chemin, des grêlons acérés qui me tailladaient la figure. Le concierge était là, prêt à me faire entrer dans sa loge... Pourtant, j'hésitais toujours. Il m'interpella : « Ça ne va pas, mademoiselle ? » Je vis sa main passer sur son visage ruisselant.

Je dis : « Attendez ! » — Je le dis d'abord tout bas, l'obligeant à se pencher en avant en fronçant les sourcils. Il n'avait pas entendu. Je redis alors, plus fort : « Attendez ! » Je répétai : « *Attendez*, il faut *attendre*, il faut que j'y retourne, il le faut ! » Il y avait quelque chose que je n'avais pas fait, quelque chose qui m'obligeait à retourner sur mes pas !

Peut-être répondit-il — je ne l'entendis pas. Je lui tournai le dos et plongeai à nouveau dans l'ombre de la prison, courant presque, enfonçant les talons dans le gravier. Je redis la même chose à tous les gardiens que je rencontrai — il fallait que j'y retourne ! que je retourne à la prison des femmes ! —

ils me regardaient sans cacher leur surprise, mais tous me laissèrent passer. À l'entrée du pentagone des femmes, je trouvai Mlle Craven qui venait d'y prendre sa faction. Elle me connaissait assez pour ne pas me retenir, et lorsque je lui dis que je n'avais pas besoin d'être accompagnée — qu'il ne s'agissait que d'un petit oubli à réparer — elle hocha la tête et m'ouvrit la grille sans y réfléchir à deux fois. Je racontai la même histoire au rez-de-chaussée et me lançai dans l'escalier de la tour. J'attendis sur le palier du premier, l'oreille aux aguets. Lorsque les pas de Mme Pretty se furent éloignés, je courus à la porte de Selina, collai le visage au guichet, fis jouer le panneau et regardai. Elle était assise, le dos voûté, près du plateau de fibres de coco que ses pauvres doigts ensanglantés cherchaient faiblement à démêler. Elle avait encore les yeux humides et cernés de rouge, les épaules secouées. Je ne prononçai pas son nom ; mais pendant que je la regardais, elle leva la tête et tressaillit, effrayée. Je murmurai : « Viens vite ! Vite, viens à la porte ! » Elle accourut et se pencha en avant, approchant sa figure de la mienne, si près que je sentis son haleine.

Je dis : « Je le ferai. J'irai avec toi. Je t'aime et je ne peux pas me passer de toi. Dis-moi seulement ce qu'il faut faire, et je le ferai. »

Je vis alors son œil, son œil tout noir, et ma figure qui y flottait, d'une pâleur de nacre. Et ensuite, c'était comme pour papa face au miroir. Mon âme me quitta — je la sentis s'envoler pour aller se loger en elle.

30 mai 1873

J'ai fait cette nuit un rêve terrible. J'ai rêvé que je me réveillais & que tous mes membres étaient raides & je ne pouvais pas les bouger, & mes yeux étaient collés, je ne pouvais pas les ouvrir, & la colle avait coulé aussi dans ma bouche & m'empêchait de remuer les lèvres. Je voulais appeler Ruth ou Mme Brink, mais je ne pouvais pas, à cause de la colle, j'entendais le son qui sortait de ma bouche & ce n'était qu'un gémissement. Je commençais à avoir peur, je me disais que j'allais finir par étouffer ou mourir de faim, & ça m'a fait pleurer. Alors mes larmes ont lavé un peu de la colle qui me recouvrait les yeux, assez pour ouvrir une petite faille par où je pouvais jeter un regard, & j'ai pensé : maintenant je vais au moins regarder & je verrai ma propre chambre. Sauf que la chambre que je m'attendais à voir n'était pas ma chambre à Sydenham, c'était celle que j'avais eue dans l'hôtel de M. Vincy.

Mais quand j'ai regardé pour de bon, je n'ai rien vu, sinon que je me trouvais quelque part où il faisait tout noir, & alors j'ai compris que j'étais ensevelie, on m'avait mise au cercueil en me croyant morte. Dans mon cercueil j'ai continué à pleurer jusqu'à ce que les larmes me décollent aussi les lèvres, & alors j'ai bel & bien lancé un appel en me disant : si je crie assez fort, quelqu'un va forcément m'entendre & venir me tirer de là. Mais personne ne venait, & quand j'ai levé la tête, mon crâne a cogné contre le bois, & il a fait un bruit comme s'il y avait de la terre au-dessus, & j'ai compris que j'étais déjà dans ma tombe. J'aurais beau crier à tue-tête, personne ne m'entendrait.

Je suis donc restée coite en réfléchissant, & pendant que je me demandais ce que j'allais bien pouvoir faire, une voix est venue murmurer tout contre mon oreille, à me faire frissonner. La voix a dit : tu te croyais seule ? Tu ne savais pas que j'étais là ? J'ai cherché la personne qui parlait, mais il faisait trop noir, je ne voyais rien, il n'y avait que la sensation de la bouche tout contre mon oreille. Je ne pouvais pas savoir si c'était la bouche de Ruth ou bien celle de Mme Brink ou de Tantine ou même de quelqu'un d'autre. Je savais seulement, par le son des mots, que la bouche souriait.

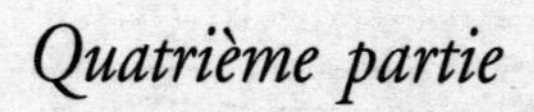

Quatrième partie

21 décembre 1874

Selina me fait signe maintenant tous les jours. Les gages de sa présence me parviennent sous forme de fleurs ou de parfums ; à d'autres moments, cela ne se voit qu'à de petits détails dans ma chambre — je remonte pour découvrir que tel ou tel bibelot a été légèrement déplacé, que la porte de ma garde-robe bâille et que les soieries et les velours portent des marques de doigts, qu'un des coussins montre un creux, comme si une tête y avait reposé. Il ne se passe jamais rien quand je suis là pour ouvrir l'œil. Je le regrette. Je n'aurais pas peur. Je n'aurai peur maintenant que si les signes s'arrêtent ! Tant qu'ils continuent à venir, je sais qu'ils œuvrent à amoindrir l'intervalle qui nous sépare. Ils fabriquent un cordon vibrant de fluide occulte qui s'étend de Millbank à Cheyne Walk, le cordon à travers lequel elle se fera apporter chez moi.

Le cordon est particulièrement solide la nuit, dans le sommeil que je dois au laudanum. Pourquoi n'y ai-je jamais pensé ? Je prends maintenant le médicament sans rechigner. Quelquefois, lorsque ma mère sort, il m'arrive — pour y travailler de jour aussi — il m'arrive donc de dérober une dose dans son tiroir.

Une fois que je serai en Italie, bien sûr, je n'aurai plus besoin de mon médicament.

Ma mère est patiente avec moi maintenant. « Voilà trois semaines que Margaret reste loin de Millbank, et voyez, dit-elle à Helen et aux Wallace. Ce n'est plus la même fille ! » Elle dit que je n'ai jamais eu aussi bonne mine depuis la mort de papa. Elle ne sait rien de mes visites secrètes à la prison, aux heures où elle aussi est sortie. Elle ne sait pas que je garde mon costume gris de patronnesse au fond de mon armoire. (Vigers, brave fille, ne lui a rien dit, et c'est Vigers qui m'habille maintenant, plutôt qu'Ellis.) Elle ignore la promesse que j'ai faite, le dessein terrible et téméraire que j'ai conçu, de l'abandonner en la déshonorant.

Parfois il m'arrive malgré tout de trembler un peu, en pensant à cela.

Pourtant *il faut* y penser. Le lien fluidique se mettra en place de lui-même, mais si nous voulons partir pour de bon, si nous voulons tout de bon qu'elle *s'évade* — et oh ! comme ce mot-là est étrange à dire ! comme si nous étions une paire de ces bandits dont les folliculaires narrent les exploits — si nous voulons qu'elle vienne, il ne faut pas tarder, il faut tout prévoir et me préparer, car ce sera périlleux. Il s'agira pour moi de perdre une vie pour y gagner une autre. Ce sera comme une mort.

Mourir. Je pensais autrefois que c'était tout simple, et pourtant je n'ai pu y parvenir. Et ceci ? Ceci sera assurément plus difficile encore...

Je suis allée la voir aujourd'hui, pendant que ma mère était sortie. Elle se trouve toujours à l'étage de Mme Pretty, elle souffre comme avant et ses doigts saignent plus que jamais, mais elle ne pleure plus. Elle est comme moi. Elle m'a dit : « Je serais capable d'endurer n'importe quoi, maintenant que je sais pourquoi. » Son ardeur est là, mais elle est contenue, elle est comme la flamme d'une lanterne sourde. J'ai peur que les surveillantes ne s'en aperçoivent et qu'elles n'aient des soupçons. J'avais peur aujourd'hui chaque fois que l'une d'elles me regardait. Je tremblais en traversant la prison, comme la première fois ; j'avais à nouveau conscience de l'énormité, du poids accablant de la bâtisse avec ses murs, ses verrous, ses barreaux et ses serrures, ses gardiens vigilants dans leur harnachement de cuir et de gros drap, ses odeurs, ses bruits, qui me semblaient de plomb. Je me suis dit alors, en suivant les corridors, que nous étions folles d'avoir jamais eu l'idée qu'elle pourrait s'évader ! Ce n'est qu'en sentant son ardeur que j'ai retrouvé ma certitude.

Nous avons parlé des préparatifs qui m'incombent. Elle dit qu'il nous faudra de l'argent, tout l'argent que je pourrai réunir ; que nous aurons besoin de vêtements aussi, et de chaussures, et de malles pour les contenir. Elle dit que nous ne pouvons pas attendre d'être en France pour acheter toutes ces choses ; il s'agit de ne pas nous faire remarquer sur le train, qu'on nous prenne pour une femme du monde et sa demoiselle de compagnie, partant pour un tour du continent, avec armes et bagages. Moi, je n'y avais pas pensé. Les considérations de ce genre semblent parfois un peu absurdes, vues de ma chambre, à la maison, mais je n'ai pas la même impression en l'entendant, elle, faire des projets et donner des ordres, avec passion, les yeux étincelants.

« Il faudra retenir nos places, murmurait-elle, pour le train et le bateau. Il nous faudra des passeports. » J'ai dit que je pourrais avoir les passeports, Arthur en a parlé dans le temps, et je me souviens de ses démarches. En fait, je sais tout ce qu'il faut faire pour se rendre en Italie, tous les détails ; ma sœur m'en a assez rebattu les oreilles avant son voyage de noces.

« Il faudra être prête, a dit ensuite Selina, quand je viendrai... » Et comme elle ne m'a toujours pas bien expliqué comment elle se fera apporter, j'ai tremblé malgré moi. J'ai répondu : « J'ai peur ! Est-ce que ce sera bien étrange ? Veux-tu que j'éteigne toutes les lumières, que je récite des formules magiques dans le noir ? »

Elle a souri. « Tu t'imagines que cela se fait ainsi ? Cela se fera grâce à... l'amour, au désir. Tu n'auras qu'à me désirer, je viendrai. »

Il suffirait que je m'occupe des choses dont elle m'avait parlé.

Ce soir, lorsque ma mère m'a demandé de lui faire la lecture, j'ai apporté le poème de Mme Browning, *Aurora Leigh.* Je ne l'aurais jamais osé, il y a un mois. En voyant le livre, elle a dit : « Lisez-moi le passage où Romney revient — le pauvre homme — tout aveugle et défiguré » — mais je n'ai pas voulu. Ce passage-là, je crois bien que je ne le relirai jamais. Je lui ai lu le Livre VII, avec les discours qu'Aurora adresse à Marian Erle. J'ai lu pendant une bonne heure, et quand j'ai eu fini, ma mère a souri en disant : « Comme votre voix est douce ce soir, Margaret ! »

Je n'ai pas pris aujourd'hui la main de Selina. Elle ne veut plus que je lui tienne la main, elle craint les yeux indiscrets des surveillantes. Mais j'étais assise, elle debout, tout près de moi, et j'ai serré mon pied contre le sien — mon propre soulier austère contre sa chaussure réglementaire, à l'aspect plus rébarbatif encore. Et nous avons troussé légèrement nos jupes respectives, de soie et de tiretaine — très légèrement, juste assez pour que les cuirs s'embrassent.

23 décembre 1874

Nous avons reçu aujourd'hui un colis de Pris et d'Arthur, avec une lettre fixant définitivement leur retour au 6 janvier et nous invitant tous — ma mère et moi, Stephen, Helen et Georgy — à venir nous mettre au vert à Marishes jusqu'au printemps. Il en était question depuis des mois, mais j'ignorais que ma mère comptât nous y mener si tôt. Elle parle de partir avant la mi-janvier, le 9 plus précisément — dans moins de trois semaines. J'ai paniqué en apprenant la nouvelle. J'ai exprimé des doutes : serions-nous vraiment les bienvenus chez le jeune couple, si tôt après leur retour ? Pris allait avoir désormais à gérer une grande maison avec une domesticité nombreuse. Ne ferions-nous pas mieux de lui laisser le temps de se faire à ses nouveaux devoirs ? Ma mère a tranché : « Dieu sait si les sœurs d'Arthur seront gentilles avec elle. Je ne m'y fierais pas. »

Moi aussi, elle espérait que je serais un peu plus aimable avec Priscilla que le jour de ses noces.

Elle croit m'avoir percée à jour, connaître tous mes vices. Évidemment, elle ne voit pas le principal. Le fait est que, depuis un bon mois, je n'ai pas une seule fois pensé à Pris et à ses triomphes de quatre sous. J'ai tourné le dos à tout cela. Petit à petit, je me détache de tout ce qui tient à ma vie passée. De toutes les personnes aussi — ma mère, Stephen, Georgy...

Même avec Helen mes liens se sont desserrés. Elle est montée chez moi hier soir. Elle a demandé : « Est-ce que c'est bien vrai, ce que me dit ta mère ? Que tu as l'âme plus sereine et que tu reprends des forces ? » Pour sa part, elle avouait ne pouvoir s'ôter de l'idée que j'étais simplement plus renfermée — que je prenais sur moi et ravalais mes soucis plus que jamais.

Face à la bonne grâce et à l'amitié peintes sur ses traits réguliers, j'ai été tentée de la mettre au courant. Qu'en penserait-elle ? L'espace d'un instant, j'ai eu les mots sur le bout de la langue. Ce serait facile, vraiment la moindre des choses — s'il y a une personne au monde capable de me comprendre, c'est bien *elle*. Je n'aurais qu'à dire : « Je suis amoureuse, Helen ! Je suis amoureuse ! C'est une jeune fille tellement exquise et merveilleuse et étrange et... Oh ! Helen, j'ai mis toute ma vie en elle ! »

Je m'imaginais en train de le dire — fantasme tellement vif que la passion de l'aveu me fit venir aux yeux des larmes d'émotion ; du coup, je crus avoir parlé pour de bon. Mais non. Helen me fixait toujours, soucieuse et amicale, attendant ma réponse. Je me retournai, désignai d'un signe de tête la gravure de Crivelli au-dessus de mon secrétaire, puis y passai doucement les doigts. Je posai une question en guise de pierre de touche : « Est-ce que tu trouves cela beau ? »

Elle cligna plusieurs fois des yeux et répondit que oui, sans doute, c'était beau à sa manière. Tout en parlant, elle se penchait pour regarder de plus près, elle ajoutait : « Pourtant, je distingue à peine les traits de la jeune fille. La pauvre, on dirait que son visage a été gommé. »

Je compris alors que je ne lui parlerais jamais de Selina. Si je parlais, elle ne m'entendrait pas. Si je lui amenais maintenant Selina en chair et en os, elle ne la verrait pas — de même qu'elle ne perçoit pas les traits noirs, si nets, de la *Veritas.* Ils sont trop subtils pour elle.

Moi aussi, je deviens de plus en plus subtile, immatérielle. *J'évolue.* Les autres ne s'en rendent pas compte. Quand ils me regardent, ils me trouvent souriante, avec de belles couleurs — ma mère prétend même que je prends de l'embonpoint ! Ils ignorent l'effort de volonté que cela me coûte de faire bonne figure. C'est terriblement fatigant. Quand je suis seule, comme en ce moment, je suis tout autre. Alors — en ce moment — je regarde ma chair et je vois la blancheur des os à travers. Mes os qui deviennent de jour en jour plus blancs.

Ma chair me quitte, telle la vague qui reflue. Je deviens mon propre fantôme !

Je crois que je reviendrai hanter cette chambre, quand j'aurai commencé ma vie nouvelle.

En attendant, il s'agit de tenir bon un moment encore dans l'ancienne. Cet après-midi, à Garden Court, pendant que ma mère et Helen s'amusaient avec Georgy, j'ai entrepris Stephen, lui disant que j'avais une prière à lui faire : « J'aimerais que tu m'expliques exactement ce qu'il en est de la fortune de notre mère et de la mienne. J'ignore tout à ce sujet. » Il a répondu — comme plus d'une fois par le passé — que je n'avais besoin de rien savoir tant qu'il serait là pour agir en qualité de tuteur. Aujourd'hui cependant j'ai poussé ma pointe. Certes, il avait été extrêmement généreux de se charger, à la mort de papa, de tout le poids de nos affaires, mais je tenais à en être moi aussi informée, du moins jusqu'à un certain point. « Je crois que notre mère se fait du souci pour notre sécurité matérielle, plus précisément pour les revenus que j'aurai le jour où elle viendra à mourir. » Si j'étais au courant, nous pourrions en discuter ensemble.

Il a hésité un instant, pour finalement me prendre la main et reconnaître, en laissant tomber sa voix, que je pouvais légitimement m'inquiéter pour mon propre compte. Il espérait ne rien m'apprendre en m'assurant que — quoi qu'il advînt de notre mère — il y aurait toujours une place pour moi chez lui et chez Helen.

Le meilleur homme qu'elle avait jamais connu, disait Helen l'autre jour. Tellement bon que je n'avais plus la conscience tranquille. J'ai pensé pour la première fois au mal que j'allais lui causer — professionnellement, en sa qualité d'avocat — en faisant ce que j'ai en tête. Quand nous ne serons plus là, on pensera évidemment que c'est moi qui aurai été complice de l'évasion de Selina, et pas du tout les esprits. Peut-être saura-t-on mes démarches pour les billets de train, les passeports...

Au même instant, je me suis souvenue de tout ce qu'*elle* avait eu à souffrir du fait des avocats. Cela en tête, j'ai remercié Stephen d'un mot, et il a repris : « Quant à la situation de fortune de notre mère, ce n'est pas la peine de te tracasser ! » Papa, semble-t-il, a été extrêmement prévoyant. Stephen aimerait que la moitié des pères dont les successions font le gros de ses affaires le fussent autant ! Il dit que notre mère est une femme riche et qui ne risque rien. Il a dit : « Toi aussi, Margaret, tu as de la fortune qui t'appartient en propre. »

Évidemment, je l'ai toujours su, mais d'un savoir qui jusque-là ne voulait rien dire pour moi — un savoir inutile, tant que je n'avais rien à quoi consacrer mon argent. Avec un regard furtif du côté de notre mère — elle faisait danser un petit pantin noir au bout d'un fil pour la plus grande joie de Georgy ; les pieds de porcelaine du jouet tambourinaient sur le plateau de la table — je me suis rapprochée de Stephen pour lui parler à l'oreille. J'ai dit que je souhaitais connaître le montant exact de ma fortune. Je voulais savoir quels étaient les biens qui la composaient et comment elle pourrait être réalisée.

Cela, en m'empressant de préciser : « C'est simplement la théorie qui m'intéresse. » Stephen a éclaté de rire. À qui le disais-je ! En toutes choses, il n'y avait jamais eu que la théorie pour m'intéresser.

Pourtant il ne pouvait pas me donner de chiffres au pied levé. Les papiers qu'il lui faudra consulter pour cela se trouvent pour la plupart ici, dans le cabinet de papa. Nous sommes donc convenus de nous y retrouver demain soir pour une petite heure de travail. « Ça ne te gênera pas, la nuit de Noël ? » a-t-il demandé, mais en cet instant j'avais complètement oublié Noël, et mon aveu a amené un nouveau sourire aux lèvres de mon frère.

Notre mère alors nous a appelés près d'elle : que tout le monde vienne écouter les gloussements de Georgy face au pantin. Me voyant pensive, elle a demandé : « Allons, Stephen, qu'avez-vous raconté à votre sœur ? Il ne faut pas l'encourager à être si sombre ! Dans un mois ou deux, j'entends qu'il n'en soit plus question ! »

Elle a, dit-elle, toutes sortes de grands desseins pour occuper, l'année prochaine, mes heures perdues.

24 décembre 1874

Je sors à l'instant de mon colloque avec Stephen. Que dire ? Il a inscrit tous les chiffres sur une feuille de papier, et en les regardant j'ai tremblé. Il a mis cela sur le compte de l'étonnement, mais ce n'était pas cela. Je tremblais parce que je trouvais tellement étrange que papa eût pris soin de me laisser dans l'aisance. Comme si, devinant à travers le voile de sa propre maladie tous les projets que j'allais former en sortant de la mienne, il avait fait son possible pour m'aider à les réaliser. Selina dit qu'elle le voit, qu'il me regarde en ce moment même, en souriant ; mais j'ai des doutes. Comment pourrait-il être témoin de mes palpitations et de mes désirs équivoques, témoin de la machination périlleuse que je trame à grand renfort de mensonges — et ne faire qu'en *sourire* ? Elle dit que ses yeux d'esprit ne voient plus le monde comme avant.

Mais revenons à ce soir. Me voilà donc installée dans le cabinet de papa, devant la grande table à écrire, avec Stephen qui me disait : « Tu t'étonnes. Tu ne te doutais pas de l'importance de ton héritage. » Bien sûr, mes richesses sont pour une bonne part hypothétiques — immobilisées dans les terres et les titres. Ce capital m'assure néanmoins, avec les liquidités que papa m'a léguées directement, une rente inaliénable. « À moins, bien sûr, que tu ne te maries », a conclu Stephen.

Nous avons échangé un sourire, ou plutôt deux, chacun pour des raisons bien différentes. J'ai voulu savoir si je pouvais toucher ma rente n'importe où. Il a répondu qu'aucune condition n'en liait le payement à l'adresse de Cheyne Walk. Je ne m'étais pas fait comprendre. J'ai donc insisté. Qu'en serait-ce si je me rendais à l'étranger ? Il a ouvert des yeux ronds, et je l'ai rassuré : qu'il ne s'étonne pas, mais, si notre mère peut être amenée à donner son accord, j'aurais bien envie de faire un tour du continent avec « une personne pour me tenir compagnie ».

Peut-être s'imagine-t-il que je me suis liée avec quelque vieille fille studieuse, rencontrée à Millbank ou au British Museum. Il a dit trouver le projet excellent. Quant à la rente — elle est à moi, je suis libre d'en faire ce que je veux et de me la faire servir où je veux. Personne ne peut m'en empêcher.

Vraiment, personne ? Et si — la peur m'a reprise en prononçant les mots — et si je faisais quelque chose qui mécontentait sérieusement notre mère ?

Stephen a fait encore la même réponse : l'argent est à moi, et non pas à notre mère ; tant qu'il sera mon tuteur, je n'aurai pas à craindre qu'elle ou quiconque se mêle de mes affaires.

« Et si je fais quelque chose qui *te* mécontente, Stephen ? »

Il m'a regardée un instant avant de répondre. La voix de Helen nous parvenait de quelque part dans la maison, appelant Georgy. Nous les avions laissés tous les deux avec notre mère : j'avais dit que nous avions à régler ensemble une question littéraire concernant la succession de papa, et Mère avait ronchonné, mais Helen avait accueilli l'annonce avec le sourire. À présent, posant une main sur les papiers étalés, Stephen a dit que, pour ce qui était de la rente, il partageait sans réserve la position de papa. Voici ses mots : « Tant que tu seras saine d'esprit et que tu sauras te garder des mauvaises influences — des individus louches, qui te persuaderaient de faire de ton argent un emploi contraire à ton propre intérêt —, je te promets que je ne m'opposerai jamais à ce que ta rente te soit servie. »

Il riait en disant cela — si bien que je me suis demandé un instant si toute sa bonté n'était qu'un faux-semblant, s'il n'avait pas pénétré mon secret et choisi ces mots délibérément, par cruauté. Je ne pouvais pas savoir. J'ai donc continué mon questionnement : si en ce moment, à Londres, j'avais besoin d'argent — c'est-à-dire de plus d'argent que je n'en recevais de notre mère —, que faudrait-il faire pour m'en procurer ?

Il a dit que je n'avais qu'à aller à ma banque, où je pourrais le retirer en présentant un ordre de payement muni de son contreseing. En parlant, il a pris un formulaire dans ses papiers, il a dévissé le capuchon de son stylo et il a signé. Je n'aurai qu'à apposer ma propre signature à côté de la sienne et à remplir les blancs.

J'ai regardé de près le contreseing, me demandant si c'était bien sa signature habituelle — je pense que oui. Lui aussi m'observait. Il a dit : « Tu pourras m'en demander un autre, tu sais, quand tu voudras. »

Je tenais le papier devant moi. Il y avait un endroit, un blanc, pour inscrire le chiffre. Pendant que Stephen rangeait ses documents, je me suis abîmée dans la contemplation de ce blanc et je l'ai vu grossir, de plus en plus. À la fin, il était grand comme ma main. Peut-être mon frère a-t-il remarqué quelque chose de bizarre dans mon regard. Toujours est-il que lui aussi y a posé les doigts en disant à voix basse : « Tu comprends, bien sûr, à quel point il faut faire attention avec un effet de ce genre. Ce n'est pas une chose à laisser traîner à la portée des domestiques. Et tu ne le prendras pas avec toi, n'est-ce pas, quand tu iras à Millbank ? »

Il souriait. Du coup, j'ai eu peur ; il allait peut-être tenter de me reprendre le papier. Je l'ai donc plié, et je me suis levée de ma chaise en glissant le pli dans ma ceinture. J'ai dit : « Tu sais bien pourtant que je ne vais plus à Millbank. » Nous sortions dans le couloir, nous refermions la porte du cabinet de papa, je parlais toujours. Qu'il se rappelle ! C'était précisément en mettant fin à mes visites que j'avais recouvré la santé.

Stephen s'est excusé : il n'y pensait plus, mais bien sûr, Helen lui avait parlé plus d'une fois de mon rétablissement... J'avais à nouveau l'impression qu'il m'observait. Lorsque j'ai fait mine de m'éloigner sur un dernier sourire, il m'a retenue en posant une main sur mon bras, parlant d'un ton précipité : « Ne pense pas que je veux être indiscret, Margaret. Notre mère et le Dr Ashe savent mieux que quiconque ce dont tu as besoin, cela va de soi. Mais Helen me dit qu'on te fait prendre maintenant du laudanum et, on aura beau dire, après le chloral... Bref, je me pose des questions sur les effets conjugués de ce genre de médication. » Je l'ai dévisagé. Il rougissait, et j'ai senti moi aussi le sang me monter au front. Stephen a repris : « Tu n'as pas eu de symptômes ? Pas de rêves éveillés... ? Pas de peurs ou de lubies irraisonnées ? »

J'ai compris alors. Mon argent ne l'intéresse pas. Ce qu'il veut, c'est mon médicament ! Il veut empêcher Selina de venir me rejoindre ! Il veut prendre l'opium, lui, *pour qu'elle vienne plutôt à lui !*

Sa main, veinée de vert au milieu d'une forêt de poils noirs, reposait toujours sur mon bras. À présent cependant il y avait des pas dans l'escalier. C'était une des filles de chambre — Vigers, porteuse d'un seau de charbon. Stephen m'a lâchée en la voyant, et je me suis détournée. J'ai dit que j'allais parfaitement bien ; tout le monde pourrait l'attester, il n'avait qu'à poser la question à ceux qui me connaissaient. « Demande par exemple à Vigers. Vigers, voulez-vous bien confirmer à M. Prior que mon état de santé ne laisse rien à désirer ? »

Manifestement prise au dépourvu, Vigers a escamoté le seau pour nous épargner la vue de son contenu. Elle avait les joues en feu — voilà que nous rougissions tous les trois ! Elle a répondu : « Ma foi, oui. Mademoiselle va très bien. » Elle a coulé un regard du côté de Stephen. Moi aussi, et je l'ai trouvé mal à l'aise. Il a dit encore : « Tant mieux. » Rien de plus. Il se rendait bien compte qu'il n'arriverait pas à me la ravir. Il a pris congé sur un signe de tête pour monter au salon. J'ai entendu le bruit de la porte qu'il ouvrait et refermait derrière lui.

J'ai attendu la fermeture avant de monter à mon tour, à pas de loup, jusqu'ici, où je me suis à nouveau perdue dans la contemplation du mandat, jusqu'à voir le blanc réservé à la somme envahir un espace de plus en plus grand. À la fin c'était comme une vitre givrée, puis, sous mes yeux, les cristaux blancs se sont mis à fondre. J'ai compris que ce que j'entrevoyais vaguement au-delà de la couche de glace, c'étaient les lignes de plus en plus nerveuses, les couleurs de plus en plus riches de mon propre avenir.

J'ai entendu alors, en bas, des bruits qui m'ont fait ouvrir mon tiroir, sortir ce cahier et feuilleter en arrière pour glisser l'ordre de payement entre les pages. Ce faisant, mes doigts ont palpé une petite bosse. J'ai incliné le volume, et il en est tombé quelque chose — un objet noir, délié, qui a glissé sur ma jupe avant de s'immobiliser. Un objet qui m'a paru chaud au toucher.

Je ne l'avais encore jamais vu, mais je l'ai reconnu au premier coup d'œil. C'était un tour de cou : un ruban de velours avec un fermoir en cuivre. C'était le tour de cou que Selina portait autrefois, et elle me l'avait fait apporter — c'était ma récompense, je pense, pour l'astuce dont j'avais fait preuve face à Stephen !

Je me suis approchée du miroir pour me l'attacher autour du cou. Il est quasiment à ma taille, juste un peu serré : je le sens qui m'étreint, et mon cœur bat comme si c'était elle qui tenait la ficelle, elle qui tire parfois dessus pour me rappeler qu'elle est bien là, tout près.

6 janvier 1875

Voilà cinq jours que je ne suis plus retournée à Millbank, mais l'abstinence est devenue merveilleusement facile, maintenant que c'est Selina qui me rend visite ici — maintenant que je sais qu'elle viendra bientôt, pour ne plus repartir ! Je suis contente de rester à la maison, de faire la conversation à nos invités, voire de discuter avec ma mère, lorsque nous nous retrouvons en tête à tête. Ma mère aussi sort moins que d'habitude. Elle passe son temps à trier ses robes pour Marishes et à faire courir les domestiques dans l'escalier pour chercher au grenier ses malles, ses cartons à chapeau et les housses qui recouvriront ici meubles et tapis en notre absence.

En notre absence, ai-je écrit — là, au moins, j'ai un peu avancé mes affaires. J'ai trouvé moyen de faire, des projets que nourrit ma mère, un écran pour mieux dissimuler les miens.

Nous étions ensemble au salon, un soir de la semaine passée, elle munie de papier et d'une plume, occupée à dresser des listes, moi un livre sur mes genoux, un coupe-papier à la main. Je coupais les pages, sans lever les yeux des flammes de l'âtre, m'abandonnant, apparemment, à une langueur indolente. Au fait, je ne me rendis compte de ma mollesse qu'en voyant ma mère lever la tête avec un *ttt, ttt* réprobateur. Comment pouvais-je me prélasser là, calme et désœuvrée, elle me le demandait ! Nous allions partir pour Marishes dans une dizaine de jours, et il y avait mille choses à faire avant. Avais-je au moins dit un mot à Ellis, au sujet de ma garde-robe ?

Les yeux toujours dans le feu, sans accélérer le mouvement de la main qui tenait le coupe-papier, je répondis :

« Tenez, Mère, je vois que nous faisons des progrès. Il y a un mois, vous me reprochiez ma nervosité. Vous êtes malgré tout un peu sévère, je trouve, de me gronder à présent pour tranquillité excessive. »

C'était le ton que je réserve à ce cahier. Ton qui n'est pas destiné aux oreilles de ma mère et qui, en l'occurrence, lui fit poser la plume. Elle ne savait pas, dit-elle, où je prenais la tranquillité, mais je méritais amplement d'être grondée pour mon impertinence !

À ces mots, je levai enfin la tête et rencontrai son regard. Je ne me sentais pas le moins du monde désœuvrée. Je me sentais — enfin, peut-être est-ce Selina qui a parlé à travers moi ! — mais je me sentais dorée d'un lustre étranger, d'un éclat qui ne m'appartenait en rien. Je dis : « Je ne suis pas une petite bonniche, pour être réprimandée et renvoyée. Je ne suis plus du tout une enfant, c'est vous-même qui l'avez dit. Mais vous me traitez toujours comme si je l'étais.

— Suffit ! coupa-t-elle. Je ne veux pas entendre de tels propos sous mon propre toit, dans la bouche de ma propre fille. Et je ne le tolérerai pas davantage à Marishes... »

Non, approuvai-je. Non, elle n'aurait à y tolérer ni mes propos ni ma présence. Du moins pas avant un bon mois. Autant lui dire que j'avais décidé de rester seule à Londres, pendant qu'elle irait à la campagne avec Stephen et Helen.

Rester là, toute seule ? C'était absurde, voyons ! — Pas du tout, repartis-je. C'était au contraire la voix du bon sens.

« De l'entêtement pur et simple ! Vous recommencez, Margaret. Nous avons déjà eu cette dispute au moins vingt fois...

— Raison de plus pour briser là. » Vraiment, il n'y avait rien à dire. Je serais ravie de passer une huitaine ou une quinzaine toute seule à Chelsea. Et j'étais certaine que la compagnie à Marishes n'en serait que plus joyeuse !

Elle ne répondit rien à cela. J'appliquai à nouveau le couteau au livre, coupant les pages plus vivement. Le bruit du papier déchiré fit sursauter ma mère qui reprit enfin la parole : Qu'est-ce que nos amis allaient penser d'elle si elle s'en allait en me laissant là ? Je dis qu'ils étaient libres de penser ce qu'ils voudraient, et elle de leur raconter ce qu'il lui plairait. Elle pourrait dire que je préparais une édition de la correspondance de papa — peut-être d'ailleurs que je profiterais du calme pour m'y mettre tout de bon.

Elle eut un geste de refus. « Vous relevez de maladie. Supposez que vous fassiez une rechute, sans personne pour s'occuper de vous ? »

Je promis de ne pas rechuter. Et je ne serais pas non plus toute seule, puisque la cuisinière restait — peut-être même qu'elle ferait venir un garçon pour coucher en bas, comme pendant les premières semaines qui avaient suivi la mort de papa. Et il y aurait Vigers aussi. Elle pourrait très bien emmener Ellis dans le Warwickshire et me laisser Vigers...

Je dis tout cela. Je n'y avais jamais réfléchi avant cet instant, mais c'était comme si les mots jaillissaient des pages de mon livre, libérés par le va-et-vient de la lame. Je vis ma mère hésiter, sans se départir de son air renfrogné. Elle répéta : « Supposez que votre maladie récidive...

— Pourquoi ? Voyez comme j'ai bonne mine ! »

Elle me regarda alors effectivement. Mon œil, que le laudanum faisait briller. Ma joue, dont la chaleur du feu ou peut-être l'exercice de couper les pages avait ranimé le teint. [illegible]ise, une vieille robe couleur prune que j'ai sortie du fond de mon armoire et fait reprendre par Vigers, comme aucune de mes toilettes de deuil n'a le corsage suffisamment montant pour cacher le tour de cou.

Je crois que la robe à elle seule suffit presque à la décider. J'insistai : « Allez, Mère, dites que vous me laisserez là. Nous n'avons pas besoin d'être toujours l'une après l'autre, n'est-ce pas ? Et ne sera-ce pas plus agréable pour Stephen et Helen, de prendre pour une fois des vacances sans moi ? »

Apparemment, c'était exactement ce qu'il fallait dire, mais j'avais posé la question sans le moindre calcul. Jusque-là il ne m'était jamais venu à l'esprit que ma mère pouvait s'être posé des questions sur la nature de mes sentiments pour Helen. Qu'elle pouvait m'avoir observée lorsque je laissais reposer mes regards sur ma belle-sœur, écoutée lorsque je prononçais son nom, avoir remarqué comme je me détournais lorsque Helen embrassait son mari. À présent elle nota parfaitement la légèreté et l'indifférence de mon ton, et je vis sur ses traits une expression — ni soulagement ni satisfaction à proprement parler, mais quelque chose qui y ressemblait fort — une expression qui me fit comprendre du coup qu'elle avait bien fait toutes ces choses : elle m'épiait depuis deux ans et demi.

Et je me demande maintenant ce que cela aurait pu changer à mes rapports avec elle si j'avais su mieux cacher mon amour. Ou aussi, si je ne l'avais jamais éprouvé.

Elle remua sur son siège et lissa sa jupe. Franchement, elle ne pouvait pas dire qu'elle trouvait cela tout à fait convenable, mais... Si Vigers restait avec moi pour me chaperonner lorsque je viendrais la rejoindre, dans trois ou quatre semaines disons...

Elle demanda à en parler avec Helen et Stephen avant de me donner son accord définitif. Lors de notre prochaine visite à Garden Court, pour le réveillon du jour de l'An — eh bien, le temps où je n'avais d'yeux que pour Helen n'est plus, et j'assistai en souriant au baiser qu'elle reçut de Stephen à minuit. Je fis en général si bonne figure que, mis au courant de mon projet, ils ne trouvèrent rien à y redire. Quel mal est-ce que cela pourrait me faire de rester seule dans ma propre maison où je passe déjà tant d'heures solitaires ? Et Mme Wallace, qui était elle aussi de la fête, opina qu'il était sans conteste plus raisonnable de vouloir rester à Cheyne Walk que d'exposer sa santé à tous les périls d'un voyage en chemin de fer !

Nous rentrâmes à deux heures du matin. La porte d'entrée une fois verrouillée, je passai un bon moment à ma fenêtre, ma cape sur mes épaules, ouvrant un brin pour sentir sur ma paume le crachin de la nouvelle année.

À trois heures, il y avait toujours des bateaux qui sonnaient leurs cloches, des voix d'hommes sur l'eau, de jeunes garçons courant à toutes jambes le long des quais. Pendant que je regardais cependant, les clameurs et l'agitation cessèrent et, d'un instant à l'autre, firent place à un calme parfait. La pluie était fine — trop fine pour troubler la surface de la Tamise qui luisait comme un miroir, reflétant les réverbères des ponts et des escaliers sous la forme frétillante de serpents de lumière, jaunes et rouges. Les pavés en revanche avaient l'éclat bleu d'un service de porcelaine de Chine.

Je n'aurais jamais cru que la nuit noire cachât tant de couleurs en son sein.

Le lendemain, je profitai d'une sortie de ma mère pour aller à Millbank, voir Selina. Elle n'est plus au quartier de punition. Elle mange à nouveau la pitance ordinaire de la prison et démêle, comme avant, de la laine plutôt que des fibres de coco, sous la surveillance de la bonne Mme Jelf qui la couve comme la prunelle de ses yeux. En suivant le corridor, je me souvenais du plaisir que j'éprouvais autrefois à garder pour la bonne bouche la visite que je lui destinais, à m'entretenir d'abord avec d'autres prisonnières, en m'interdisant même de lui jeter un coup d'œil en passant, tant que je ne serais pas libre de la contempler tout à mon aise. Plus maintenant. Comment faire pour rester loin d'elle ? Que m'importe ce que les autres pourront en penser ? Je m'arrêtai ici ou là pour serrer une main à travers les barreaux et échanger des vœux de saison, mais le quartier n'est plus le même. Promenant mes yeux sur la rangée de cellules, je voyais autant d'inconnues blêmes aux robes couleur de boue. Deux ou trois de mes protégées ont été transférées à Fulham ; et, bien sûr, Ellen Power est morte, et la nouvelle occupante de sa cellule ne me connaît ni d'Ève ni d'Adam. J'ai eu l'impression que Mary Ann Cook était contente de me revoir. Agnes Nash, la faussaire, aussi. Mais c'était pour Selina que je venais.

Elle me demanda tout bas : « Qu'as-tu fait pour nous ? » et je lui répétai ce que j'avais appris de Stephen. Elle pense que nous aurions tort de compter sur la rente, elle me conseille de retirer à ma banque la plus grosse somme possible et de la garder en lieu sûr en attendant que nous en ayons besoin. Je lui parlai du séjour projeté de ma mère à Marishes, et elle sourit. Elle dit : « Tu es une fine mouche, Aurora. » Je répondis que toute la finesse était à porter à son crédit, que je n'étais, moi, que le véhicule à travers lequel elle agissait.

« Tu es mon médium », dit-elle.

Elle se rapprocha alors et je vis son regard aller de ma robe à ma gorge. Elle demanda : « Est-ce que tu m'as sentie près de toi ? Est-ce que tu m'as sentie tout autour de toi ? Mon esprit vient te rendre visite, chaque nuit.

— Je sais.

— Tu portes le tour de cou ? Fais voir. »

Je tirai sur l'étoffe qui me voilait la gorge et lui montrai le ruban de velours, au chaud contre ma peau. Elle approuva d'un hochement de tête, et le collier se resserra.

« Voilà qui est très bien, murmura-t-elle, sa voix comme un doigt qui m'aurait caressée. Ceci m'attirera à toi, au travers de la nuit. *Non...* » — je venais de faire un pas, pour me rapprocher d'elle — « ... non. Si on nous voit maintenant, on risque de me reléguer plus loin de toi. Il faut prendre patience. Tu m'auras bientôt. Et alors — eh bien, tu pourras me serrer contre toi tant que tu voudras. »

Je la regardai et, sentant mon esprit chavirer, demandai : « *Quand*, Selina ? »

Elle dit que c'était à moi de décider. Que je choisisse un soir où je serais certaine d'être seule à la maison — un soir après le départ de ma mère, quand j'aurais réuni tout ce dont nous aurions besoin. Je dis : « Ma mère part le 9. Ça pourrait être n'importe quel soir, je suppose, après cette date... »

En disant cela, je me rappelai quelque chose. Je souris — sans doute même que je ris tout haut, car je me souviens qu'elle me reprit : « Chut ! ou Mme Jelf va t'entendre !

— Excuse-moi. C'est simplement que... Enfin, il y a un soir que nous pourrions choisir, si tu ne trouves pas cela trop bête. »

Elle prit un air intrigué. Je faillis pouffer derechef, puis m'expliquai : « Le 20 janvier, Selina. — La veille de la Sainte-Agnès ! »

Elle n'avait toujours pas l'air de comprendre. Au bout d'un moment, elle me demanda si c'était mon anniversaire.

Je fis non de la tête et répétai : « La veille de la Sainte-Agnès ! La Vigile de la Sainte-Agnès ! "Tels des fantômes, ils se glissent dans la grand-salle..." »

Ils se glissent, fantômes, jusqu'au portail de fer
Où le Portier, vautré mal à son aise, s'étale
Un par un, les verrous coulissent aisément
Sans bruit les chaînes tombent sur les dalles usées
Par les pas ; la clef tourne et, grinçant sur ses
*[gonds, la porte s'ouvre grande**...

Je récitai les vers et elle resta figée, le regard interrogateur, sans comprendre — sans comprendre ! Je me tus enfin, sentant un mouvement dans mon sein — il y avait là de la déception, il y avait là de la peur et de l'amour pur. Enfin je me demandai pourquoi elle devrait reconnaître les vers. Avait-elle jamais eu quelqu'un pour lui enseigner la poésie de Keats ?

Je me dis : *Ça viendra.*

* J. Keats, *La Vigile de la Sainte-Agnès*, trad. R. Ellrodt, Paris, Éditions de l'Imprimerie nationale, 2000, p. 349. *(N.d.T.)*

14 juin 1873

Séance dans le noir, & Mlle Driver est restée après. C'est une amie de Mlle Isherwood, celle qui était venue le mois dernier pour que Peter la voye en tête à tête. Elle dit que Mlle Isherwood ne s'est jamais aussi bien portée que maintenant, & que c'est tout grâce aux Esprits. Elle a dit : voulez-vous bien demander, Mlle Dawes, si Peter ne peut pas aussi m'aider ? Je n'arrive pas à trouver le repos, & j'ai des crises de nerfs, c'est à n'y rien comprendre. Je pense que je dois être dans le même cas que Mlle Isherwood, que j'ai besoin d'être développée. Elle est restée une heure & demie, son traitement le même que pour son amie, même si ça a pris plus longtemps. Peter lui a dit qu'il faudrait revenir. £ 1.

21 juin 1873

Développement, Mlle Driver 1 heure. £ 2.
Première séance, Mme Tilney & Mlle Noakes.
Mlle Noakes douleurs articulaires. £ 1.

25 juin 1873

Développement — Mlle Noakes, Peter lui a tenu la tête pendant que je me suis mise à genoux & lui ai soufflé dessus. 2 heures. £ 3.

3 juillet 1873

Mlle Mortimer, irritation de la moelle épinière. Trop nerveuse.

Mlle Wilson, douleurs diffuses. Trop laide au goût de Peter.

15 janvier 1875

Ils sont tous partis dans le Warwickshire — cela fait déjà huit jours. Sortie sur le pas de la porte, j'ai vu charger leurs bagages dans un fiacre, je les ai regardés s'éloigner, j'ai vu leurs mains s'agiter derrière les glaces des portières ; ensuite je suis montée chez moi, et j'ai pleuré. Je me suis laissé embrasser par ma mère. J'ai pris Helen à part pour lui dire : « Dieu te bénisse ! » Je ne trouvais rien d'autre. Mais la phrase l'a fait rire — c'était une si drôle de chose à entendre dans ma bouche. Elle a dit : « Je te reverrai dans un mois. Vas-tu m'écrire avant ? » Jamais nous n'avons été séparées aussi longtemps. J'ai promis d'écrire, mais voilà déjà huit jours d'écoulés et je ne lui ai pas envoyé une ligne. J'écrirai en temps utile. Pas encore, pas pour l'instant.

La maison maintenant est plus silencieuse que je ne l'ai jamais connue. La cuisinière fait coucher son neveu au rez-de-chaussée, mais ce soir ils sont déjà au lit. Ils n'ont plus rien à faire, une fois que Vigers m'a apporté de l'eau chaude et du charbon pour mon feu. La porte d'entrée a été verrouillée à neuf heures et demie.

Mais quel silence ! Si ma plume pouvait chuchoter, c'est maintenant que je la doterais de voix. *J'ai notre argent.* J'ai *treize cents livres.* J'ai retiré la somme à ma banque, hier. C'est mon propre argent, et pourtant je me faisais l'effet d'un voleur en l'empochant. J'ai présenté l'ordre de payement de Stephen qui, si je peux me fier à mon impression, a paru provoquer un certain malaise — l'employé a même quitté un instant son guichet pour consulter un supérieur avant de revenir à moi, demander si je ne préférais pas un chèque. J'ai répondu que non, un chèque ne ferait pas l'affaire — mais pendant tout ce temps je tremblais, je m'imaginais qu'ils m'avaient percée à jour et qu'ils allaient envoyer chercher Stephen. Pourtant, ils n'avaient pas vraiment le choix. Je suis une femme du monde, après tout, et l'argent est à moi. On me l'a apporté dans un portefeuille de carton. L'employé m'a saluée bien bas.

Je lui ai dit que je destinais l'argent à une œuvre caritative, qu'il allait permettre à de pauvres filles sortant de correction de se refaire une vie à l'étranger. L'homme a répondu, la mine acide, que c'était là assurément une cause des plus méritoires.

En le quittant, je me suis fait conduire en fiacre d'abord à la gare de Waterloo, où j'ai pris des billets pour le train-ferry, puis à celle de Victoria, au Bureau des voyageurs, où on a établi un passeport en mon nom et un autre pour une demoiselle de compagnie que j'ai baptisée *Marian Erle* ; le préposé a inscrit le nom comme si de rien n'était, en me priant même de l'épeler ! Depuis, je ne cesse de penser à tous les bureaux où je pourrais me rendre et à tous les mensonges que je pourrais y raconter. Je me demande combien de messieurs je pourrais faire tourner en bourrique avant d'être prise.

Ce matin cependant, en regardant par ma fenêtre, j'ai aperçu l'agent de police qui patrouille dans Cheyne Walk. Ma mère, toujours inquiète à l'idée de me laisser seule, lui a demandé de surveiller plus particulièrement la maison pendant son absence. Aujourd'hui il m'a donc adressé un petit salut en passant, et j'ai senti mon cœur s'affoler. J'en ai dit un mot à Selina, mais elle a répondu avec un grand sourire : « Est-ce que tu as peur ? Il ne faut pas avoir peur de cela ! Quand on découvrira ma fuite, pourquoi irait-on me chercher chez toi ? » Elle dit qu'il se passera des jours et des jours avant qu'on ne pense à moi.

16 janvier 1875

Visite de Mme Wallace aujourd'hui. Je lui ai dit que les lettres de papa prennent tout mon temps et que je souhaiterais pouvoir y travailler sans être dérangée. Si elle revient, je ferai dire par Vigers que je suis sortie. Si elle revient dans cinq jours, bien sûr, elle ne me trouvera plus. Oh ! comme il me tarde d'être partie ! Je ne suis plus qu'impatience. Tout le reste tombe petit à petit de mes épaules : je me détache de ces lieux, un peu plus à chaque tour des aiguilles sur la face blême de la pendule. Ma mère m'a laissé un peu de laudanum — j'ai tout bu, et j'en ai racheté d'autre. C'est très facile, après tout, d'acheter une dose chez l'apothicaire ! Je peux faire n'importe quoi maintenant. Je peux veiller jusqu'à l'aube, si tel est mon bon plaisir, et dormir pendant la journée. Je me souviens d'un jeu auquel nous jouions, enfants : *Qu'est-ce que tu feras quand tu seras grande et que tu auras une maison à toi ? — J'aurai une tour sur le toit et j'y tirerai des coups de canon ! Je ne mangerai que de la réglisse ! J'aurai des chiens habillés en maîtres d'hôtel — je ferai dormir une souris sur mon oreiller...* Maintenant j'ai plus de liberté que jamais au cours de ma vie. Pourtant, je fais toujours les mêmes choses. Ma routine jusque-là était vide, mais Selina l'a dotée de sens ; tout ce que je fais, je le fais pour elle. Je l'attends — mais *attendre*, me semble-t-il, n'en dit pas assez. Je participe à la substance des minutes qui passent. Je sens ma chair remuer, la peau qui me tire — telle la surface de la mer qui subit l'attraction de la lune. Quand j'ouvre un livre, c'est comme si je n'avais jamais encore vu une ligne imprimée — les volumes sont pleins de messages destinés à moi seule. Il y a une heure, j'ai trouvé ceci :

Le sang dans mon corps s'arrête pour écouter,
Et des ombres tumultueuses, rapides et épaisses,
*Tombent sur mes yeux débordants**...

Comme si tous les poètes qui ont jamais adressé des vers à la bien-aimée avaient écrit en cachette pour moi et pour Selina. C'est *mon* sang — pendant que j'écris ceci — *mon*

* P.B. Shelley, *À Constantia, chantant*, trad. F. Rabbe (*Œuvres poétiques complètes de Shelley*, Paris, Stock, 1909, t. III, p. 27). *(N.d.T.)*

sang qui s'arrête, mes muscles et les moindres fibres de mon être qui se figent pour la guetter, *elle*. Dormé-je, c'est pour rêver d'elle. Des ombres obscurcissent-elles ma vue, c'est *elle* que j'y vois. Le silence règne dans ma chambre, mais il n'est jamais total — j'entends son cœur qui bat à travers la nuit, au même rythme que le mien. Ma chambre est plongée dans le noir, mais le noir pour moi n'est plus comme avant. Je connais toute la gamme de ses profondeurs et de ses textures — le noir de velours, le noir feutré, le noir hérissé comme la grosse laine et la fibre de coco de Millbank.

Mon changement se communique à la maison, apaisée comme par enchantement ! Les domestiques vont et viennent, semblables aux automates d'une horloge à jacquemart : ils font du feu pour chauffer les pièces vides, ferment les rideaux le soir pour les rouvrir le lendemain matin — il n'y a personne pour regarder par les fenêtres, mais on a soin d'écarter les rideaux. La cuisinière me fait monter mes repas sur un plateau. Je lui ai dit de ne plus se sentir obligée de me composer des menus. J'aurais bien assez d'une soupe, d'un plat unique de poisson ou de volaille. Mais elle ne se laisse pas déranger dans ses habitudes. Les plateaux chargés continuent à arriver, et force m'est de les renvoyer comme une enfant coupable, en dissimulant la viande sous les navets et les pommes de terre. Je n'ai aucun appétit. Sans doute est-ce le neveu qui mange les restes, l'occasion pour tout le monde à l'office de se remplir la panse. Je le leur souhaite de tout cœur. J'aimerais les encourager. *Allez-y, mangez donc ! Ne laissez rien !* Que m'importe maintenant leur petit grappillage ?

Même Vigers n'a rien changé à son train-train. J'ai beau lui dire de rester au lit une heure de plus, sans se soucier de moi, elle continue à se lever à six heures — comme si elle aussi sentait dans toutes ses veines la cloche de Millbank sonner la fin d'une nouvelle nuit blanche. Une ou deux fois elle m'a regardée d'une drôle de façon en entrant ici. Hier soir, à la vue de mon plateau intact, elle m'a grondée : « Il faut manger, Mademoiselle! Qu'est-ce que Mme Prior me dirait si elle vous voyait renvoyer vos repas sans y toucher? »

Sa question m'a fait rire, et elle aussi a souri de m'entendre. Son sourire est très quelconque, mais ses yeux seraient presque beaux. Elle ne m'excite pas. Je l'ai vue lorgner avec curiosité le fermoir de mon tour de cou, aux instants où elle pense que je ne l'observe pas. Une fois seulement, prenant son courage à deux mains, elle a demandé si je portais cela en signe de deuil, pour mon père, comme d'autres mettent un crêpe?

Parfois je pense qu'elle doit forcément subir la contagion de ma passion. Il y a une telle ardeur dans mes rêves que leurs formes et couleurs ne peuvent pas ne pas se répercuter aussi dans son sommeil à elle.

Parfois il me semble que je pourrais faire d'elle la confidente de tous mes projets, qu'elle m'approuverait sans réserve, en hochant la tête d'un air grave. Il me semble que, si je le lui demandais, elle accepterait peut-être de venir avec nous...

D'un autre côté, je crois que je serai jalouse de toutes les mains qui toucheront Selina, ne s'agît-il que d'une femme de chambre. Je suis allée aujourd'hui dans un grand magasin de confection d'Oxford Street, pour elle : je voulais passer en revue les collections, lui monter une garde-robe avec aussi des manteaux et des chapeaux, des chaussures et des dessous. J'étais loin de me douter des émotions que je me préparais en lui taillant ainsi une place dans le monde de tous les jours. Tant qu'il ne s'est agi que de moi, je n'ai jamais accordé la même importance que Priscilla ou notre mère aux subtilités de teinte, de coupe ou de tissu, mais en achetant des robes pour Selina, je me suis abandonnée au plaisir de ces détails frivoles. Évidemment, j'ignorais ses mesures — ou plutôt, non. Je connais sa stature par le souvenir de sa joue contre ma mâchoire, sa sveltesse à force de l'étreindre en rêve. J'ai choisi d'abord une robe de voyage toute simple, couleur lie-de-vin. Je me disais que cela suffirait pour commencer, que nous pourrions attendre d'être en France pour acheter autre chose. Mais, cette première robe toujours sur le bras, j'en ai remarqué une autre — un vêtement en cachemire gris perle, avec une jupe de dessous taillée dans une riche soierie tirant sur le vert. Le vert, pensais-je, ferait écho à celui de ses yeux. Le cachemire serait parfait pour un hiver italien.

J'ai acheté les deux robes — et une troisième encore, une création blanche, garnie de velours, à la taille très marquée. Une robe pour faire ressortir son côté petite fille, mis sous le boisseau à Millbank.

Ensuite, comme elle ne pourra pas mettre ses robes sans au moins une petite cotte dessous, j'ai acheté des jupons et, tant qu'à faire, des corsets et des chemises et des bas noirs. Et, comme les bas ne lui serviront à rien sans chaussures, j'en ai choisi pour elle — des souliers noirs et des bottines jaunes et puis aussi des mules de velours blanc qui iront avec la robe de femme-enfant. Je lui ai acheté des chapeaux — des capelines à voilette, pour cacher ses pauvres cheveux en attendant qu'ils repoussent. Je lui ai acheté un manteau, et une courte cape pour la robe en cachemire et un dolman avec une frange de soie jaune que je vois déjà danser, radieuse, sous le soleil d'Italie, au rythme de nos pas.

Tout cela est maintenant dans mon placard. Je n'ai rien sorti des boîtes du magasin, mais je ne peux pas m'empêcher d'aller parfois caresser le carton. Il me semble alors sentir respirer la soie et le cachemire, tâter le pouls lent du tissu.

Je sais que, comme moi, les vêtements attendent que Selina vienne s'en parer — elle seule saura les éveiller à la vie, les animer et les illuminer, au-dehors comme au-dedans.

19 janvier 1875

Tout est prêt pour le voyage que nous ferons ensemble, mais il me restait un devoir encore à accomplir aujourd'hui, pour moi seule. Je suis allée au cimetière de Westminster où j'ai passé une heure sur la tombe de papa, à penser à lui en ce jour le plus froid que nous ayons encore eu cette année. J'y ai vu arriver un convoi ; les voix portaient avec une netteté étonnante à travers l'air rare de janvier, sans un souffle de vent. Les premiers flocons de l'hiver se sont mis à tomber au même instant, saupoudrant de blanc mon manteau et tout l'enterrement. Dans le temps, je voulais fleurir avec papa les tombes de Keats et de Shelley, à Rome. Aujourd'hui j'ai déposé une couronne de houx sur sa tombe à lui. Sans émousser les pointes des feuilles, la neige a recouvert les baies rouges pendant que je prêtais l'oreille au discours du pasteur à côté. J'étais toujours là lorsque le convoi a commencé à jeter des poignées de terre dans la fosse. Les mottes gelées tombaient sur le cercueil avec un bruit de fusillade qui a fait courir un murmure parmi les présents. Une femme a poussé un cri. Le cercueil était petit — sans doute celui d'un enfant.

Je n'y ai pas senti la présence de papa, mais dans un sens c'est tant mieux. J'étais là pour lui dire adieu. Je pense que je le retrouverai en Italie.

Du cimetière, je me suis rendue en ville où j'ai flâné de rue en rue, afin de repaître mes yeux d'un spectacle que je risque de ne plus revoir avant bien des années. Je me suis promenée ainsi de deux heures jusqu'à six heures et demie.

Enfin je suis allée à Millbank. Cela aura été ma dernière visite.

Lorsque j'arrivai à la prison, le repas du soir avait déjà été servi et mangé, les gamelles et les couverts rangés depuis un bon moment — l'heure était bien plus tardive que lors d'aucune de mes visites précédentes. À l'étage de Mme Jelf, je trouvai les détenues occupées à leur dernière tâche de la journée. C'est, pour elles, un bref répit dans la rigueur du quotidien carcéral. Lorsque la cloche sonne sept heures, elles laissent tomber leur ouvrage ; la surveillante extrait une détenue de sa cellule et parcourt avec elle les deux corridors, ramassant et recomptant les épingles, les aiguilles et les mauvais ciseaux utilisés par les prisonnières pour le travail de la journée. Je regardai faire Mme Jelf. Elle portait un tablier de feutre dans lequel elle piquait les épingles et les aiguilles récupérées, tandis que les ciseaux étaient enfilés par leurs anneaux, un peu comme le pêcheur à la ligne enfile ses prises. À huit heures moins le quart, les hamacs doivent être dépliés et accrochés dans les cellules, à huit heures les portes de bois sont bouclées et le gaz coupé — mais jusque-là les femmes sont libres de faire ce qu'il leur plaît. Elles offraient un spectacle intéressant. Il y en avait qui relisaient des lettres, d'autres qui étudiaient leur Bible. L'une versait de l'eau dans une cuvette pour ses ablutions ; une autre, tête nue, se faisait des papillotes avec des bribes de laine grappillées au cours de sa journée de tricot. Ces derniers temps, j'ai l'impression de jouer les revenants dans notre maison de Cheyne Walk. Ce soir à Millbank, j'aurais pu être tout de bon un fantôme. Je parcourus les deux quartiers de l'étage de bout en bout, mais c'est à peine si les prisonnières levaient le regard sur mon passage. Celles que je connais venaient à la grille faire la révérence lorsque je les appelais, mais elles avaient la tête ailleurs. Jusque-là, elles s'étaient toujours montrées contentes d'abandonner un instant leur ouvrage pour s'entretenir avec moi ; mais la dernière heure de la journée, la seule qui leur appartienne — eh oui, je conçois qu'elles puissent être plus réticentes à me la sacrifier.

Bien sûr, je n'étais pas un fantôme pour Selina. Elle m'avait vue passer une première fois devant sa grille, et elle m'attendait à mon retour. Très pâle, elle avait l'air sereine, mais la vue d'une artère qui battait à l'ombre de sa mâchoire suffit à affoler mon cœur.

N'ayant plus à nous soucier des regards indiscrets qui mesureraient le temps que je passais avec elle ou la distance que j'étais censée garder, nous vînmes l'une au-devant de l'autre, tout près, et elle me parla à l'oreille de demain soir.

Elle dit : « Il faudra attendre tranquillement, en pensant à moi. Tu ne quitteras pas ta chambre, et tu n'auras pour toute lumière qu'une bougie dont tu cacheras la flamme. Je viendrai avant le jour... »

Elle était tellement convaincue, tellement solennelle que je me sentis tout d'un coup glacée d'effroi. Je demandai : « *Comment* est-ce que tu vas faire ? Oh ! Selina, comment est-ce possible ? Comment traverseras-tu les airs pour venir me rejoindre ? »

Elle me regarda et sourit, puis avança la main et prit la mienne. Elle retourna mes doigts, fit glisser le gant et tint mon poignet à quelques centimètres de sa bouche. Elle demanda : « Qu'y a-t-il, entre mes lèvres et ta peau nue ? Pourtant, tu me sens bien, n'est-ce pas, lorsque je fais ceci ? » Elle souffla sur mon poignet, là où le sang transparaît en bleu..., et c'était comme si elle attirait toute la chaleur de mon corps vers ce seul point. Je frissonnai.

« C'est ainsi que je viendrai à toi, demain soir », dit-elle.

Je lâchai alors la bride à mon imagination. Je la voyais étirée en longueur, telle une flèche, un cheveu, la corde d'un violon, le fil conducteur à travers un labyrinthe, longue et vibrante et tendue — si bien tendue que, ballottée entre des ombres brutales, elle menaçait de rompre ! Je tremblai, mais elle me dit de ne rien craindre — mes peurs ne feraient que lui rendre le trajet plus pénible. Du coup, cette idée m'inspira une véritable terreur — terreur de ma propre terreur qui allait la vider de ses forces, lui nuire peut-être, sinon la tenir loin de moi. Je lui demandai ce qui se passerait si je gâchais l'apport sans le vouloir ? Si ses pouvoirs la trahissaient ? J'envisageai alors la possibilité qu'elle ne vînt pas. Je ne pensais pas à elle, mais à moi, en me demandant comment je le vivrais. Comme si je me voyais soudain telle qu'elle m'a faite, je voyais ce que je suis devenue — je me voyais, horrifiée.

Je dis : « Si tu ne viens pas, Selina, j'en mourrai. » Elle m'en avait déjà dit autant, indirectement, mais à présent mon ton, plat, sans émotion, la fit changer de visage. Elle blêmit, les traits soudain exsangues, tirés et *nus.* L'instant d'après, elle me prenait dans ses bras et murmurait, laissant reposer sa tête dans le creux de mon épaule : « *Ma moitié éternelle* » Elle semblait parfaitement calme, mais lorsqu'elle s'éloigna enfin, mon col était humide de ses larmes.

Vint alors la voix de Mme Jelf, annonçant la fin du temps libre, et Selina passa une main sur ses yeux et se détourna. J'enroulai mes doigts autour des barreaux de sa grille et restai clouée sur place à la regarder accrocher son hamac au mur, déplier son drap et ses couvertures, battre son oreiller gris pour en secouer la poussière. Son cœur continuait à palpiter comme le mien, je le savais, et ses mains, comme les miennes, tremblaient légèrement; pourtant, elle évoluait dans la cellule et travaillait proprement, comme une marionnette, nouant les cordes de sa couche suspendue, repliant la couverture réglementaire pour révéler un liséré blanc. Comme si, après avoir été ordonnée pendant toute une année, elle ne pouvait pas ne pas l'être ce soir encore — ne pas le rester, peut-être, à tout jamais.

C'était insupportable. Je me détournai, frappée alors seulement par le bruit des femmes qui, d'un bout à l'autre des deux corridors, accomplissaient les mêmes gestes. Lorsque je la regardai à nouveau, elle avait les doigts sur les boutons de sa robe qu'elle venait de défaire. « Il faut que nous soyons toutes au lit avant qu'on ne coupe le gaz », dit-elle. Elle parlait d'un ton embarrassé, sans rencontrer mon regard — et pourtant je n'appelais toujours pas Mme Jelf. Je dis plutôt : « Laisse-moi te voir... » Je n'avais pas eu l'intention de dire cela, et le son de ma voix me fit tressaillir. Elle aussi hésitait, l'air étonné. Enfin, elle laissa la robe tomber de ses épaules, ôta sa jupe de dessous et ses gros souliers, puis, après une nouvelle hésitation, son bonnet, pour rester enfin, frissonnante, en chemise, bas de laine et jupon. Son attitude était raide, et elle gardait le visage détourné — comme si mon regard lui faisait mal, mais qu'elle en acceptât la douleur, pour l'amour de moi. Ses clavicules saillaient, semblables aux touches d'ivoire d'un étrange instrument de musique. Ses bras étaient plus blancs que la toile jaunie de ses dessous, montrant du poignet au coude un entrelacs de fines veines bleues. Ses cheveux — je ne l'avais jamais encore vue nu-tête — ses cheveux pendaient, raides, sur ses oreilles, comme ceux d'un jeune garçon. Ils avaient la couleur de l'or qu'un souffle embrume.

Je m'exclamai : « Comme tu es belle ! »

Elle me regarda alors, comme prise de court. Elle murmura : « Tu ne me trouves pas très changée ? »

Mais non. Qu'est-ce qui pouvait lui donner cette idée-là ? Sa seule réponse fut un hochement de tête, suivi d'un nouveau frisson.

Le corridor résonnait, de proche en proche, d'un bruit de portes claquées et de verrous poussés, sur un fond de cris et de murmures. Je distinguais la voix de Mme Jelf, qui demandait à chaque porte qu'elle bouclait : « Tout va bien ? », question à laquelle les prisonnières répondaient par des « très bien, m'dame » ou des « bonne nuit, m'dame ». Je gardais les yeux sur Selina, sans prononcer une parole — quasi sans respirer, à ce qu'il me semble. Enfin, les barreaux de sa grille se mirent à trembler, renvoyant les vibrations des portes voisines. Voyant cela, elle grimpa dans son lit et remonta très haut les couvertures.

Et voilà que Mme Jelf faisait tourner sa clef et poussait la grille. L'espace d'un instant, nous restâmes bizarrement hésitantes, côte à côte, à contempler Selina dans son lit — tel un couple de parents inquiets à la porte d'une chambre d'enfant.

« La voyez-vous, mademoiselle Prior ? Sage comme une image ! » dit tout bas la surveillante. Puis, chuchotant toujours, à l'adresse de Selina : « Tout va bien ? »

Selina fit oui de la tête. Ses yeux restaient fixés sur moi, son corps toujours agité de frissons — sa chair remuée sans doute par l'attirance de la mienne. « Bonne nuit, dit-elle. Bonne nuit, mademoiselle Prior. » Elle parlait d'un ton très grave — pour donner le change. Mes yeux ne quittèrent pas les siens pendant que la grille interposait ses barreaux entre nous. Enfin, Mme Jelf ferma aussi la porte massive, fit jouer le verrou et passa à la cellule suivante.

Fascinée par le panneau de bois, le verrou, les ferrures, je restai un instant sans bouger avant de rejoindre la surveillante et de parcourir avec elle le second corridor du quartier E, puis tout le quartier F. Elle répétait sa question devant chaque cellule, et les détenues répondaient comme elles savaient : « Bonne nuit, madame ! » — « Le bon Dieu vous bénisse, m'dame ! » — « Encore un jour de tiré, s'pas, p'tite mère ! »

Excitée et énervée comme je l'étais, je trouvais quelque chose de lénitif dans la cadence de sa tournée, les appels lancés à intervalles réguliers, suivis chaque fois du fracas d'une porte fermée. Finalement, ayant fait le tour de l'étage confié à sa vigilance, elle ferma le robinet qui alimente l'éclairage des cellules. Tout le long du corridor, les flammes des becs de gaz marquèrent une syncope, puis jaillirent plus haut, plus claires qu'avant. Adoucissant sa voix, Mme Jelf dit : « Voici Mlle Cadman, la surveillante de nuit, venue prendre ma relève. Comment allez-vous, mademoiselle Cadman ? Je vous présente Mlle Prior, notre dame patronnesse. » Mlle Cadman me salua, puis ôta ses gants et bâilla. Elle portait la cape fourrée qui fait partie de l'uniforme des surveillantes, le capuchon drapé sur ses épaules. « Avons-nous des trublionnes ce soir, madame Jelf ? » demanda-t-elle en bâillant derechef. Lorsqu'elle nous quitta pour la chambre des préposées, je fus frappée par le silence de sa marche sur les dalles sablées. Elle portait des chaussons aux semelles de caoutchouc que les détenues, je viens de m'en souvenir, appellent du même nom qui leur sert à désigner les délatrices parmi elles.

En prenant la main de Mme Jelf au moment de la quitter, je sentis une pointe de regret, une tristesse à l'idée de la laisser *là*, alors que mon chemin allait me conduire au-delà. « Vous êtes bonne, lui dis-je. Aucune autre surveillante ici n'a votre bonté. » Elle rendit la pression de mes doigts et répondit en hochant la tête d'un air que les mots — ou peut-être l'heure ou encore mon propre état d'âme — teintaient de mélancolie. « Dieu vous bénisse, mademoiselle ! »

J'aurais presque espéré croiser Mlle Ridley en regagnant la sortie — mais non, il n'en fut rien. J'aperçus bien

Mme Pretty, dans l'escalier de la tour; elle discutait avec sa relève tout en enfilant une paire de gants noirs, fléchissant les poings pour mieux assouplir le cuir. Je revis aussi Mlle Haxby, appelée dans l'un des quartiers du rez-de-chaussée pour réprimander une détenue agitée. « Comme vous restez tard chez nous, mademoiselle Prior! » s'exclama-t-elle.

Sera-ce par trop paradoxal si j'avoue que, au bout du compte, j'avais presque du mal à quitter ces lieux? Je marchai lentement, m'attardai un dernier instant sur la languette de terre gravelée après avoir renvoyé mon escorte... Je me suis dit plus d'une fois qu'à force de retourner dans la prison, ma chair et mon sang allaient se changer à la longue en fer et en chaux. Peut-être est-ce déjà chose faite, toujours est-il que Millbank agissait sur moi ce soir comme un aimant. J'avançai jusqu'au pavillon d'entrée mais, arrivée là, fis halte et me retournai. Au bout d'un moment je perçus une présence à mon côté. C'était le concierge, sorti voir qui traînait ainsi sur le pas de sa porte. Il me reconnut dans le noir, me salua d'un « bonsoir » et, son regard suivant le mien, se frotta les mains — pour les réchauffer peut-être, mais en même temps avec une sorte de satisfaction.

« Elle est sinistre, hein, mademoiselle? fit-il en désignant de la tête les murs luisants, les fenêtres éteintes. Une horreur — si vous voulez bien me passer le mot, à moi qui la garde. Et elle fait eau — on vous l'a dit? Il y a eu des inondations dans le temps... Eh oui, bien des fois. C'est le terrain qui ne vaut rien. Rien ne veut venir dans ce sol-là, et rien non plus ne veut y tenir — même pas une grosse vieille horreur comme Millbank. »

Je l'observais sans répondre. Il avait sorti de sa poche une pipe culottée que je le vis bourrer en tassant avec le pouce. Il se retourna ensuite pour frotter une allumette contre le mur, se pencha pour la protéger du vent... Ses joues se creusèrent, la flamme dansait. Il jeta enfin le brin de bois et reprit avec à nouveau un hochement de tête : « Elle se tortille sur ses fondations, comme un beau diable ! Le croiriez-vous ? » Je répondis d'un geste négatif, et il reprit : « Et toutes les honnêtes gens penseraient comme vous. Mais le concierge qui était là avant moi — ben, il en connaissait un rayon, *lui*, sur les inondations et les murs qui bougent ! Il vous racontait de ces histoires de craquements en pleine nuit, comme des coups de tonnerre ! Ou encore, le directeur qui arrive un matin pour trouver un des pentagones fissuré de haut en bas, avec dix détenus qui sautent à travers la brèche et prennent la poudre d'escampette ! Une autre fois, c'est six détenus qui se noient dans les loges, quand la Tamise a envahi notre égout. Ce coup-là on a coulé des masses de ciment dans les fondations, mais est-ce que cela a guéri cette horreur de sa bougeotte ? Allez, vous n'avez qu'à demander aux gardiens, qu'ils vous parlent un peu des tours que leur jouent les serrures, quand les portes se déjettent et ne veulent plus ouvrir ! Qu'ils vous parlent des vitres qui volent en éclats toutes seules, alors qu'il n'y a personne à côté. Vous avez sans doute l'impression que tout est calme. Mais c'est moi qui vous le dis, mademoiselle Prior, il y a des nuits, sans un souffle de vent, où moi, à la même place où vous vous trouvez maintenant, j'ai entendu Millbank *gémir* — comme je vous entends. »

Il leva une main à son oreille. Il n'y avait d'autres bruits que le lointain clapotis de la Tamise contre les quais, le passage d'un train, le timbre avertisseur d'un carrosse...

L'homme secoua la tête. « Un de ces jours elle va s'écrouler, je vous le jure, elle nous tombera sur la tête et c'en sera fait de nous ! Ou bien c'est cette mauvaise terre qui l'avalera toute crue, et on finira engloutis. »

Il tira une bouffée, toussa, et à nouveau nous dressâmes l'oreille... Mais non, la prison était plongée dans le silence, le sol gelé, les feuilles des rares touffes de laîche tranchantes comme des lames. Finalement, nous n'y tînmes plus contre l'âpreté de la bise. J'avais le frisson. Le concierge me fit entrer dans sa loge et envoya chercher un fiacre pendant que j'attendais au coin du feu.

J'y étais encore, lorsque je vis passer une surveillante de la prison des femmes. Je ne la reconnus pas d'abord, mais comme elle écartait un peu son capuchon, je vis que c'était Mme Jelf. Elle m'adressa un petit signe de tête avant de franchir la porte ouverte par le concierge. Il me semble l'avoir à nouveau entr'aperçue par la glace de la voiture : elle avançait à pas rapides dans la rue déserte, pressée sans doute de renouer le fil, sombre et ténu, de sa vie ordinaire.

Quelle vie peut-elle bien mener ? Je n'en ai pas la moindre idée.

20 janvier 1875

La veille de la Sainte-Agnès — nous y voilà enfin.

La nuit est rude. Le vent gémit dans la cheminée et fait trembler les vitres ; le conduit laisse passer des grêlons qui se volatilisent en sifflant au contact des braises. Il est neuf heures, et rien ne bouge dans la maison. J'ai donné congé pour la nuit à Mme Vincent et à son jeune parent, mais je garde Vigers près de moi. Je lui ai demandé : « Si je prends peur et que je vous appelle, viendrez-vous ? » Elle, là-dessus : « Peur des voleurs, Mademoiselle ? » Elle m'a montré son bras musclé en éclatant de rire. Elle dit qu'elle fera attention de bien fermer toutes les portes et toutes les fenêtres, qu'il ne faut pas m'inquiéter. Je l'ai entendue en effet verrouiller à grand bruit tout ce qui peut l'être, mais j'ai l'impression qu'elle y est retournée maintenant vérifier une seconde fois les issues... Voilà qu'elle monte chez elle à pas de loup, qu'elle s'enferme à clef...

Je lui ai communiqué malgré tout mes alarmes.

À Millbank, la surveillante Mlle Cadman fait ses rondes de nuit. Voilà une heure qu'on y a sonné l'extinction des lumières. *Je viendrai avant le jour*, m'a dit Selina. Déjà la nuit à ma fenêtre me paraît plus noire que je ne l'ai jamais vue. Je n'arrive pas à croire qu'il fera à nouveau jour.

Je ne veux même pas voir poindre une nouvelle aube si elle ne vient pas avant.

Je me suis enfermée chez moi depuis que le jour a commencé à baisser, vers quatre heures. Ma chambre n'a plus son air familier, avec les bibliothèques vidées de leurs livres — en effet, j'en ai emballé une bonne moitié, dans des cartons. J'avais commencé par en remplir une malle, mais elle était tellement lourde que personne n'aurait pu la soulever. Il ne faut prendre que ce que nous pourrons porter, je n'avais pas pensé à cela avant aujourd'hui. Je le regrette, car j'aurais pu expédier un carton de livres à Paris — maintenant il est trop tard. Force m'a été de choisir, entre ceux que je veux emporter et ceux qui resteront là. J'ai pris une bible à la place de mon Coleridge, uniquement parce que la bible porte les initiales de Helen — le Coleridge, j'espère pouvoir le remplacer. J'ai pris un presse-papiers dans la chambre de papa, un hémisphère de verre avec, captif à l'intérieur, un couple d'hippocampes qui me fascinaient, petite fille. J'ai mis dans une malle toutes les affaires de Selina sauf la robe de voyage couleur lie-de-vin et le manteau qui va avec, une paire de chaussures et des bas. J'ai disposé ces vêtements sur le lit, et en les regardant maintenant, dans la pénombre, je pourrais les prendre pour elle, couchée là, endormie ou pâmée.

Je ne sais même pas si elle viendra dans son costume pénal ou si les esprits me l'apporteront toute nue, tel l'enfant qui vient de naître.

J'entends le lit de Vigers qui grince, le crépitement des braises.

Il est maintenant dix heures moins le quart.

Il n'est pas loin maintenant de onze heures.

Ce matin j'ai reçu une lettre de Helen, postée à Marishes. Elle dit que la maison est splendide, mais que les sœurs d'Arthur se croient sorties de la cuisse de Jupiter. Priscilla est persuadée d'être déjà enceinte. Il y a dans le parc un lac gelé sur lequel tout le monde s'amuse à patiner. En en lisant la description, j'ai fermé les yeux. Je voyais nettement Selina, ses cheveux flottant sur ses épaules, avec un chapeau cramoisi, une veste de velours, des patins aux pieds — sans doute y mêlais-je le souvenir d'un tableau. Je me voyais moi-même à son côté, je sentais l'air vif s'engouffrer entre nos lèvres entrouvertes. Je me demandais ce qui se passerait si, au lieu de l'emmener en Italie, je débarquais avec elle à Marishes, chez ma sœur ; si je la mettais à ma droite à table, si je partageais sa chambre, si je l'embrassais...

Je ne sais pas ce qui les épouvanterait le plus — qu'elle soit spirite et médium, reprise de justice ou femme.

« Mme Wallace, dit encore Helen dans sa lettre, nous fait savoir que tu es en plein travail et que tu as retrouvé tout ton mauvais caractère. J'en conclus que tu vas bien ! Mais il ne faudrait pas qu'à force de travailler, tu oublies de venir nous rejoindre ici. Je veux ma propre belle-sœur, pour me préserver de celles de Priscilla ! Ne m'écriras-tu pas, au moins ? »

Je lui ai écrit cet après-midi. J'ai donné la lettre à Vigers, et je suis restée à la fenêtre pour la lui voir mettre à la boîte — maintenant il n'y a plus à revenir en arrière. Cela dit, je ne l'ai pas envoyée à Marishes, mais seulement à Garden Court avec, marqué dessus : « À garder jusqu'au retour de Mme Prior. » Elle est ainsi conçue :

Chère Helen,

Quelle drôle de drôle de lettre je t'écris là ! — la plus étrange, je crois bien, que j'aie jamais adressée à personne, et d'un genre dont — pour peu que je mène mes projets à bien ! — il est peu probable que j'aie à tâter une seconde fois. J'espère pouvoir m'en tirer avec esprit.

J'espère que ce que je m'apprête à faire ne me vaudra ni ta haine ni ta pitié. Il y a une part de moi-même qui me hait — qui sait que je vais faire la honte de ma mère, de Stephen et de Pris. Toi, j'espère que tu regretteras simplement mon départ, sans récriminer contre les circonstances. J'espère que tu garderas de moi un souvenir plutôt bienveillant que douloureux. Ta peine ne me sera d'aucun secours, là où je vais. Mais ta bonté aidera ma mère et mon frère, comme déjà par le passé.

Si quelqu'un tient à désigner un fautif, qu'il rejette la pleine et entière responsabilité de ce qui arrive sur moi seule et mon caractère bizarre qui m'a si bien brouillée avec le monde et toutes ses règles ordinaires qu'il m'a été impossible d'y trouver une place pour ma vie et mon bonheur. Qu'il en a toujours été ainsi — eh bien, inutile de dire que tu le sais, toi, mieux que quiconque. Mais tu ne peux rien savoir de ce que j'ai entrevu, tu ignores l'existence de l'autre monde, éblouissant, qui désormais m'ouvre les bras ! J'y ai été conduite, Helen, par une personne merveilleuse, pas comme les autres. Cela, tu ne peux pas le savoir. En te parlant d'elle, on la dépeindra comme une créature vulgaire et sordide, on présentera ma passion comme une obscénité et un crime. Tu sauras qu'il n'en est rien. Ce n'est que de l'amour, Helen — rien de plus.

Je ne peux pas vivre loin d'elle !

Autrefois, ma mère me trouvait têtue. Elle pensera que ce que je fais là est encore de l'entêtement. Mais comment le comprendre ainsi ? Je n'impose pas ma volonté, au contraire, je me laisse faire ! Je me démets d'une vie pour accéder à une autre, nouvelle et meilleure. Je m'en vais loin d'ici, comme — me semble-t-il — ma destinée depuis toujours me le commande. J'ai

> ... hâte de me rapprocher du soleil,
> Où l'on dort mieux *.

* E. Barrett Browning, *Aurora Leigh*, livre V, v. 1170-1171. *(N.d.T.)*

Je suis ravie pour toi, Helen, que mon frère soit un homme bon.

Arrivée là, je signe. La citation me plaît, et je l'ai couchée sur le papier avec un sentiment étrange, en me disant : C'est la dernière fois que je cite ainsi. À compter de la venue de Selina, je commencerai à *vivre !*

Quand viendra-t-elle ? Il est minuit. La nuit, déjà bien rude, tourne à la tempête. Pourquoi le mauvais temps tend-il à redoubler aux environs de minuit ? Elle n'en entendra pas toute la violence, au fond de sa cellule. Peut-être sera-t-elle prise au dépourvu en s'y aventurant, déchirée, meurtrie, égarée — et je ne peux rien faire pour elle, sinon l'attendre. Quand viendra-t-elle ? — elle a dit *avant le jour*. Quand fera-t-il jour ? Dans six heures.

Je vais prendre une dose de laudanum, peut-être sera-ce un moyen de la guider vers moi.

Je vais poser les doigts sur mon tour de cou et caresser le velours — elle a dit que le collier l'attirerait.

Il est maintenant une heure.

Il est maintenant deux heures — une heure encore d'écoulée. Comme le temps passe vite, sur le papier ! J'ai vécu ce soir une année entière.

Quand viendra-t-elle ? Il est trois heures et demie — l'heure, dit-on, où la Mort abat sa faux, même si papa, pour sa part, y est passé en plein jour. Je n'ai plus veillé ainsi, délibérément, depuis sa dernière nuit. J'aurais tout donné alors pour ne pas être séparée de lui, comme je donnerais tout pour être réunie à elle ce soir. Est-ce qu'il me regarde vraiment, comme elle le croit ? Voit-il ma plume courir sur cette page ? Oh ! Père, si vous me voyez maintenant — si vous la voyez, *elle*, errant dans l'obscurité à ma recherche — guidez nos deux âmes l'une vers l'autre ! Si jamais vous m'avez aimée, témoignez-moi maintenant votre amour en amenant dans mes bras l'objet du mien.

Je commence à avoir peur, mais il ne faut pas. Je sais qu'elle viendra, elle ne peut pas sentir mes pensées aller à tâtons au-devant d'elle sans en subir l'attirance. Mais *dans quel état* arrivera-t-elle ? Je l'imagine qui se présente éteinte, pâle comme la mort — qui se présente malade ou démente ! J'ai sorti ses vêtements — pas seulement le costume de voyage, mais tous ses vêtements, la robe gris perle, à la jupe couleur de ses yeux, et la blanche garnie de velours. J'ai tout étalé aux quatre coins de ma chambre, en sorte que les étoffes renvoient la lueur de ma chandelle. Comme si elle était là, tout autour de moi, reflétée dans les facettes d'un prisme.

J'ai sorti ses cheveux, je les ai peignés et à nouveau tressés ; je garde la tresse près de moi et par moments je l'embrasse.

Quand viendra-t-elle ? Il est cinq heures, et il fait toujours nuit noire, mais ah ! je suis malade de désir ! Je suis allée ouvrir la fenêtre. Le vent s'est engouffré, ravivant le feu dans la cheminée, faisant voler mes cheveux, me labourant la figure d'une mitraille de grêlons dont j'ai pensé porter les marques sanglantes — je restais malgré tout penchée au-dehors, scrutant les ténèbres à sa recherche. Je crois bien que j'ai crié son nom — oui, j'ai fait cela, et le vent m'en a renvoyé l'écho. Je crois que je tremblais — oui, je faisais trembler toute la maison, Vigers elle-même l'a senti. Les lames du plancher grinçaient sous son lit désarrimé, je l'entendais se tourner et se retourner sous l'étreinte d'un rêve — chaque tour resserrant un peu plus le ruban de velours, accentuant la compression de mon cou. Peut-être s'est-elle réveillée en sursaut en m'entendant m'égosiller. *Quand viendras-tu ? Quand viendras-tu ?* Encore et encore, jusqu'à clore la série d'un dernier cri — *Selina !* — qui m'est revenu derechef, en écho, dans un déluge de grêlons...

Mais non, c'est la voix de Selina que j'ai cru entendre. Elle criait mon nom. Je me suis figée, sans piper, aux aguets ; Vigers, son rêve reparti, ne bougeait pas davantage ; même le vent m'a paru mollir un peu et la grêle marquer une rémission. L'eau du fleuve était sombre, étale.

Aucune voix ne s'est fait entendre... Pourtant quelque chose me dit qu'elle est là, tout près. Si elle vient, ce sera forcément bientôt.

Ce sera bientôt, très bientôt, à la faveur des ultimes minutes d'obscurité.

Il est près de sept heures, et la nuit a vécu ; on entend des charrettes qui passent dans la rue, des chiens qui aboient, des coquericos. Les robes de Selina sont là, autour de moi, leur éclat évanoui ; dans un instant je me lèverai pour les ranger dans leurs papiers de soie. Le vent est tombé, la grêle a fait place à de gros flocons de neige. La Tamise porte un voile de brouillard. Voilà Vigers qui saute du lit pour allumer les feux d'une nouvelle journée. Comme c'est étrange ! — je n'ai pas entendu la cloche de Millbank.

Elle n'est pas venue.

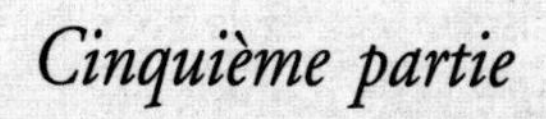

Cinquième partie

21 janvier 1875

Un jour, il y a deux ans, j'ai avalé une potion de morphine dans l'idée de mettre fin à ma vie. Ma mère m'a trouvée avant la fin, le médecin a pompé le poison de mon estomac, et je me suis réveillée au son de mes propres pleurs. J'espérais voir le paradis, où mon père était parti ; et on n'avait fait que me ramener en enfer. « Tu ne tenais pas à ta vie, m'a dit Selina il y a un mois, mais maintenant c'est moi qui y tiens. » — J'ai compris alors pourquoi j'avais été sauvée. Depuis ce jour-là, ma vie lui appartenait. Je l'ai sentie me quitter pour se donner à elle, d'un seul élan ! Pourtant elle avait déjà commencé à en démêler les fils. Je la vois maintenant qui les enroule autour de ses doigts fuselés, à l'ombre de la nuit de Millbank ; je la sens toujours, son œuvre patiente de dénouement. Après tout, c'est un travail lent et délicat que de perdre la vie ! cela ne se fait pas en un instant.

Avec le temps, les mains resteront immobiles. Nous pourrons attendre cet instant, elle et moi.

Je suis allée la retrouver, à Millbank. Qu'aurais-je dû faire d'autre ? Elle avait dit qu'elle viendrait, avant le jour — elle n'est pas venue. Que pouvais-je faire d'autre, sinon me rendre auprès d'elle ? Je portais toujours ma robe de la veille, ne m'étant pas déshabillée. Je n'ai pas sonné Vigers — je n'aurais pas supporté son regard. Peut-être ai-je hésité sur le pas de la porte, face à ce jour si blanc et si vaste, mais j'ai eu assez de bon sens pour héler un fiacre et donner l'adresse au cocher. Je pense que je n'éprouvais aucune inquiétude pour mon compte. Sans doute ma nuit blanche m'avait-elle laissée étourdie.

Il me semble même avoir entendu une voix, sur le chemin. Une voix immonde, qui me soufflait à l'oreille : « Mais oui, c'est bien ainsi ! Cela vaut mieux ! Même pour les quatre ans à venir, c'est plus *convenable.* Ne dis pas que tu croyais vraiment à la possibilité d'une autre issue ! Tu y as cru ? Vraiment ? *Toi ?* »

Cette voix ne m'était pas inconnue. Peut-être qu'elle était là depuis le départ, mais c'est moi qui n'ai pas voulu l'entendre. À présent j'en écoutais le susurrement sans broncher. Ses propos ne m'importaient guère. Mes pensées étaient toutes à Selina. Je l'imaginais pâle, brisée, vaincue — peut-être malade.

Que pouvais-je faire, sinon aller la retrouver ? Elle savait bien sûr que je viendrais, elle m'attendait.

La tempête de la nuit avait fait place à un calme plat. Lorsque le fiacre me déposa à la porte de Millbank il était encore très tôt. Je trouvai les tours de la prison étêtées par le brouillard, les murs zébrés de blanc, là où des saillies avaient donné prise à la neige. Dans le pavillon d'entrée, on était en train de ratisser les cendres de l'âtre pour refaire du feu. Face au regard du concierge qui vint ouvrir, je pris enfin conscience de ma mauvaise mine. Je n'y avais pas pensé jusque-là. « Ma foi, mademoiselle, je ne m'attendais pas à vous revoir de sitôt ! » s'exclama-t-il d'abord, ajoutant avec un hochement de tête, après réflexion, que j'avais sans doute reçu un mot — n'est-ce pas ? — de la prison des femmes. « On nous en fera voir pour cette affaire-là, mademoiselle Prior. C'est moi qui vous le dis. »

Je ne répondis pas. J'ignorais totalement à quoi il faisait allusion, et j'étais trop distraite pour hasarder une conjecture. Traversant les premiers pentagones, je trouvai la prison changée — mais, après tout, je m'y attendais. Je pensais en être moi-même responsable, l'énervement des gardiens un simple reflet de celui qui me tenaillait. L'un d'eux exigea un laissez-passer. Il affirmait ne pouvoir m'ouvrir que sur présentation d'un document visé par M. Shillitoe. Jamais au cours de toutes mes visites aucun préposé n'avait rien demandé de la sorte. Face à l'homme, je me sentais gagnée par une sorte de panique hébétée. Je me disais : Ça y est, déjà, on a décidé de m'empêcher de la voir...

Un autre accourut alors en criant : « C'est une dame patronnesse, grand benêt ! Vous pouvez bien la laisser passer, elle ! » Ils firent le salut militaire et déverrouillèrent la grille dont ils avaient la garde. Les échos d'un colloque murmuré me parvinrent encore après qu'ils l'eurent refermée derrière moi.

À la prison des femmes, l'histoire se répéta. Je fus accueillie à l'entrée par Mlle Craven qui me regarda, comme le concierge avant elle, avec une insistance étrange et, comme lui, s'exclama : « On vous a donc envoyé chercher ! Hé ben ! Qu'est-ce que vous en dites ? Vous vous attendiez pas à nous revenir aussi vite, je parie, et pour l'occasion ! »

Incapable de parler, j'esquissai un geste négatif, et elle m'escorta vivement à travers les quartiers du rez-de-chaussée. Là aussi, je fus frappée par une qualité insolite du silence et de l'immobilité, un je-ne-sais-quoi d'inhabituel dans l'attitude des détenues. Je commençais à avoir peur. Peur, non pas des paroles de la surveillante, auxquelles je n'avais rien compris, mais du choc que cela me ferait de revoir Selina dans sa cage de brique et de fer.

Je cherchai l'appui du mur pour ne pas tituber. Je n'avais rien mangé depuis trente-six heures. J'avais veillé, j'avais déliré, je m'étais penchée à la fenêtre pour verser des pleurs dans la nuit glaciale, j'étais restée figée devant un feu éteint. Lorsque Mlle Craven parla à nouveau, je dus faire un effort pour entendre.

Elle demandait : « Vous venez voir la cellule, hein ?

— La cellule ?

— C'est ça. » Elle hocha la tête en signe d'assentiment. Je ne l'avais pas remarqué jusque-là, mais elle avait le visage en feu, le débit presque haletant.

Je dis : « Je viens, mademoiselle, rendre visite à Selina Dawes » — et sa main se referma comme un étau sur mon bras. Elle tombait de la lune.

Oh ! Est-ce que vraiment je n'étais pas au courant ?

Dawes était partie.

« Évadée ! Disparu sans laisser de traces ! On a touché à rien, pas à une seule serrure, dans toute la prison ! Les surveillantes en croient pas leurs yeux. Les détenues disent que c'est le diable qui l'a emportée.

— *Évadée? Non!* dis-je. C'est impossible!

— C'est bien ce que Mlle Haxby disait ce matin. Ce qu'on disait tous! »

Elle continua dans la même veine, mais je me détournai, tremblante, transie de peur... Dieu vivant! elle était malgré tout allée me chercher à Cheyne Walk, mais elle allait s'égarer, comme je n'étais plus là pour la guider. Il fallait rentrer à la maison, vite! Vite, que je rentre!

Je me remémorai les paroles de Mlle Craven : *C'est ce que Mlle Haxby disait ce matin...*

Ce fut alors au tour de *ma* main de s'agripper au bras de la gardienne. Je lui demandai à quelle heure on avait découvert l'absence de Selina.

À six heures du matin — telle fut la réponse —, en entrant dans les cellules pour sonner le réveil.

« *À six heures?* Mais quand est-elle partie? »

On ne savait pas au juste. Mlle Cadman avait entendu du bruit dans la cellule aux alentours de minuit, mais en allant voir, elle avait trouvé Dawes au lit, endormie. C'était Mme Jelf qui, à six heures, avait ouvert la porte sur un hamac vide. Tout ce qu'on savait donc, c'est que l'évasion avait eu lieu pendant la nuit...

Pendant la nuit. Pourtant, j'avais veillé d'un bout à l'autre de cette nuit en comptant les heures, j'avais veillé en mangeant ses cheveux de baisers et en caressant son collier de velours, la sentant enfin proche pour au bout du compte la perdre.

Où les esprits l'avaient-ils portée, sinon chez moi?

Je regardai la surveillante. Je dis : « Je ne sais pas quoi faire. Je ne sais pas, mademoiselle Craven. Qu'est-ce qu'il faut que je fasse ? »

Elle cligna des yeux. Elle serait, dit-elle, bien embarrassée de me le dire. Est-ce que je désirais monter, voir la cellule ? Mlle Haxby était là-haut, si elle ne s'abusait, en compagnie de M. Shillitoe... Je restai muette. Elle reprit mon bras — « allez, mademoiselle, vous tremblez ! » — et me conduisit en haut par l'escalier de la tour. Pourtant je la retins à l'entrée des deux quartiers qui se partageaient le second étage, esquissant un mouvement de recul. La rangée de cellules me paraissait changée, plus silencieuse encore qu'à l'ordinaire, comme les autres devant lesquelles nous étions passées. Les détenues se tenaient toutes à leur grille, la tête collée aux barreaux — sans murmures ni agitation, figées simplement dans une immobilité vigilante, sans personne pour les renvoyer à leur ouvrage. Lorsque j'apparus au bras de Mlle Craven, les yeux se portèrent de mon côté ; l'une des femmes — Mary Ann Cook, je crois bien — fit un geste de salut. Pour ma part, je ne regardai personne en avançant enfin, à pas lents et chancelants, sous la conduite de Mlle Craven, jusqu'à la voûte qui marquait l'angle des deux corridors — jusqu'à la cellule de Selina.

Les deux portes étaient déverrouillées, grandes ouvertes. Mlle Haxby et M. Shillitoe se tenaient sur le seuil, tournés vers l'intérieur. Ils avaient l'un et l'autre le visage si grave et si pâle que je crus un instant que Mlle Craven m'avait mal renseignée. J'aurais juré que Selina était bien là, malgré tout. Que, désespérée par son échec, elle s'était pendue avec les cordes de son hamac, et que j'arrivais trop tard.

Mlle Haxby se retourna alors et, m'apercevant, resta d'abord le souffle coupé. Je parlai la première, et sans doute offrais-je si bien l'image du malheur qu'elle retint sa colère. Était-ce vrai ? demandai-je. Devais-je croire la nouvelle que je tenais de Mlle Craven ? Sans répondre, elle s'écarta pour me révéler la cellule de Selina — vide, avec le hamac toujours en place, la literie sans le moindre désordre, le sol fraîchement balayé, le gobelet et la gamelle rangés sur l'étagère.

Je poussai un cri, je pense, et M. Shillitoe s'approcha pour me soutenir. « Il ne faut pas rester là, dit-il. Cette affaire a été un choc pour vous — pour nous tous, d'ailleurs. » Il lança un regard du côté de Mlle Haxby, puis me tapota le dos, comme s'il avait voulu me féliciter pour mon trouble et mon étonnement. Je bafouillai : « Selina Dawes, monsieur. Selina Dawes ! » Il répondit : « Que ceci vous serve de leçon, mademoiselle Prior ! Vous aviez conçu de grands espoirs pour elle, et voyez comme elle vous a trompée. Je pense que Mlle Haxby avait bien raison de nous mettre en garde. Mais enfin ! Qui l'aurait crue rusée à ce point ? S'évader de Millbank — comme si toutes nos serrures étaient de beurre ! »

Je regardai la grille, la porte massive, les barreaux à la fenêtre. Je demandai : « Et personne, personne dans toute la prison ne l'a vue partir ? Personne ne l'a entendue ? Personne n'a remarqué son absence pendant la nuit ? »

Il échangea encore un regard avec Mlle Haxby qui répondit, à voix très basse : « Quelqu'un l'aura vue — nous en sommes certains. Son complice l'aura vue, forcément. » Elle dit qu'une cape et une paire de chaussons à semelles de caoutchouc avaient disparu du magasin. Il y avait donc lieu de croire que Dawes avait quitté la prison déguisée en surveillante.

Et moi qui la voyais tendue, étirée, telle une flèche. Moi qui croyais qu'elle viendrait nue, meurtrie et tremblante. Je répétai : « Déguisée ? En surveillante ? » Là-dessus, Mlle Haxby trahit enfin son humeur. Qu'est-ce que je m'imaginais donc ? Elle aurait bien voulu le savoir. À moins que je ne pense, comme les autres détenues, que c'était le diable qui l'avait emportée à califourchon sur son dos ?!

Elle se désintéressa alors de moi pour reprendre son conciliabule avec M. Shillitoe. Je ne pouvais arracher mes regards de la cellule vide. Je ne me sentais plus simplement abasourdie, mais tout à fait malade. Enfin, le cœur au bord des lèvres, je dis : « Il faut que je rentre, monsieur Shillitoe. Tout cela m'a bouleversée, plus que je ne saurais exprimer. »

Il me prit la main et fit signe à Mlle Craven d'approcher pour me raccompagner. En me remettant à mon guide, il demanda : « Dawes ne vous a-t-elle rien dit, mademoiselle Prior ? Rien qui aurait indiqué qu'elle projetait ce crime ? »

J'ouvris de grands yeux, puis secouai la tête de droite à gauche — dénégation qui fit redoubler mes nausées. Mlle Haxby m'observait attentivement. M. Shillitoe poursuivit : « Nous en reparlerons une autre fois, quand vous serez plus calme. Il se peut encore que Dawes soit reprise, nous l'espérons tous ! Mais, qu'elle le soit ou non, il y aura bien évidemment une enquête — voire plusieurs. Il se peut que notre commission de discipline veuille entendre votre témoignage sur sa conduite... » Est-ce que je croyais pouvoir affronter cela ? Est-ce que je voulais bien réfléchir à loisir, chercher dans mes souvenirs le moindre indice de ses intentions, n'importe quel détail qui pourrait aider à identifier les personnes qui l'avaient assistée ou hébergée ?

Je le lui promis sans faute, avec à peine une pensée pour moi-même. Si j'avais peur, c'était toujours pour elle seule, non pas — pas encore — pour moi.

Appuyée au bras de Mlle Craven, je repassai devant les yeux curieux de toutes les détenues du corridor. Agnes Nash, la voisine de cellule de Selina, m'adressa un signe de tête au passage. Je me détournai aussitôt et demandai : « Où est Mme Jelf ? » La surveillante me dit que Mme Jelf avait eu un tel choc qu'elle en était tombée malade et que le médecin de la prison l'avait renvoyée chez elle. — Mais j'étais moi-même trop mal en point pour entendre vraiment ce qu'elle me racontait.

Vint alors un nouveau supplice. Dans l'escalier, sur le palier donnant accès aux deux quartiers du premier — là même où, naguère, j'avais guetté les pas de Mme Pretty pour courir à la porte de la cellule de Selina et sentir mon âme me quitter pour elle — je croisai Mlle Ridley. Elle sursauta à ma vue, mais l'instant d'après elle s'exclamait avec un grand sourire :

« Tenez ! Quel heureux hasard vous amène chez nous, mademoiselle Prior, justement aujourd'hui ! Ne me dites pas que Dawes est allée frapper à votre porte et que vous nous l'avez ramenée ? » Elle croisa les bras et se carra au beau milieu du passage. Le mouvement fit entre-choquer toutes les clefs de son trousseau, et j'entendais aussi grincer ses brodequins de cuir. À mon côté, Mlle Craven ralentit le pas.

Je suppliai : « Laissez-moi passer, mademoiselle Ridley, s'il vous plaît. » Je craignais toujours de me trouver mal, de me mettre à pleurer ou de devenir hystérique. Je croyais toujours que, pourvu que j'arrive à regagner ma chambre à la maison, Selina serait sauvée des limbes, conduite auprès de moi, et tout irait pour le mieux. Oui, j'y croyais toujours !

Se rendant compte de mon état, Mlle Ridley se serra un peu sur sa droite — si peu que je ne pus passer qu'en rasant le mur. Je sentis mes jupes frôler les siennes. Le mouvement rapprocha aussi nos visages, et je la vis plisser les yeux.

« Allez, fit-elle tout bas, elle est chez vous, oui ou non ? Votre devoir vous commande de nous la livrer, vous ne pouvez pas l'ignorer. »

J'avais voulu me détourner. À présent, son aspect, sa voix — râpeuse, comme le verrou qu'on pousse —, tout m'incita au contraire à lui tenir tête. « La livrer ? fis-je. À vous, ici ? Plût à Dieu qu'elle fût chez moi ! Que j'eusse l'occasion de vous la refuser ! La livrer ? Le jour où j'accepterais de livrer un agneau au couteau du boucher ! »

Ses traits demeuraient impassibles. Elle répliqua du tac au tac : « Les agneaux sont faits pour être mangés, et les méchantes filles pour être châtiées. »

Je secouai la tête. Non, non et non ! Elle était un démon incarné ! Comme je plaignais les pauvres créatures qu'elle tenait là sous clef, les surveillantes censées suivre son exemple. « C'est *vous* qui êtes méchante. Vous et cet endroit... »

Pendant que je parlais, sa physionomie s'anima enfin et les paupières lourdes, sans cils, frémirent au-dessus des prunelles incolores. « Je suis donc méchante, moi ? fit-elle pendant que je ravalais ma salive et reprenais haleine. Vous plaignez les femmes confiées à ma garde ? Cela vous plaît à dire, maintenant que Dawes est partie. Vous n'aviez pas d'objections à nos clefs — ni à nos surveillantes, je pense — tant qu'elles la gardaient pour vous, bien soumise, toujours là quand vous aviez envie de lui faire les yeux doux ! »

Les mots étaient comme un pinçon, comme une gifle. Je tressaillis, fis un pas en arrière en m'appuyant au mur. Mlle Craven avait assisté à la scène sans bouger, le visage fermé comme une porte de prison. Plus loin, je voyais aussi Mme Pretty qui, débouchant à l'angle du corridor, avait suspendu sa ronde pour nous observer. Mlle Ridley s'approcha tout près, leva une main pour lisser sa lèvre exsangue, et parla encore. Elle ignorait ce que j'avais pu raconter à Mlle Haxby et au directeur. Peut-être s'estimaient-ils tenus d'y donner créance, compte tenu de mon rang — elle ne pouvait pas le savoir. Ce qu'elle savait en revanche, c'est que, s'ils en étaient dupes, ils étaient bien les seuls. Que Dawes s'évade comme ça, maintenant, alors que j'étais aux petits soins pour elle, ce n'était pas un hasard — il y avait là anguille sous roche ! Et s'il s'avérait que j'y avais trempé, si peu que ce fût... Elle conclut en échangeant un regard éloquent avec ses deux subordonnées : « Eh bien, nous avons parmi nos pensionnaires des dames *des meilleures familles.* N'est-ce pas, madame Pretty ? Ah, oui ! Nous savons nous y prendre, ici à Millbank, avec nos pensionnaires femmes du monde ! »

Elle dit cela, en me soufflant à la figure son haleine brûlante — brûlante et fétide, puant le ragoût de mouton. J'entendis Mme Pretty rire à l'autre bout du couloir.

Je pris la fuite. Je me précipitai au bas de l'escalier tournant, courus à travers les deux quartiers du rez-de-chaussée, les pentagones des hommes. J'étais persuadée que, si je m'attardais un instant de plus, elles ne me laisseraient plus repartir. Elles trouveraient moyen de me garder là, elles me feraient porter le costume de Selina ; et pendant tout ce temps Selina elle-même serait dehors — égarée, aveuglée, tâtonnante, loin de se douter que j'avais bien malgré moi pris sa place.

Je m'enfuis, poursuivie par le souvenir de la voix de Mlle Ridley et la sensation de son haleine, chaude comme celle d'une meute. Je m'enfuis, pour ne m'arrêter qu'une fois la dernière grille franchie ; je me laissai tomber alors contre le mur et levai une main gantée pour essuyer l'amertume qui me remplissait la bouche.

Ensuite, le concierge et ses acolytes furent incapables de me trouver un fiacre. Il était tombé encore de la neige sur les chaussées, et les voitures ne passaient plus ; on me dit d'attendre, que les balayeurs allaient dégager la voie. Mais il me semblait qu'ils voulaient seulement me retenir, pour condamner Selina plus longtemps à l'errance. Sans doute Mlle Haxby ou Mlle Ridley avait-elle fait porter un mot à la loge. Je refusai d'attendre, j'exigeai de sortir de suite, à cor et à cri — et manifestement je réussis à faire peur aux hommes, plus encore que Mlle Ridley, car ils obtempérèrent. En reprenant ma course, je les vis qui m'observaient depuis le pavillon d'entrée. Je courus au quai et suivis le parapet, restant collé à ce repère balayé par le vent. Je regardais le fleuve, plus rapide que moi ; j'aurais voulu prendre un bateau, fuir par la voie des eaux.

En effet, j'avais beau me hâter, je n'avançais guère : la neige alourdissait mes jupes et je me lassai vite de lutter pour garder l'équilibre. Arrivée à Pimlico Pier, je fis halte et jetai un regard en arrière, comprimant des deux mains la douleur lancinante d'un point de côté. Je marchai ensuite sans m'arrêter jusqu'au pont Albert.

Là, je ne regardai plus derrière moi, mais en avant, vers les maisons de Cheyne Walk. Je cherchais la fenêtre de ma chambre qu'on voit bien depuis le quai, à travers les branches des arbres dénudés.

Je regardais, dans l'espoir d'y voir Selina. Mais non, il n'y avait personne à la fenêtre, rien que la croix blanche du châssis. Mon regard glissa sur la façade blême de la maison, jusqu'aux marches du perron bordé de sa haie vive, blanche de neige.

Sur les marches — hésitant sur les marches, comme sur le point ou de monter ou de fuir — je découvris une silhouette noire, solitaire...

Une femme, drapée dans une cape comme en portent les gardiennes de Millbank.

À cette vue, je repris ma course. Je courus en trébuchant dans les ornières gelées de la chaussée. Je courus en haletant, les poumons saisis d'un froid si vif que je les sentais glacés, que j'étouffais presque. Je courus, jusqu'au pied du perron... La femme à la cape sombre était toujours là, elle avait fini par monter les marches et s'apprêtait à frapper... Elle venait de m'entendre, elle se retournait. Elle avait rabattu le capuchon sur son visage. Lorsque je fis un pas vers elle, je la vis tressaillir. Je poussai un cri — « *Selina !* » — et le tremblement redoubla. Enfin le capuchon tomba. Elle dit : « Ah ! Mademoiselle Prior ! »

Ce n'était pas Selina. Non, pas du tout. C'était Mme Jelf, de Millbank.

Mme Jelf. Après le choc et la déception du premier instant, il me vint à l'idée qu'elle était envoyée par la prison, pour m'y ramener. Lorsqu'elle approcha, je la repoussai donc, je lui tournai le dos, titubai, fis mine de fuir à nouveau. Pourtant, mes jupes étaient à présent plus lourdes que jamais ; mes poumons aussi chaviraient sous le poids de la glace aspirée. — D'ailleurs, où aller ? Comme elle avançait toujours, comme elle me mettait la main dessus, je me retournai et m'accrochai à elle, elle me serra dans ses bras et je pleurai. Je sanglotai là, debout, sur son épaule. Peu m'importait qui elle était. Elle aurait pu être une infirmière ou ma propre mère, j'aurais agi de même.

« Vous êtes venue à cause d'*elle* », dis-je finalement. Elle hocha la tête : oui. Je la regardai alors en face. Son visage me renvoyait l'image du mien — le teint cireux, les yeux rougis par les larmes ou par une veille prolongée. Selina lui était bien sûr indifférente, mais manifestement cela ne l'empêchait pas d'être affectée par sa disparition, en je ne savais quel sens terrible qu'elle était seule à comprendre, et elle venait chercher aide et réconfort auprès de moi.

En cet instant, elle était ce qui pouvait me rapprocher le plus de Selina absente. Je promenai à nouveau mes regards sur les fenêtres désertes de la maison, puis lui abandonnai mon bras. Elle me soutint jusqu'à la porte, et je lui remis ma clef pour ouvrir — mes doigts n'étaient plus en état de s'en servir. Nous entrâmes comme une paire de voleurs, sans faire de bruit, et Vigers ne se montra pas. À l'intérieur, la maison demeurait captive du sortilège de ma nuit d'attente, glacée et silencieuse.

Je fis entrer ma visiteuse dans le cabinet de papa et fermai la porte derrière nous. Elle semblait mal à l'aise. Lorsqu'elle consentit au bout d'un moment à défaire sa cape, sa main tremblait, et je vis qu'elle portait toujours son uniforme. La jupe était fripée, et elle était nu-tête, décoiffée ; ses cheveux — poivre et sel — lui pendaient sur les oreilles. J'allumai une lampe, mais je n'osais pas sonner Vigers pour faire du feu. Nous gardâmes donc nos gants et nos manteaux, frissonnant par moments.

Elle commença : « Qu'allez-vous penser de moi qui viens vous relancer chez vous ? Si je ne connaissais pas déjà toute votre bonté... Oh ! » Elle prit sa tête dans ses mains et se balança doucement sur son siège. Le cri qui suivit fut étouffé par ses gants. « Oh ! Mademoiselle Prior ! Vous ne pouvez pas savoir ce que j'ai fait ! Vous ne pouvez pas savoir, vous ne pouvez pas... »

Elle sanglotait à présent dans ses mains jointes comme j'avais moi-même pleuré sur son épaule. À la longue je ne pus sans effroi être témoin de ce chagrin incompréhensible. Je la pressai de questions. Qu'y avait-il ? Qu'avait-elle fait ? Je l'exhortai : « Quoi que ce soit, vous pouvez me le dire.

— Je pourrais, sans doute, répondit-elle déjà un peu plus calme. Il *faudra* sans doute que je vous le dise ! Et oh ! qu'importe, *maintenant*, ce qu'il adviendra de moi ? » Elle leva sur moi ses yeux rougis et reprit : « Vous êtes allée à Millbank ? Vous savez qu'elle est partie ? Vous a-t-on dit comment elle s'y est prise ? »

À cette question, pour la première fois, j'éprouvai de la défiance à son égard. *Elle savait peut-être.* L'idée me traversa l'esprit. Peut-être était-elle au courant de tout : les esprits, les billets de train, nos projets. Elle venait demander de l'argent, me narguer ou me faire chanter. Je répondis : « Les autres détenues mettent cela sur le compte du diable... » Elle tressaillit, et je poursuivis : « Mais Mlle Haxby et M. Shillitoe pensent plutôt qu'il y aurait eu vol d'une paire de chaussons et d'une cape de surveillante. »

Je secouai la tête, incrédule. Elle porta les doigts à sa bouche, rentra les lèvres et les mâchonna en me fixant toujours de ses yeux noirs. « Ils pensent, dis-je, qu'elle a pu bénéficier d'une complicité à l'intérieur de la prison. Cette idée ! Pourquoi quelqu'un l'aurait-il aidée ? Allez, madame Jelf ! Il n'y a personne là-bas qui l'aime, personne, nulle part ! Il n'y a jamais eu que moi pour avoir une bonne pensée pour elle. Que moi, madame Jelf, et... »

Elle me regardait toujours, les yeux dans les yeux, en se mordillant les lèvres. Enfin elle battit des paupières et murmura entre ses doigts :

« Que vous, mademoiselle Prior... Et moi. »

Le mot lâché, elle se détourna et se cacha les yeux. Je m'exclamai : « *Mon Dieu !* » Elle haussa la voix, elle aussi : « Je vois, vous me jugez mal, malgré tout ! Ah ! Pourtant elle avait promis, promis... »

Six heures auparavant, je m'étais penchée au-dehors pour lancer un appel dans la nuit glacée, et il me semblait que je ne m'étais plus réchauffée depuis. À présent cependant, le froid qui me saisit était un froid de marbre... J'étais froide et raide, avec un cœur qui battait à se rompre dans ma poitrine. Je murmurai : « Qu'est-ce qu'elle vous avait promis ?

— Que vous seriez contente ! Que vous devineriez tout, mais ne diriez rien ! Je croyais que vous vous en doutiez tout de bon. Parfois, quand vous veniez à la prison, vous m'avez regardée comme si vous saviez...

— Ce sont les esprits qui l'ont enlevée, dis-je. Ses amis esprits... »

Mais les mots me parurent soudain romanesques, impossibles. Je pensai m'étrangler en les sortant. Et Mme Jelf y répondit par un gémissement. Oh ! si seulement ç'avait pu être les esprits ! « Mais c'est moi, mademoiselle Prior ! C'est moi qui ai volé la cape pour elle, et les chaussons à semelles de caoutchouc, moi qui les ai cachés ! C'est moi qui l'ai accompagnée à travers toute la prison et qui ai dit aux gardiens que c'était Mlle Godfrey que je ramenais, Mlle Godfrey qui s'était emmitouflée parce qu'elle avait mal à la gorge ! »

Je dis : « Vous l'avez accompagnée ? » — Elle fit oui de la tête : À neuf heures. Elle avait eu une telle peur qu'elle avait cru qu'elle tomberait en syncope ou se mettrait à hurler.

À neuf heures ? Mais la surveillante de nuit, Mlle Cadman, avait entendu des bruits — à minuit. Et elle y était allée voir, elle avait trouvé Selina endormie...

Mme Jelf baissa la tête. « Mlle Cadman n'a rien vu, dit-elle, mais elle s'est bien gardée de mettre le pied dans le corridor, tant que nous n'en avions pas fini, et ensuite elle a inventé une histoire. Je lui ai donné de l'argent, mademoiselle Prior, je l'ai induite en tentation. Et maintenant, si on découvre la vérité, c'est elle qui ira en prison. Et, mon Dieu, tout sera de ma faute ! »

Elle gémit, versa encore quelques larmes et reprit son balancement en s'étreignant des deux bras. Je la regardais, m'efforçant de comprendre ce qu'elle venait de me dire, mais ses paroles étaient comme un objet brûlant et tranchant tout ensemble — je n'arrivais pas à les saisir, je ne faisais que les tourner et retourner dans une panique éperdue, qui allait croissant. Il n'y avait pas eu d'entremise spirite — il n'y avait eu que les gardiennes. Il n'y avait eu que Mme Jelf, de la subornation sordide et du vol. Mon cœur battait toujours, tandis que je restais comme du marbre, pétrifiée, abasourdie.

Je finis néanmoins par demander *pourquoi.* « Pourquoi avez-vous fait tout cela — pour *elle*? »

Elle me regarda d'un air soudain rasséréné. « Ne savez-vous donc pas ? fit-elle. *Vous* surtout, ne devinez-vous pas ? » Elle aspira profondément, et un frisson la secoua. « Elle faisait venir mon fils, mademoiselle Prior ! Elle me transmettait des messages de mon petit enfant qui est au ciel ! Des messages et des cadeaux — comme pour vous, de la part de votre père ! »

Je restai muette. Ses larmes avaient séché et sa voix n'était plus cassée, mais presque allègre. « À Millbank on me croit veuve », dit-elle, et comme je restais immobile et ne pipais pas — seul mon cœur battait la chamade, s'affolait un peu plus à chaque mot — elle prit la fixité de mon regard pour un encouragement et poursuivit son récit. Elle me dit tout.

« À Millbank on me croit veuve ; et je vous ai dit une fois que j'avais servi comme domestique. Tout cela est faux, mademoiselle. J'ai bien été mariée autrefois, mais mon mari n'est pas mort — du moins pas autant que je sache, puisqu'il y a des années que je ne l'ai pas vu. J'étais toute jeunette quand je l'ai épousé, et je m'en suis mordu les doigts, car peu de temps après j'ai trouvé un autre homme — un monsieur ! — qui avait l'air de m'aimer mieux. J'avais eu deux filles avec mon mari, et j'en prenais bien soin ; quand j'ai appris que j'étais grosse d'un troisième enfant — j'ai honte de le dire, mademoiselle — il était du monsieur... »

Le monsieur l'avait quittée, et son mari l'avait rossée et jetée dehors en gardant les deux fillettes. Elle avait eu alors de mauvaises pensées à l'endroit de son fils à naître. À Millbank elle n'avait jamais été dure avec les pauvres filles condamnées pour avoir tué leurs bébés. Dieu sait, un peu plus et elle aurait fait comme elles!

Elle respira en tremblant de tout son corps. Je gardai le silence, sans la quitter du regard.

Elle reprit son récit : « C'était un moment bien dur pour moi, et je suis tombée bien bas. Mais quand l'enfant est arrivé, je l'ai aimé! Il est venu avant terme, et il était chétif. Si je lui avais fait le moindre mal, j'en suis sûre, il n'y aurait pas survécu. Mais il a vécu; et j'ai travaillé — rien que pour lui! — je ne me souciais pas de moi-même. Je trimais jour et nuit, dans des endroits horribles, le tout pour l'amour de lui. Et alors... » Sa voix s'étrangla. Alors, quand son fils avait eu quatre ans, il était mort malgré tout. Elle n'avait plus eu de goût à rien... « Allez, mademoiselle Prior, je n'ai pas besoin de vous dire ce que ressent celui qui perd ce qu'il a de plus cher au monde. » Elle avait continué à travailler un peu, dans des conditions pires qu'avant. Elle aurait été prête à travailler chez le grand diable en personne, elle ne se serait pas plainte...

Sur ces entrefaites une jeune femme de ses amies lui avait parlé de Millbank. Les gages y sont élevés, comme c'est un travail dont personne ne veut. Quant à elle, avec le manger, une chambre pour elle et un bon feu, elle ne demandait pas mieux. Au début, elle trouvait que toutes les détenues se ressemblaient — « même *elle*, mademoiselle, figurez-vous ! Puis, un jour, il y avait un mois que j'étais là, un jour elle m'a fait une petite caresse et elle a dit : "Pourquoi êtes-vous si triste ? Ne savez-vous pas qu'il vous regarde et qu'il pleure en cachette en vous voyant vous lamenter, alors que vous pourriez être heureuse ?" Elle m'a fait une de ces peurs ! Je n'avais jamais entendu parler du spiritisme. Je ne savais pas alors les dons qu'elle avait... »

À présent c'était moi qui tremblais. Mme Jelf le remarqua et dit en penchant la tête sur l'épaule : « Personne ne le sait *comme nous*, n'est-ce pas, mademoiselle ? Chaque fois que je la voyais, elle avait un nouveau message de lui. Il venait la nuit dans sa cellule — c'est un grand garçon maintenant, il va sur ses huit ans ! Comme j'aurais voulu le voir, rien qu'un instant ! Elle était si bonne pour moi ! Je l'ai tant aimée et tant aidée — j'ai fait des choses, peut-être, que je n'aurais pas dû — inutile que je vous explique — le tout pour l'amour de mon petit... Et après, quand vous êtes arrivée — oh ! comme j'ai été jalouse ! Je ne supportais pas de vous voir avec elle ! Pourtant, elle se disait assez puissante pour continuer à recevoir les chers messages de mon petit garçon tout en vous transmettant les propres paroles de votre père, mademoiselle.

— C'est *elle* qui vous a dit cela ? demandai-je, médusée.

— Elle m'a dit que c'était pour lui, pour avoir de ses nouvelles, que vous veniez si souvent. Et c'est un fait, après que vos visites ont commencé, mon enfant s'est manifesté mieux que jamais ! Il m'envoyait des baisers, par sa bouche à elle. Il m'a envoyé... Oh ! mademoiselle Prior, ç'a été le plus beau jour de ma vie ! Il m'a envoyé ceci, à garder toujours sur moi. » Elle leva la main au col de sa robe, et je vis son doigt dégager une chaînette d'or.

Mon cœur bondit alors si brutalement que mes membres de pierre éclatèrent, et toutes mes forces, ma vie, ma passion, mes espérances — tout s'enfuit, et je me retrouvai sans rien. Jusque-là j'avais écouté en me disant : *Ce sont des mensonges, elle est folle, tout cela est absurde — Selina m'en donnera l'explication lorsqu'elle sera là !* À présent elle tenait le médaillon dans sa main, elle l'ouvrait tout grand. Je vis des larmes fraîches perler sur ses cils, tandis que son regard reflétait à nouveau la joie.

« Vous voyez, les anges ont coupé ceci sur sa petite tête, là-haut au paradis ! » dit-elle en me montrant la mèche des cheveux blonds de Helen.

Je regardai et pleurai. Elle crut sans doute que je pleurais son enfant mort. Elle dit : « Quand je pensais, mademoiselle Prior, qu'il était venu là, dans sa cellule ! Qu'il lui avait donné sa menotte et déposé un baiser sur sa joue, pour qu'elle me le transmette... Oh ! ça me donnait envie de le serrer dans mes bras, tellement envie que ça me rongeait le cœur ! » Elle referma le médaillon, le rendit à sa cachette et le caressa à travers le tissu. Pendant toutes mes visites à la prison il avait été là, sur son sein...

Enfin, un jour, Selina lui avait dit que son souhait pourrait être exaucé. Mais ce ne serait pas possible sur place, à Millbank. Mme Jelf devrait d'abord l'aider à recouvrer la liberté ; ensuite elle lui ferait voir son fils. Elle le ferait venir, elle l'avait juré, dans son logement.

Mme Jelf n'aurait qu'à ouvrir l'œil et attendre, une seule nuit. Selina viendrait avant le jour.

« Il ne faut pas croire que je l'aurais aidée, mademoiselle, pas pour une autre raison que celle-là ! Mais que voulez-vous ? Si je ne faisais pas ce qu'elle me demandait... Eh bien, elle disait qu'il y a beaucoup de femmes, là où il se trouve, voire des grandes dames qui ne demanderaient pas mieux que d'adopter un petit orphelin. Elle me disait cela, mademoiselle, et elle pleurait. Elle a si bon cœur — trop pour être enfermée à Millbank ! Vous l'avez dit vous-même, n'est-ce pas, à Mlle Ridley ? Oh ! Mlle Ridley ! Elle me terrorisait ! Si elle m'avait prise sur le fait, en train de recevoir les baisers de mon petit chéri ! Si elle avait vu comme j'étais *gentille* avec les prisonnières, elle ne m'aurait pas laissée là. »

Je dis : « C'est donc pour vous que Selina tenait à rester, plutôt que d'être transférée à Fulham. C'est pour vous qu'elle a frappé Mlle Brewer — pour vous qu'elle a enduré le cachot. »

Elle inclina à nouveau la tête avec une modestie minaudière. Ce n'était pas à elle de juger. Tout ce qu'elle savait, c'est qu'elle avait été malade à l'idée de la perdre. Malade pour de vrai, puis reconnaissante — oh ! tellement honteuse et navrée et reconnaissante ! — quand la pauvre Mlle Brewer avait été blessée...

« Mais maintenant... » Elle leva sur moi le regard naïf de ses yeux noirs... « Comme ce sera pénible maintenant de devoir passer devant sa cellule et d'y voir une autre ! »

Je tombais des nues. Comment ? Comment pouvait-elle parler ainsi ? Comment pouvait-elle y penser seulement, elle qui venait d'auprès de Selina ?

« D'auprès d'elle ? » Mme Jelf répondit avec un geste de dénégation. Qu'est-ce que je m'imaginais ? Et elle donc, qu'est-ce qu'elle faisait là? « Je ne l'ai pas vue! Elle n'est jamais venue! J'ai veillé toute la nuit à l'attendre, et elle n'est pas venue! »

Pourtant, elles avaient quitté la prison ensemble! Non — encore le même geste — elles s'étaient séparées devant le pavillon d'entrée, et Selina était partie seule. « Elle disait qu'elle avait des choses à chercher, des choses qui l'aideraient à faire venir mon fils. Elle disait que je n'avais qu'à attendre, qu'elle me l'amènerait; alors j'ai veillé et j'ai guetté et à force d'attendre j'ai fini par me dire pour sûr qu'on l'avait reprise. Qu'est-ce que je pouvais faire, sinon retourner à Millbank, pour la revoir? Mais on ne l'a pas reprise, et je ne sais pas ce qu'elle est devenue, elle ne m'a pas fait signe, rien. Et j'ai tellement peur, mademoiselle — tellement peur pour elle, et pour moi, et pour mon cher petit! Je crois bien que je vais mourir de peur, mademoiselle Prior! »

Je m'étais levée. Debout à côté du bureau de papa, je m'y appuyai en détournant la tête pour ne plus la voir. Il y avait des choses étranges dans ce qu'elle venait de me conter. Selina, disait-elle, serait restée à Millbank pour s'évader avec sa complicité. Selina que j'avais pourtant sentie près de moi, dans le noir, et à d'autres moments aussi; Selina qui savait des choses dont je ne parlais jamais, sinon dans les pages de ce cahier. Mme Jelf aurait reçu d'elle des baisers — mais moi, elle m'avait envoyé des fleurs. Elle m'avait fait tenir son tour de cou. Elle m'avait fait tenir *ses cheveux*. Nous n'étions qu'une, une par l'esprit et une par la chair — j'étais son *duel*. Nous étions taillées dans un même morceau de matière éthérée, elle ma moitié éternelle et moi la sienne. Je parlai :

« Elle vous a menti, madame Jelf. Elle nous a menti à toutes les deux. Mais je pense qu'elle nous en donnera l'explication, quand nous l'aurons retrouvée. Il y a certainement là une raison qui nous échappe. N'avez-vous pas une idée où elle a pu aller ? N'y a-t-il pas quelqu'un qui pourrait l'héberger ? »

Elle fit oui de la tête. C'était bien pour cela qu'elle était venue.

« Et moi qui ne sais rien ! me lamentai-je. Je sais encore moins que vous, madame Jelf ! »

J'avais parlé plus fort que je ne pensais dans le silence, rehaussé encore par l'hésitation manifeste de mon interlocutrice. Elle dit enfin, en me regardant en coin d'une drôle de façon : « Vous, mademoiselle, vous ne savez rien. Mais je ne voulais pas vous déranger. En fait, je venais voir l'autre dame. »

L'autre ? Je me retournai, lui fis face et protestai : Elle ne voulait tout de même pas dire *ma mère* ?

Mais non, elle secoua la tête, avec un regard de plus en plus étrange. Je n'aurais pas été plus effrayée si les mots qui sortirent alors de sa bouche avaient été des crapauds ou des cailloux.

Elle dit qu'elle ne pensait pas du tout me voir. Elle voulait parler à la femme de chambre de Selina, Ruth Vigers.

Je restai muette. J'entendais le tic-tac discret de la pendule sur la cheminée — la pendule de papa, d'après laquelle il réglait toujours sa montre. Cela mis à part, il n'y avait pas un bruit dans toute la maison.

Vigers, dis-je alors. *Ma domestique*, dis-je. *Vigers, ma domestique, aurait été la femme de chambre de Selina !?*

« Bien sûr, mademoiselle. » L'instant d'après, voyant l'effet de ses paroles, elle reprenait : Comment avais-je pu l'ignorer ? Et elle qui pensait que c'était pour l'amour de Selina que je gardais Mlle Vigers près de moi...

« Vigers nous est tombée du ciel, dis-je. Vraiment, tombée du ciel. » Avais-je un instant pensé à Selina Dawes, le jour où ma mère avait engagé les services de Ruth Vigers ? En quoi est-ce que cela pouvait être utile à Selina, que *Vigers* se soit placée chez moi ?

Mme Jelf dit qu'elle y avait vu un acte de bonté de ma part ; une façon peut-être aussi de penser à Selina, en me faisant servir par son ancienne femme de chambre. En tout état de cause, Selina profitait bien des lettres qu'elle échangeait avec Mlle Vigers pour me faire envoyer des petites choses...

« Des lettres », répétai-je. Sans doute est-ce alors que je commençai à deviner toute la monstruosité de la chose... Il y avait donc eu un échange de lettres ? Entre *Selina* et *Vigers* ?

La réponse vint sans hésitation : Mais oui, des lettres, il y en avait toujours eu ! Bien avant ma première visite à la prison. Selina ne voulait pas que Mlle Vigers vienne à Millbank, et... Enfin, Mme Jelf pouvait comprendre qu'une dame préfère ne pas se montrer à sa servante dans un cadre comme celui-là. « C'était si peu de chose à faire pour elle, de faire passer les lettres, après sa bonté pour mon petit. Les autres surveillantes font passer des colis, de la part des amis des détenues — mais ne dites pas que je vous en ai parlé ; si vous leur posez la question, elles nieront ! » À l'en croire, *les autres* faisaient cela pour de l'argent. Elle, il lui suffisait de savoir que les lettres rendaient Selina heureuse. Et puis « elles ne contenaient rien de mal » — rien qu'un mot gentil et, parfois, des fleurs. Elle avait vu Selina pleurer, bien souvent, à la vue de ces fleurs. Elle avait dû regarder ailleurs, ou elle aurait eu les larmes aux yeux, elle aussi.

Quel mal est-ce que cela pouvait faire à Selina ? Quel mal, que Mme Jelf ait transmis aussi ses réponses ? Quel mal est-ce que cela pouvait faire à *quiconque*, qu'elle lui ait fourni du papier ? qu'elle lui ait apporté de l'encre et une chandelle pour y voir ? La surveillante de nuit ne se plaignait pas — Mme Jelf lui donnait un shilling pour fermer les yeux. Et la chandelle se consumait avant l'aube. Il suffisait de faire attention aux coulées de paraffine...

« Alors, quand j'ai su qu'elle mettait aussi des messages pour vous dans ses lettres, mademoiselle ; quand elle m'a dit l'envie qu'elle avait de vous envoyer un gage d'amitié, un petit quelque chose, de son carton... Eh bien, dit-elle en rougissant. Ce n'était pas un vol, n'est-ce pas ? De prendre ce qui est à elle de toute manière ?

— Ses cheveux, murmurai-je.

— Ils sont à elle ! protesta la surveillante. Qui voulez-vous qui s'aperçoive qu'ils n'y sont plus ? »

Les cheveux avaient donc quitté la prison emballés dans du papier gris, et Vigers les avait reçus ici. C'était elle qui les avait placés sur mon oreiller... « Et pendant tout ce temps Selina disait que c'étaient les esprits qui me les avaient apportés... »

Mme Jelf entendit mon murmure, pencha la tête et se rembrunit. « Les esprits, qu'elle a dit ? Voyons, mademoiselle Prior, pourquoi est-ce qu'elle irait dire une chose pareille ? »

Je ne répondis pas. J'avais recommencé à trembler. À peine consciente de ce que je faisais, j'allai de la table à la cheminée. Sans doute Mme Jelf quitta-t-elle son siège en même temps car, courbant les épaules pour laisser reposer mon front sur la tablette de marbre, je sentis sa main sur mon bras. Je demandai : « Savez-vous ce que vous avez fait ? Vous rendez-vous compte, vous rendez-vous compte ? Elles nous ont dupées toutes les deux, et vous y avez prêté la main ! Vous, avec votre *bonté* ! »

Dupées ? fit-elle. Mais non, je ne comprenais pas...

Au contraire, je comprenais tout, enfin... Je le croyais du moins, sur le moment, mais ce n'était pas encore tout, même alors, et je ne comprenais pas tout à fait. N'importe. Ce que je savais me paraissait bien assez pour me tuer. Je restai un instant sans bouger, puis soulevai la tête et la laissai retomber.

En même temps que mon front heurtait la pierre, je sentis à mon cou le ruban de velours qui tirait ; je fis un bond en arrière, levai les deux mains et tentai de l'arracher. Mme Jelf me regardait en étouffant un cri. Je lui tournai le dos et poursuivis ma lutte, mais j'avais beau enfoncer mes ongles court coupés dans le velours, il ne voulait pas se déchirer... Non, rien à faire ! J'avais au contraire l'impression que le tour de cou se resserrait. Je finis par promener mes regards à l'entour, à la recherche d'un objet tranchant ; je crois que j'aurais été capable de m'emparer de Mme Jelf elle-même, de serrer sa bouche contre ma gorge et de la contraindre à déchiqueter le velours à belles dents — mais, avant d'en venir là, j'aperçus le couteau à cigares, je m'en saisis et appliquai la lame au ruban.

Mme Jelf hurla alors tout de bon : j'allais me blesser, voyons ! j'allais me couper la gorge ! Elle poussa un grand cri — et la lame glissa. Je sentis du sang sur mes doigts, étonnamment chaud, vu la froideur de la chair dont il avait jailli. Au même instant, le tour de cou finit par lâcher. Je le jetai à terre et le contemplai, serpenteau frémissant sur le tapis.

Je laissai tomber le couteau de papa et m'immobilisai, le corps agité de soubresauts, la hanche battant la breloque contre le plateau de son bureau, faisant entre-choquer ses porte-plume et ses crayons. Mme Jelf s'approcha timidement et me prit les deux mains, puis fit de son mouchoir une compresse qu'elle appliqua à ma gorge en sang tout en tentant de me raisonner.

« Vous êtes souffrante, mademoiselle Prior. Laissez-moi aller chercher Mlle Vigers. Mlle Vigers vous calmera. Elle nous calmera toutes les deux ! Allez, faites venir Mlle Vigers, qu'elle vous dise tout... »

Elle parlait toujours — *Mlle Vigers, Mlle Vigers* — toujours ce nom, comme une scie que je sentais mordre dans mes chairs. Je repensais à la chevelure de Selina, déposée sur mon oreiller. Je repensais au médaillon, dérobé dans ma chambre, à la faveur de mon sommeil.

Les petits objets sur le bureau sautillaient sous mes coups de reins involontaires. Je demandai : « Pourquoi, madame Jelf ? Pourquoi toute cette *mise en scène* ? »

Je pensais aux fleurs d'oranger ; au tour de cou que j'avais découvert entre les pages de ce cahier.

Je pensais à ce cahier, auquel j'avais confié tous mes secrets — ma passion, mon amour, les détails de notre fuite...

D'un coup, la danse des porte-plume cessa. Ma main vint se plaquer sur ma bouche. Je m'écriai : « *Non !* Oh, madame Jelf ! Non, pas ça ! »

Elle avança à nouveau le bras pour me retenir, mais je lui échappai. Je quittai la pièce en titubant, me précipitai dans le vestibule sombre et silencieux. J'appelai : « *Vigers !* » — cri terrible, cassé, qui résonna à travers la maison vide pour s'éteindre enfin dans un silence plus atroce encore. J'allai me pendre à la sonnette, tirai jusqu'à ce que le cordon me restât dans la main. J'allai à la porte de l'escalier de service et lançai un appel au sous-sol — aucune lumière n'y brillait. Revenant sur mes pas, je vis Mme Jelf qui me suivait craintivement des yeux, ses doigts crispés sur le mouchoir taché de mon sang. Je me lançai dans l'escalier, montai d'abord au salon, passai ensuite à la chambre de ma mère, à celle de Pris — sans cesser d'appeler *Vigers ! Vigers !*

Mais il n'y eut pas de réponse, pas le moindre bruit hormis mon propre souffle haletant, mes pas lourds et mal assurés dans l'escalier.

J'arrivai enfin à la porte de ma propre chambre, entrebâillée. Dans sa hâte, elle ne s'était pas donné la peine de refermer.

Elle avait tout pris, à l'exception des livres qu'elle avait ôtés de leurs cartons et entassés n'importe comment sur le sol. À la place, elle avait emporté des articles choisis dans ma garde-robe — robes et manteaux, chapeaux et bottines, gants et broches, de quoi la déguiser en femme du monde — des vêtements qu'elle avait eus plus d'une fois entre les mains depuis qu'elle travaillait chez nous, qu'elle avait nettoyés, repassés et rangés, soignés et tenus prêts. Elle en a donc pris ce qu'elle a voulu — avec, bien sûr, tout ce que j'avais acheté pour Selina. Elle a aussi l'argent et les billets de train et les passeports établis aux noms de *Margaret Prior* et de *Marian Erle*.

Elle a même la tresse, ces cheveux que j'avais repeignés, pour faire un chignon à Selina et dissimuler les ravages des ciseaux de Millbank. Elle ne m'a laissé que ce cahier, pour écrire. Elle l'a laissé propre et bien rangé, la couverture fraîchement époussetée — c'est ainsi qu'une domestique bien stylée laisse le livre de cuisine dont elle extrait une recette.

Vigers. Je redis le nom — je crachai le nom qui était comme un poison dans mon corps, je le sentais qui se répandait dans mes veines, qui gangrenait toutes mes chairs. *Vigers.* Qu'était-elle, pour moi ? Je ne me souvenais même pas de ses traits, ni de son aspect, de son maintien. Je n'aurais pas su dire, je ne sais pas maintenant de quelle couleur sont ses cheveux ou ses yeux, à quoi ressemble la courbe de sa bouche — je sais qu'elle n'est pas belle, qu'elle l'est moins encore que moi. Pourtant je suis obligée de me dire : *Elle m'a enlevé Selina.* Obligée de me dire : *Selina pleurait de désir, du désir d'elle.*

Je suis obligée de me dire : *Selina m'a ôté la vie, afin de s'offrir une vie avec* Vigers !

Je le sais maintenant. Sur le moment je ne voulais pas le savoir. Je pensais simplement que j'avais été victime d'une escroquerie, qu'elle avait sur Selina une emprise que je ne comprenais pas, mais qui ne lui avait pas laissé le choix. — Je pensais toujours : *Selina m'aime.* En quittant ma chambre, je ne redescendis donc pas au rez-de-chaussée, où Mme Jelf m'attendait ; j'allai à l'escalier étroit qui monte aux mansardes où couchent les domestiques. Je ne me souviens plus de la dernière fois où j'étais montée là-haut, avant aujourd'hui — il y a bien longtemps, sans doute. Je crois qu'une bonne m'y surprit, tout enfant, en train de l'épier, et me pinça si fort que je pleurai ; depuis, j'ai toujours eu peur de l'escalier. Je racontais à Pris qu'il y avait un méchant lutin qui vivait sous les combles et que, quand les domestiques montaient là-haut, ce n'était pas pour dormir, mais pour lui servir.

Gravissant à présent les marches grinçantes, je me sentais redevenue peureuse comme une petite fille. Je me demandais : *Et si elle est là, ou bien si elle arrive et me trouve dans sa chambre ?*

Bien sûr, elle n'y était pas. Sa chambre était froide et parfaitement vide. Telle fut du moins ma première impression : la chambre la plus vide qu'on eût pu s'imaginer, une chambre qui ne contenait *rien*, comme les cellules à Millbank, où le rien devient une substance, un grain, une odeur. Ses murs étaient sans couleur, le plancher nu à l'exception d'une carpette minuscule, usée jusqu'à la corde. Il y avait une cuvette et un vieux broc en fer-blanc sur l'étagère, un tas désordonné de draps jaunis sur le lit.

La seule chose qu'elle avait laissée, c'était une cantine comme en possèdent les domestiques — celle avec laquelle elle était arrivée chez nous et qui portait ses initiales, *R.V.*, grossièrement gravées avec la pointe d'un clou.

Voyant ces deux lettres, je me l'imaginai en train de les marteler de même dans la tendre chair rouge du cœur de Selina.

Mais si jamais elle a fait cela, c'est Selina elle-même qui a dû écarter les os de sa poitrine pour la laisser faire. Qui a dû empoigner ses propres côtes et les entr'ouvrir en pleurant, tout doucement — de même que je soulevai de mon côté le couvercle de la malle et pleurai sur ce que j'y trouvai.

Une robe brune, couleur de boue, amenée là de Millbank, et la tenue noire à tablier blanc d'une domestique de bonne maison. Les deux vêtements reposaient là, emmêlés comme un couple d'amants endormis. Lorsque je tentai de dégager le costume pénal, il s'accrocha à l'étoffe noire de l'autre robe et se refusa à ma main.

Était-ce une cruauté délibérée qui les avait disposés ainsi ou rien de plus que la hâte ? Le sens demeurait le même, et il était assez clair. Il n'y avait pas eu d'imposture de la part de Vigers — il n'y avait eu qu'un triomphe sournois, atroce. Elle avait tenu Selina là, au-dessus de ma tête. Elle l'avait fait passer devant ma porte pour monter ces marches de bois nues — pendant que je veillais avec ma pauvre chandelle voilée. Tout au long de mes interminables heures d'attente, elles avaient été là, couchées dans les bras l'une de l'autre, se parlant à l'oreille — ou se taisant ensemble. En m'entendant me lever pour faire les cent pas, me lamenter, lancer des cris à ma fenêtre, elles aussi avaient gémi et crié, pour me narguer — ou peut-être avaient-elles été entraînées par la violence de ma passion, au point d'en subir la contagion.

Mais non, c'était *leur* passion, depuis le départ. Dans la cellule de Selina, chaque fois que j'avais senti ma chair ardente répondre à l'appel de la sienne, ç'avait été comme si Vigers assistait à la scène depuis la grille, fixant sur elle les regards de Selina qui ne me voyait même pas. Tout ce que j'avais écrit dans le noir, elle l'avait tiré au jour ; elle avait mis les mêmes mots dans ses lettres à Selina, et les mots étaient devenus les siens. Pendant tout le temps que, me tournant et me retournant sur ma couche, dans ma stupeur droguée, j'avais cru sentir l'approche de Selina, ç'avait été *Vigers* qui était là, *son* ombre qui me tirait l'œil, *son* cœur qui battait au rythme de celui de Selina, laissant le mien à sa propre cadence défaillante, inégale, solitaire.

Ayant compris tout cela, j'allai au lit où elles avaient reposé, je rabattis les draps pour y chercher des taches révélatrices. J'inspectai ensuite la cuvette. Elle contenait un fond d'eau trouble que je filtrai entre mes doigts, encore et encore, jusqu'à y découvrir des poils : l'un, brun, puis un autre, semblable à de l'or filé. Je jetai la cuvette par terre où elle vola en éclats, éclaboussant les lames du plancher. J'empoignai le broc pour le casser de même, mais comme il était en métal, je ne pouvais que le cogner contre le mur jusqu'à ce qu'il plie. Je m'en pris alors au matelas et à la literie, je déchirai les draps. La toile lacérée... Comment dire ? La lacération agissait sur moi comme un stupéfiant. Je déchirai, déchirai à me faire mal aux mains. Les draps une fois réduits en charpie, j'en portai les coutures à ma bouche et poursuivis mon œuvre de destruction à coups de dents. J'arrachai la carpette au sol. Je rouvris la malle, y pris les deux robes et m'acharnai dessus — je crois que j'aurais mis de même ma propre robe en pièces, que j'aurais été jusqu'à m'arracher les cheveux, si je n'avais fini, hors d'haleine, par aller à la fenêtre où, collant ma joue à la vitre, j'étreignis le châssis et m'abandonnai au frisson. Londres se déployait sous mes yeux, parfaitement blanc, paisible. Le ciel paraissait gros toujours des flocons qui n'avaient pas fini de tomber. Je voyais la Tamise et les arbres du parc de Battersea ; je distinguais même — à l'extrême gauche de mon champ de vision, trop loin pour que je les découvrisse de ma propre fenêtre à l'étage au-dessous — le sommet arrondi des tours de Millbank.

Je voyais sur le trottoir de Cheyne Walk, sa tunique très sombre, l'agent de police qui faisait sa ronde.

En l'apercevant, je n'eus qu'une seule idée — soufflée par la voix de ma mère. *On m'a volée*, pensai-je. *Ma propre domestique m'a volée !* Je n'aurais qu'à la dénoncer à l'agent, il la ferait arrêter — *il ferait intercepter son train ! Je les ferais remettre à Millbank toutes les deux ! Je les ferais séparer, à chacune sa cellule, et Selina serait de nouveau à moi !*

Je quittai la mansarde et redescendis au rez-de-chaussée. Mme Jelf, tout en larmes, faisait les cent pas dans le vestibule. Je la repoussai, ouvris la porte, me précipitai au-dehors et courus derrière l'agent en l'appelant. Je ne reconnaissais pas moi-même le couinement ténu et tremblé qui sortait de mon gosier, mais il fit retourner l'homme qui accourut, mon nom sur ses lèvres. Je m'accrochai à son bras. Je vis ses yeux aller de ma coiffure échevelée à ma figure renversée pour se fixer enfin — détail auquel je ne pensais plus — sur ma gorge tailladée qui avait recommencé à saigner.

Je dis qu'on m'avait volée. Des voleurs s'étaient introduits sous mon propre toit. Ils se trouvaient à présent à bord du train de France, en partance de la gare de Waterloo. Ils, ou plutôt elles, car il s'agissait d'un couple de femmes, vêtues de robes qu'elles avaient dérobées chez moi !

L'homme se fit l'écho de mes paroles tout en me dévisageant d'un air bizarre. Un couple de femmes ? — « C'est ça, deux femmes, et l'une d'elles est domestique chez moi. Elle est rusée à faire peur, et elle a cruellement abusé de ma confiance ! Et l'autre... L'autre... »

L'autre vient de s'évader de la prison de Millbank ! Voilà ce que je m'apprêtais à dire, mais je me tus à temps, avalai une goulée d'air glacée et plaquai une main sur ma bouche.

Et s'il me demandait comment je le savais ?

Comment se faisait-il qu'elle eût trouvé chez moi des habits de ville qui l'attendaient ?

Comment se faisait-il qu'elle eût trouvé de l'argent, et des billets de train ?

Comment se faisait-il qu'elle eût trouvé un passeport, établi à un nom d'emprunt... ?

Le policier attendait. Je dis enfin : « Non, je ne sais pas. Je ne sais plus. »

Il regarda autour de lui. Il avait pris son sifflet à sa ceinture, mais à présent il le laissa retomber au bout de sa chaîne et dit en me saluant d'une inclination de tête : « Vous êtes troublée, mademoiselle. Vous n'auriez pas dû sortir dans cet état. Laissez-moi vous raccompagner chez vous, vous me raconterez votre histoire devant un bon feu. Tenez, vous vous êtes blessée au cou. La plaie vous cuira si vous l'exposez ainsi au froid. »

Il fit mine de me prendre le bras. Je reculai. « Non, dis-je, ne venez pas, il ne faut pas... » Je m'étais trompée — il n'y avait jamais eu de vol chez nous, rien le moins du monde anormal. Je le laissai là et revins sur mes pas. Il me suivit en murmurant mon nom, le bras tendu pour me happer — sans jamais réussir tout à fait à me mettre la main dessus. Lorsque j'attrapai la grille et la lui claquai au nez, il hésita ; j'en profitai pour me précipiter dans la maison, refermer la porte et pousser le verrou. Je m'adossai enfin au battant, ma joue au contact du bois.

L'homme vint encore tirer le cordon de la sonnette, j'en entendis le bruit en bas, dans les ténèbres de la cuisine. Je vis ensuite son visage, teint en rouge vif par le verre de l'imposte à côté de la porte : il leva les deux mains en visière, sonda l'obscurité, redit mon nom, puis tenta d'appeler nos gens. Au bout d'une minute de ce manège, il s'éloigna ; j'attendis une minute encore, le dos à la porte, puis, marchant sur la pointe des pieds, je me glissai dans le cabinet de papa et hasardai un regard à travers le rideau de tulle. L'agent était toujours là, à la grille. Il avait sorti un calepin de sa poche et il était en train d'écrire. Une ligne, puis je le vis consulter sa montre et promener ses yeux sur la façade éteinte. Un dernier coup d'œil à l'entour et il s'en fut à pas lents.

Alors seulement, j'eus une pensée pour Mme Jelf. Je ne la voyais nulle part, mais lorsque, toujours attentive à ne pas faire de bruit, je descendis à la cuisine, je trouvai la porte déverrouillée. Je présume donc qu'elle est partie par là. Manifestement, elle m'a vue courir après l'agent et lui prendre le bras en gesticulant en direction de la maison. La pauvre ! J'imagine qu'elle passera la nuit dans les affres, tremblant d'entendre le pas du policier à sa porte — après cette première nuit de veille, vouée, pour elle comme pour moi, au deuil d'une chimère.

18 juillet 1873

Scène épouvantable à la séance ce soir ! Nous n'étions que 7, à savoir moi, Mme Brink, Mlle Noakes & 4 inconnus, une dame avec sa fille, une petite rousse, & puis 2 messieurs, mais ceux-là, je pense qu'ils sont venus pour rire. Je les ai vus qui regardaient dans tous les coins, & je crois qu'ils cherchaient une trappe ou bien des roulettes aux pieds de la table. Je me suis dit alors qu'ils étaient peut-être peloteurs, que c'était du moins une idée qui pourrait leur venir. Quand ils ont remis leurs manteaux à Ruth, ils ont dit : allez, la belle, gardez bien nos affaires, que les Esprits ne les emportent pas pendant la séance & il y aura une demi-couronne pour vous. Quand ils m'ont vue, moi, ils ont éclaté de rire, ils m'ont fait de grands saluts, & l'un des 2 m'a pris la main & il a dit : vous allez nous croire rudement mal élevés, Mlle Dawes. On nous avait bien dit que vous étiez un beau brin de fille, mais j'étais sûr qu'on allait trouver une vieille rombière. Les médiums femmes ne répondent que trop souvent à ce signalement, c'est, je pense, un fait avéré. J'ai dit : je ne vois que des yeux de l'Esprit, Monsieur, & lui alors : hé bien, vous perdez quelque chose chaque fois que vous vous regardez dans une glace. Il faudra nous laisser vous admirer d'autant plus des yeux de la chair, pour compenser. Lui, c'était un vrai gringalet, avec une petite barbiche ridicule & des bras de femme. Quand nous avons pris place autour de la table, il s'est mis à côté de moi, & quand j'ai dit à tout le monde de faire la chaîne pour prier, il a demandé : il faut vraiment que je tienne la main à Stanley ? Je ne pourrais pas plutôt vous prendre les 2 ? La dame venue avec sa fille avait l'air révoltée, & Mme Brink a dit : notre réunion me semble bien peu harmonieuse ce soir, Mlle Dawes. Peut-être feriez-vous mieux d'annuler la séance. Mais j'aurais été bien embêtée d'annuler pour ça.

Le monsieur m'a serrée de près pendant que nous attendions, & à un moment il a dit : ma foi, nous voilà comme un couple d'Esprits familiers. Il a fini par ôter vraiment l'autre main à son ami pour la poser sur mon bras nu. J'ai dit aussitôt : le cercle a été rompu ! & il a répliqué : hé bien, ce n'est pas Stanley & moi qui l'avons rompu. Je la sens en ce moment même, la main à Stanley, accrochée à ma bannière. Quand je suis entrée dans le cabinet, il a quitté son siège pour m'assister mais Mlle Noakes l'a devancé : c'est moi qui assisterai Mlle Dawes ce soir. Elle m'a mis le tour de cou & elle y a attaché la cordelette, & quand il a vu ça, l'ami du monsieur, celui qui s'appelait Stanley, a dit : Seigneur ! est-ce vraiment indispensable ? Êtes-vous obligées de la trousser comme un poulet ? Mlle Noakes a répondu : c'est à cause de ceux qui vous ressemblent que nous faisons cela. Croyez-vous que ça nous fasse plaisir ?

Quand Peter Quick est venu me toucher de sa main, personne n'a pipé. Mais lorsqu'il s'est montré devant le rideau, l'un des messieurs s'est esclaffé : il est en chemise, il a oublié de s'habiller ce matin ! Alors, quand Peter a demandé s'il y avait des questions pour les Esprits, ils ont dit que oui, ils en avaient une : les Esprits ne voulaient-ils pas leur faire savoir où il y aurait un trésor caché à ramasser ?

Alors Peter s'est fâché. Il a dit : je crois que vous n'êtes venus là que pour vous moquer de mon médium. Croyez-vous qu'elle me fasse passer la Frontière rien que pour vous amuser ? Croyez-vous que je me donne du mal pour être en butte aux moqueries de 2 petits filous de votre espèce ? Le premier monsieur a dit alors : je ne sais pas, moi, ce que tu viens faire là, & Peter a dit : je vous apporte la bonne nouvelle : le spiritisme est vrai ! Il a dit encore : je vous apporte aussi des cadeaux. Il s'est approché de Mlle Noakes & il a dit : voici une rose, Mlle Noakes, pour vous ; puis de Mme Brink : voici un fruit, Mme Brink, — c'était une poire. Il a fait ainsi le tour de la table jusqu'aux 2 messieurs, & alors il a attendu. M. Stanley a demandé : allez, as-tu une fleur ou un fruit pour moi ? & Peter a répondu : non, je n'ai rien pour toi, Monsieur, mais j'ai un cadeau pour ton ami & le voici !

Alors le monsieur a poussé un grand cri & j'ai entendu sa chaise grincer contre le parquet. Il a dit : zut alors, démon, qu'est-ce que c'est que ça ? En fait, c'était un crabe. Peter l'avait laissé tomber sur ses genoux & le monsieur a senti les pinces dans le noir & il a cru que c'était un monstre. C'était un grand crabe qui venait de la cuisine, il y en avait 2 là-bas dans des seaux d'eau de mer & il avait fallu mettre dessus des assiettes avec des poids de 3 livres pour les empêcher de s'échapper — ça, évidemment, je ne l'ai su que plus tard. Peter est repassé derrière le rideau pendant que le monsieur hurlait toujours dans le noir & M. Stanley s'est levé pour aller chercher de la lumière, & si je me suis doutée de ce que ça pouvait être, c'est que sa main, quand il me l'a mise sur la figure, avait une si drôle d'odeur. Quand on m'a fait sortir enfin, on avait renversé une chaise sur le crabe & sa carapace était cassée, on voyait la chair rose, mais les pinces remuaient encore, & le monsieur se frottait les taches d'eau de mer sur son pantalon. Il m'a dit : vous m'avez joué un joli tour ! mais Mme Brink a répondu du tac au tac : vous n'auriez pas dû venir. C'est vous qui avez rendu Peter insolent, en attirant ici des influences de bas étage.

Mais quand les 2 messieurs sont partis, nous avons ri. Mlle Noakes a dit : oh ! Mlle Dawes, comme Peter est jaloux de vous ! Je crois bien qu'il serait capable de tuer un homme pour l'amour de vous ! Alors, pendant que je prenais un verre de vin, l'autre dame est venue & elle m'a prise à part. Elle a dit qu'elle était désolée que les messieurs aient été tellement désagréables. Elle a dit qu'elle avait vu d'autres jeunes femmes médiums qui auraient laissé des hommes comme ça faire d'elles des coquettes, & qu'elle était contente que je ne leur ressemble pas. Alors elle a dit : je me demande, Mlle Dawes, si vous ne voudriez pas vous occuper de ma chère petite. J'ai dit : qu'est-ce qu'elle a ? & elle a répondu : elle n'arrête pas de pleurer. Elle a 15 ans, & je crois bien qu'il n'y a pas eu un jour où elle n'a pas pleuré depuis qu'elle en a eu 12. Je lui dis toujours qu'elle va s'user les yeux à force de pleurer. J'ai dit qu'il faudrait que je l'examine, & elle : Madeleine, viens là.

Quand la fille est venue, je lui ai pris la main en demandant : qu'avez-vous pensé de Peter ce soir ? Elle a dit qu'elle le trouvait merveilleux. Il lui a donné une figue. Elle n'est pas de Londres mais de Boston, en Amérique. Elle dit qu'elle a vu beaucoup de spirites là-bas, mais personne d'aussi habile que moi. Je l'ai trouvée très jeune. Sa mère a dit : pouvez-vous faire quelque chose pour elle ? J'ai dit que je ne savais pas. Mais pendant que je me posais la question, Ruth est venue me débarrasser de mon verre, & quand elle a vu l'enfant elle lui a caressé la tête en disant : tenez ! les beaux cheveux roux ! Peter Quick aura envie de les revoir ou je ne m'y connais pas.

Elle pense que ça ne fera pas un pli, si seulement on peut la séparer de sa mère. Elle s'appelle Madeleine Angela Rose Silvester. Elle doit revenir nous voir demain, à 2 h 1/2.

Je ne sais pas l'heure qu'il est. Les pendules sont toutes arrêtées, il n'y a personne pour les remonter. Mais à voir la ville plongée dans le calme, je pense qu'il doit être trois ou quatre heures du matin — heure vouée au silence, entre les courses des derniers fiacres et le défilé bringuebalant des charrettes qui approvisionnent les marchés. Dehors, il n'y a pas un souffle de vent, pas une goutte de pluie. Il y a des cristaux de givre sur la vitre, mais j'ai eu beau patienter — une heure et plus sans les quitter des yeux ! — leur croissance est trop lente, trop discrète pour que j'arrive à la voir.

Et Selina, où est-elle en cet instant ? Comment repose-t-elle ? Je lance mes pensées à travers la nuit, je tends la main vers le cordon de fluide occulte qui semblait autrefois, tendu, vibrant, l'unir à moi. Mais non, il fait trop noir, mes pensées défaillent, s'égarent, et le cordon...

Il n'y a jamais eu de cordon, jamais d'intervalle où nos esprits se touchaient. Il n'y avait que mon désir — et le sien, qui y ressemblait si fort que les deux paraissaient n'en faire qu'un. Il n'y a plus de désir en moi, maintenant ; plus de vie nouvelle qui palpite — elle a pris tout cela et ne m'a rien laissé. Un rien très calme, qui ne pèse pas, qui me donne seulement un peu de mal — la chair pleine de ce néant — pour garder ma plume au contact du papier. Voyez donc ma main ! — on dirait une main d'enfant.

Ceci est la dernière page que je remplirai. J'ai déjà brûlé tout le reste de mon cahier, j'ai fait moi-même un feu que j'ai nourri de ses pages, et cette feuille aussi, une fois couverte de lignes chancelantes, ira rejoindre les autres. Sensation étrange que d'écrire pour la cheminée ! Mais je ne peux pas ne pas écrire, tant que je respirerai encore. Il n'y a que ce que j'ai écrit *avant* que je ne supporte pas de relire. J'ai essayé, mais j'y voyais partout les marques du regard de Vigers, comme des taches blanches, gluantes.

J'ai pensé à elle aujourd'hui. J'ai évoqué le souvenir de son arrivée chez nous, le rire de Priscilla qui l'avait trouvée si laide et, encore avant, les pleurs de l'autre fille de chambre, Boyd, et ses histoires de revenants. Elle n'a jamais entendu chez nous les bruits dont elle se plaignait. Elle agissait à l'instigation de Vigers, sous la menace ou pour de l'argent...

J'ai pensé à Vigers, cette grande godiche de Vigers, répondant de son air niais à mes questions sur les fleurs d'oranger ; Vigers, veillant devant ma porte ouverte, m'entendant soupirer et pleurer et écrire dans ce cahier — sur le moment, je croyais n'avoir qu'à me louer de sa bonne volonté. Je pense à elle, m'apportant de l'eau et allumant ma lampe, montant des plateaux de la cuisine. On ne m'envoie plus rien de la cuisine, et mon feu maladroit fume et crachote et se meurt sous la cendre. Mon pot de chambre, sans personne pour le vider, corrompt l'air de la pièce.

Je pense à elle qui m'habillait, elle qui me coiffait. Je pense à ses gros bras de bonne à tout faire. Je sais maintenant à qui était la main moulée en paraffine pour la collection spirite. Lorsque j'évoque ses doigts, mon souvenir les voit boursouflés, jaunis aux articulations. Je la vois en esprit me toucher d'une phalange qui devient toute chaude, mollit et marque ma chair d'une tare.

Je pense à toutes les femmes qu'elle a souillées de l'attouchement de ses mains cireuses — à Selina, qui embrassait sans doute ses doigts dégoulinants — et je suis saisie d'horreur et d'envie et de chagrin, car je me sais seule, sans personne pour me toucher, sans personne pour me rechercher. J'ai vu l'agent de police s'arrêter à nouveau ce soir devant la maison. Il est venu sonner à la porte, il s'est attardé à scruter le vestibule désert — peut-être me croira-t-il partie rejoindre ma mère dans le Warwickshire. Mais peut-être que non, peut-être reviendra-t-il encore demain. Notre cuisinière sera alors de retour, et il la fera monter frapper à ma porte. Elle trouvera que je ne suis pas dans mon assiette. Elle enverra chercher le Dr Ashe et peut-être une voisine — Mme Wallace — qui décideront, eux, de rappeler ma mère. Et ensuite — quoi donc ? Ensuite les larmes ou la douleur muette, et ensuite les gouttes de laudanum ou bien à nouveau le chloral ou la morphine ou l'élixir parégorique, voilà une drogue que je n'ai pas encore essayée. Ensuite le divan, comme la première fois, six mois sans me lever et les visiteurs qui n'approcheront de ma porte que sur la pointe des pieds... Et ensuite, petit à petit, la routine de ma mère qui me réclamera à nouveau — les parties de cartes avec les Wallace, les heures qui se traînent, les invitations au baptême des enfants de Prissy. Et pendant ce temps l'enquête à Millbank suivra son cours; et maintenant que Selina n'est plus là, je n'aurai peut-être plus le courage de mentir pour elle, et pour moi...

Non.

J'ai remis mes livres en place sur les étagères. J'ai fermé la porte de ma garde-robe et les volets aux fenêtres. J'ai fait disparaître toute trace de désordre en haut. J'ai caché le broc et la cuvette cassée, brûlé dans ma propre cheminée le drap et la carpette et les robes déchirées. J'ai brûlé aussi la gravure de Crivelli et le plan de Millbank et la ramille d'oranger que je gardais dans ce cahier. J'ai brûlé le tour de cou et le mouchoir taché de sang que Mme Jelf avait laissé tomber à terre. Le couteau de papa a retrouvé sa place sur le bureau déjà recouvert d'une couche de poussière.

Je me demande quelle sera la servante qui viendra essuyer cette poussière. Je crois que je ne supporterais plus sans frémir de voir une domestique me faire la révérence.

Je me suis lavé la figure à l'eau froide. J'ai nettoyé ma blessure au cou. Je me suis coiffée. Il ne reste plus rien, je pense, plus rien à ranger ou à faire disparaître. Je ne laisse ici, ni nulle part, aucune chose qui ne soit à sa place.

Aucune, plus précisément, hormis ma lettre à Helen; mais la missive restera maintenant sur le plateau dans l'entrée de la maison de Garden Court. J'ai bien pensé aller demander à la bonne de me la restituer, mais cela m'a fait souvenir de Vigers et du soin avec lequel elle l'avait portée à la boîte — cela m'a fait penser aux autres lettres auxquelles elle avait fait prendre le même chemin et au courrier qu'elle avait reçu, aux soirées qu'elle a dû passer dans sa chambrette obscure, au-dessus de ma tête, à coucher sa passion sur le papier pendant que de mon côté j'épanchais la mienne.

Quels mots prêtait-elle à sa passion ? Je ne me les imagine pas. Je suis trop fatiguée.

Oh ! oui, je suis si terriblement fatiguée, à la longue ! Je pense que dans tout Londres il n'y a rien ni personne aussi las que moi — si ce n'est peut-être le fleuve qui continue à couler, sous le ciel glacé, dans son lit accoutumé, jusqu'à la mer. Comme l'eau ce soir a l'air profonde, noire, impénétrable ! Quelle douceur apparente à la surface ! Quel froid, sans doute, au fond !

Selina, tu seras bientôt en plein soleil. Finis pour toi les tours et détours — tu tiens le dernier fil de mon cœur. Lorsque le fil se relâchera, le sentiras-tu ? Je me le demande.

1er août 1873

Il est bien tard & la maison bien tranquille. Mme Brink est dans sa chambre, un nœud de ruban dans ses cheveux défaits. Elle m'attend. Qu'elle attende encore un peu.

Ruth est couchée sur mon lit, déchaussée. Elle fume une des cigarettes de Peter. Elle me demande : pourquoi est-ce que tu écris ? & je lui dis que c'est pour les yeux de mon Guide, comme tout ce que je fais. *Lui !* fait-elle, & maintenant elle rit, le rire secoue ses épaules & lui fait froncer ses gros sourcils noirs. Il ne faut pas que Mme Brink nous entende.

Maintenant elle se tait, les yeux au plafond. Je demande : à quoi tu penses ? Elle dit qu'elle pense à Madeleine Silvester. Elle est revenue nous voir 4 fois depuis 15 jours, mais elle est toujours bien timide & je pense qu'elle est quand même trop jeune pour être développée par Peter. Mais Ruth dit : laisse donc faire, qu'il lui mette une fois sa marque sur le corps & elle sera à nous pour toujours. & tu te rends compte comme elle est riche ?

Maintenant il me semble que j'entends Mme Brink, elle pleure. Dehors, la lune est très haute dans le ciel — c'est la nouvelle lune, qui tient la vieille dans ses bras. On n'a pas encore éteint au Crystal Palace & les lumières brillent de tout leur éclat sur le noir du ciel. Ruth a gardé le sourire. À quoi pense-t-elle maintenant? Elle dit qu'elle pense à l'argent de la petite Silvester & à tout ce que nous pourrions faire si nous en avions une part. Elle dit : tu ne croyais pas, j'espère, que je voulais te garder à Sydenham jusqu'à la fin des temps, alors qu'il y a tant d'endroits splendides au monde? Je pense comme tu seras belle, en France disons, ou en Italie. Je pense à toutes les dames là-bas qui te feront les yeux doux. Je pense à toutes les Anglaises chlorotiques qui y vont en s'imaginant que le soleil va leur rendre la santé.

Elle a éteint sa cigarette. Maintenant je vais aller retrouver Mme Brink.

N'oublie pas, dit Ruth, à qui tu es.

Remerciements

L'auteur tient à exprimer ici sa reconnaissance à Laura Gowing, Judith Murray, Sally Abbey, Sally O-J, Judith Skinner, Simeon Shoul, Kathy Watson, Leon Feinstein, Desa Philippi, Carol Swain, Judy Easter, Bernard Golfier, Joy Toperoff, Alan Melzak et Ceri Williams.

Des remerciements sont dus également à la commission des arts de la Ville de Londres qui, par une récompense décernée dans le cadre des New London Writers Awards, a contribué à rendre possible l'écriture de ce roman.

Remerciements

[illegible] remerciements [illegible] Laura [illegible] Judith
Murray, Sally [illegible], Sally O'[illegible], Judith Skinner, [illegible]
[illegible] Leong, [illegible], Tessa Phillips, Carol Swain, Judy [illegible]
[illegible] Collier, Jay [illegible], Alan [illegible] et [illegible] Williams.

Des remerciements particuliers vont à la Commission des Arts de la Ville de Toronto, qui [illegible] New London [illegible] pendant la [illegible] de ce roman.

Sarah Waters

Caresser le velours

Quand Nancy, jeune écaillère du Kent, rencontre Kitty, troublante chanteuse de music-hall, sa vie de provinciale se voit totalement bouleversée. Elle devient son amante et la suit à Londres, où elle va découvrir le demi-monde débauché et festif de la capitale, ses succès et ses déconvenues. Ressuscitant l'atmosphère des dernières années de l'Angleterre victorienne, *Caresser le velours*, premier roman de Sarah Waters, conjugue avec virtuosité l'héritage de Sapho et celui de Dickens.

n°3550 – 10 €

Sarah Waters

Du bout des doigts

Sue Trinder, une orpheline élevée dans les bas-fonds de Londres, se voit proposer d'escroquer une jeune héritière, Maud Lilly. Pour cela, elle doit devenir sa femme de chambre et tenter d'arranger un mariage d'argent. Mais sa jolie victime est loin d'être aussi innocente qu'elle veut bien le montrer... Entre les deux femmes va se nouer une relation ambiguë, entre désir, amour et complot. Un chef-d'œuvre de sensualité et d'intrigue qui nous dévoile une des faces cachées de l'Angleterre victorienne.

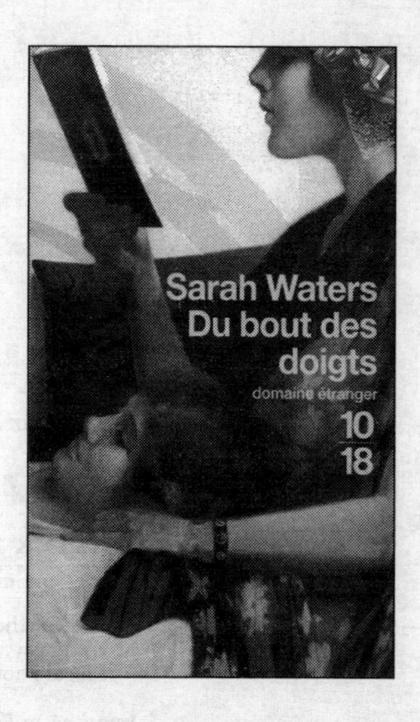

n° 3766 – 11 €

Impression réalisée sur Presse Offset par

BRODARD & TAUPIN

GROUPE CPI

La Flèche (Sarthe), 36844
N° d'édition : 3869
Dépôt légal : août 2006

Imprimé en France